TOURS DE FRANCE

travaux pratiques de civilisation

J.-C. Beacco
S. Lieutaud

Hachette

Tours de France comprend :

- un livre de l'élève
- une cassette pour la classe
- un guide pédagogique

Maquette et couverture : Amalric.
Photo couverture : Béziat/Rush.

Documents 1031, 9 : Ed. d'Art Jan ; **10** : Ed. Boisson.
Documents 3071 ; MATÉRIAUX 31401 à **31424, 31501** à **31524, 31805, 06, 08** à **12** : photos des auteurs, droits réservés.
Documents 31802 à **04** : Ed. Cellard.

ISBN 2.01.010999.6

Sommaire

Introduction

Tours de France vous donnera l'occasion d'aller de Marvejols à Dieulefit, de la rue des Orteaux (Paris) à Pointe-à-Pitre, de 1943 à nos jours. Mais ces voyages imaginaires n'ont rien de touristique et votre « tour de France » ne sera pas un simple parcours à étapes. A la manière de celui des apprentis ouvriers du XIXe siècle, ou de celui des deux petits Alsaciens, héros d'un manuel (*Le tour de France par deux enfants,* Belin. Première édition 1877, environ deux cent cinquante rééditions depuis) dans lequel plusieurs générations de jeunes Français ont appris, sur les bancs de l'école communale, à connaître leur langue et leur pays, il sera l'occasion d'apprendre, de découvrir, d'apprendre à découvrir. Au long de ces itinéraires, vous vous familiariserez avec les manières d'être et les manières de dire des Français (de certains Français bien sûr). De ce voyage initiatique, *Tours de France* sera le guide : vous y trouverez des informations mais surtout des incitations à observer et à comprendre. De manière que, au bout du chemin, la France que vous aurez découverte soit un peu la vôtre.

Certains textes longs, qui ont été reproduits dans leur intégralité, ne sont utilisés que partiellement. Les paragraphes exploités pédagogiquement sont alors sur fond blanc.

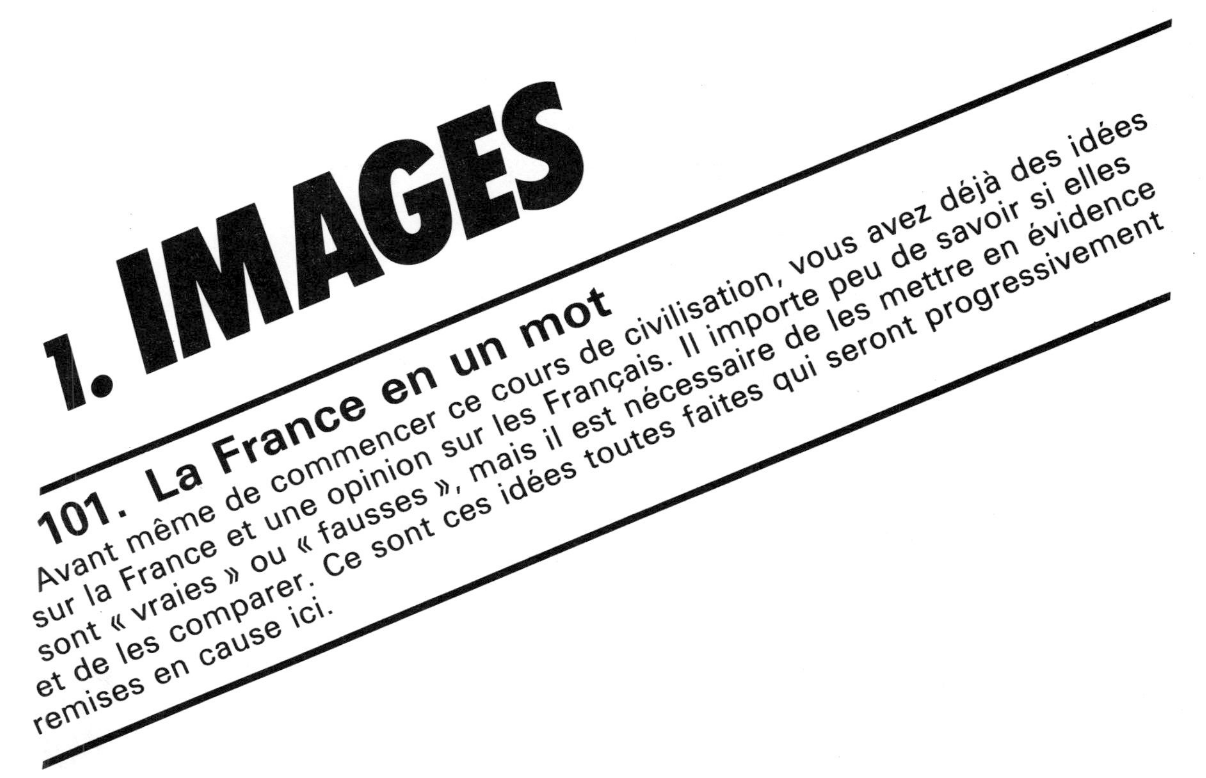

1. Inscrivez individuellement, sur deux colonnes, les cinq premiers mots (noms, adjectifs, adverbes) qui vous viennent à l'esprit quand on dit :

	La France (le pays)	Les Français (les gens)
1 2 etc.		

2. En sous-groupes, relevez, dans chacune des colonnes, les mots identiques ou synonymes qui reviennent. Qu'est-ce qui prédomine ? Pouvez-vous dire si l'impression générale est positive ou négative :
– pour la France,
– pour les Français,
et pourquoi.

3. Relisez maintenant les termes que vous avez spontanément écrits et essayez de dire pourquoi ils vous sont venus en premier à l'esprit (influence de l'école, du cinéma, de votre famille, de vos lectures, d'un voyage, etc.).

4. Quels sont les noms de cinq Français célèbres qui vous viennent d'abord à l'esprit ?

5. Essayez ensuite de dire :
a - pourquoi vous avez pensé à eux plus particulièrement,
b - quelle connaissance de la France ils prouvent que vous avez (historique, contemporaine, littéraire, sportive, touristique, etc.),
c - quelle est l'origine de cette connaissance (l'école, le cinéma, un voyage, etc.).

6. Lisez les propositions ci-dessous et encerclez la réponse qui correspond le mieux à vos opinions. Par exemple : « Victor Hugo est le plus grand écrivain français. »
Vous encerclerez 0, 1, 2, 3 ou 4 selon que vous pensez :

0 Je ne suis pas d'accord du tout.
1 Je ne suis pas tout à fait d'accord.
2 Je suis assez d'accord.
3 Je suis entièrement d'accord.
4 Je ne sais pas.

1.	La France est un pays moderne.	0	1	2	3	4
2.	Ce qui compte le plus en France, c'est la nourriture.	0	1	2	3	4
3.	Les Français aiment les étrangers.	0	1	2	3	4
4.	La France est surtout connue pour ses inventions et ses techniques.	0	1	2	3	4
5.	Les Français sont conservateurs.	0	1	2	3	4
6.	L'importance de la France dans le monde ne cesse de diminuer.	0	1	2	3	4
7.	Les Français aiment parler.	0	1	2	3	4
8.	La France est le pays de la liberté.	0	1	2	3	4
9.	Les Français sont travailleurs.	0	1	2	3	4
10.	La France est un pays socialiste.	0	1	2	3	4
11.	Les Français sont élégants.	0	1	2	3	4
12.	L'événement français le plus marquant est la Révolution de 1789.	0	1	2	3	4
13.	Les Français sont racistes.	0	1	2	3	4
14.	La France est un pays agréable.	0	1	2	3	4
15.	La culture française est internationale.	0	1	2	3	4

7. En groupe, faites le total des points obtenus pour chaque affirmation. En considérant plus particulièrement les trois totaux les plus élevés et les trois totaux les plus faibles, essayez de dire quelle idée vous vous faites de la France et des Français.

8. Dans toute cette unité, on vous a demandé d'exprimer des réactions spontanées et peut-être pensez-vous qu'elles trahissent votre pensée. Essayez d'expliquer d'une part, pourquoi vous avez répondu ainsi et, d'autre part, pourquoi cela vous paraît éventuellement insatisfaisant. ■

102. La France en images

De même que vous vous faites une certaine idée de la France, les Français, également, se font une idée de leur pays. Elle apparaît quelquefois dans des jeux ou dans des interviews. Avant de considérer des témoignages individuels, nous vous présentons ici deux représentations collectives dont vous allez essayer de retrouver et d'analyser les éléments.

1021

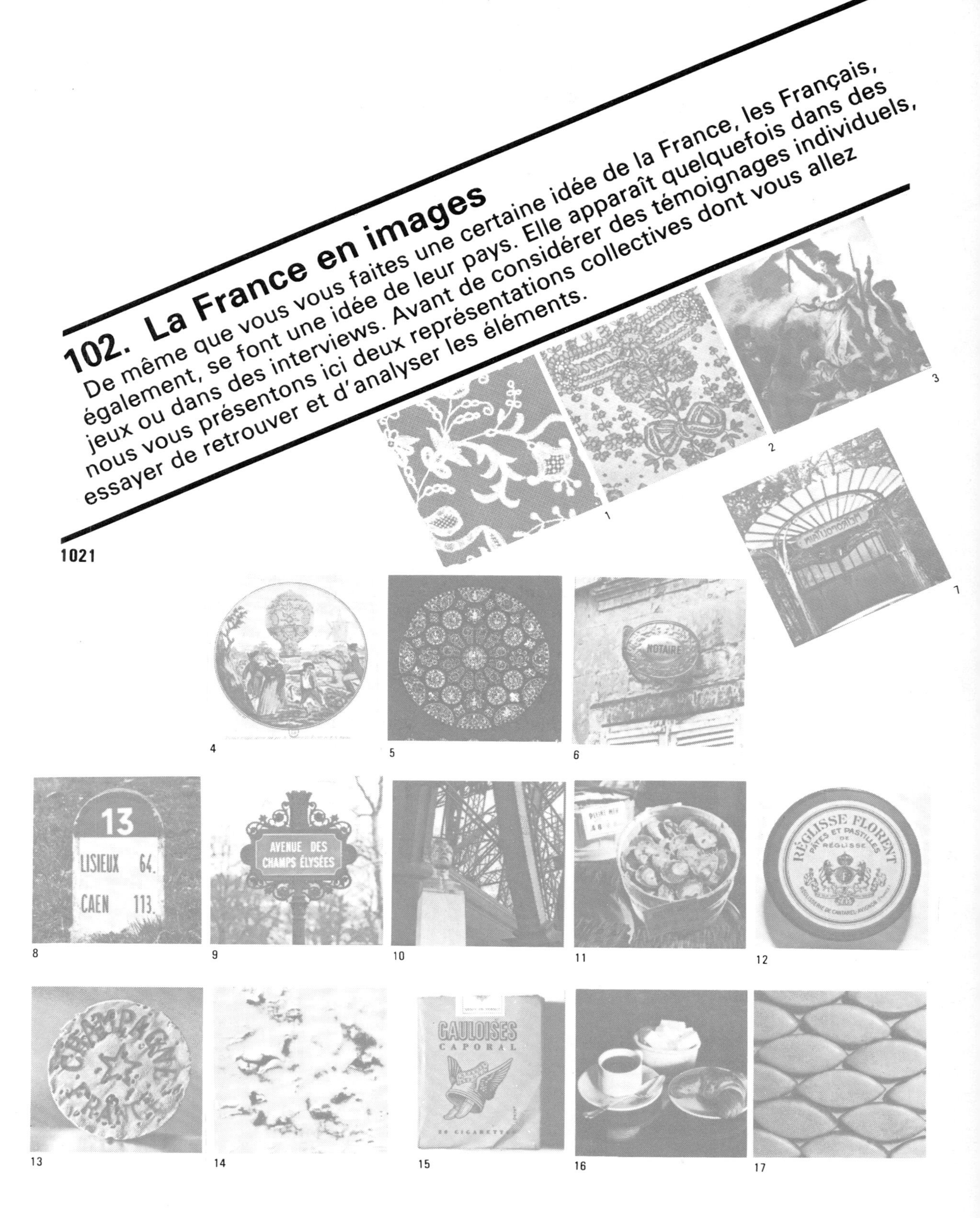

1 2 3 4 5 6 7 8 9 10 11 12 13 14 15 16 17

18

19

20

21

22

Document 1021
Memory France,
© 1979 Otto Maier Verlag Ravensburg
Ed. Ravensburger Attenschwiller

Ces cinquante images proviennent d'un jeu et représentent « les particularités les plus typiques de la France ». Elles constituent ce que les auteurs appellent un « ensemble représentatif ». Nous vous proposons d'en retrouver ici les composantes.

1. Identifiez, aussi précisément que possible, les objets représentés, de **1** à **50**.
Exemples : **21**, Panier rempli de baguettes de pain,
30, Bateau (de pêche ?).

2. Classez les vignettes selon qu'elles représentent :
a - des produits d'alimentation (nourriture, friandises, boissons) ;
b - des paysages et des lieux urbains ou ruraux ;
c - des institutions (exemple : **6**, Plaque de notaire) ;
d - des faits historiques ;
e - des loisirs ;
f - des arts et des techniques.

1021

3. Lesquelles de ces catégories sont le plus souvent évoquées ? Classez-les par ordre d'importance numérique de la première à la cinquième.

A partir de ce classement, essayez de tracer un court portrait du Français en fonction de ses goûts, de ses intérêts et de ses préoccupations.

4. Quelle impression retirez-vous de l'ensemble de ces images ?
La France est un pays archaïque/moderne, agréable/peu engageant, beau/laid, banal/insolite, chaud/froid, etc.

Préparez-vous à justifier chaque fois votre réponse.

23

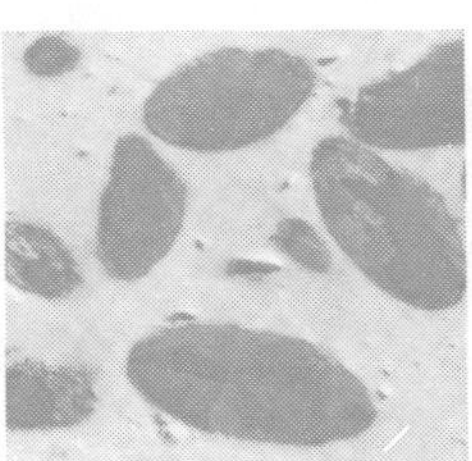

24

25

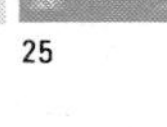

26

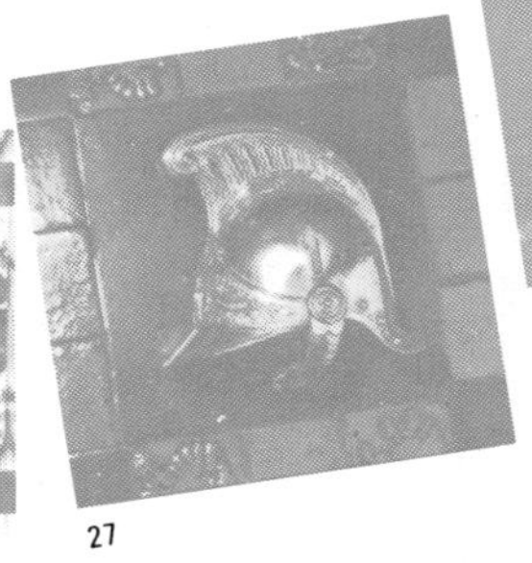

27

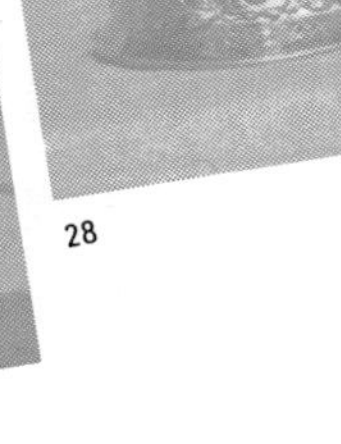

28

29

30

31

32

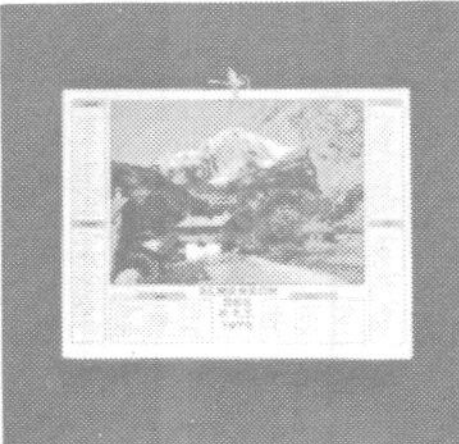

33

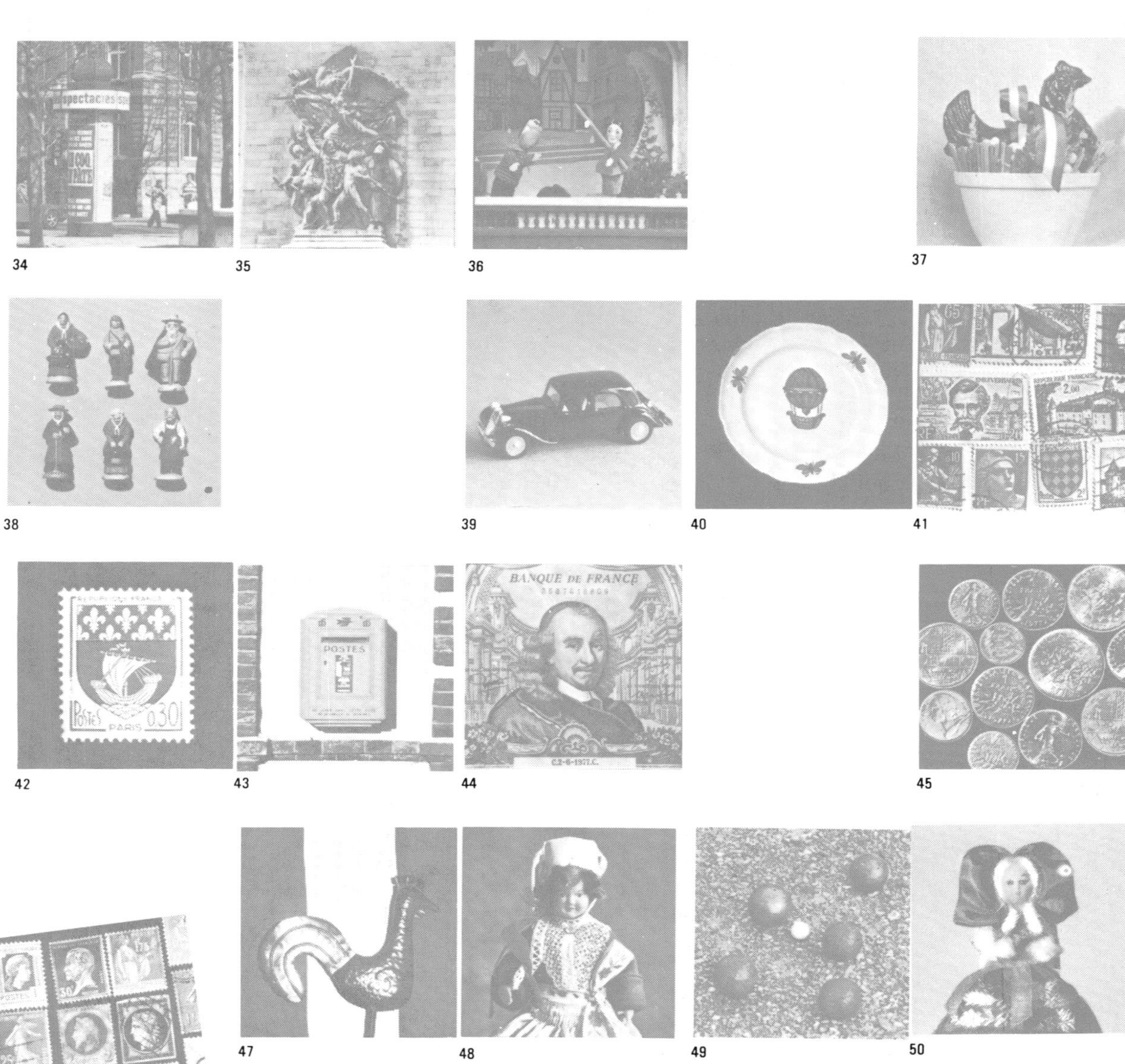

34 35 36 37 38 39 40 41 42 43 44 45 46 47 48 49 50

Document 1022
« 99 raisons de se réjouir d'être Français », *Marie-Claire,* février 1983

Cette fois, ce sont des raisons de se réjouir que recensent les journalistes français d'un mensuel féminin. Il ne peut s'agir, bien évidemment, que d'une plaisanterie de bureau et, dans la mesure où l'on exprime sa satisfaction, d'une présentation favorable du pays et de ses habitants. Il ressort toutefois de ce jeu une image de la France contemporaine qu'il peut être amusant et instructif de comparer avec celle que vous en avez.

5. Au fur et à mesure que vous regardez ce document, et en vous aidant seulement, dans un premier temps, de l'image et du titre en capitales de chaque commentaire, classez les différents objets selon les catégories suivantes (indiquez le numéro et le nom de l'objet ou du personnage ; vous remarquerez que certains éléments peuvent se classer dans plusieurs catégories) :

a - personnages (exemple : **68**, Raymond Devos ; mais il peut également figurer en *e - loisirs*) ;
b - lieux, régions et territoires ;
c - alimentation et boissons ;

d - objets quotidiens, produits manufacturés et technologies (exemple : **47**, le TGV) ;
e - loisirs et vacances ;
f - culture et éducation ;
g - symboles (exemple : **5**, Brigitte Bardot, Marianne = la République).

Dites quelles sont les raisons les plus fréquentes qui font que les auteurs de cet article sont heureux d'être Français. Vous semblent-elles acceptables ?

6. Parmi les catégories de la question précédente, choisissez celle qui vous intéresse le plus et essayez de la caractériser. Pour ce faire, vous pouvez utiliser des oppositions telles que : ville/campagne, passé/présent, Paris/province, vie quotidienne/fête, etc.
Par exemple : La catégorie *a - personnages* comporte principalement des artistes et des créateurs contemporains, à l'exception de **73**, Mansart, etc.

Auriez-vous mis d'autres éléments dans cette catégorie ? Lesquels ? Pourquoi ?

Quoi qu'il en soit, quelles sont, d'après vous, les limites de cette représentation de la France ?

7. A partir de l'inventaire de la catégorie *d - objets quotidiens, produits manufacturés et technologies,* essayez de deviner le contenu des poches d'un Français. Quelles caractéristiques cela vous paraît-il révéler ?

8. Ces questionnaires et ces jeux révèlent sans doute plus sur leur auteur qu'ils ne disent sur leur objet. Pouvez-vous vous faire une idée de l'âge, des habitudes, des origines, des intérêts, et même des espoirs et des nostalgies des journalistes de *Marie-Claire* ? Justifiez vos hypothèses.

9. Dans quelle mesure l'idée que vous vous faisiez de la France et des Français correspond-elle à ce qui vous a été présenté ici ?

10. Après avoir relu vos réponses aux questions 3 et 5 de **IMAGES 101**, dites dans quelle mesure votre image de la France vous semble être influencée par votre propre milieu culturel, en essayant de donner des exemples. ■

1022

VIVE LA FRANCE

99 RAISONS DE SE RÉJOUIR D'ÊTRE FRANÇAIS. La France est notre mère... C'est elle qui nous nourrit... (Vieil air populaire). Et même si la soupe est en ce moment un peu amère, ce n'est pas une raison pour pleurer dedans. Voilà pourquoi en ce début d'année, nous avons voulu dépasser la morosité ambiante et dresser l'inventaire de ce que nous aimons chez nous. Toute notre rédaction s'en est mêlée et il en est sorti ce bric-à-brac, forcément limité et n'ayant pas la prétention d'être exhaustif, mais qui nous a semblé mieux exprimer qu'une recherche systématique le bonheur de vivre en France. Nous avons aussi demandé à dix personnalités des lettres, des arts, de la mode, de l'histoire, de la philosophie... de compléter cet inventaire par leurs propres réflexions. Voici dans les pages couleur qui suivent, quatre-vingt-dix-neuf raisons d'être bien dans notre pays. A vous d'en trouver une centième... ou plusieurs ! Interviews P. Pompon Bailhache.

1/<u>LE PETIT BEURRE</u> que croquaient déjà nos arrière-grands-mères en commençant, bien sûr, par les coins.

3/<u>L'ACCENT DU MIDI</u> et son parfum de soleil, d'ail et de bonne humeur.

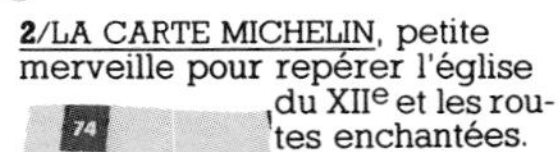

2/<u>LA CARTE MICHELIN</u>, petite merveille pour repérer l'église du XIIe et les routes enchantées.

4/<u>LE COQ GAULOIS</u>, ce braillard de clocher qui, lorsqu'il devient sportif, casse un peu les oreilles avec son cocorico.

5/<u>BRIGITTE BARDOT</u>, moderne Marianne de nos mairies, la seule Française vivante qui ait fait fantasmer le monde entier.

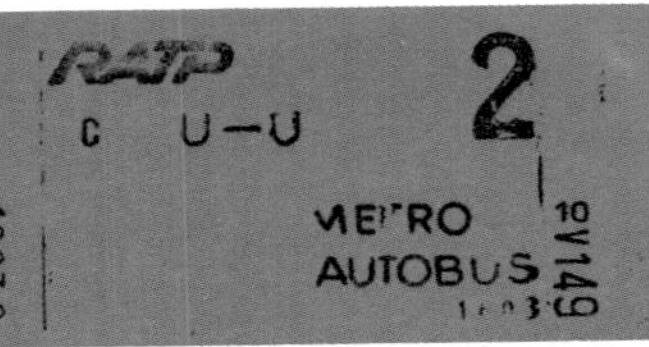

6/<u>LE METRO</u>, champion toutes catégories de la circulation en ville avec animation culturelle garantie.

7/<u>MAI-68</u>, un pavé arraché, sous lequel on devait trouver la plage et l'interdiction d'interdire.

8/<u>LA CUISSE DE GRENOUILLE</u>. Notre cuisine peut sublimer les moins appétissantes des créatures.

9/<u>LA VACHE NORMANDE</u>, actrice réputée du terroir français, qui beurre fidèlement nos tartines du matin.

10/<u>LE SYSTEME D</u> qui arrange tout, puisque impossible n'est pas français.

11/<u>LE CRICKET</u>, symbole de la société de consommation, premier briquet non rechargeable et à jeter.

12/<u>EDITH PIAF</u>, l'enfant des rues qui ne finira jamais de nous chanter l'amour-toujours.

13/SAINT LAURENT, fleuve d'élégance: sa source est à Paris et ses deltas dans le monde entier.

14/LE FACTEUR. Parce que sa distribution à domicile est un modèle qu'on nous envie

15/LE CLIMAT DE LA FRANCE, avec ses sourires, ses éclats, ses larmes et ses quatre saisons qui vraiment ne se ressemblent pas.

16/LA CONCIERGE, de Mme Michu à Conchita. Même râleuse, on la préfère aux parlophones.

17/TRUFFAUT. Son double, Antoine Doisnel-Léaud, a si bien raconté les émois d'un petit Français.

18/LE BIFTECK FRITES qui reste notre plat national, malgré les frites surgelées et la concurrence des Belges.

19/LE CHAMPAGNE. Provenance exclusive: France: destination: l'univers.

20/LES TOITS DE ZINC qui font le gris de Paris, couleur discrète que les tours indiscrètes nous rendent plus chère.

21/LE CAMEMBERT. Tout l'art est de le choisir. A cœur, naturellement.

22/LE GUIDE MICHELIN. Petit livre rouge des voyageurs et des gastronomes.

23/LA PETITE GARE chère à notre enfance qui souvent, regarde passer des trains qui ne s'arrêtent plus.

24/LA TERRASSE DE CAFE. Dès le premier soleil, on s'y bouscule pour prendre sur le trottoir un grand bol d'air pollué.

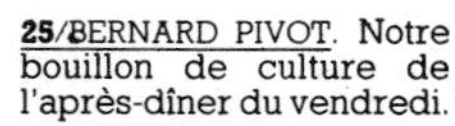

25/BERNARD PIVOT. Notre bouillon de culture de l'après-dîner du vendredi.

26/LA PASTILLE VICHY, suave comme la France frileuse des stations thermales où l'on expie, les excès.

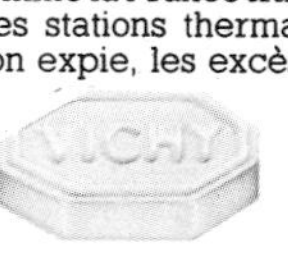

29/LA CATHEDRALE DE CHARTRES... Voici l'arête unique... Et le reste est bavure... Et la feuille de pierre et l'exacte nervure. (Charles Peguy).

28/LE FIL A COUPER LE BEURRE. Une manière bien française de couper les calories.

27/LE 14 JUILLET où danses et flonflons nous rappellent nos premiers pas vers la démocratie.

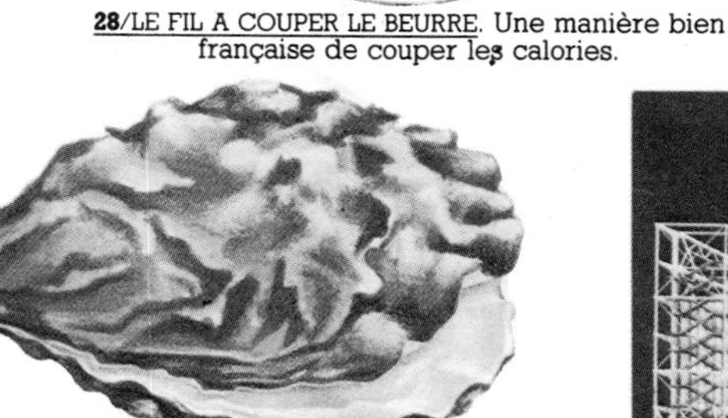

30/L'HUITRE. Grande consolatrice des mois en R.

33/CENTRE POMPIDOU, le plus souvent appelé Beaubourg. Incroyable succès populaire pour une idée très sophistiquée à l'origine.

31CHARLES TRENET. Notre fou chantant va-t-il bientôt trouver asile... à l'Académie?

32/LE CLUB MEDITERRANEE. Il a inventé les gentilles vacances organisées toute l'année et partout.

34/LA COIFFE BRETONNE. Fabriquée par des doigts de fée, le «top» du folklore.

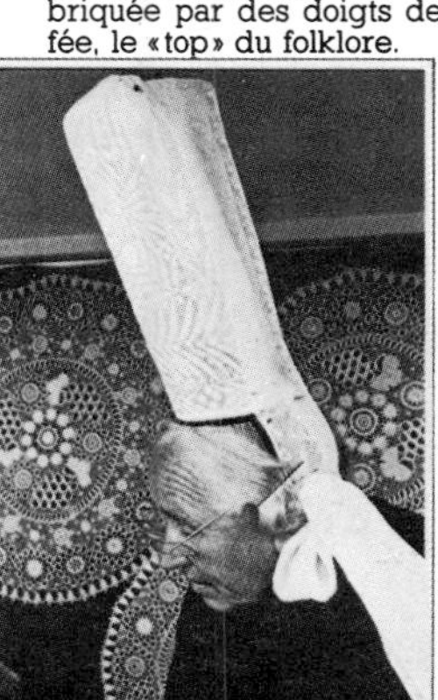

35/LA 2 CV. Elle nous fait rouler depuis 35 ans. On n'achève pas les 2CV.

36/LE BAS DE LAINE. Glissé entre les draps, c'est la réserve d'or de la France.

37/LES MARRONNIERS. Dans les villes, ils annoncent le printemps.

38/LE TIERCE. Des petits trous qui peuvent vous faire perdre votre chemise dans un fauteuil.

39/LE CADRE NOIR. Depuis Louis XIII, franchit au trot monarchies et républiques.

40/LES MERS. Elles sont quatre à nous baigner et on le leur rend bien.

41/LES TRUFFES. Chiens ou cochons les cherchent, mais ce n'est pas eux qui les mangeront.

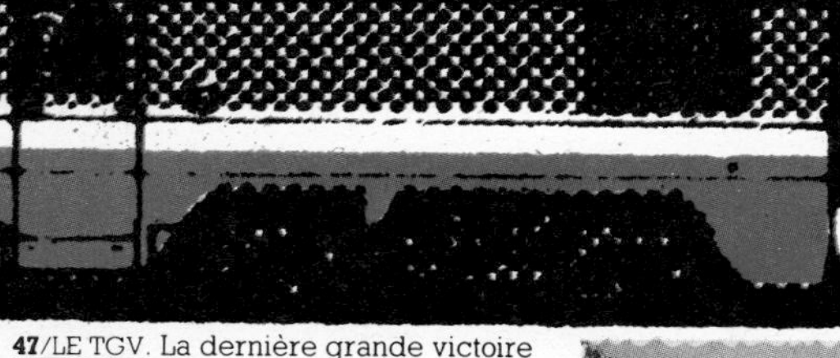

42/LE CONCOURS LEPINE. Le génie inventif y trouve sa récompense. Ici le pneu increvable.

43/NOTRE-DAME DE LOURDES. Qu'a-t-elle dit à Bernadette ?

44/LA GRATUITÉ SCOLAIRE. Tous en chœur, chantons sous le préau : «Merci M Ferry »

45/LE BERET DE MARIN. Toucher son pompon rouge porte bonheur.

46/LA BOULANGERIE. Parfois encore une si bonne odeur de fournil.

47/LE TGV. La dernière grande victoire française de la bataille du rail.

48/LE BEAUJOLAIS NOUVEAU. Pour entrer dans l'hiver d'un bon pied.

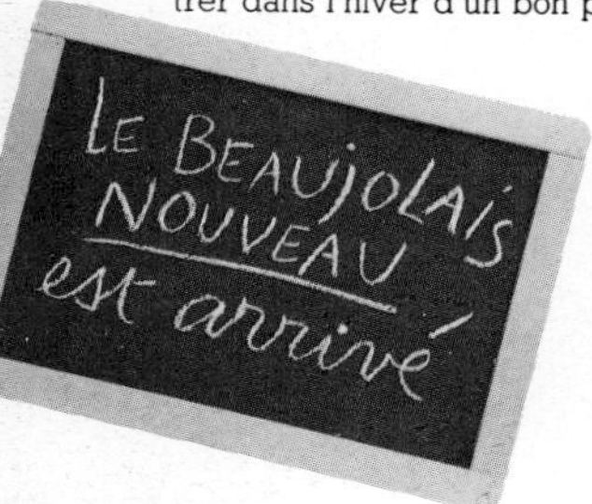

49/SARTRE. Et Lacan, et Barthes... la pensée habillée par ce goût si français des mots.

50/LE CLOCHER DU VILLAGE. Il manque tant quand on est loin.

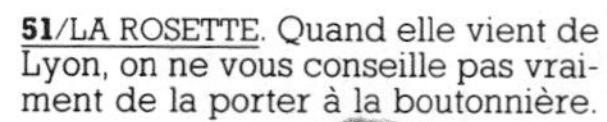

51/LA ROSETTE. Quand elle vient de Lyon, on ne vous conseille pas vraiment de la porter à la boutonnière.

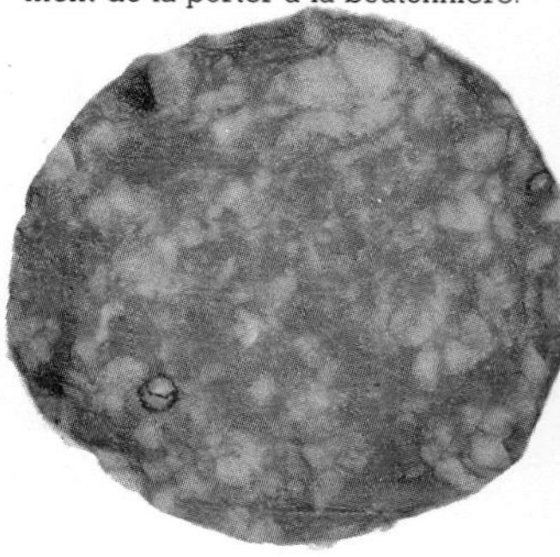

52/LE CROISSANT. Ordinaire ou au beurre, il est la joie des grasses matinées.

53/LA PLACE DU MIDI. Le village s'y retrouve le soir sous les platanes.

54/LES CHATEAUX DE LA LOIRE peuvent se visiter en car à raison de six par jour, avec arrêt rillettes et vin blanc.

55/LA PINCE A LINGE. Attache bien française qui évoque les draps séchant au fond du jardin.

56/LA TOUR EIFFEL. Trois millions de visiteurs par an pour escalader (en partie) ses 320 mètres.

57/LA MARSEILLAISE (Rouget de l'Isle). Exaltante même si le jour de gloire n'est pas au rendez-vous.

58/LES PAYSAGES: une diversité qui ne dépasse jamais la mesure. C'est la douce France.

59/LE SOUS-SOL DU BHV. Un des temples du bricolage. A éviter le samedi après-midi.

60/TABARLY. Le loup de mer breton qui connaît toutes les vagues de l'Atlantique entre La Trinité et Newport.

61/LE SOLEX. Une petite merveille âgée de 33 ans et enfourchable à partir de 14.

62/LE FOIE GRAS. Qu'il soit des Landes, du Périgord ou d'Alsace, tout le monde veut s'en gaver.

63/LA BRASSERIE LIPP, à Saint-Germain-des-Prés, parce que devant sa choucroute les républiques se réconcilient.

64/LE PERCHERON, champion du labourage, qui est avec le pâturage une des mamelles de la France.

65/LE MELON. De Cavaillon, des Charentes, et de Bretagne, une cucurbitacée qui adoucit la vie.

66/GALLIMARD qui a abrité sous sa couverture blanche et rouge toutes les gloires littéraires du siècle.

67/LA PETANQUE qui réunit les copains à l'heure du pastis sous les platanes du Midi.

68/RAYMOND DEVOS, prestidigitateur des mots, et aussi philosophe du non-sens: «L'homme existe, je l'ai rencontré.»

69/NOS LIEUX MAGIQUES: Saint-Tropez, la promenade des Anglais, les Champs Elysées, les planches de Deauville, la place Vendôme, place du Tertre.

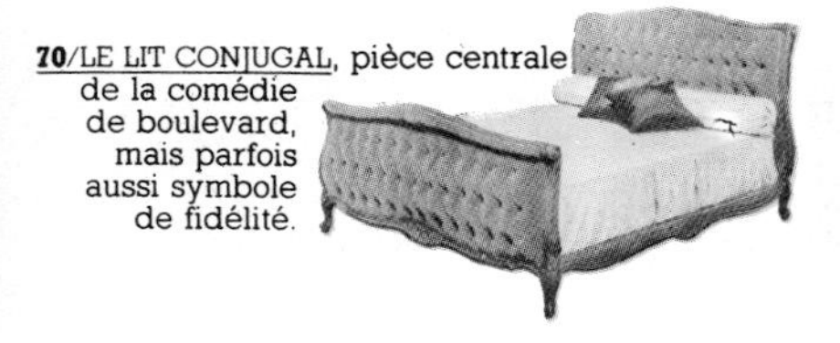

70/LE LIT CONJUGAL, pièce centrale de la comédie de boulevard, mais parfois aussi symbole de fidélité.

71/LE BIDET, preuve indubitable que la France estime assez ses organes intimes pour leur consacrer un accessoire de toilette spécifique.

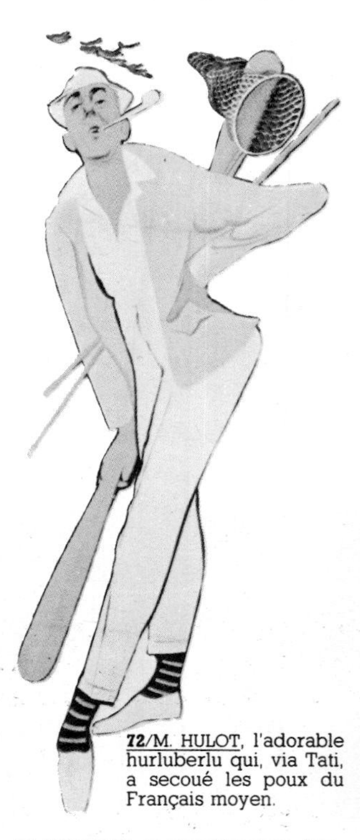

72/M. HULOT, l'adorable hurluberlu qui, via Tati, a secoué les poux du Français moyen.

73/MANSART ou l'architecture française à son apogée. Comme on voudrait bien que ça recommence.

74/LES GAULOISES BLEUES, reines des brunes qui font naturellement tousser ceux qui préfèrent les blondes.

75/LA ROUTE DEPARTEMENTALE Son charme champêtre en a fait la piste préférée de Bison Futé.

76/L'ACADEMIE FRANÇAISE, car on se bat encore pour y entrer. Allez les Verts!...

77/FRANCE CULTURE, un nom, un savoir impressionnants pour, hélas, 3% de la population.

78/LA SECURITE SOCIALE: la plus généreuse du monde, au point de nous mener tous au bord de la ruine.

79/LA R5, une petite française sympathique qui a su traverser l'Atlantique sans sombrer.

80/LE MONT-SAINT-MICHEL, mille ans d'architecture, une mer qui parcourt dix-neuf km en trois heures.

81/LE 5 DE CHANEL parfum indémodable que portait Marilyn en guise de chemise de nuit.

82/LA TOMETTE PROVENÇALE, plus belle dans sa province que dans les fermettes aménagées.

83/LE TOUR DE FRANCE qui réussit à clouer les Français devant leur téléviseur quand il y a du soleil sur les plages.

84/L'IMPRESSIONNISME qui permet à la France de faire bonne impression dans tous les musées du monde.

85/L'ARMOIRE NORMANDE, si grande qu'elle peut accueillir le trousseau, la dot, et avec un peu de chance, l'amant.

86/LE CAFE DU COMMERCE. Bastion de la France profonde. On y gagne les guerres et les matchs de foot. On y reconstruit le monde.

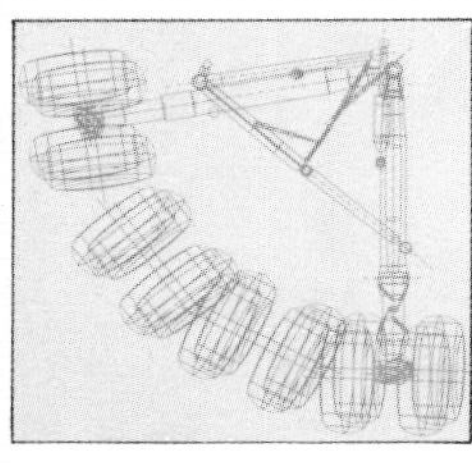

87/BENSON. Société française championne du monde des tables à dessiner électroniques. Ça fait plaisir.

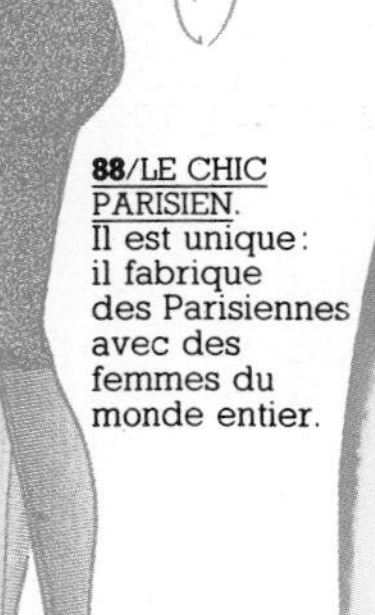

88/LE CHIC PARISIEN. Il est unique : il fabrique des Parisiennes avec des femmes du monde entier.

89/LE CROCODILE LACOSTE. Reptile né sur les courts, et devenu symbole mondial de qualité.

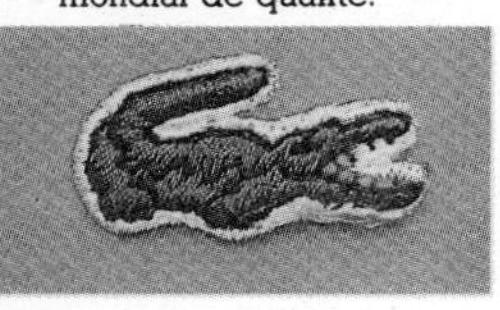

91/L'ESCARGOT. Fleuron de notre gastronomie, il se dit de Bourgogne mais vient souvent des pays de l'Est.

90/LA CARTE DE PRIORITE. Invention française. En remplace une qui se perd : la galanterie.

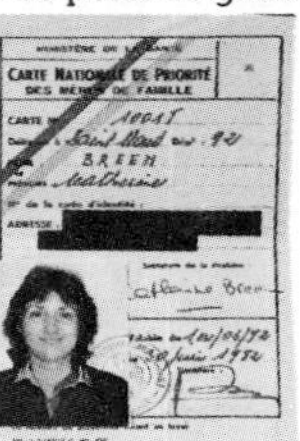

92/LA VINAIGRETTE. Simple, mais personne ne la fait comme nous.

93/LES HORAIRES DE NOS TRAINS. Ils sont champions du monde de l'arrivée à l'heure.

94/L'OPINEL. De toutes les tailles et pour tous les usages, il se met dans la poche.

95/LE PAVILLON DE BANLIEUE. « Ça m'suffit », « Mon rêve ». On redécouvre sa poésie face aux tours.

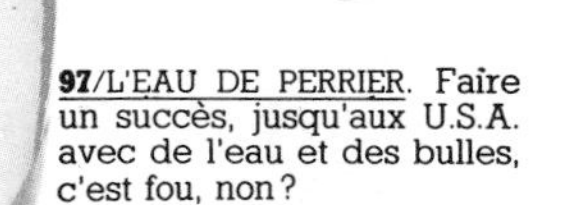

96/LE KIR. Invention d'un chanoine bourguignon pour que ses paroissiens voient la vie en rose.

97/L'EAU DE PERRIER. Faire un succès, jusqu'aux U.S.A. avec de l'eau et des bulles, c'est fou, non ?

98/LES HERBES DE PROVENCE. Encore plus précieuses depuis l'invasion du barbecue.

99/« MARIE CLAIRE ». Pourquoi pas ?

103. La France des monuments

Même si vous n'êtes jamais allé en France, vous en connaissez déjà, par la photographie ou le récit des autres, un grand nombre de sites célèbres. Ils semblent être le passage obligé du touriste, aussi bien français qu'étranger. Ils ont, bien évidemment, un intérêt propre ; mais on peut se demander s'il y a des raisons pour que ces lieux soient plus connus, plus « français », et qu'ils en fassent oublier d'autres pourtant tout aussi intéressants.

1. Faites la liste d'une dizaine de lieux touristiques de votre pays.
Dites quelle est leur fonction d'origine (à quoi ils servent ou servaient) et expliquez pourquoi, s'il y a lieu, une catégorie domine (par exemple : églises et cathédrales dans un pays de tradition catholique).
Avez-vous visité ces lieux vous-même ?
Leur célébrité vous semble-t-elle justifiée ?

Document 1031
Cartes postales

2. Regardez chaque carte postale et écrivez le nom des lieux que vous reconnaissez.

1031

3
ABBAYE
du MONT St-MICHEL
(Manche)
4
30
Imp. Phot. NEURDEIN Frères. — Paris
5
6

1031

7
99. AVIGNON - Palais des Papes - Façade Principale
Edition des Nouvelles Galeries
Partie du Palais bâtie sous Clément VI (1342-1352), dont les armoiries se trouvent encore au-dessus de la
8
PARIS - Église du Sacré
9
10

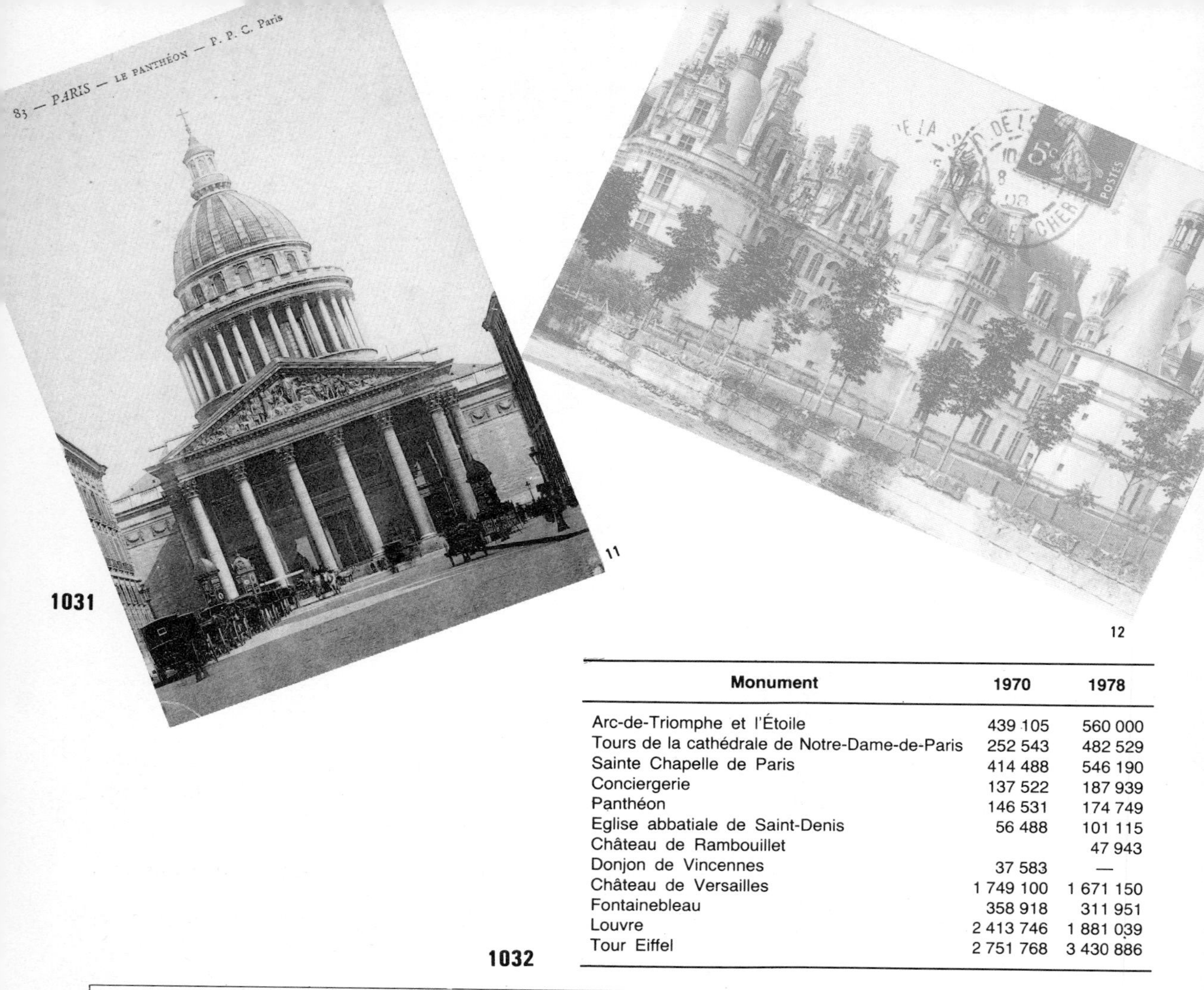

1031

11

12

1032

Monument	1970	1978
Arc-de-Triomphe et l'Étoile	439 105	560 000
Tours de la cathédrale de Notre-Dame-de-Paris	252 543	482 529
Sainte Chapelle de Paris	414 488	546 190
Conciergerie	137 522	187 939
Panthéon	146 531	174 749
Eglise abbatiale de Saint-Denis	56 488	101 115
Château de Rambouillet		47 943
Donjon de Vincennes	37 583	—
Château de Versailles	1 749 100	1 671 150
Fontainebleau	358 918	311 951
Louvre	2 413 746	1 881 039
Tour Eiffel	2 751 768	3 430 886

LES SITES OU MONUMENTS LES PLUS VISITÉS [1] (en province)

— Mont-Saint-Michel (Manche)	584 000[2]
— Château de Chambord (Loir-et-Cher)	449 256
— Gouffre de Padirac (Lot)	390 111
— Château d'Azay-le-Rideau (Indre-et-Loire)	329 728
— Palais des Papes d'Avignon (Vaucluse)	313 000
— Château de Fontainebleau (Seine-et-Marne)	311 951
— Petit et Grand Trianon de Versailles (Yvelines)	289 849
— Arènes d'Arles (Bouches-du-Rhône)	219 019
— Les remparts d'Aigues-Mortes (Gard)	177 222
— Caves de Byrrh à Thuir (Pyrénées-Orientales)	173 000
— Théâtre antique d'Arles	166 270
— Château du roi René à Angers (Maine-et-Loire)	155 894
— Cité de Carcassonne (Aude)	153 925
— Château d'If à Marseille (Bouches-du-Rhône)	128 600
— Musée des Eyzies-de-Tayac (Dordogne)	120 642
— Château de Chaumont (Loir-et-Cher)	117 182
— Église de Brou à Bourg-en-Bresse (Ain)	117 162
— Château d'Henri IV à Pau (Pyrénées-Atlantiques)	114 010
— Grotte des Demoiselles (Hérault)	110 500
— Basilique de Saint-Denis (Seine-Saint-Denis)	101 115

D'après *France*
(La Documentation française 1980)

1. Pour Paris, cf. *Le Français dans le Monde* n° 159.
2. Nombre d'entrées.

3. Reportez ces noms dans le tableau ci-dessous, puis cherchez des informations complémentaires dans un dictionnaire ou un ouvrage de référence.

	Nom	Date ou époque	Fonction	Ville ou région
1				
2				
3				
4				
5				
6				
7				
8				
9				
10				
11				
12				

Par exemple : **9**, Arc de triomphe de l'Étoile ; époque napoléonienne, 1806-1836 (inauguration) ; fonction commémorative ; place Charles-de-Gaulle à Paris, dans l'axe des Champs-Élysées.

Document 1032
Les sites ou monuments les plus visités
« Le tourisme culturel en France »,
M. Garay.
Notes et études documentaires
La Documentation française
Le français dans le monde n° 171

4. Complétez maintenant le tableau. Le **document 1032** vous aidera pour l'identification des lieux que vous n'avez pas reconnus immédiatement.

5. Bien que ces lieux soient différents, essayez de dégager des caractéristiques communes qui permettraient d'expliquer leur réputation. Pensez à leurs dimensions, à leur place dans le paysage, à leur époque, etc.

6. Classez les cartes postales de 1 à 12, en donnant la première place au site que vous préférez et la dernière à celui qui vous plaît le moins.
Indiquez ensuite, dans la colonne de droite, le classement par nombre de visiteurs et comparez avec votre propre choix. Commentez.

Votre classement	Nom du lieu	Classement selon la fréquentation
1		
2		
3		
4		
5		
6		
7		
8		
9		
10		
11		
12		

■

104. Les Français et leurs voisins

Vous avez une idée *a priori* sur la France et sur d'autres pays plus ou moins proches du vôtre. Les Français, non plus, ne manquent pas d'idées toutes faites sur leurs voisins et ils font souvent l'objet de caricatures et de plaisanteries. C'est le cas dans une série d'albums que vous connaissez peut-être : le héros en est un Gaulois, Astérix, qui lutte contre les Romains. Les vignettes présentées ici sont extraites de *Astérix chez les Bretons*. Au-delà des idées toutes faites sur les Anglais que vous allez y retrouver, il est clair que ce document vous parlera aussi des Français.

Document 1041
Astérix chez les Bretons,
A. Goscinny, R. Uderzo,

1. Regardez d'abord seulement les images ; relevez les informations qu'elles apportent sur l'Angleterre. Donnez le numéro de l'image et dites de quoi il s'agit. Vous trouverez successivement :
a - la situation géographique ;
b - le climat (par exemple, **image 8**, pluie) ;
c - le paysage urbain ;
d - des sites célèbres ;
e - des objets typiques ;
f - autres.

2. Relevez maintenant des informations sur les Anglais :
a - portrait physique et vêtements ;
b - loisirs ;
c - maison et mode de vie ;
d - autres.

3. A partir de ces listes, décrivez l'Angleterre et les Anglais tels qu'ils sont perçus par les Français, puis commentez.

4. En regardant de nouveau les images, mais aussi à l'aide des bulles (paroles des personnages), précisez ce qui, dans les habitudes alimentaires des Anglais, surprend les deux Gaulois (voir aussi **document 1052, paragraphe h**).

5. En vous reportant à **IMAGES 102** (en particulier à l'image que le Français semble avoir de lui-même et de son pays), dites quels traits de son caractère sont soulignés le plus fortement ici. C'est-à-dire, à travers cette caricature des Anglais, quelles sont les valeurs françaises qui apparaissent par contraste ?

6. Si l'on vous demandait quelles sont, à votre avis, les caractéristiques de l'Angleterre et des Anglais, citeriez-vous les mêmes éléments que ceux que vous avez trouvés dans *Astérix chez les Bretons* ? S'il y a des différences, essayez de dire pourquoi (raisons géographiques, historiques, économiques, proximité culturelle, etc.). ■

1041

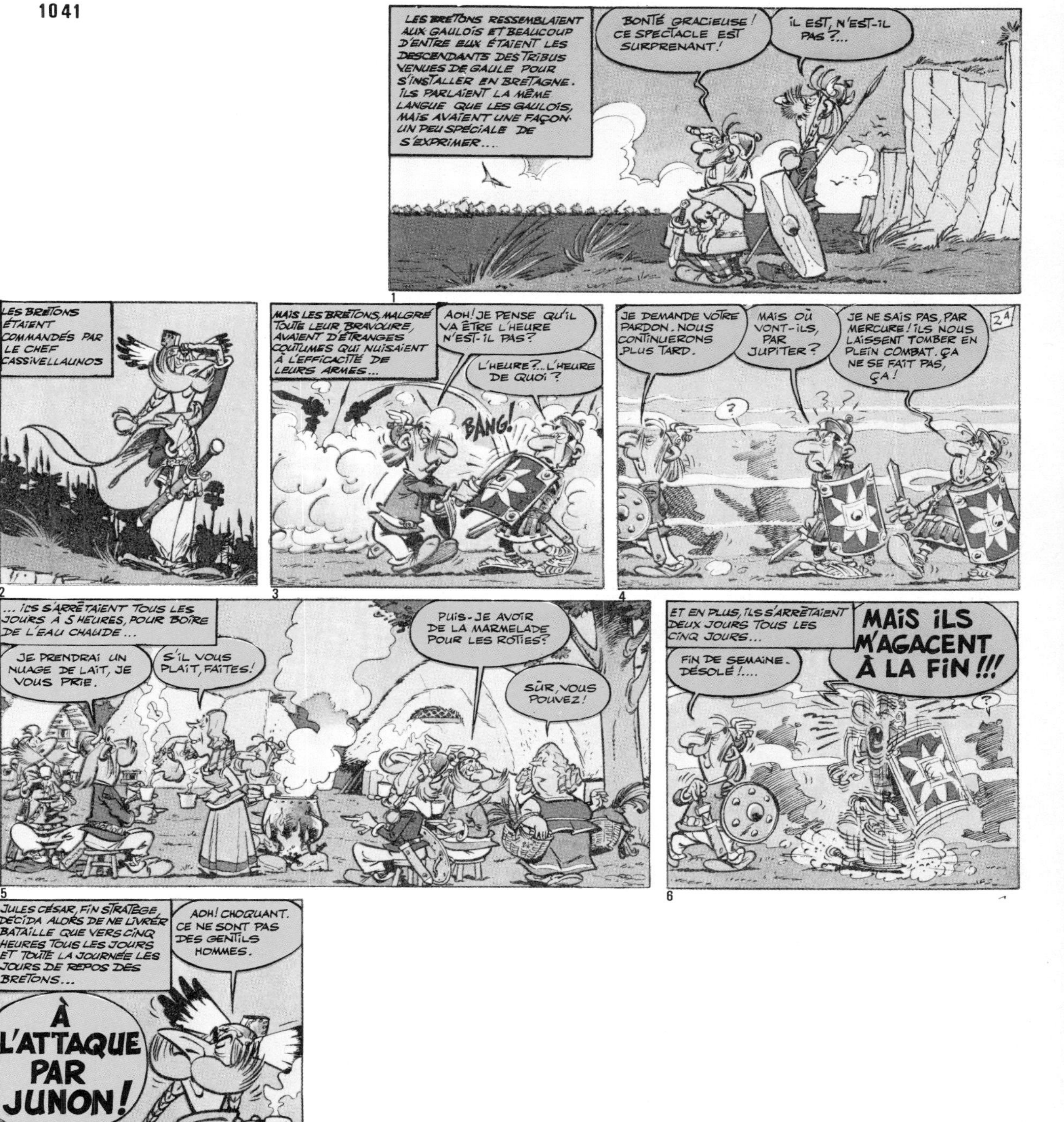

8

9

10

MAIS APRÈS, IL FAUDRA PARTIR. LES ROMAINS SURVEILLENT DE PRÈS L'HEURE DE FERMETURE DES AUBERGES.

TROIS CERVOISES, EN ATTENDANT, PATRON.

11

12

13

AVEC 2.000 ANS DE SOINS, JE PENSE QUE MON GAZON SERA FORT ACCEPTABLE.

CLIC!

14

15

16

17

18

19

20

21

22

UN PEU PLUS TARD...
NOUS Y VOICI...
IL NE RESTE QU'À CHERCHER LE Nº LVII
C'EST UNE CHANCE D'AVOIR LE NUMÉRO. LA DESCRIPTION DE LA MAISON N'AURAIT PEUT-ÊTRE PAS SUFFI.
28

23

JE DIS! QUELLE EST CETTE INTRUSION? CHOQUANT!
CALMEZ-VOUS, PÉTULA. CES HOMMES NOUS EXPLIQUERONT LEUR FAÇON D'AGIR. QUOI?
FOYER DOUX FOYER

JE DIS! EST-CE BIEN LE Nº LVII, ICI?
NON, CE N'EST PAS ICI, C'EST LE Nº LVIII, MAIS IL Y A UN I QUI EST TOMBÉ.

25

NOUS NOUS SOMMES TROMPÉS. NOUS VOUS REMBOURSERONS VOTRE PORTE. NOUS EXCUSEREZ-VOUS?
PLUTÔT. QUOI?
FOYER DOUX FOYER

PÉTULA, VOUS ME RAPPELEREZ DE REPLACER LE I QUI MANQUE. ET MAINTENANT, JE PRENDRAIS BIEN UNE TASSE D'EAU CHAUDE AVEC DES RÔTIES.
LE TEMPS

27

BLAM!

105. Les Français par eux-mêmes

Délimiter la « psychologie collective » d'un peuple, ou de tout groupe social, est une entreprise délicate et dangereuse. Et pourtant, de telles représentations existent : les Français sont comme ci, comme ça... Un portrait stylisé ne correspond vraisemblablement à aucun Français réel. Pourtant, certains traits sont cités par tout le monde. On peut alors se demander s'ils ne rendent pas compte d'une réalité.

1051

[1] De tout temps on a remarqué la discipline d'esprit du Français : son goût pour la pensée, la théorie, la logique rigoureuse, *cartésienne**. Il est capable d'expression claire et de démonstration séduisante, auxquelles il joint foi et enthousiasme. Si l'esprit d'abstraction permet des synthèses brillantes, la confrontation des idées avec des données réelles, la vérification de détail est souvent oubliée. [...] La France est le pays des réalisations brillantes, d'expériences originales, souvent uniques dans le monde, mais qui restent à l'état de prototypes.

[2] Aucun autre pays n'a autant lutté, sacrifié pour la liberté que la France. Chaque Français y attache une très grande importance. [...] Mais chaque Français pense que la loi et le droit sont pour lui tout seul et si ce n'est vraiment pas le cas, alors selon son tempérament il se révolte, il se met en marge de la société, ou bien il cherche le moyen de contourner la loi en sa faveur. [...]

[3] [...] les attitudes humaines dénotent surtout une forte tendance à l'individualisme. Individualisme qui crée parfois des comportements collectifs d'autodéfense : *patriotisme de clocher**, solidarité d'intérêt des groupes socio-professionnels, régionalisme.

[4] Dire du pays des révolutions qu'il est peuplé de conservateurs relève de la *boutade**. Pourtant ce conservatisme est indéniable ; [...] ainsi le Français s'attache plus à la défense des droits ou situations acquises qu'à l'amélioration de son statut par des entreprises hardies.

[5] Le nationalisme des Français est universellement souligné. [...] On reste en France encore persuadé que la langue française est toujours universelle, que la civilisation française est la plus brillante et la plus admirée. Un certain désintéressement, un manque d'ouverture vers le monde extérieur sont inévitables. [...] L'attachement au sol natal (le Français émigre peu) la reconnaissance des valeurs *ancestrales** sont garants de force et de permanence, seulement l'évolution du monde est rapide, [...] et la France a de plus en plus de difficultés pour s'adapter.

(suite p. 30)

6 Le Français confond Gouvernement et État. Cet État est abstrait, source pour les Français de tous les maux, mais c'est aussi l'État providence qui doit résoudre tous les problèmes. Cette vision de l'État explique tant d'immobilisme, de passivité mais aussi tant de grèves et de manifestations.

7 Les attitudes, les mentalités les plus généralement répandues seraient-elles donc plutôt négatives ? [...] Pour compléter son image, on doit lui reconnaître d'autres traits de caractère complémentaires : le Français est accueillant et *tolérant* ; gai, amusant et bon vivant, enthousiaste et entraînant, débordant de vitalité et d'idées...

* Les mots suivis d'un astérisque sont expliqués dans l'original.

Document 1051
Regards sur la civilisation française,
J. Schultz,
Ed. CLE international

1. Dans ce texte, extrait d'un manuel d'enseignement, chaque paragraphe évoque un trait du caractère français. Lisez les premières phrases des six premiers et relevez ces traits de caractère paragraphe par paragraphe.

2. Un certain nombre de ces traits sont cependant nuancés. En cherchant les phrases qui commencent par « mais » ou un terme équivalent, prenez note de ces « corrections » (exemple, **paragraphe 1** : « Le Français est capable d'invention... mais passe difficilement aux réalisations concrètes »).

3. Indiquez, pour chaque paragraphe, si le caractère ainsi présenté est plutôt positif ou plutôt négatif.
Faites le bilan de ce portrait.

4. L'auteur présente ici les Français surtout dans leur vie intellectuelle et leurs relations avec les institutions. A quelles autres caractéristiques auriez-vous pensé ?
Lisez le **paragraphe 7**. Les retrouvez-vous ici ?

Document 1052
« Je ne suis pas Français »,
P.-R. Leclercq
Le Monde,
26-27-03-1978

5. Lisez d'abord la conclusion de ce billet d'humeur. L'auteur est-il de nationalité française et quelles preuves pouvez-vous en donner ?
Expliquez alors le titre : « Je ne suis pas Français ».
A votre avis, quelle serait la réaction de P.-R. Leclercq face au **document 1051 ?**

6. Le **document 1051** précédent se rapporte essentiellement à l'activité intellectuelle des Français et à leurs relations avec l'État. Les traits de ce second portrait sont différents. Essayez de dire, paragraphe par paragraphe, à quels domaines ils touchent (exemple, **paragraphe b** : habitudes alimentaires et vie culturelle) et regroupez-les par domaines.

7. Mettez en relation les caractéristiques déjà mentionnées dans le **document 1051** et qui sont reprises ici. Par exemple : le Français a la plus belle langue du monde ; **document 1051, paragraphe 5 = document 1052, paragraphe 0.**
Soulignez celles qui sont nouvelles par rapport au **document 1051.**

8. La plupart des caractères positifs décrits sont immédiatement ridiculisés. Par exemple : « Le Français aime les poètes, morts ». Relevez deux ou trois autres exemples.

9. Relisez les **paragraphes d** (2e partie) et **h.**
a - Pouvez-vous dire ce que sont les mots « juif », « raton » et « nègre » quand ils sont appliqués à Israélien, Arabe et Noir ?
b - Que pensez-vous de la « preuve » que le Français donne de son absence de racisme ?

10. Relisez maintenant le **paragraphe 0.** On y parle d'« arbitre » et de « penalty ». Pouvez-vous dire de quoi il s'agit ?

Si Rocheteau est un joueur de football et qu'on parle de venger Jeanne d'Arc, quelle est, d'après vous, la nationalité de l'équipe adverse ?
« Angliche » est un mot familier, plutôt injurieux, pour Anglais. Pouvez-vous retrouver, dans le paragraphe, les mots pour Italien et Espagnol ?
L'arbitre « qu'a pas sifflé » ; quelle forme s'attendrait-on à trouver ici ?
« Dégueulasse » signifie familièrement injuste et « planquer ses miches » se protéger.
A partir de tous ces éléments, dites comment on ridiculise les Français dans ce paragraphe.

11. Pensez-vous que ce second portrait soit plus exact que celui du **document 1051** ? Essayez d'argumenter votre réponse en envisageant quels sont les faits qu'on peut vérifier (en consultant des statistiques, par exemple) et ceux qui ne reposent que sur des impressions. ■

1052

Je ne suis pas Français

De primesaut, vous penserez que ce n'est pas original — quelques milliards d'hommes ne le sont pas — et que vous êtes assez sollicités par une masse d'informations importantes pour ne pas vous arrêter au problème de ma nationalité. Soit. Et voire. Car il m'a fallu un peu plus de quatre décennies pour parvenir à cette constatation. Il y a pourtant bien des années que presse, radio, ministères et livres de spécialistes, me le disent et me le redisent. Nous ne manquons pas d'étalons quotidiennement étalés. Il faut être sourd, ou complètement idiot, pour ignorer ce que sont les Français — les définisseurs, sans doute pour mieux distinguer cet individu sans pareil, disent de préférence « le Français ».

a *Le Français lit très peu. Et qu'on ait vendu plus de livres cette année que l'an passé n'enlève rien à cette partie du portrait. La contradiction, c'est français aussi.*

b *Le Français ne mange plus de pain, se méfie du vin et regarde plus volontiers les « variétés » que les « culturelles ».*

c *Le Français était à l'ecoute de sa T.S.F. le 18 juin 1940 et dans le Vercors en 1943.*

d *Le Français est catholique, généralement non pratiquant, il méprise les homosexuels, ne fait pas la grasse matinée, affectionne les sigles, et plus P.M.U. que M.L.F., aime les Israéliens, pas les juifs, les Arabes, pas les ratons, mais ne fait pas de différence entre un Noir et un nègre.*

e *A date fixe, le Français retrouve vingt millions de ses semblables sur les routes qui mènent vers la solitude où ils sont ensemble.*

f *Le Français, cocardier, se moque des commémorations, mais qu'on en supprime une ou qu'on les rassemble toutes le même jour, il crie à la frustration.*

Le Français, émerveillé, découvre que les pieds sont faits pour la marche, et il ne supporterait plus un dimanche sans cross-country — ne serait-ce que pour le regarder à la télé.

g *Le Français est frondeur, mais que d'une fronde parte un caillou qui effleure son chapeau et le voici réclamant l'ordre.*

h *Le Français n'est pas raciste. Entre mille preuves, celle-ci, qu'il passe volontiers ses vacances à l'étranger où c'est tout de même moins bien, surtout côté bouffe, que chez lui.*

i *Le Français se méfie de l'Etat et professe, à l'occasion, qu'il s'en passerait bien, mais dès qu'il lui manque trois sous ou que ses carottes ont gelé, il met l'Etat en demeure de s'occuper de lui.*

j *Le Français a horreur de la paperasse, pourtant il est attentif à prouver son appartenance à des associations en bourrant son portefeuille de cartes, et, de préférence, de celles que barre une bande tricolore.*

Le Français a 2,9 enfants, attache son chien aux arbres de l'été, refuse de se baigner, en congé payé et à Dunkerque, au mois de novembre.

Le Français préfère Sheila à Anne Sylvestre, voudrait partir comme Brel et dire « Bonjour voisin ! » à Charlot comme Aznavour.

k *Le Français aime les poètes, morts.*

l *Le Français est bricoleur, inventif et achète à l'étranger plus de brevets qu'il ne lui en vend.*

m *Le Français, de toutes les distractions qui lui sont offertes, préfère le cinéma et le foot, à la télé.*

n *Le Français est musicien, vers 11 h. 15, le samedi sur France-Musique.*

o *Le Français a la plus belle langue du monde et voue aux gémonies l'arbitre rital ou espingouin qu'a pas sifflé le penalty contre les angliches et qui a intérêt à planquer ses miches parce que c'est dégueulasse d'empêcher Rocheteau de venger Jeanne d'Arc — quand il a beaucoup de culture, il ajoute Fachoda.*

Ce portrait n'est pas complet. Les maîtres d'œuvre des sondages et de la sociologie le parfont avec un art des plus subtils, et si vous prenez le catalogue des dernières années de leurs travaux, vous découvrirez que le Français c'est bien autre chose encore, du sexe à l'âme. Et n'ayez pas la velléité d'apporter, au portrait, quelques retouches. Ceux qui savent sont péremptoires. Voyez les titres : Les Français sont, pensent, ont, font veulent... C'est écrit, vérifié à la machine. Il faudrait bien de l'aplomb pour mettre en doute ceux qui savent. J'en ai garde. Simplement, ne répondant pas aux normes, je constate que ma carte d'identité est un faux. Je ne suis pas Français. Et vous ?

PIERRE-ROBERT LECLERCQ.

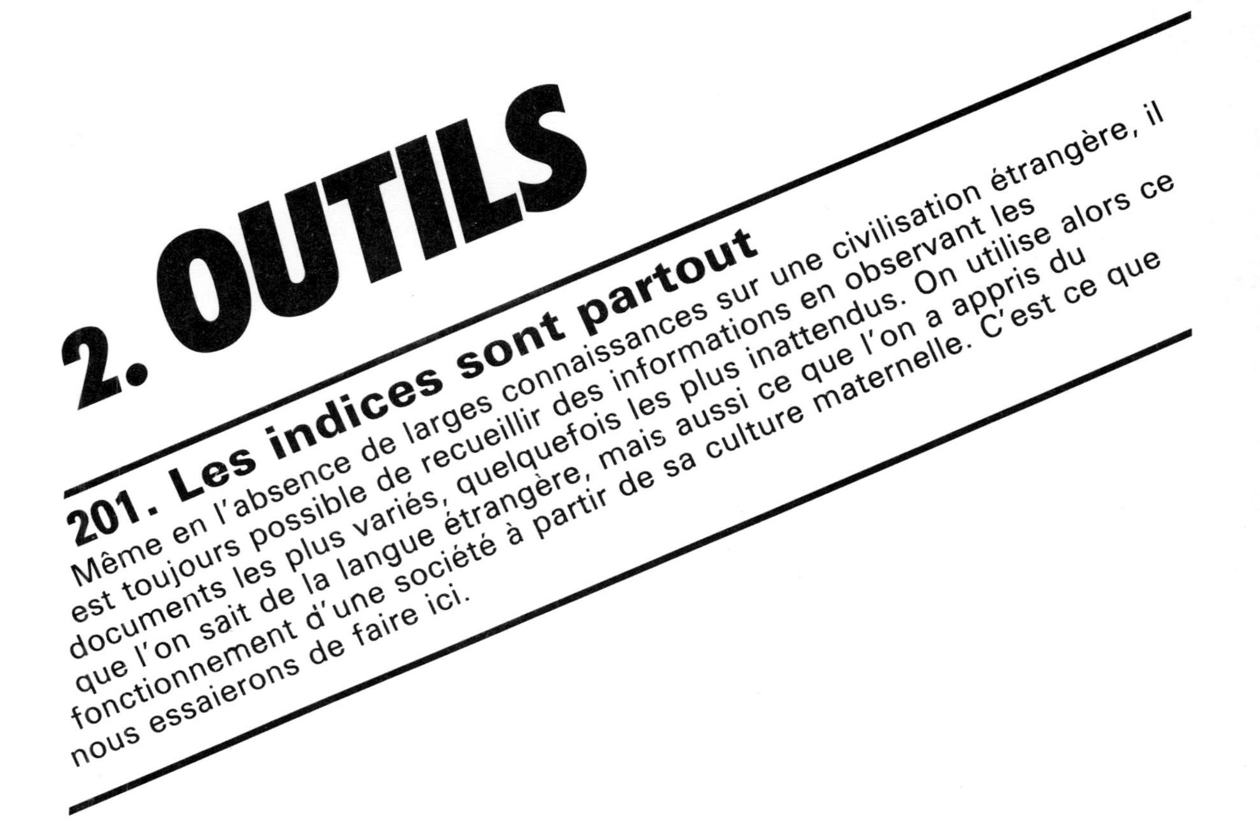

2. OUTILS

201. Les indices sont partout

Même en l'absence de larges connaissances sur une civilisation étrangère, il est toujours possible de recueillir des informations en observant les documents les plus variés, quelquefois les plus inattendus. On utilise alors ce que l'on sait de la langue étrangère, mais aussi ce que l'on a appris du fonctionnement d'une société à partir de sa culture maternelle. C'est ce que nous essaierons de faire ici.

Document 2011
« Carnet »

1. Observez le **document 2011** qui pourrait être trouvé dans un quotidien parisien, et dites quelle est sa fonction. Connaissez-vous des annonces semblables dans votre pays ? Ont-elles la même fonction ? Sinon, en quoi sont-elles différentes ?

2. Toutes ces annonces de décès sont rédigées sensiblement de la même manière. En les comparant entre elles, identifiez les informations qu'elles contiennent et l'ordre dans lequel elles apparaissent :

a - les auteurs de l'annonce
b - annoncent le décès de
c - un parent
d - (par exemple : notaire à Paris)
e -
f - (le 23 juin à 15 h 15)
g -
h -

3. Y a-t-il des indications données ici qui vous paraissent curieuses ? Lesquelles ? Pourquoi ?

4. En relisant les annonces, relevez maintenant uniquement les informations fournies sur les personnes décédées. Si nécessaire, aidez-vous d'un dictionnaire.

a - professions et fonctions ;
b - titres de noblesse ;
c - titres universitaires ;
d - grade (pour les militaires) ;
e - distinctions et décorations ;
f - autres indications.

Carnet

Décès

Mme Marcel Carrière, née Loureau,
M. et Mme Jean-Jacques Carrière,
Sébastien, Aurélie, Jean-Pierre Carrière,
Renaud Carrière,
Mme Yvonne Loureau,
son épouse, ses enfants, petits-enfants, arrière-petit-fils et belle-sœur,
ont la douleur de faire part du décès de

M. Valentin, Jean-Marcel CARRIÈRE,

officier de la Légion d'honneur,
ingénieur général géographe honoraire,
survenu à Paris le 6 avril 1985, dans sa quatre-vingt-septième année.

Les obsèques ont eu lieu dans la plus stricte intimité au cimetière de Lisieux.

Mme Marcel Carrière,
M. et Mme Jean-Jacques Carrière,
8, avenue Laumière, 75019 Paris.

La baronne de Malerive,
Le baron et la baronne
Octave de Malerive
et leur fils,
Mme Laurence de Malerive
et ses filles,
M. et Mme Henri Daniel
et leurs enfants,
Le comte et la comtesse
de Casteljac et leurs enfants,
Mlle de Malerive,
M. et Mme Pierre Cidreau
et leurs enfants,
Mme Denise Cellier,
ont l'immense douleur de faire part du retour à Dieu de

Édouard, Marie, Henri baron de MALERIVE,

pieusement décédé à Neuilly le 16 avril 1985.

La cérémonie religieuse aura lieu le mardi 16 avril à 10 heures, en l'église Saint-Pierre de Neuilly, place Winston-Churchill.

L'inhumation aura lieu dans la plus stricte intimité.

Cet avis tient lieu de faire-part.
3, avenue Céline,
92200 Neuilly-sur-Seine.

Mme Pierre De Baecker,
née Elsa Nicole Rossi, son épouse,
Mlle Frédérique De Baecker,
sa fille,
Mme Jérôme De Baecker,
sa mère,
Mme Françoise Guyot,
sa tante,
Frédéric, Véronique, Catherine Rossi, ses neveu et nièces,
Les familles Guyot, Desmets, Trouhadec, Aymon-Reboux,
ont la grande douleur de faire part du décès de

M. Pierre De BAECKER,

notaire à Paris,
survenu subitement en son domicile à Paris, le 15 avril 1985,
dans sa cinquante-troisième année.

La cérémonie religieuse sera célébrée le vendredi 19 avril, à 11 heures, en l'église Saint-Louis-en-l'Ile, Paris-4e.

Il ne sera pas reçu de condoléances à l'issue de la cérémonie religieuse.

Un registre sera tenu à disposition.
Cet avis tient lieu de faire-part.

Nous apprenons le décès, survenu le 12 avril à Paris, du général de corps d'armée (C.R)

Robert AUNIS

[Né le 26 juin 1899 à Brioude (Haute-Loire), Robert Aunis sort de Saint-Cyr en 1919. Lieutenant-colonel en 1944, il est chef du 3e bureau du corps expéditionnaire en Italie jusqu'en 1944 et commande, en 1945, le 4e régiment de spahis marocains. Général de division en 1955, il est chef d'état-major particulier du ministre de la défense. Général de corps d'armée en 1957, il devient, en 1958, commandant du corps d'armée de Constantine.
Titulaire de la croix de guerre 1939-1945 et de la croix de la Valeur militaire, Robert Aunis était grand officier de la Légion d'honneur.]

Anniversaire

Il y a quinze ans, le poète
Dominique CHAIX
nous quittait. Souvenons-nous.

(Pour des raisons évidentes, les noms de personnes et de lieux ont été modifiés dans ce document.)

5. Comme on peut penser qu'une partie, au moins, des lecteurs d'un quotidien ressemble à ceux qui font passer ces annonces, essayez de décrire le profil du groupe social correspondant à ce carnet.

Ce carnet touche, théoriquement, des lecteurs de toutes les régions. Toutefois, regardez les adresses et ajoutez un commentaire aux caractéristiques déjà relevées.

6. A partir de cette analyse, avez-vous l'impression d'être suffisamment informé sur ce groupe social ? Sinon, que faudrait-il savoir de plus ? Où pourrait-on trouver, selon vous, ces renseignements complémentaires ?

7. Pensez-vous que d'autres rubriques d'un journal pourraient, elles aussi, fournir de manière indirecte des informations semblables ? Lesquelles ? ■

Carnet

Décès

Mme Roger Azoulay,
M. et Mme Jacques Moll,
M. et Mme Maurice Lévy,
Mme Sonia Tenon, ses enfants, ses petits-enfants et arrière-petits-enfants,
Sa sœur Mme S. Sabbagh,
Les familles Lévy et Wiesner,
ont le regret de vous faire part du décès de

Mme Samuel LÉVY,
née Yvette Wiesner,
croix de guerre 1939-1945,

le 23 juin dans sa quatre-vingt-septième année. Les obsèques ont été célébrées dans l'intimité.
Cet avis tient lieu de faire-part.

Mme Michel Meyer,
Les familles Meyer, Renaud, Strohl et Assor,
Ses enfants, petits-enfants et nombreux amis,
ont la douleur de faire part du décès de

M. Michel MEYER,
géographe honoraire
du ministère des relations extérieures,
chevalier de la Légion d'honneur,
palmes académiques,

survenu le 19 juin à l'âge de soixante-huit ans.
Une cérémonie religieuse aura lieu le lundi 24 juin, à 11 heures, en l'église réformée du Luxembourg, 58, rue Madame, Paris, 6e.
18, rue Rennequin,
75017 Paris.

Mme Louis Robert,
Mme Yvon Robert et Frédéric,
M. et Mme Robert Martin
et leurs enfants,
Parents et alliés,
ont le pénible devoir de faire part du décès de

M. Louis ROBERT,
administrateur en chef de la F.O.M.,
membre libre
de l'Académie des sciences
d'outre-mer,
membre correspondant
de l'Académie malgache,
officier des palmes académiques,

survenu à Lyon, le 19 juin 1985, à l'âge de quatre-vingt-dix ans.
Le présent avis tient lieu de faire-part.

Auch, Mirande, Condom.
M. et Mme Jacques Arnaud
et leurs enfants,
M. et Mme Philippe Rouanet
et leurs enfants,
Mme veuve Michel Cartier, sa sœur,
Mme Anne Coppola,
Ainsi que toute la famille,
ont la douleur de faire part du décès de

M. André ARNAUD,
ingénieur d'agronomie,
licencié ès sciences,
ancien directeur
des services agricoles du Gers,
chevalier de la Légion d'honneur,
officier
de l'ordre national du Mérite,
officier dans l'ordre
des palmes académiques,

survenu le 23 juin 1985.
La cérémonie religieuse aura lieu le vendredi 28 juin 1985, à 15 h 15, en la cathédrale Sainte-Marie d'Auch, où l'on se réunira.
Condoléances à l'issue de la cérémonie religieuse.
L'inhumation se fera dans l'intimité familiale.
Mme Cartier,
2, rue d'Étigny, 32000 Auch.

Le docteur Michel Espinasse,
Véronique et Jacques Thébaut-Espinasse,
Christine et Christian Lacalmontie,
Bénédicte Espinasse,
Mme Gildas Bordenave,
ses enfants et petits-enfants,
Tous ceux qui l'ont entourée,
ont la profonde peine d'annoncer le départ vers l'Espérance de

Maïté ESPINASSE,
née Bordenave,

le 14 juin 1985, dans sa quarante-neuvième année.
La cérémonie religieuse d'adieu a eu lieu en l'église Sainte-Foy, le 16 juin 1985.
21, boulevard de l'Europe,
69110 Sainte-Foy-lès-Lyon.
Cet avis tient lieu de faire-part.

M. et Mme Claude Bloch,
Mlle Dominique Bloch,
Francis et Robin Collins,
Mme le docteur Jenny Astier
et ses enfants,
M. et Mme Tournier
et leurs enfants,
M. et Mme Jean-Marc Celucesco,
Mme Elizabeth Celucesco,
Mme Jacques Bourdeaux
et ses enfants,
Le docteur et Mme Claude Bourdeaux
et leurs enfants,
Le docteur et Mme Jouhault
et leurs enfants,
M. et Mme François Bourdeaux
et leur famille,
M. René Bourdeaux,
M. et Mme Daniel Bourdeaux,
M. et Mme Aubry
et leurs enfants,
Le docteur et Mme Michel Bloch
et leurs enfants,
Le docteur et Mme Bernard Bloch
et leurs enfants,
Ses frères et sœurs, neveux et nièces,
Et sa fidèle servante Marguerite Nicolas,
ont le chagrin de faire part du décès de

Mme Jeanne BLOCH,
agrégée de lettres,

grand officier de la Légion d'honneur, survenu à son domicile le 23 juin 1985.
Les obsèques auront lieu le jeudi 27 juin, à 11 heures, à l'Église réformée, 19, rue Cortambert, 75116 Paris.

Le président,
Le conseil d'administration,
Le conseil scientifique,
Et les membres de la fondation Jeanne Bloch,
ont la profonde douleur de faire part du décès de

Mme Jeanne BLOCH,
agrégée de lettres,

grand officier de la Légion d'honneur, survenu à l'âge de quatre-vingt-neuf ans, à son domicile, 43, avenue Georges-Mandel, 75116 Paris.

M. JEAN LANCEREAU
Nous apprenons le décès de
M. Jean LANCEREAU,
ancien sénateur de l'Allier,
survenu le lundi 24 juin, au centre hospitalier de Moulins.

[Né le 11 mars 1903 à Vichy (Allier), Jean Lancereau, instituteur, puis directeur d'école, fut mobilisé en 1939 comme pilote de chasse. Résistant actif au sein du mouvement Libération-nord, il avait été désigné en 1942 comme directeur et rédacteur en chef de l'organe de la résistance du centre, « le Centre libre ».
Élu sénateur le 11 juin 1967, à l'occasion d'une partielle, Jean Lancereau (P.S.) n'avait pas sollicité le renouvellement de son mandat en septembre 1974.]

Service religieux

— A l'occasion du onzième anniversaire de la mort de l'ingénieur général **Pierre MATHIEU**, un service religieux sera célébré en l'église Saint-Pierre de Brétigny, le mardi 2 juillet 1985, à 9 h 30.

202. Lire les chiffres

Pour découvrir une autre société, on peut toujours se servir des chiffres qui la décrivent (par exemple : nombre d'habitants, superficie, revenu par habitant). Mais ceux-ci ne disent pas tout. On montrera ici l'intérêt et les insuffisances de telles informations à propos des goûts cinématographiques des Français.

2021

RESULTATS PROVINCE

du 2.11.83 au 8.11.83

BORDEAUX		
PAPY FAIT DE LA RESISTANCE(Gaumont,Francais,2è s.)	13 402	36 371
LE MARGINAL(Gaumont,Marivaux,2è s.)	12 831	34 268
LE RETOUR DU JEDI(Ariel,Gaumont,3è s.)	5 562	34 127
LES MOTS POUR LE DIRE(Ariel,2è s.)	3 227	6 360
FLASHDANCE(Gaumont,Francais,8è s.)	2 904	54 875
OCTOPUSSY(Ariel,Gaumont,5è s.)	2 401	35 891
CLASS(Francais,1è s.)	2 287	2 287
LE NOUVEL AMOUR DE COCCINELLE(Ariel,2è s.)	2 213	5 517
LE BOURREAU DES COEURS(Ariel,Francais,3è s.)	2 170	20 337
RUE CASES NEGRES(Marivaux,4è s.)	1 636	8 529
STAYING ALIVE(Ariel,4è s.)	1 395	4 456
L'AMI DE VINCENT(Gaumont,6è s.)	990	13 245
L'AMIE(Marivaux,1è s.)	978	978
ATTENTION UNE FEMME..(Gaumont,7è s.)	865	21 453
ZELIG(Francais,8è s.)	924	16 353

MARSEILLE		
LE MARGINAL(Rex,Bonnev,Pathé,Madel,Odéon,2è s.)	19 704	59 625
PAPY...(Rex,Paris,Pathé,César,Madeleine,2è s.)	13 741	34 683
JEDI(Capit,Rex,Bonnev,Pathé,César,Madeleine,3è s.)	8 501	52 254
STAYING ALIVE(Capit,Ariel,Madel,Holly,Chamb,4è s.)	4 272	39 128
LE BOURREAU DES COEURS(Capit,Ariel,Pathé,Madel,4è)	3 793	34 464
CLASS(Odéon,Hollywood,Chambord,1è s.)	3 483	3 483
LE NOUVEL..COCCINELLE(K7,Madel,Holly,Chamb,2è s.)	3 345	9 530
OCTOPUSSY(Capitole,Ariel,Chambord,5è s.)	2 831	45 665
FLASHDANCE(K7,Odéon,Hollywood,8è s.)	2 160	75 907
LES PRINCES(Capitole,Paris,1è s.)	1 991	1 991
LES MOTS POUR LE DIRE(Paris,Bonneveine,4è s.)	1 893	9 086
LA BALLADE DE NARAYAMA(Paris,Bonneveine,6è s.)	1 340	10 555
GUETAPENS(Pathé,1è s.)	1 112	1 112
LE COLLEGE S'ENVOIE EN L'AIR(Pathé,5è s.)	998	5 624
LA VIE DE BRIAN(K7,1è s.)	970	970
LES GUERRIERS DU BRONX(K7,1è s.)	892	892

METZ		
LE MARGINAL(Rex, Ariel, 2è s.)	6.879	19.914
PAPY FAIT DE LA RESISTANCE(St Jacques,Ariel,2è)	6.438	15.154
LE RETOUR DU JEDI(Eden,Ariel,3è s.)	3.459	23.642
LE NOUVEL AMOUR DE COCINELLE(St Jacques,1ère s.)	1.513	1.513
LES GOULUES(Royal,1ère s.)	1.317	1.317
LE BOURREAU DES COEURS(Ariel,4è s.)	1.237	9.625
LES MOTS POUR LE DIRE(St Jacques,3è s.)	1.204	4.315
JEUNES BOURGEOISES(Royal,1ère s.)	1.105	1.105
STAYING ALIVE(Rex, 4è s.)	966	9.125
OCTOPUSSY(Rex, 5è s.)	951	17.303
FLASHDANCE(St Jacques,8è s.)	941	3.469

CAEN		
PAPY FAIT DE LA RESISTANCE(Gaumont,Cinéclair,2è s.)	7.484	20.659
LE MARGINAL(Gaumont,2è s.)	5.230	13.989
LE RETOUR DU JEDI(Gaumont,Malherbes,3è s.)	2.088	15.165
LE NOUVEL AMOUR DE COCCINELLE(Malherbes,2è s.)	1.343	4.103
ORANGE MECANIQUE(Cineclair,1ère s.)	1.285	1.285
CHANEL,SOLITAIRE(Malherbes,1ère s.)	1.103	1.103
LES BRANCHES A ST TROPEZ(Cinéclair, 1ère s.)	943	943

GRENOBLE

E MARGINAL(Gaumont,Eden,Grand Place,2è s.)	9 840	29 003
APY FAIT DE LA R..(Gaumont,Royal,Gd Place,2è s.)	7 571	20 366
E RETOUR DU JEDI (Gaumont,Eden,Royal,Gd Place,3è)	4 252	32 428
E NOUVEL AMOUR DE COCCINELLE(Ariel,Gd Place,2è s.)	2 379	7 417
ES MOTS POUR LE DIRE(Royal,3è s.)	2 203	7 898
E BOURREAU DES COEURS(Eden,Royal,Gd Place,4è s.)	2 088	19 096
LASS(Eden,1è s.)	1 877	1 877
TAYING ALIVE(Rex,Royal,4è s.)	1 715	16 074
UE CASES NEGRES(Nef,6è s.)	1 622	12 692
LASHDANCE(Rex,Eden,8è s.)	1 510	46 066
941 (Rex,Nef,1è s.)	1 483	1 483
CTOPUSSY(Gaumont,Rex,5è s.)	1 322	26 312
A BALLADE DE NARAYAMA(Gaumont,Club,6è s.)	1 321	29 657
AMIE(Club,2è s.)	1 233	2 235
ONATHAN LIVINGSTONE(Rex,3è s.)	1 109	4 826
PERATION DRAGON(Rex,3è s.)	936	2 640

NANCY

LE MARGINAL(Guamont,Pathé,2è s.)	8.316	23 234
PAPY FAIT DE LA RESISTANCE(Gaumont,2è s.)	7.897	17.977
LE RETOUR DU JEDI(Pathé,Rio,3è s.)	3.901	26.106
PLAGES DES SODOMISEES(St Sébastian,1ère s.)	1.789	1.789
OCTOPUSSY(Gaumont,Paramount,5è s.)	1.688	24.605
CLASS(Rio,1ère s.)	1.506	1.506
PARTIES FINES AU COLLEGE(St Sébastian,1ère s.)	1.414	1.414
LES MOTS POUR LE DIRE(Rio,3è s.)	1.329	4.707
FLASHDANCE(Rio,8è s.)	1.307	34.280
LE BOURREAU DES COEURS(Rio,4è s.)	1.244	14.880
LES GRANDES SALOPES(St Sébastian,1ère s.)	1.207	1.207
LE NOUVEL AMOUR DE COCINELLE(Rio,2è s.)	1.129	3.633
STAYING ALIVE(Rio,47 s.)	1.108	9.664
L'AMIE(Gaumont,1ère s.)	1.087	1.087
AIMER ET VIVRE LIBRE(St Sébastian, 2è s.)	887	1.901

MONTPELLIER

E MARGINAL(Gaumont,Capitole;2è s.)	8.750	26.046
APY FAIT DE LA RESISTANCE(Gaumont,POlygone,2è s.)	8.623	16.366
E RETOUR DU JEDI(Gaumont,Royal,3è s.)	8.231	32.696
ES MOTS POUR LE DIRE(Royal,2è s.)	2.472	4.917
E CASES NEGRES(Gaumont,1ère s.)	1.951	1.951
TAYING ALIVE(Polygone,Palace,4è s.)	1.614	14.308
E BOURREAU DES COEURS(Royal,Capitole,4è s.)	1.428	12.471
S PRINCES(Gaumont,1ère s.)	1.407	1.407
CTOPUSSY(Gaumont,5è s.)	1.394	24.574
CINELLE(K7,1ère s.)	1.066	1.066

NANTES

PAPY FAIT DE LA RESISTANCE(Gaumont,Katorza,2è s.)	9 307	21 436
LE MARGINAL(Gaumont,Katorza,2è s.)	9 155	22 427
LE RETOUR DU JEDI(Gaumont,Olympia,3è s.)	3 442	22 715
OCTOPUSSY(Colisée,Apollo,4è s.)	2 044	26 517
FLASHDANCE(Colisée,8è s.)	1 923	34 228
LES MOTS POUR LE DIRE(Apollo,4è s.)	1 861	8 221
LE NOUVEL AMOUR DE COCCINELLE(Apollo,2è s.)	1 811	6 162
CLASS(Ariel,1è s.)	1 451	1 451
LES PRINCES(Katorza,1è s.)	1 421	1 421
LE BOURREAU DES COEURS(Colisée,Apollo,4è s.)	1 261	10 215
RUE CASES NEGRES(Katorza,5è s.)	1 238	8 561
STAYING ALIVE(Apollo,4è s.)	1 177	8 477
LA BALLADE DE NARAYAMA(Gaumont,6è s.)	1 021	11 697
ATTENTION UNE FEMME...(Gaumont,7è s.)	894	14 641
ZELIG(Katorza,8è s.)	811	14 214
BEN HUR(Ariel,4è s.)	808	4 794

LYON

MARGINAL(Royal,TivoliI,Coemédia,Gémeaux,2è s.)	21 463	59 290
PY..(Pathé,Coemédia,Bellecour,2è s.)	20 741	45 812
RETOUR DU JEDI (Pathé,Palais,3è s.)	10 620	58 290
NOUVEL AMOUR DE ...(Pt Dieu,Ciné J,Chant,2è s.)	5 807	15 904
TOPUSSY(Scala,Part Dieu,Paramount,5è s.)	4 637	30 397
ASS(Concorde,Part Dieu,1è s.)	4 272	4 272
BOURREAU...(Scala,Pt Dieu,Ciné J,Chant,4è s.)	4 203	38 884
AYING ALIVE(Scala,Pt Dieu,Ciné Journal,4è s.)	3 799	33 165
ASHDANCE(Scala,Pt Dieu,Chanteclair,8è s.)	3 538	83 664
S PRINCES(Scala,Concorde,Part Dieu,1è s.)	3 088	3 088
S MOTS POUR LE DIRE(Concorde,Part Dieu,4è s.)	3 069	17 010
BALLADE DE NARAYAMA(Tivoli,Ambiance,6è s.)	2 540	24 213
NITENCIER(Pathé,1è s.)	2 390	2 390
E CASES NEGRES(Concorde,Part Dieu,6è s.)	2 056	16 875
LIG(Part Dieu,Paramount,8è s.)	1 782	36 163
ANGE MECANIQUE(Scala,1è s.)	1 667	1 667
CANARDEUR(Scala,1è s.)	1 662	1 662
TENTION UNE FEMME..(Tivoli,7è s.)	1 382	28 263
NATHAN LIVINGSTONE(Gémeaux,4è s.)	1 351	9 619
S AVENTURIERS DE L'ARCHE PERDUE(Part Dieu,12è s.)	1 020	20 463
TSIDERS(Pathé,9è s.)	880	28 388

LILLE

LE MARGINAL(Gaumont,Concorde,2è s.)	10 150	28 991
PAPY FAIT DE LA RESISTANCE(Gaumont,Métropole,2è s.)	9 596	23 424
LE RETOUR DU JEDI(Pathé,Ariel,3è s.)	4 041	26 269
CLASS(Ariel,1è s.)	2 676	2 676
MINETTES PERVERSES(Omnia,1è s.)	2 383	2 383
LES MOTS POUR LE DIRE(Ariel,4è s.)	2 381	11 266
FLASHDANCE(Pathé,Ariel,8è s.)	2 259	43 236
LE NOUVEL AMOUR DE COCCINELLE(Ariel,Métropole,2è s.)	2 188	6 862
OCTOPUSSY(Gaumont,Concorde,5è s.)	2 138	31 648
PENITENCIER(Gaumont,1è s.)	1 525	1 525
LA BALLADE DE NARAYAMA(Gaumont,6è s.)	1 486	11 924
STAYING ALIVE(Ariel,4è s.)	1 369	8 880
VACANCES POLISONNES(Omnia,1è s.)	1 142	1 142
JONATHAN LIVINGSTONE(Gaumont,5è s.)	1 124	10 304
ZELIG(Pathé,8è s.)	1 113	20 320
LE BOURREAU DES COEURS(Ariel,Métropole,2è s.)	1 101	5 775
ATTENTION UNE FEMME...(Gaumont,3è s.)	1 007	14 108

Document 2021
Fréquentation du cinéma, résultats province du 2-11 au 8-11-1983, *Le Film français*, nº 1966

1. Ce document donne des informations sur l'industrie du cinéma.
a - Sont-elles générales ou partielles ?
b - En quelle unité ces chiffres sont-ils donnés ?
c - Le chiffre de la seconde colonne est-il toujours égal ou supérieur au premier ? Quelle information donne-t-il ?
d - On trouve des indications comme : 1re s., 8e s. Que peut signifier cette abréviation ?

A l'aide de ces observations, complétez la formule suivante (premier film de la liste) :
Le film *Papy fait de la résistance*, qui est projeté dans les cinémas « Le Gaumont » et « Le Français » de Bordeaux depuis (...), a été vu par (...) spectateurs, dans la période du (...) au (...) et par (...) spectateurs, depuis (...).

2. Vous avez peut-être vu ou entendu parler de certains de ces films *(Octopussy, Ben Hur)* : déterminer leur genre (espionnage, aventures, film à grand spectacle, histoire...). Pour les autres que vous ne connaissez pas, essayez de deviner leur genre à partir de leur seul titre.

Document 2022
Pariscope, nº 807

3. Vérifiez vos hypothèses à l'aide des descriptions du **document 2022**

L'AMIE. 1983. 1h45. Comédie dramatique allemande en couleurs de Margarethe Von Trotta avec Hanna Schygulla, Angela Winkler, Peter Strieberck, Christine Fersen, Franz Buchrieser.
La rencontre de deux femmes, dissemblables, qui vont apprendre à se connaître et à s'aimer. Une mise en scène très élaborée qui rend avec finesse une atmosphère trouble et une sensibilité à fleur de peau.

ATTENTION, UNE FEMME PEUT EN CACHER UNE AUTRE. 1983. 1h50. Comédie française en couleurs de Georges Lautner avec Miou-Miou, Roger Hanin, Eddy Mitchell, Charlotte de Turckheim, Dominique Lavanant.
Alice a une double vie : deux hommes, deux ménages et un certain nombre d'enfants : une situation génératrice de beaucoup de complications. Ecrite par Jean-Louis Dabadie, une comédie enlevée, par le réalisateur de « Flic ou voyou » et des « Tontons flingueurs ».

LA BALLADE DE NARAYAMA. Narayama Bushi-Ko. 1983. 2h10. Drame psychologique japonais en couleurs de Shohei Imamura avec Ken Ogata, Sumiko Sakamoto, Takejo Aki, Tonpei Hidari, Seiji Kurasaki, Kaoru Shimamori.
L'étrange loi d'un petit village des hautes montagnes Shinshu au Japon, oblige les vieillards de plus de 70 ans à s'exiler sur les sommets pour y attendre la mort. Un background féroce pour cette œuvre forte qui a été récompensé par la palme d'or au dernier Festival de Cannes.

LE BOURREAU DES CŒURS. 1983. 1h30. Comédie française en couleurs de Christian Gion avec Aldo Maccione, Anna Maria Rizzoli, Jean Parédes, André Nader, Nilol il Grande.
Le bourreau des cœurs, le roi des dragueurs, le prince des mitos-ringards découvre Tahiti, ses lagons paradisiaques et des vahinées voluptueuses. Du cinéma macho-comique.

CHANEL SOLITAIRE. 1981. 2h. Comédie dramatique franco-anglaise en couleurs de George Kaczender avec Marie-France Pisier, Timothy Dalton, Rutger Hauer, Karen Black, Brigitte Fossey, Alexandra Stewart, Catherine Allegret.
La fantastique ascension de la petite provinciale Gabrielle Chanel qui révolutionna la mode au début du siècle en montrant les jambes des femmes et en les libérant de leurs corsets. Sa brillante carrière de grand couturier mais aussi sa vie sentimentale qui fut moins réussie.

CLASS. 1983 1h40. Comédie américaine en couleurs de Lewis John Carlino avec Rob Lowe, Jacqueline Bisset, Andrew Mac Carthy, Stuart Margolin, Cliff Robertson.
Un jeune étudiant vit sa première aventure amoureuse avec une femme mariée plus âgée que lui. Une éducation sentimentale à l'américaine sur fond de campus universitaire. **♦Les Forums Cinémas**

FLASHDANCE. 1983. 1h35. Comédie musicale américaine en couleurs d'Adrian Lyne avec Jennifer Beals, Michael Nouri, Belinda Bauer, Lilia Skala, Phil Bruns, Malcolm Danare.
L'ascension d'une très jeune fille qui réalise son rêve en devenant danseuse professionnelle. Une satire tonique du show business des années 80.

LE MARGINAL. 1983. 1h40. Film policier français en couleurs de Jacques Deray avec Belmondo, Henry Silva, Claude Brosset, Pierre Vernier, Roger Dumas, Carlos Sottomayor, Tchéky Karyo.
Le commissaire Jordan, flic intègre et musclé, arrive à Marseille pour diriger la Brigade des Stupéfiants. Dialogué par Michel Audiard et orchestré par un spécialiste du film d'action, le nouveau film du champion toutes catégories du Box Office francais

LES MOTS POUR LE DIRE. 1983. 1h30. Comédie dramatique française en couleurs de Jose Pinheiro avec Nicole Garcia, Marie-Christine Barrault, Daniel Mesguich, Jean-Luc Boutte, Claude Rich.
L'histoire bouleversante de Marie Cardinal : aux frontières de la folie et de la mort, une jeune femme tente le pari d'une psychanalyse.

OCTOPUSSY. 1983. 2h10. Film d'aventures américain en couleurs de John Glen avec Roger Moore, Maud Adams, Louis Jourdan, Kristina Wayborn, Kabir Bedi.
Dernier né des aventures de l'agent 007 : entre les agents US et les agents russes, James Bond dénoue habilement une intrigue tissée de main de maître. Gadgets, trucages et cascades sont au rendez-vous de ce film qui n'a rien à envier aux précédents.

□ **ORANGE MECANIQUE. Clockword orange.** 1971. 2h30. Drame psychologique Anglais en couleurs de Stanley Kubrick avec Malcolm Mc Dowell, Patrick Maggee, Paul Ferrel, Richard Connaught, Michael Bates.
La délinquance juvénile en l'an 2000. Stanley Kubrick, avec une stupéfiante maîtrise et un sens aigu de la satire, jongle avec les deux pôles de la dramaturgie futuriste : le sexe et la violence. Int — 18 ans.

OUTSIDERS. 1982. 1h35. Film d'aventures américain en couleurs de Francis Coppola avec Thomas Howell, Rob Lowe, Patrick Swayze, Ralph Macchio, Matt Dillon, Emilio Estevez, Diane Lane, Leif Garett, Darren Dalton.
Trois frères vivent isolés dans un quartier chaud de Tulsa, Oklahoma, dans les années 60. Délinquants brimés, ils sont harcelés par des bandes rivales. Le cinéaste d'« Apocalypse Now » s'attache à une peinture violente et cruelle qui est le reflet d'une époque.

PAPY FAIT DE LA RESISTANCE. 1983. 1h45. Comédie française en couleurs de Jean-Marie Poiré avec Christian Clavier, Michel Galabru, Roland Giraud, Gerard Jugnot, Martin Lamotte, Dominique Lavanant, Jacqueline Maillan, Jacques Villeret.
La drôle de guerre et l'occupation allemande vécue par une famille de musiciens. Une aventure rocambolesque qui nous vient du café théâtre, interpétrée et animée par une troupe haute en couleurs.

LES PRINCES. 1982. 1h40. Film d'aventures français en couleurs de Tony Gatlif avec Gerard Darnon, Muse Dalbray, Celine Niliton, Concha Tavora, Dominique Maurin.
Sous forme d'une saga tzigane, la vie de Nara et de Miralda face à des sociétés et des structures qui les rejettent. Un hymne à la vie de bohême.

LE RETOUR DU JEDI. 1983. 2h15. Film de science-fiction américain en couleurs de Richard Marquand avec Mark Hamill, Harrison Ford, Carrie Fisher, Billy dee Williams, Alec Guinness.
3ᵉ volet de l'épopée cosmique de la « Guerre des étoiles ». Pour cet épisode, des moyens et des trucages inouïs ont été mis en œuvre. Un film-événement très attendu par le public français.

RUE CASES-NEGRES. 1983. 1h45. Comédie dramatique française en couleurs d'Euzhan Palcy avec Garry Cadenat, Darling Legitimus, Douta Seck, Joby Bernabe.
Une communauté noire, à la Martinique en 1931. Autour de M'man Tine, la grand-mère, les pleurs et les joies d'une famille : témoignage d'une époque et d'une certaine colonisation.

STAYING ALIVE. 1982. 1h35. Comédie musicale américaine en couleurs de Sylvester Stallone avec John Travolta, Lynthia Rhodes, Finola Hughes, Steve Inwood, Julie Bovasso.
Tony Manero, le héros de la « Fièvre du samedi soir » arrive à Broadway afin d'y être couronné comme vedette. Mieux qu'un nouveau film sur le Show business, une comédie musicale menée tambour battant qui marque la rencontre entre un réalisateur (Rocky I, II, III) et une super star.

ZELIG. 1983. 1h20. Comédie américaine en noir et blanc de Woody Allen avec Woody Allen, Mia Farrow, John Buckwalter, Marvin Chatinover, Stanley Swerdlow.
Autour du personnage-caméléon de Leonard Zelig, l'auteur-interprète de « Manhattan » crée un univers à mi-chemin entre celui de Kafka et celui de Groucho Marx. L'événement cinématographique de la rentrée.

22

4. Classez les films (**documents 2021** et **2022**) dans le tableau suivant, en fonction de leur genre. Un même film peut être rangé dans plusieurs catégories puisque celles-ci sont plus ou moins larges.

Films d'aventure	*Ben Hur, Guerriers du Bronx,...*
Comédies	*La vie de Brian*
Comédies dramatiques Drames d'amour	
Comédies musicales	
Dessins animés	
Films érotiques	*Le collège s'envoie en l'air, Les goulues,...*
Espionnage	*Octopussy*
Fantastique Science fiction	
Horreur, épouvante	
Films à grand spectacle	*Ben Hur*
Guerre	
Karaté	
Policier	
Politique	
Western	
Histoire	*Ben Hur*
Films d'auteur	
Classiques du cinéma	*Ben Hur*

5. A partir du **document 2021** et du tableau précédent, dégagez quelques caractéristiques de la consommation cinématographique. Par exemple :

a - Films à succès (en nombre d'entrées) dans l'ordre décroissant. Tenir compte aussi du nombre de salles ; par exemple : *Papy fait de la résistance* (24 salles). Établissez le classement pour les dix premiers.

b - Genres des films les plus populaires (en nombre d'entrées et/ou en nombre de films par genre). Établissez le classement pour les quatre premiers.

c - Public pour les films d'origine étrangère (en pourcentage).

Selon vous, quels sont donc les traits les plus clairs de la fréquentation du cinéma en France ?

6. Ces chiffres (**document 2021**) donnent des informations vérifiables mais :

– ils ne sont pas généralisables. Pour quelles raisons ?

– on peut aller au cinéma une fois par an ou trois fois par semaine. Peut-on définir des types de spectateurs à partir de ces données ?

LES « BEST-SELLERS » DU MARCHÉ FRANÇAIS DE 1956 A 1982

	Titre du film, nationalité	spectateurs (en millions)
	La grande vadrouille (F)	17,225
	Il était une fois dans l'Ouest (I)	14,039
	Le pont de la rivière Kwaï (GB)	13,396
	Les dix commandements (USA)	13,348
	Ben Hur (USA)	13,328
	Le jour le plus long (USA)	11,755
	Le corniaud (F)	11,722
	Le livre de la jungle (USA)	10,224
	Les canons de Navarone (USA)	10,165
	Les cent un dalmatiens (USA)	9,984
	Les misérables (2 époques) (F)	9,938
	La guerre des boutons (F)	9,440
	Le docteur Jivago (USA)	9,315
	La vache et le prisonnier (F)	8,843
	La grande évasion (USA)	8,735
	Emmanuelle (F)	8,541
	West side story (USA)	8,366
	Les aristochats (USA)	8,168
	Le gendarme de St-Tropez (F)	7,779
★✱	Les bidasses en folie (F)	7,453
	Les aventures dse Rabbi Jacob (F)	7,353
★	Les sept mercenaires (USA)	7,021
	Les grandes vacances (F)	6,944
	La chèvre (F)	6,874
	Michel Strogoff (F)	6,868
	Le gendarme se marie (F)	6,786
★✱	Sissi (AU)	6,593
★	Goldfinger (GB)	6,463
	Sissi jeune impératrice (AU)	6,393
★	La cuisine au beurre (F)	6,381
	Le bon, la brute, le truand (I)	6,215
	Les dents de la mer (USA)	6,210
	Le gendarme et les extra-terrestres (F)	6,199
★✱	Oscar (F)	6,092
	Mourir d'aimer (F)	5,914
	Guerre et paix (USA)	5,856
	L'aile ou la cuisse (F)	5,839
	Le bossu (F)	5,819
	Sissi face à son destin (AU)	5,777
★	Les fous du stade (F)	5,740
	A nous les petites anglaises (F)	5,703
	Notre-Dame de Paris (F)	5,675
	La vérité (F)	5,655
	La folie des grandeurs (F)	5,562
	Le cerveau (F)	5,540
	Le petit baigneur (F)	5,539
	Le gendarme à New Yord (F)	5,494
★✱	Lawrence d'Arabie (GB)	5,458
	Bons baisers de Russie (GB)	5,457
	Love story (USA)	5,443
	Opération tonnerre (GB)	5,437

Document 2023
« Les best-sellers du marché français de 1956 à 1982 », ***Le Film français,*** nº 1966

Complétez et discutez les résultats obtenus précédemment en les comparant aux chiffres des **documents 2023, 2024** et **2025**.

7. Après ces analyses, avez-vous l'impression de bien connaître les goûts des Français en matière de cinéma ? Si non, qu'aimeriez-vous savoir de plus ?

2024

La fréquentation du cinéma est plus grande...

. chez les moins de 40 ans (elle décroît à mesure que l'âge s'élève, passant de 90,4 % chez les 15-19 ans à 7,2 % chez les plus de 70 ans ;

. corrélativement, chez les élèves et étudiants (96,9 %) et les célibataires (82,3 %) ;

. dans les catégories socio-professionnelles aisées et moyennes (81,3 % chez les cadres supérieurs et professions libérales, 75,7 % chez les gros commerçants et industriels ainsi que chez les cadres moyens) ;

. dans les villes et plus particulièrement dans l'agglomération parisienne (de 33 % pour les ruraux, elle s'élève jusqu'à 79,6 % à Paris intra muros) ;

. dans la population diplômée de l'enseignement secondaire ou supérieur (62,4 % des titulaires d'un brevet ou d'un C.A.P., 82,3 % de ceux qui possèdent le baccalauréat ou un diplôme de niveau plus élevé).

Document 2024
Pratiques culturelles des Français,
© Ministère de la culture, service des Études et Recherches, Jurisprudence générale Dalloz, 1982

2025

Les genres de films préférés	%
Films comiques	65
Films d'aventure	49
Films de science-fiction et films fantastiques	40
Films policiers, d'espionnage	39
Films qui font peur, films d'horreur	36
Westerns	21
Histoires d'amour	18
Films de karaté	17
Films d'Histoire	14
Comédies musicales	13
Films à sujet politique	12
Dessins animés	9
Films érotiques	7

Sondage de l'Institut Louis Harris pour le mensuel *Phosphore* réalisé du 24 novembre au 1er décembre 1982 auprès d'un échantillon national de 600 jeunes représentatifs de la population française âgée de 14 à 18 ans. Le total est supérieur à 100 % du fait des réponses multiples.

Document 2025
« Les films préférés des 14-18 ans »,
Phosphore, 27-04-1983

203. Apprendre à comparer

Quand on découvre un monde étranger, spontanément on le compare au sien. Bien souvent pour trouver qu'on est mieux « chez soi ». Mais comparer, c'est peut-être décrire avant d'apprécier. Confronter sa réalité à celles des autres veut dire essayer de la décrire systématiquement. Nous avons retenu ici les habitudes alimentaires comme domaine à explorer de cette manière.

1. Les habitudes alimentaires ne concernent pas uniquement les plats typiques ou les restaurants célèbres. La manière dont on se nourrit fait l'objet de règles qui varient d'une culture à l'autre. Connaissez-vous certaines de ces règles qui s'appliquent, chez vous, à la nourriture, aux repas, etc. ?

2. Vous avez déjà entendu parler de la cuisine française. Qu'en savez-vous ?
– jugement d'ensemble ;
– produits célèbres ;
– restaurants célèbres, etc.

3. Votre propre cuisine, vos habitudes sont l'objet de jugements de la part des étrangers, touristes ou résidents dans votre pays. Savez-vous quelle réputation ils lui font, ce qu'ils disent de la manière dont vous mangez ?
Cette image vous paraît-elle correspondre à votre propre expérience ?

4. En groupe, faites l'inventaire des caractéristiques qui pourraient permettre de décrire n'importe quelle tradition alimentaire. En quels domaines pourrait-on subdiviser cet ensemble de comportements ? (Pensez, par exemple, au nombre et à la nature des repas, à la composition d'un repas.)

Document 2031
« Les structures du culinaire »,
Mary Douglas,
Communication, n° 31

5. Parcourez le **document 2031** qui propose des moyens d'analyse des habitudes alimentaires. Complétez votre propre inventaire en vous en inspirant.

6. Établissez maintenant, tous ensemble, le cadre qui permettrait de décrire, avec assez de précision, vos comportements alimentaires et ceux des Français. On y trouvera, par exemple, de grandes divisions comme : ingrédients de base et préparations, plats et repas, différences sociales dans la manière de manger.

7. Remplissez le tableau auquel vous êtes arrivés à l'aide de ce que vous savez des traditions alimentaires de votre pays. En ce qui concerne la France, votre professeur vous donnera les informations nécessaires.
Les questions suivantes vous aideront pour élaborer cette description générale.

8. Décrivez le repas principal de votre pays à partir des critères suivants :
- nom du repas ;
- heure (approximative) ;
- durée (moyenne) ;
- lieu où il se déroule ;
- participants ;
- équipement ménager individuel et collectif (salière, par exemple) ;
- composition. Donnez le nom de chaque service et dites quelles sont ses caractéristiques en termes de :

• sucré/salé, relevé/doux
• chaud/froid
• aliments de base/aliments associés

2031

Dimensions de comparaison des systèmes alimentaires.

A. *La dimension socio-économique*

Coût : en argent, en travail (masculin, féminin, enfantin), en temps (fréquence des repas, temps de préparation).

Lieu : chambre, cuisine, zone de repas particulière, etc.
Dans le fait de considérer que tel lieu convient à telle nourriture, les coûts peuvent également intervenir.

Équipement ménager : les couverts (nombre de pièces par personne et usages spécialisés) ; les tissus (napperons, nappes, serviettes...) ; la vaisselle et la verrerie (nombre de changements d'assiettes, etc.) ; l'éclairage (faible, vif, électrique, aux bougies...) ; la décoration (par exemple, fleurs, avec ou sans parfum).

Convives : ceux qui mangent normalement ensemble ; les visiteurs occasionnels ; hommes/femmes/enfants ; malades/bien-portants.

B. *La dimension de l'esthétique*

Rapports de couleurs : règles de combinaison et de succession des couleurs. [...]

Choix des couleurs : spécificité des couleurs à usage gastronomique (par exemple couleurs semblables ou non à celles des fleurs, du sol, des vêtements. [...]

Formes : importance d'un motif géométrique clair dans la disposition de la nourriture sur le plat, sur l'assiette, dans la présentation d'aliments sous la forme de bouchées ; par exemple utilisation d'un contenant comestible dur (naturel/modelé) ou durci pour obtenir un effet plastique (par exemple usage de la farine, de la gélatine, des œufs ou dessiccation) ; liquide décoré en surface ; etc.

Partie/tout : (le contraste gros-entier/coupé en morceaux opposé au contraste gros-entier/petit-entier).

C. *La dimension du culinaire*

Contenu : aliments de base (un seul, deux, aucun) ; régime carnivore/végétarien ; alcoolisé/sans alcool. A mettre en relation avec les coûts et le revenu.

Texture : liquide/solide ; croustillant, dur, tendre, granulé, visqueux, etc. [...]

Goût : épicé/fade ; relevé/doux ; sucré/salé ; ces distinctions sont sans doute importantes pour marquer les différences de statut social, par exemple, enfants/adultes (la nourriture des enfants est généralement moins chère et plus fade), hommes/femmes, ordinaire/festif.

Température : chaud/froid/tiède ; cela s'applique aux assiettes, aux serviettes, aux boissons. [...]

Odeurs : différences prétendues et différences vérifiées expérimentalement ; dans quelle mesure attend-on d'une odeur alimentaire qu'elle se distingue des odeurs corporelles, fécales, médicinales ou des odeurs de déodorants ?

• facultatif/obligatoire
• boissons : nom

nature (chaude/froide, alcoolisée/non alcoolisée)
mode de consommation de la boisson durant ce type de repas (avant, pendant, en relation avec un service, entre certains services, à la fin du repas).

Au cas où le tableau que vous constituerez ainsi ne vous permet pas de décrire ce repas, expliquez à partir de quels autres principes il est organisé.

9. Décrivez les moments où vous mangez qui ne sont pas des repas.

10. Décrivez les repas d'exception, de fête, qui existent dans votre culture. Vous pouvez les caractériser de la manière suivante :
- nom ;
- lieu ;
- date, époque, circonstances (personnelles, religieuses, familiales) ;
- menu ou plats caractéristiques ;
- nature des convives, nombre de participants environ.

11. Faites l'inventaire de certaines règles de comportement (ou règles de politesse) que l'on doit observer à table chez vous :
attitudes du corps, rapports avec les autres convives, sujets de conversation, etc.

Document 2032
Sylvie Weil,
Trésors de la politesse française,
Ed. Belin

Document 2033
Pierre Bourdieu,
La distinction,
Ed. de Minuit.

12. Comparez les règles de politesse de votre propre pays avec celles qui doivent être observées en France et qui sont décrites ici.

13. Dans ce texte (**document 2033**), le sociologue Pierre Bourdieu décrit et analyse ces formes de politesse qui seraient caractéristiques de la bourgeoisie, par opposition aux classes populaires. Cette analyse vaut-elle aussi pour les façons de se tenir à table dans votre pays ?

14. La comparaison que vous venez de faire vous permet-elle d'expliquer pourquoi la France, comme d'autres pays, a la réputation d'être un pays où l'« on mange bien » ? ■

2032

Les manuels modernes se contentent de rappeler quelques principes :

• Ne pas commencer à manger avant la maîtresse de maison.

• Ne pas accrocher sa serviette autour de son cou (comme cela se faisait communément il n'y a pas si longtemps) mais la poser à plat sur ses genoux. Ne pas la replier quand on sort de table.

• Ne pas mettre ses coudes sur la table, mais seulement les mains. Ne pas non plus poser les mains sur les genoux, ainsi que cela se fait dans les pays anglo-saxons.

• Ne pas parler la bouche pleine. S'essuyer la bouche avant de boire. Ne pas souffler sur son potage pour le faire refroidir.

• Ne pas, bien sûr, se sucer les doigts ni ronger les os. Être aimable avec ses deux voisins ou voisines et pas seulement avec celui qui est intéressant ou celle qui est jolie...

• Rompre son pain. La coutume de ne pas le couper nous vient de l'ancienne Cour.

2033

Au « franc-manger » populaire, la bourgeoisie oppose le souci de manger *dans les formes*. Les formes, ce sont d'abord des rythmes, qui impliquent des attentes, des retards, des retenues ; on n'a jamais l'air de se précipiter sur les plats, on attend que le dernier à se servir ait commencé à manger, on se sert et ressert discrètement. On mange dans l'ordre et toute coexistence de mets que l'ordre sépare, rôti et poisson, fromage et dessert, est exclue : par exemple, avant de servir le dessert, on enlève tout ce qui reste sur la table, jusqu'à la salière, et on balaie les miettes. Cette manière d'introduire la rigueur de la règle jusque dans le quotidien (on se rase et on s'habille chaque jour dès le matin, et pas seulement pour « sortir »), d'exclure la coupure entre le chez soi et le dehors, le quotidien et l'extra-quotidien (associé, pour les classes populaires, au fait de s'endimancher) ne s'explique pas seulement par la présence au sein du monde familial et familier de ces étrangers que sont les domestiques et les invités. [...] C'est une manière de nier la consommation dans sa signification et sa fonction primaires, essentiellement *communes*, en faisant du repas une *cérémonie sociale*, une affirmation de tenue éthique et de raffinement esthétique. La manière de présenter la nourriture et de la consommer, l'ordonnance du repas et la disposition des couverts, strictement différenciés selon la suite des plats et disposés pour l'agrément de la vue, la présentation même des plats, considérés autant dans leur composition selon la forme et la couleur à la façon d'œuvres d'art que dans leur seule substance consommable, l'étiquette régissant la tenue, le maintien, la manière de servir ou de se servir et d'user des différents ustensiles, la disposition des convives, soumise à des principes très stricts, mais toujours euphémisés, de hiérarchisation, la censure imposée à toutes les manifestations corporelles de l'acte (comme les bruits) ou du plaisir de manger (comme la précipitation), le raffinement même des choses consommées dont la qualité prime la quantité (c'est vrai aussi bien du vin que des plats), tout ce parti de stylisation tend à déplacer l'accent de la substance et la fonction vers la forme et la manière.

204. Saisir l'allusion

Une conversation entre Français, des textes destinés à des Français posent, à un auditeur ou à un lecteur étranger, des problèmes de compréhension multiples. Certaines de ces difficultés vous sont familières : ignorance du sens d'un mot, construction difficile d'une phrase, etc. D'autres sont moins apparentes : on peut communiquer par sous-entendus et alors rien n'indique qu'il faut comprendre autre chose que ce qui est dit. Dans une conversation ou dans un texte, les allusions peuvent être personnelles ; d'autres, celles qui nous intéressent ici, se rapportent à un fonds culturel partagé. Elles sont innombrables et imprévisibles. Ne pas saisir une allusion peut empêcher de comprendre.

Comme il est impossible de donner les clés qui permettraient de repérer à coup sûr une allusion, nous essaierons de vous familiariser avec leurs formes les plus fréquentes.

2041

Au-delà des poncifs et des certitudes les mieux assurées, les lycées ne font plus recette. Chemin faisant nous prenons une claque : comme dans un inventaire à la Prévert, nous rencontrons des allumés de l'informatique jouissant sur leurs claviers d'ordinateur, des zinzins d'Hollywood filmant des Marlène de seize ans, des architectes ludiques rêvant de phalanstères éducatifs, des lycéens rockers et des lycéens journalistes, un léniniste de dix-huit ans qui n'habite plus chez ses parents.

Et bien d'autres encore.

Bref, tous ceux-là plantent un autre décor que celui que nous pensions rencontrer au départ. Oh, bien sûr, on trouve aussi de la déprime : des profs parisiens exilés dans des sous-préfectures qui se promènent sur le tropique du valium, des gosses de banlieue – version « deuxième génération » – qui rackettent à la sortie des L.E.P., une directrice à poigne qui a dû cesser de tourner les pages de son calendrier en avril 68, des normaliens supérieurs déçus de voir les énarques rafler le pouvoir. Mais il faut de tout pour faire un monde. Et les lycées sont bien un monde.

1. Donnez, dans votre langue, des exemples d'allusions. Recherchez, dans les journaux de votre pays, celles qui font appel à des connaissances autres que linguistiques.

Document 2041
« Et le lycée, ça marche », Marc Coutty *Autrement* nº 33, septembre 1981

2. Le **document 2041** est un bref extrait d'un article général qui concerne la vie dans les lycées français. Lisez-le et notez les mots et expressions dont vous n'arrivez pas à comprendre la signification. Cherchez à résoudre ces difficultés à l'aide d'un ou de plusieurs dictionnaires français-français. (Ne vous contentez pas de votre dictionnaire habituel.)

3. Dans ce texte, il y a une allusion qui est expliquée. Pouvez-vous la repérer ?
Après avoir cherché dans le dictionnaire, vous avez encore à comprendre les véritables allusions de ce texte, celles que l'auteur fait à l'intention de ses lecteurs. Selon vous à quoi, ou à qui, font allusion des expressions comme : zinzin d'Hollywood, Marlène, tropique du Valium, en avril 68 ?

2042

Titre de l'article	*Contenu*
1. **Découverte : Lille au trésor** (nº 1035)	Article sur la Grande braderie de Lille (vente de soldes, d'occasions).
2. **École : Mode d'emploi** (nº 1034)	Un encart, dans une enquête sur la rentrée scolaire ; organigramme simplifié du système d'enseignement français.
3. **Militants : Avoir vingt ans au RPR** (nº 1034)	Visite de J. Chirac aux jeunes militants du parti, réunis pour un stage d'été.
4. **Télévision : Un homme et une femme** (nº 1020)	Chronique de la semaine télévisée, en particulier compte rendu du débat électoral qui a mis face à face Lionel Jospin (Parti socialiste) et Simone Veil (UDF) (voir **MATÉRIAUX** 317).
5. **Voyage : Les Trois mousquetaires de l'hôtellerie** (nº 1020)	Reportage sur l'activité à l'étranger de quatre grands groupes hôteliers : Accor, Méridien, Frantel, Mignard.
6. **Symptômes : Le souffle au cœur** (nº 1020)	Compte rendu d'un essai du professeur Michel, pneumologue et critique littéraire, consacré à la santé des écrivains.
7. **Emploi : Défense d'échouer** (nº 1038)	Article de politique intérieure : la réussite du gouvernement aux prochaines élections dépend de celle du plan mis en place contre le chômage.
8. **Yéyés : Salut les croulants** (nº 1038)	Ce que sont devenues les vedettes de la chanson des années 1960 : Johnny Hallyday et Eddy Mitchell.
9. **Opposition : Cris, soupirs et chuchotements** (nº 1004)	Relations tendues entre les partis d'opposition (RPR-UDF). Points de vue de responsables UDF.
10. **Danse : Bagnolet, morne plaine** (nº 1013)	Compte rendu du concours chorégraphique international de Bagnolet (banlieue nord de Paris) jugé assez médiocre.

Document 2042
Choix de titres
Le Nouvel Observateur

4. On a rassemblé ici des titres d'articles de l'hebdomadaire *Le Nouvel Observateur* (1984) ainsi qu'une brève description du contenu de chacun d'eux. Qu'est-ce que ces titres ont en commun ? Y a-t-il dans ces titres des allusions que vous êtes capable de reconnaître ? (Par exemple : **4, 5.**)

5. Certains évoquent des titres de films français ou étrangers, des titres de romans. Pouvez-vous deviner lesquels ?

6. Votre professeur vous a maintenant expliqué la nature exacte de ces allusions. Classez les titres allusifs en deux catégories :
a - ceux dans lesquels l'allusion est un simple jeu sur les mots (par exemple, **1**) ;
b - ceux où elle sert à faire comprendre ou deviner le contenu ou le ton du texte (par exemple, **5**).

Document 2043
Slogans publicitaires

7. Les slogans publicitaires font, eux aussi, largement appel aux allusions. Pour chaque slogan allusif, vous trouverez ci-dessous trois interprétations possibles. Dites quelle est la bonne, selon vous, et justifiez vos impressions.

1. Ce slogan évoque
   - une prière
   - une inscription funéraire
   - un mot d'ordre politique
2. Parodie d'une phrase attribuée à
   - Napoléon
   - Louis XIV
   - de Gaulle
3. Reprend un proverbe dont le sens est : celui qui est sûr de ce qu'il fait, de ce qu'il pense, ne se laisse pas détourner de son but, même par les manifestations d'opposition les plus bruyantes.
   Quel mot convient-il de « lire » à la place de la marque de jeans Lee COOPER ?
   - les fantassins
   - la caravane
   - les décisions
4. Reprend presque à la lettre une phrase célèbre d'un écrivain du XVIIe siècle :
   - Pascal
   - Molière
   - La Fontaine
5. A travers un jeu de mots, ce slogan évoque un titre de roman et de film.
   Les BRAUN ce sont
   - les rondes
   - les brunes
   - les blondes
6. Dans ce slogan pour le Club Méditerranée on cite, en la détournant, une formule (« Un petit coin de parapluie contre un coin de paradis ») extraite :
   - d'une chanson de G. Brassens
   - d'un proverbe arabe
   - de la Bible
7. Fait allusion à
   - une chanson
   - un roman
   - un proverbe
8. Est le titre, traduit en français, d'un classique du roman américain (1934). Lequel ?
9. Formule attribuée à
   - Macbeth
   - Jules César
   - Alexandre
10. Parodie une phrase toute faite de la « sagesse populaire ».
   Les cuissons ce sont :
   - les histoires
   - les plaisanteries
   - les amours

Saint-Marc, lavez pour nous.
1. Saint-Marc, nom d'un produit détergent.

L'éclat, c'est moi.
2. Bijoux Murat.

LES CHIENS ABOIENT, LEE COOPER PASSE.
3. Marque de jeans.

L'eau Perrier a ses raisons que votre organisme doit connaître.
4. Eau minérale mais non de table, (voir **document 1022**).

Les hommes préfèrent les BRAUN.
5. Rasoirs électriques.

EN HIVER, LE CLUB VOUS ECHANGE VOTRE COIN DE PARAPLUIE CONTRE UN COIN DE PARASOL.
6. Club Méditerranée.

On est bien dans les bras d'Agalys.
7. Linge de maison : draps, nappes, etc.

Plus tendre est la nuit.
8. Parfum *Nocturne* de Caron.

LE SORT EN EST JETE.
9. Parfum *Sortilège* de Le Galion.

Les cuissons les plus courtes sont les meilleures.
10. Court-bouillon Maggi.

8. Essayez de classer ces allusions par degré de difficulté : lesquelles sont susceptibles d'être comprises par tout le monde ? Lesquelles seulement par les gens qui ont une certaine instruction ?
Quel rapport pouvez-vous établir entre ce degré de difficulté et les produits proposés ?

9. Reportez-vous au **document 1022**. Les quatre-vingt-dix-neuf objets qui font que les Français sont fiers d'être ce qu'ils sont, sont décrits dans de brèves légendes. En sous-groupes, recherchez celles qui sont allusives.

10. Consultez les « pages roses » du dictionnaire *Larousse* qui fait l'inventaire des citations latines, grecques, étrangères, des proverbes et des expressions toutes faites qui peuvent servir à « fabriquer » des allusions. Recherchez celles qui sont utilisées dans les documents précédents.
Si vous utilisiez certaines de ces expressions, de manière allusive, comme titre d'un article de presse, quel serait le contenu possible de celui-ci ?
Par exemple :

- « Toute peine mérite salaire » pourrait convenir comme « titre surprise » à : Négociations financières entre l'État et ses fonctionnaires.
- « Autant en emporte le vent » : Fortes tempêtes en Bretagne...
- « Œil pour œil, dent pour dent » : Congrès de médecine ophtalmologique : après les prothèses dentaires, les prothèses oculaires... ■

205. Analyser, expliquer

Identifier et décrire une réalité culturelle ne manque pas d'intérêt mais il faut également l'expliquer. Le problème est alors dans la nature des questions à poser et le choix des informations à trouver. On peut essayer de se faciliter la tâche en se laissant guider par un document qui soulève des interrogations sur le thème et fournit ainsi un cadre pour une analyse.

Document 2051
Annuaire téléphonique de la Drôme (Montélimar)

1. Cherchez Montélimar dans un dictionnaire ou un ouvrage de référence afin de situer la ville (région géographique, département, population, etc.).

2. Dans cette petite ville, située sur une voie de communication importante, on peut s'attendre à trouver les traces d'un certain nombre des immigrations que la France a connues. (De toute évidence, les personnes dont les noms vont nous servir d'indices peuvent être Françaises par naturalisation ou depuis plusieurs générations.)
Parcourez le document.
a - Y trouvez-vous des noms originaires de votre pays ? Lesquels ?
b - Compte tenu de votre connaissance du français (et de son origine romane) lesquels, parmi les autres noms, n'ont pas « l'air » français ? Classez-les suivant les origines :
- méditerranéenne européenne (Italie, Espagne, Portugal, Grèce) ;
- méditerranéenne arabe (Algérie, Tunisie, Maroc) ;
- germanique (Europe du nord et du centre) ;
- slave ;
- arménienne ;
- autre.

3. A partir de ce document, pouvez-vous évaluer le chiffre des différentes populations d'origine étrangère de Montélimar ? En quoi cette observation est-elle limitée ? Quel type d'information serait-il nécessaire ?

4. Pour les différents pays d'origine, dites à quelles(s) date(s) l'immigration a pu avoir lieu et quelles en ont été les causes.
Si nécessaire, reportez-vous à un ouvrage de référence sur les pays considérés.

ALAIN MANOUKIAN

prêt à porter
4 r Quatre Alliances *(75)5194.65
ALAISE Adrien
Les Chanterelles rte St Paul
ALAISE Catherine 4 r 8 Mai 1945
ALAUZUN A 5 r Résistance
ALAUZUN Marcelle 9 r Freycinet
ALAUZUN Pierre rte Ancone
ALAYOT Simone 20 r Maurice Meyer
ALBARIC A 117 av Jean Jaurès
ALBARIT Jean-François r 19 Mars 1962
ALBIGÈS André 31 lot Cèdres
ALBIN 9 imp Jean de St Prix
ALBUGE Jean-Claude 12 r Paul Loubet
ALCARAZ Jacques 9 chem Nitrière
ALEMANY Emiliano 82 av Rochemaure
ALEMANY Paul 82 av Rochemaure
ALEX Denis 8 r Tourvieille
ALEXANDRE Marc 2 pl Saint Saëns
ALEXIS M 19 pl Marché
ALEZARD Maurice chem Ravaly
ALIAS Pédro cLos Villeneuve
ALIBERT Elie 3 imp Malgras
ALIBERT Marcel Chem Combes
ALIKHANOFF Olga Les Jonquilles bât 3 r Paul Loubet
ALIX René 10 r Belges
ALLAINÉ Jacques 2 r Etienne Marcel
ALLARD Mathilde 12 bd Pêcher
ALLAUZEN Claude
résid Le Chabaud pl Théâtre
ALLAUZEN J ET COMPAGNIE
— 39 av Charles De Gaulle
— Zone Artisanale Meyrol
ALLÈGRE Gérard cité Nocaze
ALLÈGRE Louis 11 r Langevin
ALLIBERT Paul-Michel 55 La Nitrière
ALLIBERT Raymond quart St Prix
ALLIER Marguerite
3 chem Deux Saisons
ALLIOT Alain 20 chem Fourches
ALLIX Michel 12 all Molière
ALLIX Robert lot Soleil rte St Paul
ALLOIX André 10 rte Espeluche
ALLOIX Jean-Claude 6 Les Fourches
ALMARCHA A Les Petites Manches
ALMODOVAR François Les Champs r 19 mars 1962
ALNET (Ets) r Frédéric Mistral
ALNET (Ets) 9 r Quatre Alliances
ALNET Jean-Pierre l'Aurore B

ALNET ETS

CONCESSIONNAIRE OLIVETTI
9 r Quatre Alliances *(75)51.25.05
ALONSO Francis Les Cèdres rte St Paul
ALONSO Marcel 62 av Villeneuve
ALONSO Rose r Coucourdier
ALPHONSE André 101 av Teil
ALPHONSE G 11 r Visitation
ALQUIÉ Louis pl Eugénie Cotton pav 10
ALQUIER Gérard 9 pl Benjamin Franklin

ALTA

location auto Ets Split
53 pl du Fust *(75)51.11.57
ALTIPARMAKIAN Haroutioum
2 r Maurice Ravel
ALTIPARMAKIAN Miran
6 r Arthur Rimbaud
ALTMAYER Lucien Le Commodore B
ALTUNSOY Ahmet 30 bd Gambetta
AMADIO Bruno 73 Les Glycines
AMADO Georges
r Hippolyte Chauchard
AMARDEIL P 115 av Jean Jaurès
AMAUDRY Albert 12 r Libération
AMAUDRY Daniel Vieille Route du Teil

AMAUDRY RENÉ

FLEURS INTERFLORA
28 r Pierre Julien *(75)01.57.82
AMAUDRY René Le Chabaud
AMAURIC Alain 2 all Simone Garaix
AMBERT Camille rte Dieulefit
AMBIL M 8 r Isly
AMBLARD 16 av Teil
AMBLARD Denise Le Jabron II bât B
AMBLARD Georges Les Cévennes 21 chem Alexis
AMBLARD Gilbert
10 r Stéphane Mallarmé
AMBLARD Gisèle r Etalons
AMBLARD Henri 19 r Peyrouse
AMBLARD Jacqueline 1 av Kennedy
AMBLARD Jocelyne 26 bd Pêcher
AMBLARD Liliane 16 r Paul Loubet
AMBLARD Maurice quart Grèzes
AMBLARD Michel 26 chem Bouquet
AMBLARD Marie-Odile r Doct Jeune
AMBLARD-RAMBERT Aimée
Le Commodore B
AMBLARD-RAMBERT Jean-Paul
résid Moncalm chem Manche

AMBULANCES

Consultez les Pages Jaunes
AMBULANCE GILQUIN GEORGES
38 av Villeneuve
AMEVET Paul Les Grands Saillens
AMEZIANE Abdelkader 4 r Chrétien
AMICALE BRIDGE 142 r Pierre Julien
AMICE Elie 11 r Alfred Loudet
AMORIC Marie-Louise
3 r Montant au Château
AMORIC Raymond quartier Tuiliers
BEAURAIN Charles 2 pl Saint Saëns
BEAURAIN P 5 bd Meynot
BEAUTHÉAC A 20 r Visitation
BEAUX Lucie Cabiac av Espoulette
BEAUX Marcel 18 av St Lazare
BEAUZON André chem Midi
BEC Georges 10 r Paul Loubet
BEC Louise 26 bd Pêcher
BEC Marguerite 5 r Monnaie Vieille
BEC Paul 20 r Visitation
BECHELER Roger
Le Vercors rte Châteauneuf
BÉCHERT L 22 r Paul Loubet
BECK-ALARCON Marguerite 24 av Teil
BECKMANN Huguette
53 r Gustave Monod
BEDOUIN Bernard
chem Contrebandiers
BEDOUIN P 108 rte Marseille
BÉGUIN Eliane 13 r Raymond Daujat
BÉGUIN Sylvaine 22 r Paul Loubet
BEHAGUE René 127bis r Pierre Julien
BEHARY Olivier 3 bd Gambetta
BEL Jean chem Merly
BEL Robert quart St Prix
BELAIR Richard Le Commodore A
BELARDI Jean-Paul 23 r Muguets
BELDJILALI Rolande chem Villepré
BELET Germaine chem Grèzes
BELGACEM Gisèle 5 bd Gambetta
BELIN Jacques 1 chem Beauséjour
BELIN Madeleine Le Petit Nice B
BELLAROSA Aldo résid Trois Châteaux rte St Paul
BELLE Agnès 3 all Paul Lattard
BELLE Alain chem Beausseret

BELLE ETS S.A.R.L.

Bernard Moteurs Location
Matériel T.P. ZA du Meyrol *
BELLEMANS Jean-Claude 4 all Molière
BELLEMIN rte Espeluche villa Andrée
BELLETIER Mireille 7 bd Meynot
BELLIARDO Pierre
Les Pervenches r Visitation
BELLINA Joelle résid Demeter
BELLINA P 11 r St Martin
BELLINE Gérard 34 r Quatre Alliances
BELLION Pierre 8 r Auguste Renoir
BELLON Jean-Marie 17 chem Pêcher
BELLON Yannick 23 r Paul Loubet
BELMAIN A chem Daurelle
BELMONTE Isabelle 5 r Joliot Curie
BELOT Christiane 10 chem Beaulieu
BELTRA José 28 Les Malandines
BELTRAMI André
chem Maraîchers rte St Paul
BEN Abdellah 7 rue Isly
BEN Alain 17 r Langevin
BEN Fernand 12bis r Puits Neuf
BEN MOULOUD Abdeslem
18 r Bouverie
BENAYOUN Marcel Le Moncalm
BENDADA Boubaker 63 La Nitrière
BENDAHMANE Tahar
bât E Grange Neuve
BENDELLA Mhammed 9 bd Gambetta
BENDELLA Mohamed
29 r Maryse Bastié
BENDICHO Joseph 1 r Puits
BENDON Michel
Zone Artisanale Meyrol
BÉNÉFICE Max 2 all Tongres
BÉNÉFICE Mireille résid Beauséjour
chem Beauséjour
BENETTON 012 11 r Raymond Daujat
BÉNÉVISE J 19 av De Gaulle
BÉNÉVISE René 65 av Rochemaure
BENGRAB Omar 21 clos Chomillac
BÉNICHOU A 7 r Corneroche
BÉNISTANT Jacques 33 r Louis Pergaud
BÉNISTANT Jean-Paul
12 r 28 Août 1944
BENITO A cité Montlouis r Isly
BENKARA Sakhri 26 r Maryse Bastié
BENOIST Bernard 10 r James Joule
BENOIST Pierre 8 chem Chaine
BENOIT André rte St Gervais
BENOIT Claudius 85 av St Lazare
BENOIT Edmond
— résid Aygu pl Marx Dormoy
— dom même adresse
BENOIT Jean-Pierre
Les Lavandes rte St Paul
BENOIT L Le Jabron r Gén Pau
BENOIT Léon 33 av St Didier
BENOIT Marcelle 52 av Jean Jaurès
BENSALAH Mohamed 1 all Diderot
BENSALEM Saïda pl Van Gogh
BENSE Michel 1 r Paul Cézanne
BENSE Patrice 10 r 8 Mai 1945
BENTLEY W 31 r Château
BÉQUIGNON Maurice
36 rte Châteauneuf
BÉRANGER André Béni-Croix
BÉRANGER Claude 24 rue Joliot Curie
BERANGER Jacques 45 Les Hortensias
BÉRANGER Jean-Michel 24 r Joliot Curie
BÉRARD Claude r Cévennes
BÉRARD E chem Catalins
BÉRARD Mireille 37 av Teil
BÉRARD Nadia
Le Tricastin r Résistance
BÉRARD Serge 13 r Langevin
BÉRAUD Alain quartier Hilaire
BÉRAUD André 2 rte Châteauneuf
BERBIGIER Denis 7 bd Gambetta
BERCHAUD Charles 29 r Muguets
BERCHER Jean-Pierre Le Jabron F
BERCHOUX Christian chem Peupliers
BÉRENGER Bernard 19 quai Roubion
BERENGER Maurice chem Combes
BERENGER Thierry Le Jabron D
BERERD Jean-Claude 10bis r Jean Giono
BERGEOT Jean-Claude
69bis av Jean Jaurès
JULIEN Christian 11 r Auguste Renoir
JULIEN Denis Chem Margerie
JULIEN Marie-Joseph 20 r Joliot Curie
JULIEN Simon Le Bois de Laud C
JULLIAN Hervé 2 av Kennedy
JULLIAN MJ 43 av Jean Jaurès
JULLIAN Yves quartier Margerie
JULLIEN Danièle 24 av St Lazare
JULLIEN Dominique 19 r Langevin
JULLIEN Edmond 86 rte Teil
JULLIEN Elysé rte Ancone
JULLIEN Eugène-Louis chem Géry
JULLIEN Jean-Louis
chem Ecluse Les Lilas
JULLIEN Louis 6 av Teil
JULLIEN Michel chem Beausseret
JULLIEN Patrick 7 av Aygu
JULLIEN Paul
17 r Mar de Lattre De Tassigny
JULLIEN Roger 1 Visitation
JULY Jean 1 lot Chomillac
JUNIQUE Dominique 7 r Jésuites
JURADO Jean HLM St James
JURANT G chem Sauviers
JURIS Jean-Paul 29 Les Charmilles
JUSSERAND René 3 r Langevin
JUSTAMON Joannès 31 cité Montlouis
JUSTON Alain chem Deux Saisons
JUSTON Odette 44 av Jean Jaurès
JUSTON P 22 r Auguste Renoir
JUVENTIN Jean-Claude 8 all Stendhal
JUVIN Emile av Stéphane Mallarmé
JUVIN René chem Fonderie
KAIRIER Chantal 18 r Maryse Bastié
KAM-SOE Maurice all Ambroise Paré
KAPISIZ Battal 12 r Paul Langevin
KARAGIANNIS Christian
17bis bd Gén de Gaulle
KARBACHE Bouchaïb 19 bd Gambetta
KARLIN Michel r Romarins
KAUX Irène 5 av Lamartine
KEIGNART Michel r Frédéric Mistral
KELEDJIAN Philippe 28 chem Alexis
KELEDJIAN Philippe 8 rte St Paul
KERAMOAL Lucien 23 chem Dame
KÉRIMIAN Grégoire bât B Le Vivarais
KERNEL Marie 2 r Henri Barbusse
KHAYAT Serge chem Beausseret
KILANI Jalloul 12 r Yves Farges

KILBURG (ETS)

TOUT POUR LE BÂTIMENT
rte Châteauneuf *
KILBURG (Ets) rte Châteauneuf
KILBURG Aimé dom montée Narbonne
KINOSSIAN Alain Le Jabron E
KINOSSIAN Alexandre
3 r Gén Chareton
KINOSSIAN Alexandre montée Maupas
KIRSCHNER Marguerite 16 av Tamaris
K'JAN Bernard 1bis r Cuiraterie
KLEINE Pascal 85 r Fernand Faure
KLIPPEL R r Yves Farges
KNAAK Walter C Le Jabron
KNIEBÜHLER Raymond 33 av St Didier
KÖNIG Yvonne 10bis r Granges
KORECKY Le Parc bd Desmarais
KORECKY Robert 13 pl Marché
KORNIENKO Michel résid Montcalm B
KOSNAROVA F 46 av St Lazare
KOTULLA Suzanne 38 r Cuiraterie
KOUBY TOURNILLON Marie-Evelyne
L'Arc en Ciel r Hippolyte Chauchard
KOWAL Jean-Michel 78 rte Teil
KRASI Roberte 2 chem Nocaze
KREBS Gilbert 32 bd Lamartine
KROL Bernard La Passerine r Bouquet
KRYCYSCYN José 25 r Arthur Rimbaud
KRYCYSCYN Ladislas 11 r Isly
KRYCYSZYN Jacky HLM Jean Moulin r Yves Farges
KRZYZANOWSKI Stéphane
chem Combe Bernardine
KSOURI Tahar bd Gambetta
KUGELER Stéphane 2 pl Temple
KULIAK Frédérique 4 av Tamaris
LABANSAT Mauricette 12 r Yves Farge
LABARBE Jean Le Petit Nice av Kennedy
LA BAUME (de) 1 r Gén Chareton
LABBÉ Ginette Le Commodore B
LABBÉ René résid Moncalm
LABEILLE André 126 rte Rochemaure
LABEILLE Guy chem Peupliers
LABEILLE Patrick pl St Martin
LABEILLE Patrick 19 av St Lazare
LABIAT Tahar 4 r Yvonne Grouiller
LABONNE Marie-Claude
10 av Stéphane Mallarmé
LABORATOIRE D'ANALYSES DE BIOLOGIE MÉDICALES COURDEN ET PASQUET (S.C.P) 5 av Aygu
LABORATOIRE D'ANALYSES MÉDICALES CLAUZEL ET BANNIER
34 r Roger Poyol *
LABORATOIRE BIOLOGIE MÉDICALE CHAPUIS J ET GINISTY J-C
84 r Pierre Julien
LABORDERIE P imp François Villon
LABORIE Fernand 5 r Lavandes
LABREUCHE André cité Bagatelle
LABROT Blanche quart Routes rte Teil
LABROT Guy chem Dame
LABROT Yvette quart Routes
LA CARBONA Claude 4 Les Malandines
LACHAPELLE Honorine
20 imp Cuiraterie
LACHAUD Gérard 10 r Albert 1er
LA CIVETTE 8 r Raymond Daujat
LA CLÉ DE FA 114 r Pierre Julien
LACOMBE A 22 av Teil
LACOMBE Jacques chem Moulin
LACOQUE Daniel 1 r Doct Jeune
LACOSTE Alain 86 Les Tamaris
LACOSTE F chem La Gravière
LACOSTE Pierre 63 r André Ducatez
LACROIX Marthe 4 r Commdt Labbé
LACROIX Michèle 32 av Teil
LACROIX Pierre 2 r Denis Papin
MOUYON André 11 r Mar Leclerc
MOUYON Célestin Beausoleil bd Pêcher
MOUYON Jean-Paul 4 imp Alexis
MOUYON Raymond 4 imp Alexis
MOUYON Roger r Frédéric Mistral
MOUYON Roland
Le Vendôme bd Pêcher
MOUYON Roland 11 r Mar Leclerc
MOUYON-PORTE Louis 50 av St Didier
MOUZON C 19 bd Meynot
MOYA Philippe 9 bd Gambetta
MOYNIER Georgette 15 r St Gaucher
MOYROUD G 30 av Lamartine
MOYSE Franck 20 av St Lazare
MULATE Joseph av Châteauneuf
MULLER G 10 r Libération
MULLER Gilbert 2 av Tamaris
MULLER Joseph résid Olivier de Serres
MULLER Pierre 11 av Lamartine
MUNOS Jean 7 r Gén Pau
MUNOS Joseph 4 all Rodin
MURAOUR Léon lotiss St Joseph
MURAOUR Philippe 57 av St Paul
MURCIA Antoine 8 r Aleyrac
MURE-RAVAUD R 43 av Espoulette
MURER Marcel 23 r St Gaucher
MURTON Archibald 8 r Paul Loubet
MUS Jean-Guy 21 chem Dame
MUSSET Gérard chem Ste Anne

MUTUELLE ASSURANCE ARTISANALE DE FRANCE

26 bd Pêcher
MUTUELLE DÉFENSE FISCALE (Associati
19 bd Meynot
NACERI Abid 21 r St Gaucher
NACERI Jean-Claude 50 av Espoulette
NACFER Dominique
Le Vercors av Châteauneuf
NAIGEON Pierre chem Fourches
NAIMO Jacques 6 all Paul Lattard
NAJA (Le) 3 r Pierre Julien
NAL Robert chem Digue
NAL Roland-Claude 8 r Pasteur
NALET Christiane médecin
18 r Raymond Daujat
NAMECHE Noëlly 4 r Aldridge
NARBONI Jean-Pierre médecin
La Résidence av Kennedy
NARBONI Madeleine endocrinologie diabète obésité 2 av Prés Kennedy *
NARCISSE M 63 av Rochemaure
NARDIN Yves F Le Jabron
NARDOZZA Angelo 51 La Nitriere
NARDOZZA Antonio
52bis av Saint Lazare
NARGEOT Michel 25 Les Isles d'Or

NATALYS

futures mamans enfants
7 r Roger Poyol *
NAUD Henri 5 pl Théâtre
NAVARRO Gilberte 4 r Henri Barbusse
NAVARRO Louis 14 r 18 Août 1944
NAVARRO Manuel HLM Cabiac A
NAZARIAN J 17 r Madame de Sévigné
NECTAR FRUITS Domaine de Ravaly
NÈGRE Marguerite 20 av Aygu
NEILD Fernand chem Peupliers
NEILD Jean-Marc
21 r Benjamin Franklin
NÉOLIER Henri 29 imp Eglantiers
NERI Claire-Marie 38 rte Châteauneuf

NETTOYAGE (ENTREPRISE D

Consultez les Pages Jaunes
NEUMANN Charles chem Rosiers
NEVEU Jean-Paul chem Maraîchers
NEYRAND Louis chem Pâquerettes
NGUYEN Dung 24 r Paul Loubet
NIAMKE Kadja 33 r St Pierre
NICOD Jean 4 r Corneroche
NICOLAE Vasile
Le Tricastin r Résistance
NICOLAI R r Résistance
NICOLAS Albert 27 r Féraud
NICOLAS M
Les Capucines r Paul Loubet
NICOLAS Marie-Madeleine
6 r Marius Spézini
NICOLAS Simone
Les Cévennes chem Alexis
NICOLET Jean 8 r Roger Chancel
NICOLET Robert 87 Les Tamaris
NICOLETTI Daniel Les Tuilliers
NICOT Jean 10 chem Beauséjour
NICOUD Eugène 2 av Kennedy
NIEL Claudette 63 r André Ducatez
NIEL Roland 10 bd Gambetta
NIERFEIX Marie-Antoinette 32 av Teil
NIEZ Lucien 18 vieille rte Teil
NIKOLOVSKI Donça 4 pl Hector Berlioz
NINI Guy 31 av Gén de Gaulle
NININO Jean-Claude 53 pl Fust
NISTRI Amédée 8 cité Combes
NIVERT Christian 32 av Tamaris
NIVOIS Joanny quart Fortuno

Pays	Date ou période	Causes
Italie	1920-1945	Économiques (manque de travail) et politiques (fascisme)
Pologne		
Espagne		
etc.		

5. Observez les prénoms qui accompagnent ces noms. Sont-ils de consonance française (voir **MATÉRIAUX 308, document 3082**) ? Lorsqu'ils ne le sont pas, peut-on expliquer cette permanence ?
Voyez-vous une relation avec les dates relevées dans le tableau de la question 4 ?

6. En considérant les données du tableau de la question 4, pensez-vous que les difficultés d'insertion de ces différents groupes soient les mêmes ? Justifiez vos réponses.

7. Lorsqu'il y a intégration dans le pays d'accueil, de quel type peut-elle être ? Quelles informations seraient nécessaires à une meilleure compréhension de l'immigration en France ? ■

1. Pourriez-vous citer deux ou trois de ces « questions brûlantes » qui reviennent souvent (et peut-être depuis longtemps) dans votre pays, quelle que soit l'orientation politique du gouvernement ?

Document 3011
« Liberté 81 »,
Le Monde, 9-11-1980

2. En lisant rapidement les questions posées dans ce questionnaire (pp. 54 et 55) dites, aussi précisément que possible, quel était le thème de l'enquête.

3. Répondez vous-même à la **question 5** du questionnaire puis comparez vos réponses à celles de deux ou trois de vos camarades. Vous pouvez faire le total des points obtenus pour chaque élément de la question afin de déterminer quelle est l'opinion de votre groupe. Discutez des résultats avec le reste de la classe.

4. Parcourez les autres questions et essayez rapidement de vous situer par rapport à chacune (un dictionnaire vous sera sans doute utile pour comprendre certains détails).

5. Quelles institutions apparaissent dans ce questionnaire, où et combien de fois ? Par exemple : la famille (**question 10, h**), l'école (**question 10, f**), l'église...

2 **Pouvez-vous, de la même manière, situer chacun des mots suivants selon qu'il évoque pour vous plutôt une idée de liberté ou de non liberté ?**

	⬅ LIBERTÉ				NON LIBERTÉ ➡
a) Famille	1	2	3	4	5
b) Voiture	1	2	3	4	5
c) Dieu	1	2	3	4	5
d) Argent	1	2	3	4	5
e) Gauche	1	2	3	4	5
f) Travail	1	2	3	4	5
g) Pilule	1	2	3	4	5
h) Capitalisme	1	2	3	4	5
i) Égalité	1	2	3	4	5
j) Campagne	1	2	3	4	5
k) Culture	1	2	3	4	5
l) Crédit	1	2	3	4	5
m) Corps	1	2	3	4	5
n) Autrui	1	2	3	4	5

5 **Certains disent que notre liberté est réduite, sans que nous nous en rendions compte, par un certain nombre de choses. Vous-même, pensez-vous qu'elle est réduite par :**

	Tout à fait d'accord	Plutôt d'accord	Plutôt en désaccord	Tout à fait en désaccord
a) La télévision	1	2	3	4
b) La mode	1	2	3	4
c) Le crédit	1	2	3	4
d) La publicité	1	2	3	4
e) L'informatique	1	2	3	4
f) L'urbanisme moderne	1	2	3	4
g) Le fait de travailler	1	2	3	4

15 **Selon vous, est-ce bien ou non que l'État intervienne :**

	C'est tout à fait bien	C'est plutôt bien	C'est plutôt mal	C'est tout à fait mal
a) Dans la marche des entreprises	1	2	3	4
b) Dans la détermination des prix	1	2	3	4
c) Dans la définition des normes des produits	1	2	3	4
d) Dans la détermination des salaires	1	2	3	4
e) Dans la détermination de la durée du travail	1	2	3	4
f) Dans la détermination des périodes de congés	1	2	3	4
g) Dans la réglementation de la construction	1	2	3	4
h) Dans la vie des familles	1	2	3	4
i) Dans l'éducation des enfants	1	2	3	4

16 **Parmi les choses suivantes, quelles sont celles qui vous paraissent ou non une atteinte à la liberté ?**

	Une très grande atteinte	Plutôt une atteinte	Pas vraiment une atteinte	Pas du tout une atteinte
a) La limitation de vitesse	1	2	3	4
b) L'existence de polices privées	1	2	3	4
c) Le recours à l'autodéfense	1	2	3	4
d) Le port de la ceinture de sécurité	1	2	3	4
e) Les fichiers informatisés	1	2	3	4
f) L'obligation de se faire vacciner	1	2	3	4

17 **Quels sont pour vous, dans l'ordre d'importance, les trois principaux facteurs de libération de la femme (une réponse par colonne) :**

	Facteur n° 1	Facteur n° 2	Facteur n° 3
a) L'exercice d'une profession	1	1	1
b) L'égalité de traitement dans le travail	2	2	2
c) La contraception	3	3	3
d) La modification des lois sur le divorce	4	4	4
e) L'indépendance financière	5	5	5
f) La prise en charge par le mari d'une partie des tâches ménagères	6	6	6
g) L'existence de crèches et de garderies	7	7	7

6 **Pensez-vous que les tribunaux sont trop sévères ou pas en ce qui concerne :**

	Beaucoup trop sévères	Plutôt trop sévères	Plutôt pas assez sévères	Certainement pas assez
a) Les excès de vitesse	1	2	3	4
b) La délinquance des jeunes	1	2	3	4
c) Les attaques à main armée	1	2	3	4
d) Les viols	1	2	3	4
e) Les délits économiques	1	2	3	4
f) La pollution de l'environnement	1	2	3	4
g) L'action des groupes d'extrême droite	1	2	3	4
h) L'action des autonomistes régionaux	1	2	3	4
i) L'action des groupes d'extrême gauche	1	2	3	4
j) Les délits à caractère raciste	1	2	3	4
k) Les meurtres liés à l'autodéfense	1	2	3	4

7 **Vous, personnellement, seriez-vous prêt à disposer de moins de liberté :**

	Oui certainement	Oui peut-être	Non sans doute	Certainement non
a) Pour aider à lutter contre la violence et le terrorisme	1	2	3	4
b) Pour aider à lutter contre les inégalités	1	2	3	4
c) Pour aider à lutter contre la pollution	1	2	3	4
d) Pour aider à lutter contre le chômage	1	2	3	4

10 **Certains disent qu'en face d'un certain nombre de gens on ne se sent pas vraiment libre. Vous-même diriez-vous que c'est le cas face à :**

	Tout à fait le cas	Plutôt le cas	Pas vraiment le cas	Pas du tout le cas
a) Un médecin	1	2	3	4
b) Un policier	1	2	3	4
c) Un prêtre	1	2	3	4
d) Son employeur	1	2	3	4
e) Le percepteur	1	2	3	4
f) Un professeur	1	2	3	4
g) Un magistrat	1	2	3	4
h) Son père	1	2	3	4

20 **On entend souvent dire : « Ça, quand même, ça devrait être interdit. » Vous-même, parmi les choses suivantes, quelles sont celles que vous seriez d'accord pour interdire ?**

	Tout à fait d'accord	Un peu d'accord	Un peu en désaccord	Tout à fait en désaccord
a) Les radios libres	1	2	3	4
b) Le travail au noir	1	2	3	4
c) La possibilité pour les retraités d'avoir un emploi	1	2	3	4
d) Les chiens dans les immeubles	1	2	3	4
e) Les drogues douces	1	2	3	4
f) L'alcool	1	2	3	4
g) La mendicité	1	2	3	4
h) Le tabac	1	2	3	4
i) La vente à domicile	1	2	3	4
j) L'avortement	1	2	3	4
k) La fraude fiscale	1	2	3	4
l) Les films pornographiques	1	2	3	4
m) Le tiercé	1	2	3	4
n) La citizen band (conversations radio sur canal 27)	1	2	3	4

39 **Selon vous, peut-on se sentir tout à fait libre :**

	Tout à fait libre	Plutôt libre	Pas très libre	Pas libre du tout
a) Si on a des enfants	1	2	3	4
b) Si on a des convictions religieuses	1	2	3	4
c) Si on ne peut pas travailler dans son pays, dans sa région	1	2	3	4
d) Si on est vieux	1	2	3	4
e) Si on est patron	1	2	3	4
f) Si on est laid	1	2	3	4
g) Si on a des convictions politiques	1	2	3	4
h) Si on est sans travail	1	2	3	4
i) Si on est jeune	1	2	3	4
j) Si on est de couleur	1	2	3	4
k) Si on est femme	1	2	3	4
l) Si on est ouvrier	1	2	3	4
m) Si on est homosexuel	1	2	3	4
n) Si on est marié	1	2	3	4
o) Si on n'est pas à son compte	1	2	3	4

6. Vous avez sans doute remarqué que, dans les questions, les mêmes thèmes réapparaissent souvent. Indiquez ci-dessous les éléments qui correspondent aux catégories suivantes et leur total pour chaque catégorie :

a - sécurité et violence
(par exemple, **6, b**, la délinquance des jeunes ;
16, b, les polices privées) ; Total :

b - jeunesse (par exemple, **6, b ; 39, i**) ; Total :

c - travail et crise économique
(par exemple, **17, b ; 20, b**) : Total :

d - condition des femmes ;

e - problèmes sociaux (par exemple, **6, b**) ;

f - famille, couple et sexualité ;

g - morale ;

h - environnement ;

i - économie et politique.

7. En fonction de vos réponses aux deux questions précédentes, dites quelles sont les préoccupations les plus évidentes des Français. Quelles sont les institutions avec lesquelles ils semblent avoir les relations les plus délicates ?

8. Ces conflits ou ces difficultés ont-ils des équivalents dans votre pays ? Lesquels ? (Revoyez votre réponse à la première question.)

9. Si vous le pouvez, consultez un ou plusieurs journaux français (quotidiens ou magazines d'actualité générale), et essayez d'y retrouver les thèmes identifiés ci-dessus. Quelle importance leur est-elle donnée ? ■

302. La France qui change

On peut toujours se tenir au courant de l'actualité, mais il n'est pas facile de comprendre où et comment une société complexe se transforme. Pour s'en faire une idée à propos de la France, on utilisera les mots nouveaux, ceux qui finissent par entrer dans un dictionnaire d'usage. En effet, ils servent souvent à nommer des objets ou des comportements jusqu'alors inconnus ou inhabituels et ils sont, en conséquence, une trace du changement.

Document 3021
« Liste des mots nouveaux »,
Petit Larousse illustré,
1983 et 1984

1. Selon vous, pourquoi ajoute-t-on certains mots aux dictionnaires ? Comment les choisit-on ?

2. En sous-groupes, répartissez-vous les mots nouveaux de ces deux listes. Essayez de deviner leur signification, en vous aidant de votre dictionnaire de langue habituel.
Par exemple : réunion + **-ite,** suffixe du vocabulaire de la médecine (appendi**ite**) = maladie de ceux qui organisent tout le temps des réunions.
Soyez très attentifs aux préfixes (anti-, dé-, ir-, etc.) et aux suffixes (-tion, -iste, -age, etc.), qui peuvent vous mettre sur la voie.

3. A partir de ces résultats et des informations complémentaires qu'on vous donnera, déterminez, chaque fois que c'est possible, le ou les domaine(s) au(x)quel(s) ces mots appartiennent.
Par exemple : hors-piste : sport ; carburol : économie, énergie ; etc.

4. Relevez les mots d'origine étrangère.
Lesquels sont aussi utilisés dans votre langue ? Est-ce que les mots anglo-américains y ont la même importance ? Sont-ils limités à certains domaines, et lesquels (par exemple, musique, sport) ? Est-ce le même cas en français ?

5. Relevez maintenant les mots qui vous paraissent appartenir aux sciences et aux techniques. Pourquoi sont-ils aussi nombreux dans un dictionnaire comme *Le Petit Larousse illustré* ?

PETIT LAROUSSE 1983

L'édition 1983 du Petit Larousse comporte 283 ajouts majeurs qui se répartissent de la façon suivante :

I – Partie langue

135 mots nouveaux[1]
40 acceptions nouvelles[2]
56 expressions nouvelles

II – Partie histoire

52 noms propres nouveaux

I – Partie langue

Mots nouveaux (135)

accord-cadre n. m.
alcoologie n. f.
al dente loc. adj. inv. ou loc. adv. (ital.)
alphabète adj. et n.
anacyclique adj. et n. m.
anépigraphe adj.
anérection n. f.
angiomatose n. f.
anisé n. m.
anthurium n. m.
anticoncurrentiel, elle adj.
antisismique adj.
antiviral, e, aux adj.
aphélandra n. m.
aramide adj.
artériopathie n. f.
arthroscopie n. f.
assisté, e adj. (mécan.)
attrape-tout adj. inv.
audioconférence

baba cool n. inv. (mots hindi et angl.) ou *baba* n.
barbituromanie n. f.
billettiste n.
biomatériau n. m.
biorythme n. m.
black jack n. m. (jeu américain)
bloc-sièges n. m. inv.
brunch n. m.

caldoche n. (familier)
cambiaire adj.
capsule-congé n. f.
carburol n. m.
chopper n. m. (mot anglais)
chop suey n. m. (mot chinois)
chromodynamique n. f.
clash n. m. (mot anglais)
clientélisme n. m.
clonage n. m.
cloner v. t.
coaptation n. f.
coke n. f. (pop)
commercialisable adj.
comportementalisme n. m.
coronaropathie n. f.
coudière n. f.
cuisiniste n.

débureaucratiser v. t.
déconventionner v. t.
dégriffé, e adj. et n. m.
diatonisme n. m.
discounter n. m.
disquette n. f.
dojo n. m. (mot japonais)
dulçaquicole ou *dulcicole* adj.

échangisme n. m.
écologisme n. m.
électroportatif, ive adj.
élyséen, enne adj.
énarchie n. f. (familier)
endodontie n. f.
endogé, e adj.
euromissile n. m.
exobiologie n. f.

fest-noz n. m. (mot celt.)
francité n. f.
friqué, e adj. et n. (pop.)
Frisbee n. m. (nom déposé)

gay adj. et n. (fam.) (mot amér.)
générer v. t.
géotextile n. m.
goûteux, euse adj.

hodjatoleslam n. m. (mot arabe)
hybridome n. m.
hyperréalisme n. m.

implantologie n. f.
ippon n. m. (mot japonais)

judéité n. f.

kiosquier, ère n.
kippa n. f. (mot hébreu)

légionnellose n. f.
logotype ou *logo* n. m.

maître-chien n. m.
microcassette n. f.
modulable adj.
multimédia adj.
must n. m. (mot anglais) fam.)

nombrilisme n. m. (fam.)
nonupler v. t.

parcotrain n. m.
péritélévision n. f.
piratage n. m.
plasmide n. m.
portal, e, aux adj. (anatomie)
portfolio n. m.
pragmatique n. f.
press-book n. m. (mot anglais)
prêt-à-coudre n. m.
primaire n. f. (élection)
programmable adj.
programmatique adj.
prompteur n. m.
psoralène n. m.

questionnement n. m.

racketter v. t.
rastafari ou *rasta* adj. et n.
réaménager v. t.
renégocier v. t.
Rubik's Cube n. m. (nom déposé)
salsa n. f.
S.A.M.U. n. m.
santiag n. f.
scanographe n. m.
scissomètre n. m.
scripophilie n. f.
S.I.C.A.V. n. f.
ska n. m.
skinhead adj. et n. (mot anglais)
soixante-huitard adj. et n. (fam.)
sondé, e n.
sous-médicalisé, e adj.
spationaute n.
stand-by adj.
suivi n. m.
surprotéger v. t.
surtitre n. m.

téléboutique n. f.
télédiagnostic n. m.
ticket n. m. (politique) (mot anglais)
tiers-mondiste adj. et n.
timing n. m. (mot anglais)
turbocompressé, e adj.

vampiriser v. t. (fam.)
véliplanchiste n.
vidéoconférence n. f.

wargame n. m.

1. Nous indiquons les emprunts aux langues étrangères ainsi que les niveaux de langue.
2. Sens dans lequel est employé un mot.

PETIT LAROUSSE 1984

L'édition 1984 du Petit Larousse comporte 203 ajouts majeurs qui se répartissent de la façon suivante :

I – Partie langue

80 mots nouveaux[1]
32 acceptions nouvelles[2]
36 expressions nouvelles

II – Partie histoire

55 noms propres nouveaux

I – Partie langue

Mots nouveaux (80)
accessoiriser v. t.
angiotensine n. f.
antipelliculaire adj.
antisèche n. m. ou f. (fam.)

boum n. f. (fam.)

cache-prise n. m. inv.
câlin n. m.
cancérogenèse n. f.
carcinogenèse n. f.
chamboulement n. m. (fam.)
cibler v. t.
contre-interrogatoire n. m.
custom n. m. (mot américain)

décompresser v. i. (fam.)
déjà-vu n. m. inv. (fam.)
déprogrammation n. f.
déprogrammer v. t.
déqualification n. f.
déqualifier v. t.
dérangé, e adj. (fam.)
désembuage n. m.
désépaissir v. t.
dévaliseur, euse n.
dévalorisant, e adj.
Doppler (effet)
dressing n. m. (mot anglais)

échotomographie n. f.
environnementaliste n.
épiclèse n. f.
éradiquer v. t.

fast food n. m. (mot américain)
ferry n. m. (abrév. anglaise)
folklo adj. inv. (fam.)
freesia n. m.

galvaudage n. m.
gestuelle n. f.
gonflant, e adj.
grenader v. t.
gyrophare n. m.

handisport adj.
hélitransporté, e adj.
Holter (méthode de)
horodaté, e adj.
hors-piste n. m.
hydrominéralurgie n. f.

impala n. m.
Infusette n. f. (nom déposé)
intoxiqué, e adj. et n.
irish-terrier n. m.
irrattrapable adj.
irréaliste adj.

lancinement n. m.
lingue n. f.

machiste adj. et n.
mamie ou *mamy* n. f.
méprobamate n. m.
méritocratie n. f.
millésimer v. t.
mouroir n. m. (péjor.)
mutique adj.

Naviplane n. m. (nom déposé)
nettoyant n. m.

ovuler v. i.

papy n. m.
pique-fleurs n. m. inv.
poussette-canne n. f.
pub n. f. (fam.)
pulsant, e adj.

quotidienneté n. f.

recalculer v. t.
rembobiner v. t.
rénine n. f.
réunionite n. f. (ironiq.)
réutiliser v. t.

tapenade n. f. (mot provençal)

U.L.M. n. m. inv. (sigle)

vanity-case n. m. (mot anglais)
vélocimétrie n. f.

whippet n. m. (mot anglais)
woofer n. m. (mot anglais)

1. Nous indiquons les emprunts aux langues étrangères ainsi que les niveaux de langue.
2. Acception : sens dans lequel un mot est employé.

6. Pour identifier certains secteurs de la vie française qui changent, classez les mots nouveaux dans les catégories suivantes : médecine (par exemple, coronaropathie) ; techniques et technologies (par exemple, électroportatif) ; institutions ; vie politique (par exemple, élyséen) ; consommation ; etc.
Y a-t-il des domaines qui fournissent beaucoup de termes nouveaux ? Pouvez-vous comprendre pourquoi ?

7. Ces listes présentent beaucoup de mots qui se rapportent aux « faits de société » (modes de vie, valeurs). Établissez-en une classification, à partir de catégories plus précises comme loisirs, communication, etc.
En considérant le nombre et la nature des mots nouveaux de ces catégories, pouvez-vous caractériser des évolutions nettes ? Par exemple, la diversification des activités de loisirs (hors-piste, véliplanchiste, péritélévision, multimédia, etc.).

8. A partir de ces indications, avez-vous l'impression que votre pays et la France changent de la même manière ? ■

303. « Télé »

La meilleure façon de découvrir la télévision française serait de visionner un échantillon de différentes émissions afin d'en déterminer la nature, d'en évaluer la qualité et de caractériser ainsi les programmes offerts aux téléspectateurs. A défaut de ce type de matériel, on peut quand même s'en faire une idée à partir de documents plus accessibles, qui laissent apparaître certains traits des différentes chaînes de télévision.

1. Établissez une liste, aussi complète que possible, des différentes sortes d'émissions que vous connaissez (par exemple : informations, musique et spectacles musicaux, etc.).
Comparez-la à celle de vos camarades et complétez-la.

Documents 3031-3032
« Émissions du jour »,
« Émissions du soir »,
Jours de France,
n° 1510

2. Comment s'appellent les chaînes de la télévision nationale en France ?

3. Appliquez-vous maintenant, plus particulièrement, à l'étude d'une chaîne.

a - En lisant horizontalement le programme (pp. 62 à 65), relevez d'abord les émissions qui ont lieu chaque jour. Y a-t-il des programmes différents certains jours ?

b - Parmi les émissions répétitives que vous avez repérées, quelles sont celles qui sont consacrées à l'information ? A quelle heure ont-elles lieu ? Pourquoi ? A l'exclusion de ces émissions régulières, y en a-t-il d'autres ? Lesquelles ?

c - La nature de certaines émissions est évidente, soit par leur nom (jeu), soit par leur bref descriptif (feuilleton). Lesquelles ?

d - Pour FR3, vous remarquerez que certaines émissions ont lieu à la même heure. Comment cela est-il possible ? (Notez un mot qui revient à 14 h et l'indication, en majuscules, qui suit le titre de ces programmes simultanés.) A votre avis, quelle est la caractéristique de FR3 ?

Émissions

TF 1

SAMEDI 10

9.30 TF. 1 VISION PLUS
10.00 CASAQUES ET BOTTES DE CUIR
10.30 LA MAISON DE TF. 1
12.00 BONJOUR, BON APPÉTIT
12.30 LA SÉQUENCE DU SPECTATEUR
12.50 EUROVISION : « Remise du Prix Nobel de la Paix ».
13.00 TF. 1 ACTUALITÉ
13.50 AMUSE-GUEULE
14.20 STARSKY ET HUTCH
15.05 GRAND RING DINGUE
17.05 HISTOIRES INSOLITES
18.00 30 MILLIONS D'AMIS
18.30 AUTO-MOTO
19.05 D'ACCORD, PAS D'ACCORD
19.15 SKI (résumé).
19.40 LES PETITS DRÔLES
20.00 TF. 1 ACTUALITÉS

DIMANCHE 11

9.00 ÉMISSIONS RELIGIEUSES
10.30 LE JOUR DU SEIGNEUR
12.00 TÉLÉ-FOOT 1
13.00 TF. 1 ACTUALITÉS
13.25 ARNOLD ET WILLY. Série. **« Un vote pour les femmes ».**
● Drummond rencontre une grande opposition lorsqu'il veut placer la candidate qu'il a choisi pour diriger une nouvelle branche de son entreprise.
13.55 JEU : J'AI UN SECRET
14.30 CHAMPIONS. « Spécial Aznavour ». Avec Patrick SÉBASTIEN, Yves SIMON, François VALÉRY, Barclay JAMES HARVEST, Guy BEDOS, Sacha DISTEL, Jane MANSON, Richard BERRY...
15.40 TIERCÉ
17.30 LES ANIMAUX DU MONDE. « Des enfants plein la bouche ».
18.00 FRANCK, CHASSEUR DE FAUVES. Série. **« Une naissance chaque minute ».**
19.00 7/7 LE MAGAZINE DE LA SEMAINE
20.00 TF. 1 ACTUALITÉS

LUNDI 12

11.30 VISION PLUS
12.00 LE RENDEZ-VO D'ANNIK
12.30 ATOUT CŒUR
13.00 TF. 1 ACTUALITÉS
13.45 CES CHERS DISPARU
14.00 LA BANDE A PA
Film de Guy LEFRANC (1955
15.30 DOCUMENTAIRE
16.25 C'EST ARRIVÉ A H LYWOOD
16.45 OCTET ET QUART POUCE
18.00 CANDIDE CAMÉRA (n
18.15 LE VILLAGE DANS NUAGES
18.40 VARIÉTOSCOPE
19.15 ACTUALITÉS RÉGIONA
19.40 LES PETITS DRÔLES
20.00 TF. 1 ACTUALITÉS

A 2

SAMEDI 10

10.15 A. 2 ANTIOPE
11.10 JOURNAL DES MALENTENDANTS
11.30 PLATINE 45
12.00 A NOUS DEUX
12.45 A. 2 MIDI
13.35 AH! QUELLE FAMILLE. Série (n° 10).
14.00 LA COURSE AUTOUR DU MONDE (n° 11).
14.55 LES JEUX DU STADE
17.00 RÉCRÉ A. 2
17.50 CARNETS DE L'AVENTURE
18.50 JEU : DES CHIFFRES ET DES LETTRES
19.10 D'ACCORD, PAS D'ACCORD
19.15 ACTUALITÉS RÉGIONALES
19.40 LE THÉÂTRE DE BOUVARD
20.00 LE JOURNAL

DIMANCHE 11

10.00 INFORMATION MÉTÉO
10.05 CHEVAL 2-3. En direct d'Auteuil.
10.30 GYM TONIC
11.15 DIMANCHE MARTIN
11.20 ENTREZ LES ARTISTES
12.45 A. 2 MIDI
13.20 SI J'AI BONNE MÉMOIRE
14.30 LES ENQUÊTES DE REMINGTON STEELE. Série (n° 5). **« Le bon cru ».**
15.20 L'ÉCOLE DES FANS
16.05 DESSIN ANIMÉ
16.25 THÉ DANSANT
16.55 AU REVOIR JACQUES MARTIN
17.05 LES INVITÉS. Série (n° 3).
● Week-end tragique au manoir de Charles Maurienne. Deux cadavres sont découverts.
18.00 DIMANCHE MAGAZINE : « Renault : ça passe ou ça casse ».
19.00 STADE 2
20.00 LE JOURNAL

LUNDI 12

12.00 INFORMATIONS MÉT
12.10 JEU : L'ACADÉMIE DE
12.45 A. 2 MIDI
13.35 LES AMOURS ROM TIQUES. Feuilleton (n° 16).
13.50 AUJOURD'HUI LA VI
14.50 LA LÉGENDE DE L'O BENJAMIN.
15.40 SEMAINE SUR L'A. 2
15.55 APOSTROPHES (repri
17.10 LA TÉLÉVISION DES LÉSPECTATEURS
17.40 RÉCRÉ A. 2
18.30 C'EST LA VIE
18.50 JEU : DES CHIFFRES DES LETTRES
19.10 D'ACCORD, PAS D'ACC
19.15 ACTUALITÉS RÉGIONA
19.40 LE THÉÂTRE DE BOUV
20.00 LE JOURNAL

FR3

SAMEDI 10

12.30 LES PIEDS SUR TERRE. Une émission de la Mutualité agricole. LE PRIX DU SILENCE (1re partie)
13.30 LA VIE EN TÊTE. Une émission proposée par la Fédération nationale des Mutuelles des Travailleurs. **« Magazine sur la santé, la prévention... »**
14.00 ENTRÉE LIBRE. Invité du jour : « Roland CASTRO ».
16.15 LIBERTÉ 3. Une émission proposée par Jean-Claude COURDY. « Le quart monde ».
17.30 TÉLÉ RÉGIONALE
19.50 INSPECTEUR GADGET (D.A.) (n° 7).
20.00 LES JEUX DE 20 HEURES : A Ambérieu-en-Bugey.

DIMANCHE 11

10.00 IMAGES DU PORTUGAL
10.30 MOSAÏQUE. Les immigrés qui ont réussi.
16.30 RÉSONANCE, RÉSONNANCES. La musique (1) : « La musique est-elle innocente? »
17.30 FR. 3 JEUNESSE.
La maison de personne : « Un bal costumé ».
Devinez le proverbe.
Lassie : « L'oie sauvage ».
Le manège enchanté : Cuisine à l'italienne ».
L'ours Paddington : « Paddington sur la touche ».
Lolek et Bolek : « Les voyages de vacances ».
La minute de Spirale : « Passages cloutés... chatte protégée »
Patchograf : « Les sports » (shuntable).
18.45 L'ÉCHO DES BANANES. Avec : le groupe POLICE.
19.40 RFO HEBDO
20.00 FRAGGLE ROCK (n° 9). **« On ne pleure pas sur le lait renversé ».**

LUNDI 12

12.00 AQUITAINE 12-13. crochage BORDEAUX.
12.00 LA VIE A PLEIN TEM Décrochage TOULOUSE.
14.00 MAGAZINE ANTIO FR. 3 LORRAINE. Informati régionales.
14.00 MAGAZINE TÉLÉTEX FR. 3 CHAMPAGNE-ARD NES. Informations régionale
17.00 TÉLÉ RÉGIONALE
19.50 INSPECTEUR GAD (D.A.) (n° 8). **« Gadget à ferme »** (n° 1). Scénario et logues : Jean CHALOPIN, A HEYWARD et Bruno BIAN Réalisation : Bruno BIANCH
20.00 LES JEUX DE 20 H RES. Ce soir à Castelsarra

du jour

SEMAINE DU 10 DÉCEMBRE AU 16 DÉCEMBRE

MARDI 13

30 TF. 1 VISION PLUS
00 LE RENDEZ-VOUS
NNIK
30 ATOUT CŒUR
00 TF. 1 ACTUALITÉS
45 PORTES OUVERTES
.05 AVEC OU SANS
JAGE : Film de M.-F.
YER et S. VANNIER.
25 AMICALEMENT VÔTRE
25 SANTÉ. « La vessie ».
20 FORUM DU MARDI
30 LE PARADIS DES CHEFS.
00 CANDIDE CAMÉRA
15 LE VILLAGE DANS LES
AGES
15 ACTUALITÉS RÉGIONALES
40 LES PETITS DRÔLES
00 TF. 1 ACTUALITÉS
30 D'ACCORD, PAS D'ACCORD

---

30 A. 2 ANTIOPE
00 INFORMATIONS MÉTÉO
0 JEU : L'ACADÉMIE DES 9
5 A. 2 MIDI
5 LES AMOURS ROMAN-
JES. Feuilleton (n° 17).
0 AUJOURD'HUI LA VIE
5 LA LÉGENDE DE JAMES
MS ET DE L'OURS BEN-
IIN. Série (n° 9).
5 CHASSE AUX TRÉSORS
5 ENTRE VOUS
5 RÉCRÉ A. 2
0 C'EST LA VIE
0 JEU : DES CHIFFRES ET
LETTRES
5 ACTUALITÉS RÉGIONALES
0 LE THÉÂTRE DE BOUVARD
0 LE JOURNAL
0 D'ACCORD, PAS D'ACCORD

---

0 AQUITAINE 12-13. Dé-
hage BORDEAUX.
0 LA VIE A PLEIN TEMPS.
ochage TOULOUSE.
0 MAGAZINE ANTIOPE.
3 LORRAINE. Informations
onales.
0 MAGAZINE TÉLÉTEXTE.
3 CHAMPAGNE-ARDEN-
. Informations régionales.
0 TÉLÉ RÉGIONALE
0 INSPECTEUR GADGET
.) (n° 8). « Gadget à la
e » (n° 2).
0 LES JEUX DE 20 HEU-
. Ce soir à Castelsarrasin.
émission proposée par
ues ANTOINE et Jacques
NESS.
0 D'ACCORD, PAS D'ACCORD

MERCREDI 14

11.30 TF. 1 VISION PLUS
12.00 LE RENDEZ-VOUS D'ANNIK
12.30 ATOUT CŒUR
13.00 TF. 1 ACTUALITÉS
13.35 UN MÉTIER POUR DEMAIN
13.50 VITAMINE
16.40 LE JEU DE LA SANTÉ
16.45 TEMPS X
17.40 LES INFOS
17.55 JACK SPOT
18.15 LE VILLAGE DANS LES NUAGES
18.40 VARIÉTOSCOPE
18.55 7 H MOINS 5
19.00 MÉTÉO PREMIÈRE
19.15 ACTUALITÉS RÉGIONALES
19.40 LES PETITS DRÔLES
19.55 TIRAGE DU LOTO
20.00 TF. 1 ACTUALITÉS

10.30 A. 2 ANTIOPE
12.00 INFORMATIONS MÉTÉO
12.10 JEU : L'ACADÉMIE DES 9
12.45 A. 2 MIDI
13.35 LES AMOURS ROMANTIQUES. Feuilleton (n° 18).
13.50 CARNETS DE L'AVENTURE. « Expédition Amazone ».
14.25 DESSINS ANIMÉS
15.00 RÉCRÉ A. 2
17.10 PLATINE 45
17.45 TERRE DES BÊTES. « Safaris parisiens » - « Un ordinateur au secours de la S.P.A. ».
18.30 C'EST LA VIE
18.50 JEU : DES CHIFFRES ET DES LETTRES
19.15 ACTUALITÉS RÉGIONALES
19.40 LE THÉÂTRE DE BOUVARD
20.00 LE JOURNAL

12.00 AQUITAINE 12-13. Décrochage BORDEAUX.
12.00 LA VIE A PLEIN TEMPS. Décrochage TOULOUSE.
14.00 MAGAZINE ANTIOPE. FR. 3 LORRAINE. Informations régionales.
14.00 MAGAZINE TÉLÉTEXTE. FR. 3 CHAMPAGNE-ARDENNES. Informations régionales.
15.00 QUESTIONS AU GOUVERNEMENT A L'ASSEMBLÉE NATIONALE
17.00 TÉLÉ RÉGIONALE
19.50 INSPECTEUR GADGET (D.A.) (n° 8). « Gadget à la ferme » (n° 3). Scénario et dialogues : Jean CHALOPIN.
20.00 LES JEUX DE 20 HEURES. Ce soir à Castelsarrasin.

JEUDI 15

11.30 TF. 1 VISION PLUS
12.00 LE RENDEZ-VOUS D'ANNIK
12.30 ATOUT CŒUR
13.00 TF. 1 ACTUALITÉS
13.45 OBJECTIF SANTÉ
15.30 QUARTÉ EN DIRECT DE VINCENNES
18.00 CANDIDE CAMÉRA (n° 6).
18.15 LE VILLAGE DANS LES NUAGES
18.40 VARIÉTOSCOPE
18.55 7 H MOINS 5
19.00 MÉTÉO PREMIÈRE
19.15 ACTUALITÉS RÉGIONALES
19.40 LA POUPÉE DE SUCRE (n° 1). Conte musical de Jean-Jacques DEBOUT. Avec Chantal GOYA.
20.00 TF. 1 ACTUALITÉS

10.30 A. 2 ANTIOPE
12.00 INFORMATIONS MÉTÉO
12.10 JEU : L'ACADÉMIE DES 9
12.45 A. 2 MIDI
13.35 LES AMOURS ROMANTIQUES. Feuilleton (n° 19).
13.50 AUJOURD'HUI LA VIE
14.55 DUEL A SANTA FE (n° 2). Téléfilm de Robert TOTTEN d'après la nouvelle de Louis L'AMOUR « Sacketts ».
16.35 UN TEMPS POUR TOUT
17.45 RÉCRÉ A. 2
18.30 C'EST LA VIE
18.50 JEU : DES CHIFFRES ET DES LETTRES
19.10 D'ACCORD, PAS D'ACORD
19.15 ACTUALITÉS RÉGIONALES
19.35 EXPRESSION DIRECTE
20.00 LE JOURNAL

12.00 AQUITAINE 12-13. Décrochage BORDEAUX.
12.00 LA VIE A PLEIN TEMPS. Décrochage TOULOUSE.
14.00 MAGAZINE ANTIOPE. FR. 3 LORRAINE. Informations régionales.
14.00 MAGAZINE TÉLÉTEXTE. FR. 3 CHAMPAGNE-ARDENNES. Informations régionales.
14.30 QUESTIONS AU GOUVERNEMENT AU SÉNAT
17.00 TÉLÉ RÉGIONALE
19.50 INSPECTEUR GADGET (D.A.) (n° 8). « Gadget à la ferme » (n° 4). Scénario et dialogues : Jean CHALOPIN, Andy HEYWARD et Bruno BIANCHI.
20.00 LES JEUX DE 20 HEURES. Ce soir à Castelsarrasin.

VENDREDI 16

11.30 TF. 1 VISION PLUS
12.00 LE RENDEZ-VOUS D'ANNIK
12.30 ATOUT CŒUR. Invitée : Michèle TORR.
13.00 TF. 1 ACTUALITÉS
18.00 CANDIDE CAMÉRA. « Un coup de bulle » - « La main passe » - « Buster Keaton inédit ».
18.15 LE VILLAGE DANS LES NUAGES
18.40 VARIÉTOSCOPE
18.55 7 H MOINS 5
19.00 MÉTÉO PREMIÈRE
19.15 ACTUALITÉS RÉGIONALES
19.40 LA POUPÉE DE SUCRE conte musical de Jean-Jacques DEBOUT (n° 2) avec Chantal GOYA.
20.00 TF. 1 ACTUALITÉS

10.30 A. 2 ANTIOPE
12.00 INFORMATIONS MÉTÉO
12.10 JEU : L'ACADÉMIE DES 9
12.45 A. 2 MIDI
13.35 LES AMOURS ROMANTIQUES. Feuilleton (n° 20).
13.50 AUJOURD'HUI LA VIE
14.55 LA LÉGENDE DE JAMES ADAMS ET DE L'OURS BENJAMIN. Série (n° 10).
15.45 LES JOURS DE NOTRE VIE (reprise).
16.40 ITINÉRAIRES
17.45 RÉCRÉ A. 2
18.30 C'EST LA VIE
18.50 JEU : DES CHIFFRES ET DES LETTRES
19.15 ACTUALITÉS RÉGIONALES
19.40 LE THÉÂTRE DE BOUVARD
20.00 LE JOURNAL

12.00 AQUITAINE 12-13. Décrochage BORDEAUX.
12.00 LA VIE A PLEIN TEMPS. Décrochage TOULOUSE.
14.00 MAGAZINE ANTIOPE. FR. 3 LORRAINE. Informations régionales.
14.00 MAGAZINE TÉLÉTEXTE. FR. 3 CHAMPAGNE-ARDENNES. Informations régionales.
17.00 TÉLÉVISION RÉGIONALE
19.50 INSPECTEUR GADGET (D.A.) (n° 8). « Gadget à la ferme » (n° 5).
20.00 LES JEUX DE 20 HEURES. Ce soir à Castelsarrasin. Une émission proposée par Jacques ANTOINE et Jacques SOLNESS.
20.30 D'ACCORD, PAS D'ACCORD.

3032

Émissions

SAMEDI 10 | **DIMANCHE 11** | **LUNDI 12**

SAMEDI 10

20.35 DALLAS. Série n° 3. **« Problème d'argent ».**

● Bobby et J.R. estiment que leur mère doit recommencer à sortir et revoir ses vieux amis. A l'occasion du bal des magnats du pétrole, J.R. demande à Ellie de lui confier la gestion des affaires de Jock tout en essayant d'évincer Bobby de ce domaine.

21.15 DROIT DE RÉPONSE Une émission proposée par **Michel Polac.**
Ce soir : **« La dénatalité ».**

22.45 ÉTOILES ET TOILES. Une émission proposée par Frédéric MITTERRAND. **« Berlin Alexander Platz »,** une série de FASSBINDER pour la T.V. allemande.

23.30 TF. 1 ACTUALITÉS

DIMANCHE 11

20.35 LES PROFESSIONNELS : Film de Richard BROOKS (1966), d'après le roman de Frank O'ROURKE : **« A mule for the marquesa ».**

● 1917. Au Mexique, six ans après le début de la révolution, la guerre civile bat son plein. Joe W. Grant, puissant militaire américain engage quatre professionnels de la guérilla pour délivrer sa femme Maria, kidnappée par Raza qui demande une rançon de 100 000 dollars. Les quatre professionnels d'élite se mettent en route vers la forteresse de Raza qui se trouve à plus de 150 kilomètres au-delà de la frontière mexicaine.

■ Avec Burt LANCASTER (Bill Dolworth), Lee MARVIN (Henry Rico Fardan), Robert RYAN (Hans Ehrengaro), Jack PALANCE (Jesus Raza), Claudia CARDINALE (Maria Grant), Ralph BELLAMY (Joe W. Grant).

22.35 SPORTS DIMANCHE. Une émission proposée et présentée par François JANIN.

23.15 TF. 1 ACTUALITÉS

LUNDI 12

20.35 125, RUE MONTMARTRE. Un film de Gill GRANGIER.

● Le crieur de journaux, Pasc sauve Didier d'une tentative suicide. Le rescapé montre signes d'une grande nervosi et demande à son sauve d'aller chez lui prendre de l' gent qu'il a caché. Didier veut pas se trouver en présen de sa femme, Catherine q dit-il, veut le faire enfermer.

■ Avec Lino VENTURA (Pa cal), Andréa PARISY (Cath rine), Robert HIRSCH (Didie Jean DESAILLY (Dodelot).

22.05 MAGAZINE DE L SANTÉ « La vessie ».

23.05 TF. 1 ACTUALITÉS

SAMEDI 10

20.35 CHAMPS-ÉLYSÉES. Invité d'honneur : **« Yves DUTEIL »** qui sera entouré de : DALIDA, Chantal GOYA, CHRISTOPHE, Alain BARRIÈRE, Frédéric ZEITOUN, GAZEBO, BREAK MACHINE, Laurence SEMONA, Pierre MIQUEL, Jacqueline HUET, Achille ZAVATTA et son fils.

22.05 LES ENFANTS DU ROCK. — **« Rockline ».** Avec : Eurythmics Carmel, Paul Young, Jo Boxers, Culture Club, Kid Creole and the Coconuts, Belle Stars, King Kurt, Madness. — **« Festival de Reggae » :** Le grand festival de Reggae à Montege Bay (Jamaïque).

23.20 ÉDITION DE LA NUIT

DIMANCHE 11

20.35 LA CHASSE AUX TRÉSORS (n° 25). Émission-jeu de Jacques ANTOINE. L'émission va se dérouler à Tozeur, en Tunisie.

21.40 VAN EYCK. Documentaire. **« Le miroir du temps ».** Ce film nous permet de contempler dans son ensemble l'œuvre magnifique « L'Adoration de l'Agneau mystique », commencée au début du XVe siècle par Hubert van Eyck et achevée par son frère Jan dont la vie nous est plus connue. Cet assemblage de tableaux forme l'un des grands trésors belges. Il se trouve à Gand dans la cathédrale de Saint-Bavo.

22.35 CONCERT ACTUALITÉS. Invités : Les 12 violons de France - Gabriel FUMET - L'Ensemble vocal de France tourné dans le musée Gustave-Moreau - Michèle PENA.
Olivier MESSIAEN sera l'événement de cette rentrée avec la création à l'Opéra de Paris de son « Saint-François d'Assise ».

23.05 ÉDITION DE LA NUIT

LUNDI 12

20.35 EMMENEZ-M AU THÉÂTRE : « SAIN FRANÇOIS D'ASSISE

En stéréo sur France-Musiq Opéra en 3 actes et 8 tablea poème et musique d'Oliv MESSIAEN, direction mu cale : Seiji OZAWA.
Interprètes : Christiane ED PIERRE (l'Ange), José V. DAM (saint François), Kenne RIEGEL (le lépreux).

ACTE I.

21.50 PLAISIR DU THÉÂT Invité : Patrick CHÉREAU.

22.10 SAINT FRANÇOIS D'A SISE. ACTE II.

23.55 ÉDITION DE LA NUIT

0.15 SAINT FRANÇOIS D'A SISE. ACTE III.

FR3

SAMEDI 10

20.35 LA DAME AUX CAMÉLIAS (1). Un film de Mauro BOLOGNINI retransmis à la télévision en deux parties.

● La Dame aux Camélias évoque la vie d'Alphonsine Plessis, la célèbre courtisane aimée d'Alexandre Dumas fils, et par lui immortalisée sous le nom de Marguerite Gautier.

■ Avec : Isabelle HUPPERT (Alphonsine), Gian Maria VOLONTE (Plessis).

22.00 MERCI BERNARD

22.30 SOIR 3

22.50 CONFRONTATIONS. Invité : Jean-Maxime LEVÈQUE.

23.05 MUSICLUB

23.45 SOIR 3. (Spécial foot).

DIMANCHE 11

20.35 ARCHITECTURE : RICARDO BOFILL. Un film de Pierre-André BOUTANG et Antoine VERNIER. Sa conception de l'architecture à travers son œuvre : Barcelone; L'espace ABRAXAS à Marne-la-Vallée; La maison Temple (sa première maison individuelle).

21.30 ASPECTS DU COURT MÉTRAGE FRANÇAIS

22.05 SOIR 3

22.30 CINÉMA DE MINUIT : STANLEY AND LIVINGSTONE. Film de Henry KING.

● 1870. Après avoir effectué un reportage dans la guerre que mène l'armée américaine contre les Indiens, le journaliste Henry Stanley est envoyé en Afrique par son patron, le directeur du New York Herald. Sa mission : retrouver le docteur Livingstone.

■ Avec : Spencer TRACY (Henry Stanley).

0.10 PRÉLUDE A LA NUIT

LUNDI 12

20.35 LES GRANGE BRÛLÉES. Film de J. CHAP

● Dans le Haut-Doubs, u grosse ferme « Les Gran brûlées ». La patrone, Ro 50 ans, intelligente, autorita règne sur sa petite tribu fa liale. Or, une nuit, une je femme est assassinée près d ferme. Pierre Larcher, le j chargé de l'affaire, en vien soupçonner la famille de Ro Un duel impitoyable s'eng entre celle-ci et le jeune juge

■ Avec : Alain DELON (Larch Simone SIGNORET (Rose).

22.15 SOIR 3

22.35 THALASSA

23.20 PRÉLUDE A LA NUIT

du soir

SEMAINE DU 10 DÉCEMBRE AU 16 DÉCEMBRE

MARDI 13

.35 JEAN MOULIN. film de Bernard LAMBERT et ain PERISSON.
L'I.N.A. présente « Un mme de liberté ». Ce film lisé à partir des témoignages dix compagnons de Jean ulin : Lucie et Raymond Au-ac, Claude Bourdet, Daniel rdier, Henri Frenay, Jean-rre Lévy, Pierre Meunier, rvé Montjaret, le colonel ssy et Colette Pons Dreyfus, race ici l'action généralement connue du grand unificateur la Résistance.
.05 L'ENJEU. Une émission ésentée par François de Clo-ts, Emmanuel de La Taille et ain Weiller.
.20 TF. 1 ACTUALITÉS

.40 MARDI CINÉMA : UNE SALE AFFAIRE ». film d'Alain BONNOT (1981).
Lui est flic. Elle est secrétaire mairie. Novak fait partie du reau de répression du trafic cite des stupéfiants de Paris, chasse l'homme par profes-n. Hélène est une mère de nille sans histoire, qui vit nquille dans une ville de pro-ice. Ils avaient peu de chances se rencontrer. Et pourtant...
Avec Marlène JOBERT (Hé-ne), Victor LANOUX (Novak), trick BOUCHITEY (Dunoyer).
.20 MARDI CINÉMA (suite).
vités : Bernadette LAFFONT Jean-Claude BRIALY.
.25 ÉDITION DE LA NUIT

0.35 DE MÉLIÈS À E.T. Les précurseurs d'E.T. ». olution des films de science-tion illustrée par de nom-eux extraits de films.
.30 SOIR 3
1.50 POURQUOI? 976). Un film d'Anouk BER-ARD.
Une famille tranquille re-rde, à la télévision, un docu-entaire sur la drogue : « Pour e fois c'était pas trop mal » le père en fermant le recep-ur. Il ne se doute pas encore e Patrick, son fils, entraîné r un camarade, a commencé s'adonner aux stupéfiants.
.35 PRÉLUDE A LA NUIT

MERCREDI 14

20.35 LES MERCREDIS DE L'INFORMATION « LES PETITS DAMNÉS DE LA TERRE ». Reportage Michel HONORIN et Tony COMITI.
● Lors de divers « Mercredis de l'information », nous avons constaté que la déclaration officielle des droits de l'enfant dite « Déclaration de Genève », restait lettre morte dans bien des cas. L'émission de ce soir continue la lutte et propose de nous montrer l'exploitation des mineurs, les moins de quinze ans au travail, les enfants prolétaires. Ils sont 52 millions...
21.40 VAGABONDAGE. Émission de Roger GICQUEL.
22.55 TF. 1 ACTUALITÉS

20.35 AÉROPORT : LE CIEL ET LE FEU. Téléfilm de Roger BURCKHARDT.
● 6 septembre 1970. Des commandos du Front populaire de Libération de la Palestine détournent 4 long-courriers sur un désert de la Jordanie. Cette opération vise à forcer l'attention du monde sur le drame que représente pour un peuple son exclusion de la scène politique.
■ Avec Pierre VERNIER.
21.55 LES JOURS DE NOTRE VIE. Neurochirurgie vasculaire.
22.50 HISTOIRES COURTES. « Nous nous sommes séparés sans violence ».
23.05 ÉDITION DE LA NUIT

20.35 CADENCE 3. Une émission de Guy LUX et Lela MILCIC.
« Spécial Michel Sardou ».
21.45 SOIR 3
22.05 MYR ET MYROSKA. « Charlotte de Castets-en-Dorthe ». Une émission proposée par Roger BOUSSINOT. Histoire d'une double aventure, affective et professionnelle d'un couple d'artistes (illusionnistes et voyants).
■ Avec : Muriel MAZA (Myroska jeune), José MEDINA (André Myr jeune).
23.00 PRÉLUDE A LA NUIT. Partita n° 3 en la mineur de Jean-Sébastien BACH.

JEUDI 15

20.35 MORT D'UN PIÉTON. Une émission proposée et réalisée par Pierre BILLARD.
● Gaston Brunel, chef de bureau, menant une vie assez médiocre, vient d'être nommé directeur du contentieux! Après une forte instance de la part de sa secrétaire, il raccompagne celle-ci le soir. Aussitôt après l'avoir déposée, il renverse un piéton. Obsédé de rentrer très en retard chez lui, il s'enfuit...
■ Avec Jacques MOREL (Gaston), Anna GAYLOR (Mme Brunel), Caroline BERG (Rolande).
22.10 L'ART AU MONDE DES TÉNÈBRES (n° 2). **« L'âge du renne ».**
23.05 TF. 1 ACTUALITÉS

20.35 MARCO POLO. Série (n° 1) de G. MONTALDO.
● De Venise, porte de l'Orient, à Cambaluc (Pékin), par les routes incertaines de Palestine, d'Iran, d'Afghanistan, du Tibet et de Mongolie, le voyage épique du jeune Marco Polo au XIIIe siècle, conté dans son « Livre des Merveilles ». Un voyage qui fit découvrir aux Européens incrédules un monde totalement différent.
■ Avec Ken MARSHALL (Marco Polo), Alexandre PICOLO (Marco Polo, enfant).
21.35 ALAIN DECAUX : L'HISTOIRE EN QUESTION. « Le dernier jour de Pompéi ».
22.50 ÉDITION DE LA NUIT

20.35 LA LETTRE ÉCARLATE. Film allemand de Wim WENDERS (1972) V.O.
● Salem. 2e moitié du XVIIe siècle. Pour avoir trompé son mari disparu, Hester Prynne a été condamnée à porter, cousu sur sa robe, le A infamant (la lettre écarlate) de l'adultère. Or, un jour, son mari revient et n'aura de cesse de tourmenter son amant.
■ Avec : Santa BERGER, Lou CASTEL.
22.00 SOIR 3
22.20 BOÎTE AUX LETTRES. Mieux vaut en rire qu'en pleurer.
23.20 AGENDA 3
23.25 PRÉLUDE A LA NUIT

VENDREDI 16

20.35 FORMULE 1 : MIREILLE MATHIEU « PARIS A NOUS DEUX ». Une émission proposée par Maritie et Gilbert CARPENTIER. Ballets Barry COLLINS.
● « Paris, à nous deux » est une comédie musicale qui raconte l'histoire d'une jeune provinciale qui monte à Paris...
■ Avec : Mireille MATHIEU, Michel ROUX, Sophie DESMARETS, Charles AZNAVOUR, Andrey LANDERS.
21.45 LA VIE DE BERLIOZ. Feuilleton (n° 6).
■ Avec : Daniel MESGUICH (Hector Berlioz).
22.45 PASSIONS-PASSIONS
23.30 TF. 1 ACTUALITÉS

20.35 FABIEN DE LA DROME. Série (n° 1) de Jean COSMOS et Stellio LORENZI.
● Au printemps 1799, les derniers spasmes de l'agonie révolutionnaire secouent encore la France. Au centre de cette aventure, Fabien, un homme à la tête de quelques pionniers de l'idée républicaine.
■ Avec J.-F. GARREAUD.
21.35 APOSTROPHES. « Mystères de notre ascendance ». Invités : Yves COPPENS, Pierre GASCAR, Maurice TAIEB, Henri STIERLIN.
22.50 ÉDITION DE LA NUIT
23.00 CINÉ-CLUB : « UN ROI A NEW YORK ». Film de Charlie CHAPLIN (1957).

20.35 VENDREDI. Un magazine d'information proposé par André CAMPANA.
« Mythes en stock ». Histoire de la bande dessinée française et belge.
21.35 SOIR 3
21.55 FLASH 3. Le magazine de la photo.
— La revue de presse. Les dix ans de l'agence Sygma, avec Henri BOREAU, rédacteur en chef et cofondateur de l'agence. — L'Album Flash 3. Disderi (Second Empire) **« La photo de famille ».** — Flash 3 Actu. — Le portrait de Flash 3 : Jean-Paul GOUDE. — Concours Flash 3.
22.40 PRÉLUDE A LA NUIT

4. En sous-groupes, classez toutes les émissions d'une chaîne (jour et soir). Aidez-vous des catégories dégagées dans la question 1, de leur titre et des éléments de description qui vous sont donnés, puis calculez le temps hebdomadaire consacré à chaque catégorie.
Par exemple ; A2, information (A2 Midi, de 12 h 45 à 13 h 35, du lundi au vendredi (50 minutes × 5 = 4 h 10) ; actualités régionales, etc.

5. Vous pouvez, si vous le préférez, procéder à ces calculs jour par jour (n'oubliez pas le samedi et le dimanche).
Par exemple : A2 mardi, 10 h 30 à 12 h information par texte (ne pas compter), 10′ information météo, 35′ jeu, 50′ information journal, etc.

6. En travail collectif, afin de pouvoir comparer les trois chaînes, classez maintenant les différentes catégories d'émissions par ordre décroissant d'importance (établissez ce classement pour les six premières).

3033

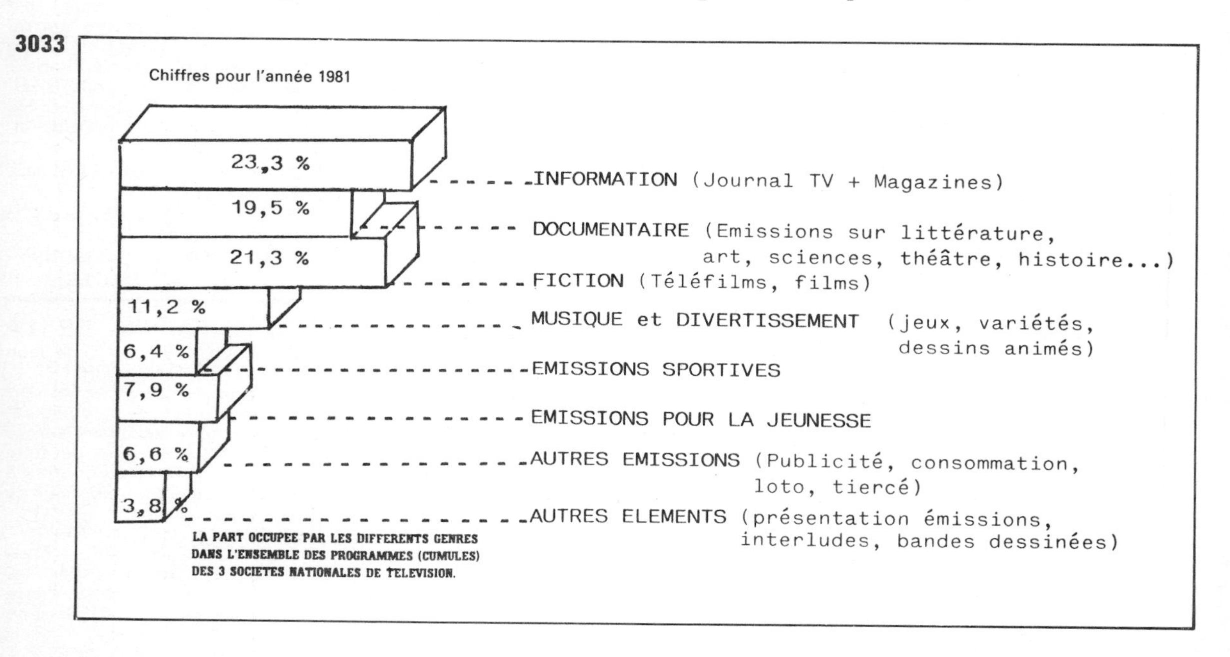

Document 3033
« La part occupée par les différents genres dans l'ensemble des programmes (1981) », Service d'observation des programmes, Service du Premier ministre

Document 3034
« Fréquence d'écoute des vingt-deux catégories d'émissions de télévision », ***Pratiques culturelles des Français***
© Ministère de la Culture, service des Études et Recherches, Jurisprudence générale Dalloz, 1982

7. Comparez vos résultats avec ceux des **documents 3033** et **3034**.

8. Dans l'analyse par chaîne que vous êtes en train de faire, observez plus particulièrement les programmes du soir (heures de grande écoute) et ceux du samedi et du dimanche. Quels types de publics semblent-ils viser ? Commentez.

9. En fonction des réponses données aux questions 4, 5, 6 et 7, caractérisez maintenant les trois chaînes par la nature de leur programme et le public visé.

FREQUENCE D'ÉCOUTE DE 22 CATÉGORIES D'ÉMISSIONS DE TÉLÉVISION

Regardent "souvent" ou "de temps en temps" les émissions suivantes à la télévision :	Ensemble des téléspectateurs	
	1981	1973
	%	%
. Films de cinéma	87,4	88,7
. Emissions sur la nature ou la vie des animaux	83,5	87,8
. Music-hall, variétés	71,2	79,4
. Emissions sur la vie dans d'autres pays	59,5	59,0
. Dramatiques et téléfilms	58,6	
. Emissions médicales	58,4	64,5
. Cirque	53,9	63,1
. Emissions sportives	49,4	47,9
. Emissions sur la vie quotidienne des Français	49,3	50,2
. Débats, face-à-face de personnalités politiques	47,5	51,3
. Reportages sur des problèmes politiques, économiques et sociaux	47,0	48,0
. Pièces de théâtre	44,9	68,9
. Autres émissions scientifiques	43,3	42,9
. Emissions sur l'histoire	39,6	51,2
. Emissions sur la littérature ou sur les écrivains	38,8	30,0
. Emissions sur des métiers d'art tels que poterie, ébénisterie, orfèvrerie	27,9	29,2
. Opérette	27,3	34,7
. Concert de musique classique	22,3	23,5
. Ballet classique ou moderne	21,2	27,7
. Emissions sur la peinture, la sculpture, l'architecture, les monuments	20,0	21,2
. Concert de musique pop, folk, de rock ou de jazz	17,1	16,2
. Opéra	11,5	16,4

Document 3035
« L'audience de la radio-télévision, Antenne 2 nettement détachée », *Le Monde*, 11/12-12-1983

10. Parcourez ce texte et dites de quelle chaîne il s'agit. Soulignez ensuite les mots qui correspondent à des types d'émission (par exemple : reportage) et retrouvez à quel contenu ils s'appliquent (rallye Paris-Dakar...).

11. Lisez maintenant le texte en continu, et dites si la politique directoriale explicitée ici correspond à ce que vous aviez défini des caractéristiques de la chaîne. ■

3035

Alors que Antenne 2 présentait en fin septembre 1983 un taux d'écoute de 60 % (contre 36 % à FR3 et 45 % à TF1), le directeur de cette dernière chaîne expliquait ainsi sa stratégie à venir en matière de programmes (pour l'année 1984).

L'AUDIENCE DE LA RADIOTÉLÉVISION

M. BOURGES (TF 1) : Donnez-moi un an, vous verrez

M. Hervé Bourges, président de TF 1, qui était entouré de ses trois principaux collaborateurs, a réuni, le 9 décembre, sa première conférence de presse. De nombreux responsables de la chaîne s'étaient mêlés aux journalistes, et – fait inhabituel – celle-ci était retransmise en direct sur le réseau interne de TF 1 à l'intention du personnel.

C'est autant à ce dernier qu'au parterre qu'il s'adressera, pendant presque deux heures, égrenant les adjectifs dynamisants. Son objectif ? Il est déjà connu : faire une télévision *« populaire de qualité »*, redonner à TF 1 sa place privilégiée d'autrefois sans se livrer à une concurrence sauvage avec les confrères et sans tenir compte des ukases des sondages. Jusque-là, rien de neuf. Et la recette ? *« TF 1 a un plan »*, lance Hervé Bourges. *« Un plan réfléchi, cohérent, ambitieux et offensif. »* La salle dresse l'oreille.

[1] *« Tous les soirs un grand spectacle. »* Le film pour tous publics dimanche et un film appartenant plus particulièrement à un genre donné le lundi (aventures, science-fiction, « nostalgie », découvertes, etc.) suivi de l'émission « L'avenir du futur » en alternance avec « Etoiles et toiles », diffusé jusqu'à présent le samedi. Le mardi sera le jour de l'information avec l'une ou l'autre des quatre formules retenues : « Edition spéciale », d'Anne Sinclair, un débat animé par le directeur de l'information Jean Lanzi, un document *« dans la tradition des « Mercredis de l'information »* ou un grand reportage *« en direct, s'il le faut »*.

[2] « Dallas » émigre dans la case du mercredi et précédera une soirée *« à thème » :* un document d'histoire illustrant *« ces journées au cours desquelles la conscience collective de la nation française s'est forgée »* (l'affaire Dreyfus, février 1934, etc.). Une série française, le jeudi soir (pour commencer « La Chambre des dames », d'après le livre de Jeanne Bourin), suivi du magazine économique « L'enjeu », de « Contre-enquête » ou de « Bravos »

[3] Le vendredi sera le jour des variétés avec « Formule un », « Salut les mickeys » ou « Coco Boy ». Et avant de clore l'antenne avec du rock, une séquence signée Tazieff ou Cousteau, qui reprennent du service.

[4] « Comme back » également de Pierre Sabbagh, qui en a fini avec la Commission image, après avoir rendu son rapport à Hervé Bourges, et qui présentera, oui, « Au théâtre ce soir ». Mais, *« avec des pièces plus ambitieuses »* (Giraudoux, Sartre, Anouilh, Ionesco, etc.).

[5] Au chapitre des innovations : l'ouverture de l'antenne les jeudis et vendredis après-midi, un journal animé par des adolescents le mercredi; le rallye Paris-Dakar sera couvert la saison prochaine par des reportages sur les pays traversés; et un effort marquant devrait être accompli dans les retransmissions de l'étranger, notamment : les grandes manifestations auxquelles participe la France; un essai de jumelage entre les Festivals d'Avignon et de Los Angeles; les Jeux olympiques de Sarajevo en février.

TF 1 est en outre assurée de rester la chaîne du tennis, l'accord d'exclusivité pour les Internationaux de Roland-Garros a été reconduit, selon M. Bourges, pour l'année prochaine.

« Ne me demandez pas de remonter TF 1 en trois semaines », a invoqué le P.-D. G. (1), qui a donné l'impression de jouer pour sa chaîne la balle de match. *« Donnez-moi un an, vous verrez. »*

E.R.

(1) M. Hervé Bourges a été nommé P.-D. G. de la première chaîne le 15 juillet dernier par la Haute Autorité de la communication audiovisuelle.

304. Associations

Parallèlement aux entreprises privées et au service public, un grand nombre d'associations dites « Loi 1901 » (date de leur institution) existent en France. Leur caractéristique légale est d'être sans but lucratif, c'est-à-dire d'offrir des services à prix coûtants. Leur champ d'action, qui va de l'organisation annuelle d'un banquet à la lutte contre la torture, semble inépuisable. Tournées vers la sauvegarde des traditions, elles mettent en lumière les pesanteurs d'une société, mais elles mobilisent aussi les capacités d'innovation. En comparant les associations de deux communes différentes, nous vous proposons d'essayer de comprendre l'ampleur et la nature du mouvement associatif en France.

Document 3041
« Répertoire des associations », *Revue d'informations municipales de Deuil-la-Barre*, nº 95, 1984.

Document 3042
« Répertoire des associations de Dieulefit » d'après le *Bulletin municipal multigraphié* nº 0-1983 et *Dieulefit et son histoire*, Ed. Curendera

1. A qui les **documents 3041** et **3042** sont-ils destinés et à quoi peuvent-ils servir ?

2. Relevez dans les documents au moins six termes qui servent à désigner une association.

3. En quoi ces deux listes sont-elles différentes ?

4. Parcourez le **document 3041** dans lequel la plupart des associations sont accompagnées du type d'activités qu'elles proposent. (L'utilisation d'un dictionnaire peut s'avérer utile.)
Reprenez ensuite le **document 3042** :
a - Entourez le nom des associations qui se retrouvent dans les deux communes.
b - Soulignez le noms des associations qui vous paraissent apparentées (Exemple : Club du troisième âge à Deuil et Association de retraités et personnes âgées à Dieulefit).
c - En marge du **document 3042,** inscrivez les hypothèses que vous faites sur les activités des autres associations.

RÉPERTOIRE DES ASSOCIATIONS SPORTIVES, CULTURELLES ET SOCIALES DE DEUIL-LA-BARRE

(Les renseignements ci-après sont publiés sous la responsabilité des Associations)

Nom de l'Association	Nature de l'activité
A.C.A.L. (Association Communale d'Activités de Loisirs) **L'adhésion à l'une des sections est subordonnée à l'adhésion à l'A.C.A.L.,** soit 55 F pour l'exercice 1984-85 (année scolaire) Président : M. Jean BODNAR	AIKIDO
	JUDO
	SELF-DEFENSE JIU-JITSU
	DANSE CLASSIQUE ET MODERNE
	YOGA
	ESCRIME
	EQUITATION : adultes et enfants à partir de 10 ans PONEY-CLUB : enfants à partir de 6 ans
	RANDONNEES PEDESTRES
	PROMENADES
	SORTIES, SPECTACLES
	PHOTO-CLUB MOUTIER Initiation à la photo et perfectionnement
	DIAPORAMA - Montage et projection de diapositives en fondu-enchaîné
	VILLE ACCUEIL Réunions amitié Visite - Conférences Couture - Cuisine Emaux - Peinture Soie - Sérigraphie
	SCRABBLE
LA VIGILANTE Président : Jean-Robert LEMOINE 6, rue Fouquet 95270 Luzarches Tél. : 471.21.94	GYMNASTIQUE SPORTIVE FEMININE
	GYMNASTIQUE SPORTIVE MASCULINE
	GYMNASTIQUE DE MAINTIEN
	DANSE MODERNE ADULTES

Nom de l'Association	Nature de l'activité
	VOLLEY-BALL FEMININ ET MASCULIN VOLLEY DE DETENTE
	TENNIS DE TABLE
UNION SPORTIVE DE DEUIL Président : M. Léon BAUX **STADE MONTMORENCY ENGHIEN-DEUIL (SMED)**	ATHLETISME
	BASKET E.M.D.
	HAND-BALL Ecole pour les moins de 12 ans Compétitions : Minimes, Cadets, Cadettes, Juniors, Seniors, masculins et féminins
	FOOTBALL
	BOULE LYONNAISE Sport reconnu par la Jeunesse et les Sports
	PETANQUE
U.S. DEUIL-ENGHIEN TENNIS	TENNIS
E.S.D.E. (Entente Sportive Deuil-La-Barre - Enghien-les-Bains)	Football et activités diverses
BRIDGE-CLUB Président : M. Léon BAUX 20, rue des Mortefontaines, Deuil-La-Barre Tél. : 983.42.31	DEBUTANTS MINI-BRIDGE à partir de 10 ans et adultes
	PERFECTIONNEMENT
	PARTIES LIBRES TOURNOI DU SAMEDI
	TOURNOI DU VENDREDI
	TOURNOI DU JEUDI
BOXING-CLUB DE DEUIL-LA-BARRE	

Nom de l'Association	Nature de l'activité
CLUB DE LA LANTERNE	Ouvert à tous les passionnés de l'histoire du cinéma, du précinéma et de la projection fixe ou animée.
CLUB NIEPCE-LUMIERE	Recherche et préservation d'appareils, d'images et de documents photographiques et cinématographiques.
CLUB CINEMA AMATEUR	Ouvert à tous les amateurs de 8, Super 8, 9,5 et 16 mm Section vidéo
CLUB DU RELAIS Siège social : Mairie de Deuil-La-Barre	Défense des intérêts des pré-retraités et retraités de moins de 65 ans. Organisation d'activités sociales, culturelles et de loisirs. Conseils et documentations
CLUB DES SPORTS DE GLACE	Hockey enfants, patinage artistique, danse
TENNIS-CLUB DE LA SOURCE	TENNIS, TENNIS COUVERT, PISCINE, PING-PONG, JEUX DIVERS, BRIDGE
A.S.E.L.B.	Cyclisme, compétition, école de cyclisme (mixte), samedi après-midi : 10-13 ans. Cyclotourisme mixte, sorties libres ou organisées
COMPAGNIE DES ARBALETRIERS	TIR A L'ARBALETE : — arme traditionnelle ; — arme de compétition.
C.S.V.O. Club Sportif du Val-d'Oise	NATATION pré-scolaire de 3 à 5 ans, école de natation 6 à 13 ans Equipes initiation sportive et compétition
C.I.P.S.M. Club Intercommunal de Plongée Sous-Marine	PLONGEE SOUS-MARINE NAGE AVEC PALMES
LES AMIS DE LA NATURE	RANDONNEES PEDESTRES CYCLOTOURISME VOLLEY-BALL Stages LOISIRS SPORTIFS planche à voile, kayak, ski WEEK-END EN REFUGES
GROUPE THEATRAL AMATEUR LES GRILLONS	Théâtre - Music-hall Variétés - Animation
COMITE ARTISTIQUE	ACADEMIE DE DESSIN ACADEMIE DE PEINTURE

Nom de l'Association	Nature de l'activité
SOCIETE NAUTIQUE D'ENGHIEN	AVIRON - VOILE - TENNIS
CERCLE LAIC	Gymnastique harmonique Danse rythmique Gymnastique féminine et de maintien Initiation à la danse Education artistique Gymnastique adultes Initiation à la micro-informatique
CERCLE SYMPHONIQUE	Musique (orchestre symphonique et musique de chambre)
ECOLE MUNICIPALE DE MUSIQUE	Initiation, solfège, instruments : violon, alto, violoncelle, guitare, harpe, piano, clarinette, hautbois, flûte traversière, flûte à bec, trompette, chant, accordéon de concert Musique de chambre Ensembles instrumentaux
LES AMIS DE L'ECOLE DE MUSIQUE	Promotion de la musique et soutien de l'Ecole Municipale
CERCLE D'ETUDES PHILATELIQUES D'ENGHIEN	PHILATELIE ET CONFERENCES
CLUB PHILATELIQUE D'ENGHIEN-MONTMORENCY ET ENVIRONS	Conseils et échanges timbres. Expositions, accueil des jeunes philatélistes
COMITE DE JUMELAGE DE DEUIL-LA-BARRE	ECHANGES LINGUISTIQUES, CULTURELS ET SPORTIFS avec Francfort-sur-le-Main - Nieder-Eschbach (Allemagne Fédérale)
C.I.S.A. Club Initiation, Soutien Approfondissement	Soutien et perfectionnement en diverses matières (maths, physique, anglais) de la 6e à la terminale
A.I.P.E. Association Indépendante des Parents d'Elèves	Représentation des Parents d'Elèves auprès des Enseignants des écoles primaires et du C.E.S.
F.C.P.E. Conseil de Parents d'Elèves (correspondant M.A.E.)	Action en faveur de l'enseignement laïc
ASSOCIATION DES PARENTS D'ELEVES DE DEUIL-LA-BARRE	Affiliation à la Fédération Nationale des Parents d'Elèves de l'Enseignement Public (P.E.E.P.) Représentation des parents d'élèves au sein du collège
AMICALE DES DONNEURS DE SANG DE DEUIL-LA-BARRE	Organisation de journées du sang

3041

Nom de l'Association	Nature de l'activité
CROIX-ROUGE FRANÇAISE Comité de Deuil-La-Barre	Aide d'urgence aux Deuillois momentanément dans le besoin : secourisme, poste de secours Secrétariat Cours de secourisme, pratique du secourisme, demande de poste de secours pour manifestations sportives ou de masse
COMITE D'AIDE AUX ANCIENS Présidente : Mme Claude GODARD	TOUTES ACTIVITES EN FAVEUR DU TROISIEME AGE
CLUB DU LUNDI (TROISIEME AGE)	Ambiance club, gymnastique et chorale Renseignements divers
ASSOCIATION SAINT-VINCENT-DE-PAUL	Secours aux déshérités, aux malades et aux vieillards
ASSOCIATION DES PARALYSES DE FRANCE **Délégation du Val-d'Oise**	Insertion sociale des personnes et enfants atteints d'un handicap moteur (service social spécialisé, défense de leurs droits, information, centres de vacances)
ASSOCIATION LE COLOMBIER	Aide aux enfants handicapés mentaux et leurs familles
LIGUE NATIONALE FRANÇAISE CONTRE LE CANCER Comité départemental du Val-d'Oise	Subvention à la recherche, et aux centres de traitement - Aide aux familles des cancéreux en difficulté matérielle - Information du public - Réinsertion sociale et professionnelle des cancéreux guéris
U.D.A.F. (Union Départementale des Associations Familiales du Val-d'Oise)	Représente les familles ; regroupe et apporte son soutien aux associations familiales, gère certains services dans l'intérêt des familles

Nom de l'Association	Nature de l'activité
FEDERATION NATIONALE DES MUTILES DU TRAVAIL ASSURES SOCIAUX, INVALIDES CIVILS ET LEURS AYANTS DROIT 106, rue Vieille du Temple, 75003 Paris	CONSEILS ET ASSISTANCE AUX MUTILES
COMITE LOCAL DU SOUVENIR FRANÇAIS	ENTRETIEN TOMBES MILITAIRES ET CULTE DU SOUVENIR
DEPORTES DU TRAVAIL	AIDE AUX RESSORTISSANTS VICTIMES DEPORTATION DU TRAVAIL
A.C.P.G.-C.A.T.M. Anciens Combattants, Prisonniers de Guerre et Combattants d'Algérie, Tunisie, Maroc	ASSISTANCE AUX ANCIENS P.G. ET A LEURS FAMILLES
UNION NATIONALE DES COMBATTANTS U.N.C. - U.N.C.-A.F.N.	UNION DES COMBATTANTS TOUTES GUERRES 14-18 ; 39-45 ; T.O.E. A.F.N. SOLIDARITE, DEMARCHES DE TOUTES NATURES
ASSOCIATION DE SAUVEGARDE DE L'ENVIRONNEMENT DE LA COMMUNE DE DEUIL-LA-BARRE	Sauvegarde des intérêts et du bien-être des habitants. Environnement et urbanisme
ASSOCIATION DES COMMERÇANTS DEUILLOIS	Défense des activités artisanales, commerciales, industrielles et libérales
ASSOCIATION DES LOCATAIRES DE LA RESIDENCE DES MORTEFONTAINES	Défense des intérêts collectifs des locataires
SCOUTS UNITAIRES DE FRANCE Agréée Jeunesse et Sports Reconnue d'utilité publique	Le scoutisme développe la santé, le sens de la responsabilité, du service gratuit, du concret Ouverture à Dieu
ASSOCIATION NATIONALE DES POLIOS ET INFIRMES MOTEURS DE FRANCE	Aide aux handicapés moteurs

5. Relevez des indications sur le public visé par ces activités associatives en termes :
– d'âge,
– de sexe,
– de goûts,
– etc.
et commentez brièvement.

6. Classez ces associations dans le tableau (page suivante) en fonction de la nature de leurs activités :

Activités	Deuil-la-Barre	Dieulefit
sportives		
culturelles		
d'entraide		
d'éducation et de mouvements de jeunesse		
de loisirs		
de rencontres		
militantes (groupes de pression)		
autres		

3042

RÉPERTOIRE DES ASSOCIATIONS DE LA COMMUNE DE DIEULEFIT (DRÔME)

1. Office du tourisme.
2. Croix Rouge – section de Dieulefit.
3. Société amicale des sapeurs-pompiers.
4. Centre de secours de Dieulefit.
5. Office municipal des sports : (regroupe) USD-Football, basket-ball, rugby, tennis ; Section sportive de la société des amis de l'école laïque ; Section sportive de pompiers ; Boule des As ; Centre de formation des jeunes boulistes ; Cyclo club ; Gymnastique volontaire ; Petanc club ; Ski-montagne ; Tennis club du Jabron ; Tennis de table ; Union nationale du sport scolaire ; Union sportive éducation physique école publique mixte.
6. Comité de jumelage Dieulefit-Lich.
7. Bibliothèque populaire.
8. Association « Pierres Vives ».
9. Chorale « Canto Diouloufé ».
10. Association pour le développement de la musique.
11. Association de défense des épargnants Dieulefitois.
12. Association familiale de Dieulefit et des communes environnantes.
13. Éducation et liberté.
14. Solidarité Dieulefitoise.
15. Association des chrétiens pour l'abolition de la torture.
16. Automne – Hiver.
17. Échiquier dieulefitois.
18. Société des amis de l'école laïque.
19. Amnesty international.
20. Anciens combattants.
21. Anciens combattants et prisonniers de guerre.
22. Anciens combattants d'Afrique du Nord.
23. Fédération des mutilés du travail.
24. Association communale de chasse agréée.
25. Section locale de la Société protectrice des animaux.
26. Association des mamans et amis de l'école maternelle.
27. Association des retraités et personnes âgées.
28. Société de pêche : la truite du Jabron.

7. Donnez en exemple quelques associations qui utilisent les types d'infrastructure indiqués ci-dessous :

a - Personnel
- personnel bénévole, peu ou pas spécialisé : par exemple, donneurs de sang, amis de la nature (randonnées pédestres) ;
- animateurs professionnels (par exemple, chorale) ;

b - Matériel
- bâtiment ;
- terrain ;
- équipements (par exemple, judo).

8. Dans l'une ou l'autre commune lesquelles, parmi ces associations, vous paraissent jouer un rôle comparable à celui des institutions officielles ? En fonction de cette observation, essayez de dire comment le mouvement associatif se situe par rapport aux services public ou privé.

9. A partir de vos réponses à la question 4 et du tableau de la question 6, essayez de comparer maintenant le mouvement associatif de ces deux communes en utilisant les critères suivants :

a - activités prédominantes ;
b - absence ou faiblesse de certains domaines ;
c - tradition/innovation.
Commentez.

10. Y a-t-il, chez vous, des associations de ce type et lesquelles (parents d'élèves, groupes religieux, etc.) ?
Comment appréciez-vous l'activité associative telle qu'elle vous apparaît ici, par rapport à celle d'une petite localité de votre pays ? ■

305. Connaissance de la presse

Un cours de civilisation pourrait se fonder presque entièrement sur l'utilisation de la presse tant elle apporte d'informations et d'indices riches et variés. Vous avez d'ailleurs constaté qu'elle occupait une large place dans ce livre. Pour cette raison, nous vous proposons d'apprendre à identifier un certain nombre de publications françaises afin de les reconnaître, de vous faire une idée de leur orientation et de savoir, éventuellement, les choisir pour votre propre information.

1. Prenez trois ou quatre publications différentes, feuilletez-les et cherchez pour chacune les indications suivantes : périodicité, prix, format, tirage, nombre total de pages, nombre de pages ou de colonnes de photos et illustrations, nombre de pages ou de colonnes de publicité.
A partir de ces premières observations, faites des comparaisons avec la presse de votre pays (volume, prix, etc.).
Commencez à classer ces publications en fonction de leur nature (journaux, magazines d'actualité générale, féminins, etc.).

2. Choisissez maintenant deux ou trois publications de même nature (par exemple, des quotidiens nationaux), trouvez-en le sommaire, feuilletez-les et remplissez, pour chacun, une grille semblable à la grille suivante :

Titre : Nombre total de pages : Emplacement du sommaire :

Rubriques	Numéro de page	Nombre de pages
Affaires internationales		
Politique intérieure		

(suite p. 76)

Rubriques	Numéro de page	Nombre de pages
Économie et social		
Culture : TV cinéma théâtre arts musique livres autres		
Faits divers		
Sports		
Annonces classées		
Mode		
Recettes et conseils		
Courses de chevaux et jeux de hasard		
Autres (dites lesquelles)		

3. Décrivez une ou deux de ces publications oralement afin d'en donner une idée aussi précise que possible au reste de la classe.
Par exemple : --- est un quotidien national du matin qui coûte 4,50 F. De moyen format, il paraît sur une quarantaine de pages. Il accorde la place la plus importante à --- La publicité y occupe environ --- % ---

4. Vous avez écouté un certain nombre de descriptions. Quel(s) titre(s) pouvez-vous suggérer (quotidien, hebdomadaire ou mensuel) au lecteur qui :
a - s'intéresse aux faits divers,
b - cherche un logement à Paris,
c - veut savoir ce qui se passe ailleurs qu'en France,
d - est au chômage,
e - joue aux courses de chevaux,
f - est curieux de faits de société (justice, problèmes sociaux),
g - veut des conseils pratiques (recettes, couture, bricolage),
h - aime lire.
Justifiez vos réponses.

Vous avez déjà perçu que ces publications s'adressent à des lecteurs différents par leur sexe, leurs goûts, leurs besoins, leur niveau d'instruction, leurs moyens financiers, leur profession, etc.
Sans entrer dans la lecture détaillée des articles, mais en observant de plus près certaines sections, vous allez essayer de préciser qui sont ces lecteurs-cibles.

Les exercices qui suivent peuvent être faits en sous-groupes qui communiquent le résultat de leur recherche au reste de la classe.

5. Prenez deux ou trois publications de même nature et, en observant la « publicité », remplissez pour chacune d'entre elles, une grille semblable à la grille suivante :

Titre de la publication :
Produits qui font de la publicité

Produits d'entretien :
Nourriture de base ou de luxe :
Boissons avec ou sans alcool :
Tabacs, cigares, cigarettes :
Vêtements, chaussures, sacs, etc. :
Voitures et accessoires :
Électroménager :
Orfèvrerie, porcelaine :
Loisirs : TV
chaînes
magnétoscopes
jeux électroniques
appareils photo, caméras
voyages, tourisme
Culture : livres
disques
vidéocassettes
Produits de beauté :
Parfums :
Bijoux :
Services : banques
assurances
Autres :

D'après ces résultats, établissez le profil des lecteurs-cibles de ces publications puis comparez-les.

Document 3051
« Nomenclature des professions et catégories socioprofessionnelles »
Données sociales 1984
INSEE

6. A partir de la page des « offres d'emploi » du *Monde* et de *France-Soir,* faites un inventaire des professions qui apparaissent (un dictionnaire peut vous aider). Confrontez les deux listes ainsi obtenues au **document 3051,** et dites ce qu'elles font apparaître en ce qui concerne les lecteurs de ces quotidiens.

7. En utilisant *Le Monde* ou *Le Figaro,* reportez-vous à **OUTILS 201** et répondez aux questions 4 et 5 s'il y a lieu.

8. En examinant la rubrique « détente », ou « loisirs », ou « jeux », de publications de même nature, remplissez pour chacune d'elles une grille semblable à la grille suivante. Comparez vos relevés et commentez.

Titre de la publication :
Activités proposées

Mots croisés ou fléchés :
Jeux graphiques :
Histoires drôles :
Bridge, échecs :
Bandes dessinées :
Feuilleton en images :
Autres :

Nomenclature des professions et catégories socioprofessionnelles (PCS)
Correspondance entre les niveaux agrégés 8, 24 et 42

Niveau agrégé (8 postes dont 6 pour les actifs occupés)	Niveau de publication courante (24 postes dont 19 pour les actifs)	Niveau détaillé (42 postes dont 32 pour les actifs)
1. Agriculteurs exploitants	10. Agriculteurs exploitants	11. Agriculteurs sur petite exploitation. 12. Agriculteurs sur moyenne exploitation. 13. Agriculteurs sur grande exploitation.
2. Artisans, commerçants et chefs d'entreprises	21. Artisans	21. Artisans.
	22. Commerçants et assimilés	22. Commerçants et assimilés.
	23. Chefs d'entreprise de 10 salariés ou plus	23. Chefs d'entreprise de 10 salariés ou plus.
3. Cadres et professions intellectuelles supérieures	31. Professions libérales	31. Professions libérales.
	32. Cadres de la fonction publique, professions intellectuelles et artistiques.	33. Cadres de la fonction publique. 34. Professeurs, professions scientifiques. 35. Professions de l'information, des arts et des spectacles
	36. Cadres d'entreprise	37. Cadres administratifs et commerciaux d'entreprise. 38. Ingénieurs et cadres techniques d'entreprise.
4. Professions intermédiaires	41. Professions intermédiaires de l'enseignement, de la santé, de la fonction publique et assimilés.	42. Instituteurs et assimilés. 43. Professions intermédiaires de la santé et du travail social. 44. Clergé, religieux. 45. Professions intermédiaires administratives de la fonction publique.
	46. Professions intermédiaires administratives et commerciales des entreprises.	46. Professions intermédiaires administratives et commerciales des entreprises.
	47. Techniciens	47. Techniciens.
	48. Contremaîtres, agents de maîtrise	48. Contremaîtres, agents de maîtrise.
5. Employés	51. Employés de la fonction publique	52. Employés civils et agents de service de la fonction publique. 53. Policiers et militaires.
	54. Employés administratifs d'entreprise	54. Employés administratifs d'entreprise.
	55. Employés de commerce	55. Employés de commerce.
	56. Personnels des services directs aux particuliers.	56. Personnels des services directs aux particuliers.
6. Ouvriers	61. Ouvriers qualifiés	62. Ouvriers qualifiés de type industriel. 63. Ouvriers qualifiés de type artisanal. 64. Chauffeurs. 65. Ouvriers qualifiés de la manutention, du magasinage et du transport.
	66. Ouvriers non qualifiés	67. Ouvriers non qualifiés de type industriel. 68. Ouvriers non qualifiés de type artisanal.
	69. Ouvriers agricoles	69. Ouvriers agricoles.
7. Retraités	71. Anciens agriculteurs exploitants	71. Anciens agriculteurs exploitants.
	72. Anciens artisans, commerçants, chefs d'entreprise.	72. Anciens artisans, commerçants, chefs d'entreprise.
	73. Anciens cadres et professions intermédiaires	74. Anciens cadres. 75. Anciennes professions intermédiaires.
	76. Anciens employés et ouvriers	77. Anciens employés. 78. Anciens ouvriers.
8. Autres personnes sans activité professionnelle	81. Chômeurs n'ayant jamais travaillé	81. Chômeurs n'ayant jamais travaillé.
	82. Inactifs divers (autres que retraités)	83. Militaires du contingent. 84. Élèves, étudiants. 85. Personnes diverses sans activité professionnelle de moins de 60 ans (sauf retraités). 86. Personnes diverses sans activité professionnelle de 60 ans et plus (sauf retraités).

9. Chacune des questions 1, 2, 5, 6 ,7 et 8 a permis de dégager plus particulièrement un ou plusieurs traits du lecteur. Rappelez lesquels :
Question 1
Question 2
Question 5
Question 6
Question 7
Question 8 : niveau d'instruction

10. Regardez maintenant les grands titres de la une (première page) des journaux nationaux que vous avez à votre disposition et essayez de les classer en trois catégories :
a - favorables à la majorité gouvernementale,
b - d'apparence neutre,
c - favorables à l'opposition.
Justifiez vos réponses et dites si cela semble correspondre à l'idée que vous vous étiez faite des lecteurs de ces quotidiens. ■

306. La France profonde ?

Comme tous les pays, la France est généralement représentée par ses sites les plus prestigieux. Leurs dimensions, leur beauté, leur ancienneté ou l'histoire qui leur est attachée attirent d'abord les touristes. Rude concurrence pour les localités moins riches et, par conséquent, moins connues, qui peuvent pourtant présenter parfois bien des charmes qu'elles essaient, modestement, de faire connaître et reconnaître.

3061

13 AUBAGNE
10-1
1985
BOUCHES DU RHONE

AUBAGNE EN PROVENCE
Active
Accueillante
AUBAGNE

Monsieur Francis Berthezène
7, rue de la Porte de l'Alouette
10340 Les Riceys

Document 3061

1. Observez le coin de l'enveloppe en haut, à droite et dites ce qui le constitue :
a - timbre-poste ; *b* - ; *c* -
Le nom de la commune où cette lettre a été postée est imprimé deux fois. Où ?

2. Quelles indications sont fournies par le cachet rond ? A quoi sert le cachet rectangulaire ?

Flammes d'oblitérations

5292 R : 24 STE-ALVERE (27 novembre 1980).

5413 : 06 ANTIBES (23 janvier 1981).

5414 : 50 PONTORSON (31 janvier 1981).

5415 : 31 SALIES-DU-SALAT (6 février 1981).

■ 5416 : 79 NIORT R.P. (12 février au 10 mai 1981).
a : 79 NIORT CENTRE DE TRI (idem).

5417 - 61 CERISI - BELLE - ETOILE (12 février 1981).

5418 : 81 GAILLAC (12 février 1981).

5419 : 91 PALAISEAU (13 février 1981).

5420 : 17 ST - TROJAN - LES - BAINS (13 février 1981).

5421 : 76 FECAMP (13 février 1981).

■ 5422 : POSTES AUX ARMEES (16 février au 28 mars 1981). Tab. D 3.

5423 : 02 AUBENTON (17 février 1981).

5424 : 66 TAUTAVEL (17 février 1981).

5425 : 39 SALINS-LES-BAINS, (18 février 1981).

5426 : 29 S PLOGOFF (19 février 1981).

■ 5427 : 25 MONTBELIARD (19 février au 1er mai 1981).

5428 : 74 BONNEVILLE (19 février 1981).

■ 5429 : POSTES AUX ARMEES (20 février au 21 mars 1981). Tab. D 3.

5430 : 78 LE VESINET (20 février 1981).

5431 : 69 LYON PRESQU'ILE (21 février 1981).

5432 : 16 RUELLE (23 février 1981).

■ 5433 : 53 LAVAL GARE (23 février au 24 mai 1981).

■ 5434 : 33 ST - MEDARD - EN - JALLES (23 février au 10 mai 1981).

■ 5435 : 49 TRELAZE (23 février au 24 mai 1981).

5436 : 63 RANDAN (23 février 1981).

Les flammes temporaires sont indiquées avec un ■

3062

MARCOPHILIE MODERNE

■ **6468: 84 ORANGE (16 juillet au 15 octobre 1983).**

6469 : 83000 TOULON NAVAL (18 juillet 1983). Tab. D 2.

6470: 44 BLAIN (19 juillet 1983).

6471 : 06 LA COLLE-SUR-LOUP (21 juillet 1983).

6474: 19 EYGURANDE (27 juillet 1983).

■ **6475: 06 NICE PL. GRIMALDI (27 juillet au 15 octobre 1983).**
/a : 06 NICE-GARIBALDI (idem).

6476: 19 AUBAZINE (28 juillet 1983).

■ **6477: PARIS 10 (28 juillet au 23 octobre 1983).**

6484: 41 CONTRES (4 août 1983) o=.

6485: 83 SANARY-SUR-MER (4 août 1983).

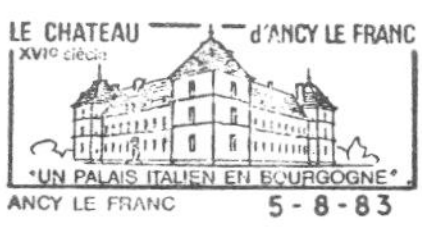

6486: 89 ANCY-LE-FRANC (5 août 1983).

6487: 63 RANDAN (5 août 1983).

6514 : VIVY (1er août 1980).

6515 : COLOMBES (5 septembre 1983).

6516 : SEYSSINET PARISET (14 septembre 1983).

■ 6517 : MOIRANS (15 septembre au 15 novembre 1983).

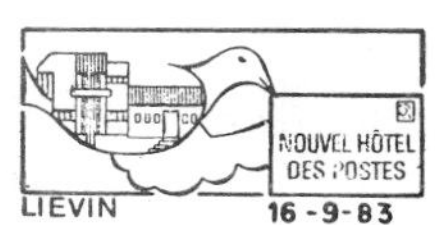

6518 : LIEVIN (16 septembre 1983).

6519 : LA CLAYETTE (16 septembre 1983).

■ 6520 : SARREBOURG (19 septembre au 22 octobre 1983).

6521 : JUSSEY (20 septembre 1983).

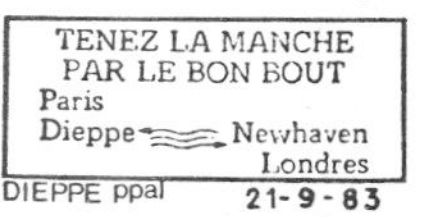

6522 : DIEPPE PPAL (21 septembre 1983).

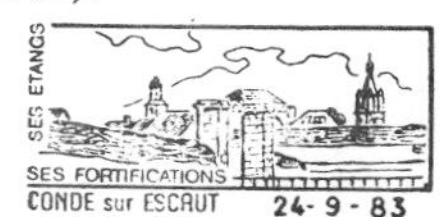

6523 : CONDE SUR ESCAUT (24 septembre 1983).

6524 : SAINT-MIHIEL (24 septembre 1983).

Document 3062
Le Monde des philatélistes, nos 341, 367 et 369

Ce document est extrait d'un catalogue de flammes d'oblitération, destiné à des collectionneurs. Les flammes sont donc numérotées et datées (par exemple : 5432, 16 Ruelle) et celles qui sont précédées d'un rectangle noir indiquent des oblitérations temporaires.

3. Trouvez au moins trois exemples d'événements différents qui ont donné lieu à des oblitérations temporaires :

	Numéro de la flamme au catalogue	Nature de l'événement
a -		
b -		
c -		

4. Vous allez maintenant observer les flammes non temporaires. Elles renferment généralement trois types d'indications. Citez-les :
a - une image ; *b* - ; *c* -

5. Cherchez le nom de quatre ou cinq de ces lieux sur une carte de France, dans un guide touristique ou un dictionnaire. Qu'ont-ils en commun ?
Précisez la fonction de la flamme d'oblitération par rapport au cachet rond de la poste (revoyez votre réponse à la question 2).

6. En sous-groupes, faites l'inventaire des arguments touristiques exprimés par le dessin et le texte. Classez-les dans les catégories ci-dessous :
a - beauté du paysage (par exemple : 5426, dessin de la pointe du Raz) ;
b - calme, douceur du climat (par exemple : 6471, Station climatique) ;
c - monuments ;
d - présence de l'histoire ;
e - gastronomie ;
f - infrastructure touristique.

7. En analysant d'abord la catégorie *f*, dégagez les traits du public visé par cette publicité touristique.

8. Quels sont les paysages valorisés (catégories *a* et *b*) et quelles en sont les caractéristiques ?

9. Que peut-on dire des monuments évoqués ici (voir **IMAGES 103**) ?

10. Si vous considérez l'ensemble des cinq catégories *a* à *e*, quelle France est ainsi évoquée ? A-t-elle des points communs avec celle dégagée dans **IMAGES 102, document 1022** ? ■

307. La mémoire des villes

En se promenant dans une grande ville, même en dehors des quartiers prestigieux ou loin des bâtiments célèbres, on retrouve l'histoire et la culture au hasard des coins de rues.
Si les habitants d'une cité choisissent de rendre hommage à quelqu'un, c'est qu'ils désirent l'inscrire dans le patrimoine national et mettre ainsi en valeur les événements auxquels il est lié. Interpréter ces signes, c'est replacer l'environnement dans l'histoire.

3071

1. Quelles sont les manifestations de l'hommage public que vous connaissez dans votre pays ? Citez-en quelques-unes.

Document 3071

2. Que représentent ces photos ? Où cela se trouve-t-il ? Avez-vous déjà vu ce type d'objet ? Où ?

Document 3072
Les plaques commémoratives des rues de Paris,
Michel Hénocq, La Documentation française, 1981

3. Parcourez ces textes et dites quelles informations reviennent régulièrement.

4. Écrivez ci-dessous le numéro des plaques qui commémorent un *événement historique.* Par exemple : **51**, Gambetta ; **57**, Jeanne d'Arc ; ...
Quel est l'événement le plus souvent mentionné ?

5. Reconstituez cet événement à partir des informations que vous trouvez dans les textes :
a - ses dates,
b - sa nature,
c - les forces en présence (précisez leurs caractéristiques : par exemple, FFI).

6. Quelles sont les autres allusions à cette période (1939-1945) de l'histoire de France ?

7. Relevez les termes qui qualifient l'événement et ses acteurs (par exemple : patriotes, **14**).
Comment apparaît cet événement (par exemple : meurtrier, etc.) ?

8. Étant donné ce que vous pouvez savoir de l'histoire de cette libération et d'événements semblables, en quoi cette représentation semble-t-elle fidèle ?

3072

PIERRE-ANTOINE BERRYER
64, rue des Petits-Champs (2e)
Dans cette maison demeura
de 1816 à 1868
Pierre-Antoine Berryer
orateur parlementaire
né à Paris le 4 janvier 1790
et mort le 29 novembre 1868
(plaque absente)

1

MARCEL BISSIAUX...
168, rue du Temple (2e)
A la mémoire de
Bissiaux Marcel
gardien de la paix
Khayatti Henri F.F.I.
un soldat de la division Leclerc
adjudant Carron
de la division Leclerc
tombés pour la Libération de Paris
le 24 août 1944

2

LOUIS BOELIVET, ANDRÉ BAUDIRET
place des Petits-Pères (2e) - commissariat
A la mémoire de nos camarades
héros de la Libération
Boelivet Louis
tué le 15 août 1944
Baudiret André
disparu au cours d'une mission
le 18 août 1944
pour que revive la France républicaine

3

SIMON BOLIVAR
4, rue Vivienne (2e)
Dans cette maison habita
le libérateur Simon Bolivar
en 1804
Hommage de l'Association
d'étudiants latino-américains.
1930

4

ANTOINE DE BOUGAINVILLE
5, rue de la Banque (2e)
Dans cette maison
est mort le 30 août 1811
Antoine de Bougainville
navigateur,
né à Paris le 12 novembre 1729

5

BRILLAT-SAVARIN
11, rue des Filles Saint-Thomas (2e)
Brillat-Savarin
auteur de la « Physiologie du goût »
né à Belley le 2 avril 1755
mort dans cette maison le 2 février 1826 »

6

ANDRÉ CHENIER
97, rue de Cléry (2e)
Ici habitait
en 1793
le poète
André Chénier

7

CINÉMATOGRAPHE

14, boulevard des Capucines (2e)

Ici
le 28 décembre 1895
eurent lieu
les premières projections publiques
de photographie animée
à l'aide du
cinématographe
appareil inventé par les frères Lumière

8

E.J. DELECLUZE - E.J. VIOLLET LE DUC

1, rue Chabanais (2e)

Dans cette maison habitèrent
le peintre et critique d'art
E.J. Delecluze 1781-1863
et le littérateur
E.J. Viollet le Duc
père du célèbre architecte
autour desquels se réunissaient
P.L. Courrier, Stendhal, Mérimée
et d'autres écrivains
du groupe romantique libéral

9

ALEXANDRE DUMAS FILS

1, place Boiëldieu (2e)

Alexandre Dumas fils
auteur dramatique
est né dans cette maison
le 27 juillet 1824

10

GOLDONI

21, rue Dussoubs (2e)

Ici est décédé pauvre
le 6 février 1793
Charles Goldoni
dit le Molière italien
auteur de Bourru Bienfaisant
Il était né à Venise
l'an 1707
Le chocolatier Ange Toffoli
ancien ministre
le commandeur sénateur
J. Constantin
(texte illisible actuellement)

11

GOLDONI

21, rue Dussoubs (2e)
seconde plaque

Du 6 au 12 mai 1952
Arlequin serviteur de deux maîtres
de Carlo Goldini
a triomphé à Paris
le Piccolo Teatro de Milan
dédie ce souvenir
à Carlo Goldini
qui mourut dans cette maison

12

JEAN-BAPTISTE LE MOYNE DE BIENVILLE

17, rue Vivienne (2e)

Dans cette maison
le 7 mai 1767
est mort
à l'âge de 87 ans
Jean-Baptiste Le Moyne de Bienville
né à Montréal
Chevalier de Saint-Louis
Lieutenant du Roi, Commandant Général
et Gouverneur de la Louisiane
de 1699 à 1743
fondateur de la Nouvelle-Orléans
en 1718

In this house
on may 7, 1767 died
at the age of 87 years
Jean-Baptiste Le Moyne de Bienville
born in Montreal
Chevalier of Saint-Louis
Lieutenant of the king commandant general
and governor of Louisiana
1699-1743
Founder of New-Orleans
in 1718
(Orleans parish landmarks commission)

13

LIBÉRATION DE PARIS

8, rue de la Banque (2e)

Le 19 août 1944
les organisations, partis de la Résistance
et F.F.I. aidés des patriotes du 2e
arrondissement, hommes, femmes
et enfants ont dressé des barricades
occupé la mairie et pris, les armes à
la main, une part active dans le
déclenchement de l'insurrection parisienne
qui devait s'achever victorieusement
le 25 août 1944 par la Libération de la
Capitale. Gloire immortelle à ceux et
celles qui sont tombés pour la liberté
au cours de ces combats. Le comité
local de la libération et la population
du 2e arrondissement. 19 août 1945

14

LUMIÈRE

14, boulevard des Capucines (2e)

A
Reynaud, Marey, Demeny
Lumière et Méliès
pionniers du cinéma
Hommage des professionnels
à l'occasion du cinquantenaire
28.12.1945.

15

FRANZ LISZT

13, rue du Mail (2e)

Dans cette maison
le maître hongrois
François Liszt
fut accueilli par la famille Erard
de 1823 à 1878
Hirhedett zenésze a Vlagnak
barhova juss hindig hü rokon !
Huszar-szobrasz

16

FRANÇOIS MANSART

angle rue Colbert - rue de Richelieu (2e)

Ce corps de logis est ce qu'il subsiste de l'hôtel de Nevers
construit par François Mansart vers 1645.
Ici furent successivement
la bibliothèque de Mazarin, le salon de Mme de Lambert,
le Cabinet des médailles du roi.

17

CHARLES MESNARD
40, rue du Caire (2e)

A la mémoire de
Charles Mesnard
clandestin responsable
libération nord 2e arrt.
arrêté par la Milice
le 17 mai 1944
déporté en Allemagne
mort pour la France
le 18 décembre 1944

18

JULES MICHELET
14, rue de Tracy (2e)

Jules Michelet
est né dans cette maison
le 23 août 1798
(plaque absente)

19

MISTINGUETT
24, boulevard des Capucines (2e)

Mistinguett
« Gloire du Music-Hall »
habita cet immeuble
de 1905 à 1956

20

FRÉDÉRIC MISTRAL
112, rue Montmartre (2e)

Frédéric Mistral demeura
dans cette maison
en 1859
l'année où il publia « Mireille »

21

HYACINTHE RIGAUD
1, rue Louis Legrand (2e)

Le peintre
Hyacinthe Rigaud
né à Perpignan
le 18 juillet 1659
est mort dans cette maison
le 27 mai 1743

22

EDOUARD SCOTT DE MARTINVILLE
9, rue Vivienne (2e)

Ici s'élevait la maison
où est mort le 26 avril 1870
Edouard Scott de Martinville
né à Paris le 25 avril 1817
inventeur en 1857
du phonotographe
appareil enregistreur des sons
d'où est dérivé 20 ans plus tard
le phonographe

23

STENDHAL
61, rue de Richelieu (2e)

Ici
Stendhal
vécut de 1822 à 1823
au 69 de cette même rue
il écrivit
« Les promenades dans Rome »
« Le Rouge et le Noir »

24

ANNE HILARION DE TOURVILLE
64, rue Montmartre (2e)

Emplacement de l'hôtel
de Tourville
Vice-Amiral
et Maréchal de France
1642-1701

25

EMILE ZOLA
10, rue Saint-Joseph (2e)

Emile Zola
est né dans cette maison
le 2 avril 1840

26

Paris est une ville riche en plaques commémoratives mais, chaque quartier ayant longtemps gardé une vie propre, on peut imaginer qu'elles y témoigneront d'une histoire ou d'événements culturels sensiblement différents.

9. Relevez les noms des *personnes* qui se sont illustrées dans les 2e et 18e arrondissements en les classant selon les catégories suivantes :
a - héros de la Résistance,
b - artistes, peintres et sculpteurs,
c - écrivains,
d - poètes et chansonniers,
e - musiciens,
f - inventeurs,
g - explorateurs,
h - hommes politiques,
i - militaires,
j - autres.

ANDRÉ BARRAUD
36, rue de la Chapelle (18e)

A cet endroit est tombé glorieusement
le 28 août 1944
le spahis André Barraud
âgé de 23 ans
appartenant à la division Leclerc

27

BATEAU-LAVOIR
Place Emile Goudeau (18e)

Entre 1892 et 1922
de nombreux peintres et écrivains
dont Picasso, Van Dongen, Juan Gris,
Mac Orlan et André Salmon
habitaient le « Bateau-Lavoir » qui fut
l'un des centres d'éclosion du cubisme
Immeuble reconstitué « après l'incendie de 1970 »

28

HECTOR BERLIOZ
angle rue du Mont-Cenis - rue Saint-Vincent (18e)

Hector Berlioz
1803-1869
habita cette maison de 1834 à 1837
il y composa la symphonie Harold en Italie
et Benvenuto Cellini (opéra)
11-12-1908 Fondation Hector Berlioz
et Société du Vieux Montmartre

29

BILLARDS EN BOIS (AUX-)
angle rue Saint-Rustique - rue des Saules (18e)

Cette maison dite alors « Aux billards en bois »
est célèbre depuis 1850
fut jusqu'en 1900 le lieu de réunion de
Diaz, Pissarro, Degas, Sisley, Cézanne,
T. Lautrec, Renoir, Monet, E. Zola.
Son jardin servit de modèle à Van Gogh
pour son chef-d'œuvre « La Guinguette »
qu'il fit ici en octobre 1866
exposé au Louvre

30

ARISTIDE BRUAND
17, rue Christiani (18e)

Le poète et chansonnier
Aristide Bruand
est mort dans cette maison
le 12 février 1925

31

SUZANNE BUISSON
7 bis, rue Girardon (18e)

Suzanne Buisson
héroïne et martyre de la Résistance
Membre du Comité directeur
du Parti socialiste
(S.F.I.O.) clandestin
Secrétaire nationale
femmes socialistes (S.F.I.O.)
morte en déportation

32

FRANCIS CASADESUS
6-8, rue Vauvenargues (18e)

Dans cette maison a vécu
de 1938 à 1954
le compositeur
Francis Casadesus
1870-1954
aîné d'une lignée d'artistes

33

HENRI CASADESUS
2, rue de Steinkerque (18e)

Henri Casadesus
1879-1947
artiste compositeur
fondateur de la Société
des instruments anciens
a vécu dans cette maison
de 1911 à 1947

34

PAUL CÉZANNE
PAUL SIGNAC
LOUIS MARCOUSSIS
15, rue Hégésippe-Moreau (18e)

Dans cette maison
ont vécu et travaillé
les peintres
Paul Cézanne
1839-1906
Paul Signac
1863-1935
Louis Marcoussis
1848-1941

35

GEORGES CHAMPION...
angle boulevard Barbès - rue Labat (18e)

A la mémoire de
Champion Georges
Cusseau Georges
Gérardin Robert
Delattre Robert
F.F.I. morts dans les combats de la Libération

36

GUSTAVE CHARPENTIER
66, boulevard de Rochechouart (18e)

Gustave Charpentier
compositeur de musique
membre de l'Institut
auteur de « Louise »
a vécu dans cette maison
de 1902 à 1956
(autorisée en 1968. - plaque disparue)

37

GEORGES CLEMENCEAU
23, rue des Trois-Frères (18e)

Georges Clémenceau
reçu docteur en médecine
le 13 mai 1865
créa ici un dispensaire
où il exerça jusqu'en 1885

38

GASTON COUTE
angle rue Norvins - rue du Mont-Cenis (18e)

Le poète bauceron
Gaston Couté
1880-1911
habita cette maison

39

GEORGES CUVIER
angle rue Ronsard - rue André-del-Sarte (18e)

Ici était l'entrée des carrières
de Montmartre où furent
découverts les ossements fossiles
qui servirent en 1798 aux
études de Cuvier créateur
de la paléontologie

40

JEAN-ROGER DEBRAIS
1, rue Foyatier (18e)

Dans cette école
Jean-Roger Debrais
a appris l'amour de la patrie
Jeune F.T.P.F.
il est mort pour elle
le 14 décembre 1943
sous les balles de l'ennemi
Il avait vingt ans

41

JEAN DESFARGES
59, rue des Trois-Frères (18e)

Jean Desfarges
J.O.C.
fusillé en 1944

42

JEHAN DOULCET
angle rue Saint-Rustique - rue du Mont-Cenis (18e)

En 1436, à l'angle nord rue Saint-Rustique
et rue Saint-Denis (rue du Mont-Cenis)
habitait le seul épicier du village
Jehan Doulcet

43

PAUL DOUMER
63, rue de Clignancourt (18e)

Paul Doumer
ancien gouverneur général
de l'Indochine
ancien président de la République
a été élevé dans cette école

44

ALBERT DOYEN
53, rue Caulaincourt (18e)

Le compositeur
Albert Doyen
1882-1935
fondateur des Fêtes du Peuple
est mort
dans cette maison

45

RAOUL DUFY
5, villa de Guelma (18e)

Ici était l'atelier
Raoul Dufy
où il a créé
de 1911 à 1953
quelques-unes de ses grandes œuvres

46

CHARLES DULLIN
place Charles Dullin (18e)

Charles Dullin
1885-1949
fondateur de l'Atelier
anima ce théâtre de 1922 à 1940

47

JEAN D'ESPARBÈS
36, rue Saint-Vincent (18e)

C'est dans cette maison
où se situait son atelier
que le peintre-poète
Jean d'Esparbès
1899-1968
Grand Commandeur du Chapitre
artistique
de la Butte Montmartre
a bien servi l'Art et les Arts

48

LÉON FRAPIÉ
62, avenue de Clichy (18e)

Léon Frapié
romancier né à Paris
auteur de « la Maternelle »
a vécu dans cette maison
durant les quinze dernières années
de sa vie. 1863-1949

49

DÉMÉTRIUS GALANIS
12, rue Cortot (18e)
(Musée de Montmartre)

Ici a vécu et travaillé
Démétrius Galanis
1879-1966
Peintre et graveur grec
Membre de l'Institut

50

LÉON GAMBETTA
square Saint-Pierre de Montmartre (18e)

Le 7 octobre 1870
Gambetta partit en ballon
de la Place Saint-Pierre
pour rejoindre à Tours
le Gouvernement de la
Défense Nationale

51

JOHN GAY
6, rue Gaston Couté (18e)

John Gay
J.O.C.
fusillé en 1944

52

EDMOND HEUZÉ
58, rue Custine (18e)

Dans cette maison
habita
Edmond Heuzé
artiste peintre
de 1937 à 1965

53

D.E. INGELBRECHT
26, rue Norvins (18e)

D.E. Ingelbrecht
1880-1965
Compositeur, Chef d'Orchestre
Fondateur
de l'Orchestre National de l'O.R.T.F.
habita cette maison de 1936 à 1965

54

MAX JACOB
7, rue de Ravignan (18e)

Le poète
Max Jacob
1876-1944
a habité cette maison
de 1907 à 1911
(portrait)

55

SIMONE JAFFRAY
10, rue Lamarck (18e)

Ici vécut
Simone Jaffray
dirigeante de l'entente sportive du 18ème
assassinée par la Gestapo
le 20 août 1944

56

JEANNE D'ARC
16, rue de la Chapelle (18e)

Ici sera édifiée une basilique
à la gloire de Sainte Jeanne d'Arc
patronne de la France
et en hommage et reconnaissance
selon le vœu solennel fait à N.D.
le 13 septembre 1914
pour le salut de la patrie
En cette église autrefois hors des murs
Sainte Jeanne d'Arc
avant de se porter sur Paris
fit le 7 septembre 1429
une veillée d'armes et le lendemain
entendit la messe et reçut la sainte communion
1429-1929
Jeanne d'Arc
fit dans cette église
le 7 septembre 1429
une veillée d'armes
avant de donner l'assaut de Paris
Blessée sous ses murs
elle fut ramenée à la Chapelle Saint-Denis.
Cinquième centenaire. Don de la société
Jean Baptiste de Montréal - Canada

57

HENRI LACHOUQUE
4, rue de l'Abreuvoir (18e)

Ici a vécu
le Commandant Henri Lachouque
Historien de Napoléon et de la Grande Armée
1883-1971

58

MARIUS LEFÈBVRE
58, rue Championnet (18e)

Ici vécut
Marius Lefèbvre
de Résistance Fer
Arrêté le 23 mars 1943
Interné à Matzwiller, Dachau, Weimar.
Mort pour la France à Dora
le 8 janvier 1945

59

LIBÉRATION DE PARIS
49, rue Ordener (18e)

Un patriote français inconnu
victime des combats de la Libération.

60

MONTMARTRE
angle rue Sainte-Rustique - rue du Mont Cenis (18e)

Cette plaque salue les neuf siècles
de la plus ancienne rue du Village Montmartrois
Syndicat d'Initiative du Vieux Montmartre 14.10.67

61

MONTMARTRE
angle rue Sainte-Rustique - rue du Mont Cenis (18e)

Syndicat d'Initiative du Vieux Montmartre
A l'occasion des fêtes des vendanges 1955
a eu lieu ici le jumelage
de Vire en Maconnais (S. & L.)
et de la Commune Libre du Vieux
Montmartre

62

MAURICE NEUMONT
place du Calvaire (18e)

A Maurice Neumont
artiste-peintre lithographe
1868-1930
mort dans cette maison
ses admirateurs ses amis

63

PLACE DU TERTRE
6, place du Tertre (18e)

Le 24 septembre 1966
Montmartre a célébré
le sixième centenaire
de la Place du Tertre
1366-1966.

64

FRANCISQUE POULBOT
rue des Saules (face au no 17) (18e)

Francisque Poulbot, peintre des gosses
1876-1946
Il sauvegarda ce site.
Comité du Centenaire Le Poulbot. 1979
Présidents Joël Le Tac
et Romain de la Halle

65

FRANCISQUE POULBOT
13, rue Junot (18e)

En hommage au dessinateur
Francisque Poulbot
qui a vécu dans cette maison
et y mourut le 16 septembre 1946
Le Comité à la mémoire de Poulbot.

66

LOUIS RENAULT
angle rue Norvins-place du Tertre (18e)

Pour la première fois
le 24 décembre 1898
une voiture à pétrole
pilotée par
Louis Renault
son constructeur
atteignit la Place du Tertre
marquant ainsi le départ
de l'industrie automobile française

67

RODOLPHE SALIS
68, boulevard de Clichy (18e)

Ici s'élevait le caveau du Chat noir
fondé par Rodolphe Salis
fréquenté par Aristide Bruant — Albert Samain
Paul Delmet — Maurice Donay
Claude Debussy — etc.

68

LÉON SERPOLLET
27, rue des Cloÿs (18e)

La Société des Ingénieurs de l'Automobile
à la mémoire de
Léon Serpollet
1858-1907
C'est ici qu'à partir de 1878
cet illustre pionnier
construisit ses premières voitures à vapeur
20 mai 1958

69

MARCEL SIGNEUX
251, rue Championnet (18e)

A la mémoire de
Marcel Signeux
résistant
tué en 1944
qui habitait cet immeuble

70

SUZANNE VALADON
angle de la rue du Mont-Cenis - rue Sainte-Rustique (18e)

Dans ce restaurant
la grande artiste
Suzanne Valadon
a dîné de 1919 à 1935
accompagné souvent de son fils
Maurice Utrillo

71

VINCENT VAN GOGH
54, rue Lepic (18e)

Dans cette maison
Vincent Van Gogh
a vécu
chez son frère Théo
de 1886 à 1888

72

ANDRÉ WARNOD
60, rue Caulaincourt (18e)

André Warnod
critique d'Art Historien de Paris
a vécu dans cette maison
de 1921 à 1960

73

10. Parmi les plaques commémoratives de ces deux arrondissements, y a-t-il des personnages célèbres de votre pays ? Lesquels ? Dites ce qui, de votre point de vue, paraît justifier cet hommage.

11. Relevez maintenant les noms de *lieux* (par exemple : Bateau-Lavoir, **28**) ou d'*événements* de toute nature (par exemple : Cinématographe, **8**).

12. En reprenant les deux classements établis dans les questions 9 et 11, et sans tenir compte des héros de la Résistance, essayez de caractériser chacun des deux arrondissements. A quelle époque ont-ils plus particulièrement abrité une vie culturelle mémorable, quelles occupations leurs habitants semblaient-ils avoir, etc. ?

13. Montmartre a été plus particulièrement la patrie d'un peintre. Lequel ? Pouvez-vous dire par quoi il s'est illustré ? Éventuellement cherchez plus d'informations dans un dictionnaire.

14. Situez les deux arrondissements sur un plan de Paris et essayez d'établir une relation entre leur localisation et les observations qui précèdent (ancienneté, situation centrale ou excentrique, etc.).
Par exemple, à Montmartre qui a une position relativement excentrique, les plaques commémoratives célèbrent souvent des lieux. Pouvez-vous proposer une explication ? ■

308. Rythmes

Dates des congés ou des vacances, fêtes collectives ou familiales diverses, la vie de chacun est ponctuée par des événements qui brisent le rythme quotidien ou hebdomadaire : travail, loisirs, sommeil, et donnent à certains jours une couleur particulière. C'est souvent par rapport à ces faits que l'on compte les jours. Certains sont célébrés par tous. D'autres ne touchent qu'un petit nombre d'individus, dans une région, une collectivité. D'autres enfin sont des célébrations personnelles, mais tous ont une signification culturelle que l'on peut essayer de comprendre et de caractériser.

Document 3081
Calendrier voyageur SNCF, octobre 1984-septembre 1985

1. Ce document reproduit un dépliant. A l'aide des feuillets 1, 2, 3 dites quelles en sont l'origine et les fonctions.

2. Quelles sont les recommandations de la SNCF en matière de déplacements ?

a - A quoi correspondent les périodes blanches qui reviennent régulièrement ?

b - A quoi correspond la combinaison de périodes blanches et rouges (reproduites ici en noir) ?

c - Relevez les dates extrêmes de ces périodes, soulignez ou notez celles des carrés rouges et établissez-en la liste complète.

Exemple : *di. 4 nov.* soirée, *lundi 5 nov.* matin, *ma. 6 nov.* matin.

Document 3082
Almanach des PTT 1984 de la Lozère (extrait)

3. Quel type d'informations ce dépliant apporte-t-il ?

4. Retrouvez l'origine (administration, personne, éditeur) et les fonctions (générales et régionales) de ce document. Pourriez-vous le comparer à un document semblable dans votre pays, et lequel ?

5. Établissez la liste complète des jours indiqués en majuscules et mettez-la en parallèle avec la liste des périodes rouges et blanches de la SNCF (question 2. c)

Exemple : *Almanach des PTT,* Je. 1er nov. TOUSSAINT
Calendrier voyageurs SNCF,
26 oct. soir, 27 oct. matin/29 oct. matin.
31 oct. soir, 1er nov. mat.
4 nov. soir, 5 nov. matin/6 nov. matin.

Calendrier Voyageurs

Octobre 1984 à sept. 1985

SNCF

Couples . Familles . Vermeil
Jeunes . Séjour . Groupes

Ce calendrier comporte trois périodes : bleue, blanche et rouge. Choisissez, de préférence, les jours bleus pour voyager plus confortablement et à des prix particulièrement avantageux.

CARTE "COUPLE/FAMILLE", gratuite et valable 5 ans :
- lorsque 2 personnes figurant sur la carte voyagent ensemble et commencent chaque trajet en *période bleue,* l'une d'elles bénéficie de 50 % de réduction, l'autre payant le plein tarif ;
- lorsqu'au moins 3 personnes figurant sur la carte voyagent ensemble et commencent chaque trajet en *période bleue ou blanche,* elles bénéficient de 50 % de réduction dès la 2e personne, la 1re personne payant le plein tarif, les autres le tarif réduit. La réduction "Couple/Famille" s'applique même sur les allers simples.

CARTE "VERMEIL", 61 F au 1er mai 1984 et valable 1 an : 50 % de réduction à tout titulaire de la carte. Il suffit de commencer chaque trajet en *période bleue.* Cette réduction est individuelle et valable pour les femmes à partir de 60 ans et pour les hommes à partir de 62 ans. La réduction "Vermeil" s'applique même sur les allers simples.

"CARRÉ JEUNE", 125 F au 1er mai 1984 et valable 1 an. Il permet d'effectuer 4 trajets, avec une réduction de 50 % pour chaque trajet commencé en *période bleue,* et 20 % de réduction pour chaque trajet commencé en *période blanche.* Cette réduction est individuelle et valable pour les jeunes de 12 à moins de 26 ans.

Période bleue	Période blanche	Période rouge
en général, du samedi 12 h au dimanche 15 h, du lundi 12 h au vendredi 15 h.	en général, du vendredi 15 h au samedi 12 h, du dimanche 15 h au lundi 12 h et quelques jours de fêtes.	les jours, peu nombreux, correspondant aux grands départs.

CARTE "JEUNE", 125 F en 1984, valable du 1er juin au 30 septembre : 50 % de réduction pour chaque trajet commencé en *période bleue,* et d'autres avantages (1 couchette gratuite, réduction sur d'autres services SNCF...). Cette réduction est individuelle et valable pour les jeunes de 12 à moins de 26 ans.

BILLET "SÉJOUR", 25 % de réduction pour un parcours aller et retour ou circulaire totalisant au moins 1 000 km, avec possibilité d'effectuer le voyage de retour soit après un délai de 5 jours ayant comme origine le jour de départ du voyage, ce jour compris, soit après une période comprenant un dimanche ou une fraction de dimanche. Il suffit de commencer chaque trajet en *période bleue.*

BILLET "MINI-GROUPES", 25 % de réduction pour un parcours aller et retour effectué par tout groupe d'au moins 5 personnes. Il suffit de réserver au moins 48 h avant chaque voyage et de commencer chaque trajet en *période bleue.*

Toutes ces réductions sont applicables en 1re comme en 2e classe sur toutes les lignes de la SNCF à l'exclusion de celles de la banlieue parisienne.

AUTRES RÉDUCTIONS "GROUPES", renseignez-vous dans les gares et agences de voyages.

Oct. 84			12 h	15 h
Lu.	1	blanche	bleue	bleue
Ma.	2	bleue	bleue	bleue
Me.	3	bleue	bleue	bleue
Je.	4	bleue	bleue	bleue
Ve.	5	bleue	bleue	blanche
Sa.	6	blanche	bleue	bleue
Di.	7	bleue	bleue	blanche
Lu.	8	blanche	bleue	bleue
Ma.	9	bleue	bleue	bleue
Me.	10	bleue	bleue	bleue
Je.	11	bleue	bleue	bleue
Ve.	12	bleue	bleue	blanche
Sa.	13	blanche	bleue	bleue
Di.	14	bleue	bleue	blanche
Lu.	15	blanche	bleue	bleue
Ma.	16	bleue	bleue	bleue
Me.	17	bleue	bleue	bleue
Je.	18	bleue	bleue	bleue
Ve.	19	bleue	bleue	blanche
Sa.	20	blanche	bleue	bleue
Di.	21	bleue	bleue	blanche
Lu.	22	blanche	bleue	bleue
Ma.	23	bleue	bleue	bleue
Me.	24	bleue	bleue	bleue
Je.	25	bleue	bleue	bleue
Ve.	26	bleue	bleue	rouge
Sa.	27	rouge	blanche	blanche
Di.	28	blanche	blanche	blanche
Lu.	29	blanche	bleue	bleue
Ma.	30	bleue	bleue	bleue
Me.	31	bleue	bleue	rouge

Nov. 84			12 h	15 h
Je.	1	rouge	bleue	bleue
Ve.	2	bleue	bleue	bleue
Sa.	3	bleue	bleue	bleue
Di.	4	bleue	bleue	rouge
Lu.	5	rouge	blanche	blanche
Ma.	6	blanche	bleue	bleue
Me.	7	bleue	bleue	bleue
Je.	8	bleue	bleue	bleue
Ve.	9	bleue	bleue	blanche
Sa.	10	blanche	bleue	bleue
Di.	11	bleue	bleue	blanche
Lu.	12	blanche	bleue	bleue
Ma.	13	bleue	bleue	bleue
Me.	14	bleue	bleue	bleue
Je.	15	bleue	bleue	bleue
Ve.	16	bleue	bleue	blanche
Sa.	17	blanche	bleue	bleue
Di.	18	bleue	bleue	blanche
Lu.	19	blanche	bleue	bleue
Ma.	20	bleue	bleue	bleue
Me.	21	bleue	bleue	bleue
Je.	22	bleue	bleue	bleue
Ve.	23	bleue	bleue	blanche
Sa.	24	blanche	bleue	bleue
Di.	25	bleue	bleue	blanche
Lu.	26	blanche	bleue	bleue
Ma.	27	bleue	bleue	bleue
Me.	28	bleue	bleue	bleue
Je.	29	bleue	bleue	bleue
Ve.	30	bleue	bleue	blanche

Déc. 84			12 h	15 h
Sa.	1	blanche	bleue	bleue
Di.	2	bleue	bleue	blanche
Lu.	3	blanche	bleue	bleue
Ma.	4	bleue	bleue	bleue
Me.	5	bleue	bleue	bleue
Je.	6	bleue	bleue	bleue
Ve.	7	bleue	bleue	blanche
Sa.	8	blanche	bleue	bleue
Di.	9	bleue	bleue	blanche
Lu.	10	blanche	bleue	bleue
Ma.	11	bleue	bleue	bleue
Me.	12	bleue	bleue	bleue
Je.	13	bleue	bleue	bleue
Ve.	14	bleue	bleue	blanche
Sa.	15	blanche	bleue	bleue
Di.	16	bleue	bleue	blanche
Lu.	17	blanche	bleue	bleue
Ma.	18	bleue	bleue	bleue
Me.	19	bleue	bleue	bleue
Je.	20	bleue	bleue	bleue
Ve.	21	bleue	bleue	rouge
Sa.	22	rouge	blanche	blanche
Di.	23	blanche	bleue	bleue
Lu.	24	bleue	bleue	bleue
Ma.	25	bleue	bleue	rouge
Me.	26	rouge	bleue	bleue
Je.	27	bleue	bleue	bleue
Ve.	28	bleue	bleue	rouge
Sa.	29	rouge	bleue	bleue
Di.	30	bleue	bleue	blanche
Lu.	31	blanche	bleue	bleue

Janv. 85	12 h	15 h
Ma. 1		
Me. 2		
Je. 3		
Ve. 4		
Sa. 5		
Di. 6		
Lu. 7		
Ma. 8		
Me. 9		
Je. 10		
Ve. 11		
Sa. 12		
Di. 13		
Lu. 14		
Ma. 15		
Me. 16		
Je. 17		
Ve. 18		
Sa. 19		
Di. 20		
Lu. 21		
Ma. 22		
Me. 23		
Je. 24		
Ve. 25		
Sa. 26		
Di. 27		
Lu. 28		
Ma. 29		
Me. 30		
Je. 31		

Fév. 85	12 h	15 h
Ve. 1		
Sa. 2		
Di. 3		
Lu. 4		
Ma. 5		
Me. 6		
Je. 7		
Ve. 8		
Sa. 9		
Di. 10		
Lu. 11		
Ma. 12		
Me. 13		
Je. 14		
Ve. 15		
Sa. 16		
Di. 17		
Lu. 18		
Ma. 19		
Me. 20		
Je. 21		
Ve. 22		
Sa. 23		
Di. 24		
Lu. 25		
Ma. 26		
Me. 27		
Je. 28		

Mars 85	12 h	15 h
Ve. 1		
Sa. 2		
Di. 3		
Lu. 4		
Ma. 5		
Me. 6		
Je. 7		
Ve. 8		
Sa. 9		
Di. 10		
Lu. 11		
Ma. 12		
Me. 13		
Je. 14		
Ve. 15		
Sa. 16		
Di. 17		
Lu. 18		
Ma. 19		
Me. 20		
Je. 21		
Ve. 22		
Sa. 23		
Di. 24		
Lu. 25		
Ma. 26		
Me. 27		
Je. 28		
Ve. 29		
Sa. 30		
Di. 31		

Avril 85	12 h	15 h
Lu. 1		
Ma. 2		
Me. 3		
Je. 4		
Ve. 5		
Sa. 6		
Di. 7		
Lu. 8		
Ma. 9		
Me. 10		
Je. 11		
Ve. 12		
Sa. 13		
Di. 14		
Lu. 15		
Ma. 16		
Me. 17		
Je. 18		
Ve. 19		
Sa. 20		
Di. 21		
Lu. 22		
Ma. 23		
Me. 24		
Je. 25		
Ve. 26		
Sa. 27		
Di. 28		
Lu. 29		
Ma. 30		

Mai 85	12 h	15 h
Me. 1		
Je. 2		
Ve. 3		
Sa. 4		
Di. 5		
Lu. 6		
Ma. 7		
Me. 8		
Je. 9		
Ve. 10		
Sa. 11		
Di. 12		
Lu. 13		
Ma. 14		
Me. 15		
Je. 16		
Ve. 17		
Sa. 18		
Di. 19		
Lu. 20		
Ma. 21		
Me. 22		
Je. 23		
Ve. 24		
Sa. 25		
Di. 26		
Lu. 27		
Ma. 28		
Me. 29		
Je. 30		
Ve. 31		

Juin 85	12 h	15 h
Sa. 1		
Di. 2		
Lu. 3		
Ma. 4		
Me. 5		
Je. 6		
Ve. 7		
Sa. 8		
Di. 9		
Lu. 10		
Ma. 11		
Me. 12		
Je. 13		
Ve. 14		
Sa. 15		
Di. 16		
Lu. 17		
Ma. 18		
Me. 19		
Je. 20		
Ve. 21		
Sa. 22		
Di. 23		
Lu. 24		
Ma. 25		
Me. 26		
Je. 27		
Ve. 28		
Sa. 29		
Di. 30		

Juil. 85	12 h	15 h
Lu. 1		
Ma. 2		
Me. 3		
Je. 4		
Ve. 5		
Sa. 6		
Di. 7		
Lu. 8		
Ma. 9		
Me. 10		
Je. 11		
Ve. 12		
Sa. 13		
Di. 14		
Lu. 15		
Ma. 16		
Me. 17		
Je. 18		
Ve. 19		
Sa. 20		
Di. 21		
Lu. 22		
Ma. 23		
Me. 24		
Je. 25		
Ve. 26		
Sa. 27		
Di. 28		
Lu. 29		
Ma. 30		
Me. 31		

Août 85	12 h	15 h
Je. 1		
Ve. 2		
Sa. 3		
Di. 4		
Lu. 5		
Ma. 6		
Me. 7		
Je. 8		
Ve. 9		
Sa. 10		
Di. 11		
Lu. 12		
Ma. 13		
Me. 14		
Je. 15		
Ve. 16		
Sa. 17		
Di. 18		
Lu. 19		
Ma. 20		
Me. 21		
Je. 22		
Ve. 23		
Sa. 24		
Di. 25		
Lu. 26		
Ma. 27		
Me. 28		
Je. 29		
Ve. 30		
Sa. 31		

Sep. 85	12 h	15 h
Di. 1		
Lu. 2		
Ma. 3		
Me. 4		
Je. 5		
Ve. 6		
Sa. 7		
Di. 8		
Lu. 9		
Ma. 10		
Me. 11		
Je. 12		
Ve. 13		
Sa. 14		
Di. 15		
Lu. 16		
Ma. 17		
Me. 18		
Je. 19		
Ve. 20		
Sa. 21		
Di. 22		
Lu. 23		
Ma. 24		
Me. 25		
Je. 26		
Ve. 27		
Sa. 28		
Di. 29		
Lu. 30		

En marge de ces listes, faites des hypothèses sur la date probable des vacances scolaires et, plus généralement, sur celles des vacances que peuvent prendre les Français.

6. La partie d'octobre à décembre de chaque calendrier concerne la même année (1984). De janvier à octobre, l'un des calendriers porte sur 1984, l'autre sur 1985. Marquez d'un * les fêtes à date mobile.

7. Observez maintenant sur l'*Almanach des PTT* l'intitulé des fêtes et classez-les selon leur origine. Précisez cette dernière. (Par exemple, quelle est l'origine du 14 Juillet, ou que commémore Pâques ?)
Commentez l'importance relative du nombre de fêtes des deux catégories dégagées en vous fondant sur ce que vous savez de la France (voir par exemple, **SYNTHÈSES 402**). Que constatez-vous, en particulier, pour les vacances scolaires ?

8. Parcourez le calendrier. Vous pourrez y retrouver quelques fêtes civiles ou religieuses non fériées. Lesquelles ?

9. En observant maintenant plus particulièrement les mois d'été, précisez les hypothèses que vous avez faites à la question 5. Quels mois vous semblent être privilégiés pour les congés des Français ?
Le calendrier de l'*Almanach des PTT* est celui de l'année civile. A quel rythme correspond celui de la SNCF ?

10. Observez maintenant la page Lozère de l'*Almanach des PTT.* Retrouvez ce département sur la carte des régions. En tenant compte du nombre total d'habitants de la population de la ville principale, Mende, et du nombre de communes, quelles caractéristiques du département pouvez-vous en déduire ?

11. En sous-groupes, observez les dates des foires et des marchés.
Commentez : leur fréquence,
leur spécialité (par exemple, Grandrieu : 2e et 4e sa. du mois — veaux),
leurs dates (par exemple, Châteauneuf-de-Randon : me. avant la St-André).
Qu'est-ce qui prouve l'importance commerciale de ces manifestations locales ?

12. Selon vous, quelles sont les conséquences de ces foires et de ces marchés sur la vie locale ?

13. En fonction de toutes les données précédentes, tracez les grandes lignes des rythmes (déplacements, réunions familiales, célébrations, etc.) de la vie de :
- Françoise Trémadec, originaire de Bretagne, mariée à un ingénieur, mère de deux enfants, habitant la banlieue parisienne.
- Gilbert Couderc, 20 ans, originaire de La Canourgue en Lozère, étudiant en électronique dans un IUT (Institut universitaire de technologie) à Clermont-Ferrand dans le Puy-de-Dôme (63). ■

janvier

Les jours augmentent de 1 h 05

D	1	JOUR DE L'AN	
L	2	s Basile	01
M	3	sᵉ Geneviève	NL
M	4	s Odilon	
J	5	s Edouard	
V	6	s Melaine	
S	7	s Raymond	
D	8	Epiphanie	
L	9	Bapt. Seign.	02
M	10	s Guillaume	
M	11	s Paulin	PQ
J	12	sᵉ Tatiana	
V	13	sᵉ Yvette	
S	14	sᵉ Nina	
D	15	s Remi	
L	16	s Marcel	03
M	17	sᵉ Roseline	
M	18	sᵉ Prisca	PL
J	19	s Marius	
V	20	s Sébastien	
S	21	sᵉ Agnès	
D	22	s Vincent de P.	
L	23	s Barnard	04
M	24	s François Sales	
M	25	Conv. s. Paul	DQ
J	26	sᵉ Paule	
V	27	sᵉ Angèle	
S	28	s Thomas d'A.	
D	29	s Gildas	
L	30	sᵉ Martine	05
M	31	sᵉ Marcelle	

février

Les jours augmentent de 1 h 38 mn

M	1	sᵉ Ella	NL
J	2	Présentation du S	
V	3	s Blaise	
S	4	sᵉ Véronique	
D	5	sᵉ Agathe	
L	6	s Gaston	06
M	7	sᵉ Eugénie	
M	8	sᵉ Jacqueline	
J	9	sᵉ Apolline	
V	10	s Arnaud	PQ
S	11	N. D. de Lourdes	
D	12	s Félix	
L	13	sᵉ Béatrice	07
M	14	s Valentin	
M	15	s Claude	
J	16	sᵉ Julienne	
V	17	s Alexis	PL
S	18	sᵉ Bernadette	
D	19	s Gabin	
L	20	sᵉ Aimée	08
M	21	s Pierre Damien	
M	22	sᵉ Isabelle	
J	23	s Lazare	DQ
V	24	s Modeste	
S	25	s Roméo	
D	26	s Nestor	
L	27	sᵉ Honorine	09
M	28	s Romain	
M	29	s Auguste	

N d'or 9. Cycle sol. 5. Ep. 27
Lettre dom. AG
Printemps 20 mars à 10 h 25 TU

mars

Les jours augmentent de 1 h 51

J	1	s Aubin	
V	2	s Ch. le Bon	NL
S	3	s Guénolé	
D	4	s Casimir	
L	5	sᵉ Olive	10
M	6	Mardi-gras	
M	7	Cendres	ja
J	8	s Jean de Dieu	
V	9	sᵉ Françoise R.	a
S	10	s Vivien	PQ
D	11	Carême	
L	12	sᵉ Justine	11
M	13	s Rodrigue	
M	14	sᵉ Mathilde	QT
J	15	sᵉ Louise de M.	
V	16	sᵉ Bénédicte	a
S	17	s Patrice	PL
D	18	s Cyrille	
L	19	s Joseph	12
M	20	s Herbert	
M	21	sᵉ Clémence	
J	22	sᵉ Léa	
V	23	s Victorien	a
S	24	sᵉ Cat. de Su.	DQ
D	25	Annonciation	
L	26	sᵉ Larissa	13
M	27	s Habib	
M	28	s Gontran	
J	29	Mi-carême	
V	30	s Amédée	a
S	31	s Benjamin	

avril

Les jours augmentent de 1 h 43

D	1	s Hugues	NL
L	2	sᵉ Sandrine	14
M	3	s Richard	
M	4	s Isidore	
J	5	sᵉ Irène	
V	6	s Marcellin	a
S	7	s J.-B. Salle	
D	8	sᵉ Julie	
L	9	s Gautier	PQ
M	10	s Fulbert	15
M	11	s Stanislas	
J	12	s Jules	
V	13	sᵉ Ida	a
S	14	s Maxime	
D	15	Rameaux	PL
L	16	s Benoît J.L.	16
M	17	s Anicet	
M	18	s Parfait	
J	19	sᵉ Emma	
V	20	Vendredi-St	ja
S	21	s Anselme	
D	22	PAQUES	
L	23	s Georges	DQ
M	24	s Fidèle	17
M	25	s Marc	
J	26	sᵉ Alida	
V	27	sᵉ Zita	
S	28	sᵉ Valérie	
D	29	Souvenir déport.	
L	30	s Robert	18

Lune rousse du 1ᵉʳ mai au 30 mai

votre *Préposé* est heureux de vous présenter ce calendrier **oller**

436 les deux chatons — **ANNÉE BISSEXTILE** — Photo Pictor Aarons Paris

almanach des P.T.T. 1984

15 mai, éclipse de lune par la pénombre, invisible à Paris
30 mai, éclipse annulaire de soleil, invisible à Paris
13 juin, éclipse de lune par la pénombre, invisible à Paris

mai

Les jours augmentent de 1 h 18

M	1	F. TRAVAIL	NL
M	2	s Boris	
J	3	ss Philip./Jacq.	
V	4	s Sylvain	
S	5	sᵉ Judith	
D	6	sᵉ Prudence	
L	7	s Gisèle	19
M	8	VICT. 1945	PQ
M	9	s Pacôme	
J	10	sᵉ Solange	
V	11	sᵉ Estelle	
S	12	s Achille	
D	13	F. Jeanne d'Arc	
L	14	s Matthias	20
M	15	sᵉ Denise	PL
M	16	s Honoré	
J	17	s Pascal	
V	18	s Eric	
S	19	s Yves	
D	20	s Bernardin	
L	21	s Constantin	21
M	22	s Emile	DQ
M	23	s Didier	
J	24	s Donatien	
V	25	sᵉ Sophie	
S	26	s Béranger	
D	27	F. des Mères	
L	28	s Germain	22
M	29	s Aymar	
M	30	s Ferdinand	NL
J	31	ASCENSION	

juin

Les jours augmentent de 12 mn

V	1	s Justin	
S	2	sᵉ Blandine	
D	3	s Kévin	
L	4	sᵉ Clotilde	23
M	5	s Igor	
M	6	s Norbert	PQ
J	7	s Gilbert	
V	8	s Médard	
S	9	sᵉ Diane	
D	10	PENTECOTE	
L	11	s Barnabé	24
M	12	s Guy	
M	13	s A. de P.	PL QT
J	14	s Elisée	
V	15	sᵉ Germaine	
S	16	s J.F. Régis	
D	17	Fête des Pères	
L	18	s Léonce	25
M	19	s Romuald	
M	20	s Silvère	
J	21	s Rodolphe	DQ
V	22	s Alban	
S	23	s Jean-Baptiste	
D	24	Fête-Dieu	
L	25	s Prosper	26
M	26	s Anthelme	
M	27	s Fernand	
J	28	s Irénée	
V	29	Sacré-Cœur	NL
S	30	ss Pierre/Paul	

Eté : 21 juin à 5 h 03 mn TU

votre *Préposé* est heureux de vous présenter ce calendrier **oller**

juillet

Les jours diminuent de 1 h 02 mn

D	1	s Thierry	
L	2	s Martinien	27
M	3	s Thomas	
M	4	s Florent	
J	5	s Ant.-Mar.	PQ
V	6	se Marietta-G.	
S	7	s Raoul	
D	8	s Thibaut	
L	9	se Amandine	28
M	10	s Ulrich	
M	11	s Benoît	
J	12	s Olivier	
V	13	s Henri/s Joël	PL
S	14	F. NATIONALE	
D	15	s Donald	
L	16	ND Mt Carmel	
M	17	se Charlotte	29
M	18	s Frédéric	
J	19	s Arsène	
V	20	se Marina	
S	21	s Victor	DQ
D	22	se Marie-Mad.	
L	23	se Brigitte	30
M	24	se Christine	
M	25	s Jacques Maj.	
J	26	ssAnne/Joachim	
V	27	se Nathalie	
S	28	s Samson	NL
D	29	se Marthe	
L	30	se Juliette	31
M	31	s Ignace	

août

Les jours diminuent de 1 h 39

M	1	s Alphonse	
J	2	s Julien	
V	3	se Lydie	
S	4	s J.M. Vian.	PQ
D	5	s Abel	
L	6	Transfiguration	
M	7	s Gaétan	32
M	8	s Dominique	
J	9	s Amour	
V	10	s Laurent	
S	11	se Claire	PL
D	12	se Suzanne	
L	13	s Hippolyte	33
M	14	s Evrard	
M	15	ASSOMPTION	
J	16	s Armel	
V	17	s Hyacinthe	
S	18	se Hélène	
D	19	s Jean Eudes	DQ
L	20	s Bernard	34
M	21	s Christophe	
M	22	s Fabrice	
J	23	se Rose	
V	24	s Barthélemy	
S	25	s Louis	
D	26	se Natacha	NL
L	27	se Monique	35
M	28	s Augustin	
M	29	se Sabine	
J	30	s Fiacre	
V	31	s Aristide	

septembre

Les jours diminuent de 1 h 46

S	1	s Gilles	
D	2	se Ingrid	PQ
L	3	s Grégoire	36
M	4	se Rosalie	
M	5	se Raïssa	
J	6	s Bertrand	
V	7	se Reine	
S	8	Nativité V. M.	
D	9	s Alain	
L	10	se Inès	PL
M	11	s Adelphe	37
M	12	s Apollinaire	
J	13	s Aimé	
V	14	se Croix	
S	15	s Roland	
D	16	se Edith	
L	17	s Renaud	38
M	18	se Nadège	DQ
M	19	se Emilie	QT
J	20	s Davy	
V	21	s Matthieu	
S	22	s Maurice	
D	23	s Constant	
L	24	se Thècle	39
M	25	s Hermann	NL
M	26	ssCôme/Damien	
J	27	s Vincent de P.	
V	28	s Venceslas	
S	29	s Michel	
D	30	s Jérôme	

Automne 22 sept. à 20h 33 TU

octobre

Les jours diminuent de 1 h 46

L	1	se Thérèse E.J.	PQ
M	2	s Léger	40
M	3	s Gérard	
J	4	s François d'A.	
V	5	se Fleur	
S	6	s Bruno	
D	7	s Serge	
L	8	se Pélagie	41
M	9	s Denis	PL
M	10	s Ghislain	
J	11	s Firmin	
V	12	s Alfred	
S	13	s Géraud	
D	14	s Juste	
L	15	se Térèsa	42
M	16	se Edwige	
M	17	s Baudouin	DQ
J	18	s Luc	
V	19	s René	
S	20	se Adeline	
D	21	se Céline	
L	22	se Salomé	43
M	23	s Jean de Cap	
M	24	s Florentin	NL
J	25	s Crépin	
V	26	s Dimitri	
S	27	se Emeline	
D	28	ssSimon/Jude	
L	29	s Narcisse	44
M	30	se Bienvenue	
M	31	s Quentin	PQ

436

ANNEE BISSEXTILE

almanach des P.T.T. 1984

8 nov., éclipse de lune par la pénombre, invisible à Paris
22 nov., éclipse totale de soleil, invisible à Paris

novembre

Les jours diminuent de 1 h 19

J	1	TOUSSAINT	
V	2	Défunts	
S	3	s Hubert	
D	4	s Charles B.	
L	5	se Sylvie	45
M	6	se Bertille	
M	7	se Carine	
J	8	s Geoffroy	PL
V	9	s Théodore	
S	10	s Léon	
D	11	VICTOIRE 1918	
L	12	s Christian	46
M	13	s Brice	
M	14	s Sidoine	
J	15	s Albert	
V	16	se Marguerite	DQ
S	17	se Elisabeth	
D	18	se Aude	
L	19	s Tanguy	47
M	20	s Edmond	
M	21	Présent. V. Marie	
J	22	se Cécile	NL
V	23	s Clément	
S	24	se Flora	
D	25	Christ-Roi	
L	26	se Delphine	48
M	27	s Séverin	
M	28	s Jacques/M.	
J	29	s Saturnin	
V	30	s André	PQ

Hiver 21 déc. à 16 h 23 mn TU

décembre

Les jours diminuent de 16 mn

S	1	se Florence	
D	2	Avent	
L	3	s Fr. Xavier	49
M	4	se Barbara	
M	5	s Gérald	
J	6	s Nicolas	
V	7	s Ambroise	
S	8	Imm. Concept	PL
D	9	s Pierre Fourier	
L	10	s Romaric	50
M	11	s Daniel	
M	12	se J.F. Chantal	
J	13	se Lucie	
V	14	se Odile	
S	15	se Ninon	DQ
D	16	se Alice	
L	17	s Judicaël	51
M	18	s Gatien	
M	19	s Urbain	QT
J	20	s Théophile	
V	21	s P. Canisius	
S	22	se Fr. Xavière	NL
D	23	s Armand	
L	24	se Adèle	52
M	25	NOEL	
M	26	s Etienne	
J	27	s Jean Apôtre	
V	28	ssInnocents	
S	29	s David	
D	30	se Famille	PQ
L	31	s Sylvestre	01

SERVICE POSTAL, TÉLÉGRAPHIQUE ET TÉLÉPHONIQUE, FOIRES ET MARCHÉS DES COMMUNES DU DÉPARTEMENT

2 Arrondissements
MENDE et Florac

48 LOZÈRE

24 cantons – 185 communes
Population : 80.234 h. – Superficie : 517.982 ha

Chaque bureau distributeur est indiqué en lettres capitales et précédé de son code postal. Si la localité n'est pas le siège d'un bureau distributeur, elle est mentionnée en petits caractères et est suivie de son indicatif postal

REPÉRAGE : Chaque localité est suivie d'une lettre et d'un chiffre indiquant une case du quadrillage de la carte départementale, permettant de la repérer facilement

☒ Recette des Postes — RD : Recette Distribution — AP : Agence Postale — APD : Agence Postale de Distribution — CP : Correspondant Postal — GA : Guichet Annexe — BM : Bureau Mobile — PAP : Poste d'Abonnement Public — PN : Service Pneumatique

🚉 Gare ferroviaire ouverte aux voyageurs — (Sec) : Réseau ferré secondaire — Sém. : Sémaphore — Ecl. : Ecluse — Barr. : Barrage — M. Marchés — F. Foires

* L'astérique précédant un nom indique un chef-lieu de canton. Les populations indiquées sont celles du Recensement de 1975 d'après les données de l'I. N. S. E. E.

Albaret le Comtal - 48200 St Chély d Apcher 273 h **A2**
Albaret Ste Marie - 48200 St Chély d Apcher RD **F** 14 janv; 4 et 20 fév; 20 mars; 20 avril; 13 mai; me après la Pentecôte; 27 juin; 16 juil; 16 août; 30 sept; 15 oct; 8 nov; 19 déc 309 h **B2**
Allenc - 48190 Bagnols les Bains AP 🚉 **M** lu; **F** 9 fév; 29 avril; 3 oct 237 h **D5**
Altier - 48800 Villefort RD **F** 28 avril; 8 sept 276 h **E5**
Antrenas - 48100 Marvejols 300 h **B4**
Arcomie - 48200 St Chély d Apcher (Cne de Monts-Verts) 🚉 **B2**
Arzenc d Apcher - 48200 St Chély d Apcher 51 h **A2**
Arzenc de Randon - 48170 Châteauneuf de Randon F 1er mai; 1er juin; 8 sept; 15 oct; 1er déc 300 h **D4**
48130 *AUMONT AUBRAC ☒ 🚉 **M-F** 5 mai et tous les ve de mai; **F** 15 janv; 15 fév; lu gras; 18 mars; lu saint; 15 avril; 5 mai; 4 juin; 19 juin; 4 juillet; 3 et 26 août; 24 sept; 11 et 20 oct (poulains); 6 nov; 25 nov; 27 déc. La foire qui tombe un di est renvoyée au lendem. 1 034 h **B3**
Auroux - 48600 Grandrieu ☒ **M** me; **F** me des Cendres; me de Pâques; dernier me d'oct et de déc; 3e me de nov 506 h **D3**
Auxillac - 48500 La Canourgue (Cne de La Canourgue) 🚉 **B5**
Badaroux - 48000 Mende RD 🚉 689 h **C5**
48190 BAGNOLS LES BAINS ☒ 🚉 **F** me après Pâques; 4e me de mai; 9 juil; 9 sept; 1er me d'oct; 15 nov 216 h **D5**
Balsièges - 48000 Mende AP 🚉 352 h **C5**
Banassac - 48500 La Canourgue GA 🚉 **F** 4 avril; 1er juin; 13 oct; 20 déc 741 h **A5**
Barjac - 48000 Mende RD 🚉 **F** 12 mai 411 h **C5**
***Barre des Cévennes - 48400 Florac** ☒ **M** sa; **F** 1er sa de janv; 1er et dernier sa de Carême; sa de la Mi-Carême; 6 et 31 mai; sa après la St-Jean (24 juin); 22 juil; 12 août; 6 sept; 5 oct (2 jours); sa après la St-Luc (18 oct); sa après la Toussaint; 13 déc. La foire qui tombe un di est reportée au lendem. 152 h **D7**
Bassurels - 48400 Florac AP 69 h **D7**
48250 BASTIDE PUYLAURENT (LA) ☒ 🚉 (à La Bastide-St-Laurent) **M** me; **F** 7 sept 191 h **E5**
Bastide St Laurent (la) (gare de) (Cne La Bastide-Puylaurent) 🚉 **E5**
Bédouès - 48400 Florac F 13 avril; 7 oct 156 h **D6**
Belvezet - 48170 Châteauneuf de Randon AP 🚉 **F** 27 avril; 20 juil; 18 août 106 h **D4**
Berc - 48200 St Chély d Apcher (Cne de Monts-Verts) **M** je **B2**
Bessons (les) - 48200 St Chély d Apcher 325 h **B3**
Blajoux - 48400 Florac AP (Cne Quézac) **C6**
Blatte (la) - 48100 Marvejols (Cne St-Lauren. de-Muret) **B4**
Blavignac - 48200 St Chély d Apcher 162 h **B2**

***Bleymard (le) - 48190 Bagnols les Bains** RD **M** le sa; **F** 18 janv; 18 fév; 15 mars; 2e ma d'avril et de mai; ma après la Trinité; 13 août; 3 et 12 sept; 18 oct; 8 nov; 8 déc. Les foires tombant un di sont reportées au lendem 408 h **D5**
Bondons (les) - 48400 Florac 234 h **D6**
Born (le) - 48000 Mende M me 162 h **C4**
Bramonas (Cne Balsièges) 🚉 **C5**
Brenoux - 48000 Mende 148 h **C5**
Brion - 48200 St Chély d Apcher 145 h **A3**
Bruel (le) - 48230 Chanac (Cne Esclanèdes) 🚉 **B5**
Buisson (le) - 48100 Marvejols RD **M** (veaux) : 1er et 3e lu de chaque mois 220 h **B4**
Canilhac - 48500 La Canourgue 60 h **A5**
48500 *CANOURGUE (LA) ☒ 🚉 (à Banassac-la-Canourgue) **M** ma; **F** 4 janv; 12 fév; 19 mars; 2 mai; 30 juin; 5 août; 14 sept; 29 oct; 29 nov. Les foires tombant un di ou un jour férié sont reportées au lendem. 1 921 h **B5**
Capelle (la) - 48500 La Canourgue (Cne de La Canourgue) **B6**
Cassagnas - 48400 Florac AP **F** 1er et 3e ma d'avril 118 h **D7**
Caze (château de la) - 48210 Ste Enimie (Cne Laval-du-Tarn) **B6**
Chabannes - 48120 St Alban sur Limagnole (Cne Fontans) **B3**
Chadenet - 48190 Bagnols les Bains 🚉 (à Bagnols-Chadenet) 83 h **D5**
Chaldette (la) - 48200 St Chély d Apcher (Cne Brion) AP **A3**
Chambon le Château - 48600 Grandrieu ☒ **M** (veaux) 1er et 3e sa de chaque mois; **F** 9 des mois de janv, fév, mars, avril, mai et août; 30 des mois de juin et sept; 20 des mois de juil, oct, nov et déc; je après Pentecôte 468 h **D2**
Champerboux - 48210 Ste Enimie (Cne Ste-Enimie) **C6**
48230 *CHANAC ☒ 🚉 **M** le je; **F** 25 avril; 23 mai; 11 oct; 9 nov; 26 déc. La foire qui tombe un di est reportée au lendem. 1 017 h **B5**
Chapeauroux - 48600 Grandrieu (Cne St-Bonnet-de-Montauroux) RD 🚉 **D2**
Chasseradès - 48250 La Bastide Puylaurent RD 🚉 **M** 1er et 3e ma du mois; **F** 20 avril; 17 mai; 12 juin; 16 août; 12 sept 247 h **E5**
Chastanier - 48300 Langogne 118 h **D3**
Chastel Nouvel - 48000 Mende AP 345 h **C4**
48170 *CHATEAUNEUF DE RANDON ☒ **M** ma, me; **F** 13 janv; 1er lu de fév; 19 fév; 1er lu de mars; 19 mars; 1er lu d'avril; 19 avril; 2e me de mai; 1er juin; me avant la St-Jean (24 juin); 26 juil; 20 août; 22 sept; 9 et 29 oct; me avant la St-André (30 nov); me avant Noël. La foire tombant un di ou un jour de fête légale est reportée au lendem. 551 h **D4**
Chauchailles - 48200 St Chély d Apcher 135 h **A3**
Chaudeyrac - 48170 Châteauneuf de Randon AP **M** je; **F** 2e ma de mai; 8 oct 327 h **D4**
Chaulhac - 48140 Le Malzieu Ville F le 30 avril; 8 oct 109 h **B2**
Chayla d Ance - 48600 Grandrieu (Cne St-Paul-le-Froid) **C3**

Chaze de Peyre (la) - 48130 Aumont Aubrac 261 h **B3**
Chazeaux - 48170 Châteauneuf de Randon (Cne St-Frézal-d'Albuges) **D4**
Cheylard l Évêque - 48300 Langogne 125 h **E4**
Chirac - 48100 Marvejols RD 🚉 **F** 25 juin; 9 oct; 9 et 23 déc 865 h **B5**
Cocurès - 48400 Florac RD **F** 1er je de mars et de nov 169 h **D6**
48160 COLLET DE DEZE (LE) ☒ **M** le ma; **F** 10 et 26 janv; 24 fév; 18 mars; 14 et 25 avril; 10 mai; 4 juil; 4 août; 4 sept; 1er oct; 6 et 21 nov; 28 déc 704 h **E7**
Combret - 48500 La Canourgue (Cne St-Germain-du-Theil) **A5**
Crouzet Chaffol - 48170 Châteauneuf de Randon (Cne St-Sauveur-de-Ginestoux) **D4**
Cubières - 48800 Villefort RD **F** 6 avril; 29 sept 328 h **D5**
Cubiérettes - 48800 Villefort 63 h **D5**
Cultures - 48230 Chanac 70 h **B5**
Daufage le Goulet 🚉
Esclanèdes - 48230 Chanac 🚉 (à le Bruel-Esclanèdes) 225 h **B5**
Estables - 48700 St Amans F 7 mai; 8 oct 277 h **C4**
Fage Montivernoux (la) - 48200 St Chély d Apcher F 4 mai 276 h **A3**
Fage St Julien (la) - 48200 St Chély d Apcher 183 h **B3**
Fau de Peyre - 48130 Aumont Aubrac 237 h **B3**
48400* FLORAC ☒ **M** je; **F** 13 janv; 6 fév; 7 mars; 1er avril; lu de Pâques; 12 mai; 11 juin; 12 juil; 6 août; 21 sept; 25 oct; 14 nov; 6 déc. La foire qui tombe un di ou lu est avancée au sa, sauf lu de Pâques 2 077 h **D6**
Fontanes - 48300 Langogne 17 h **D3**
Fontans - 48700 St Amans 361 h **B3**
***Fournels - 48200 St Chély d Apcher** ☒ **M** le me; **F** 19 janv; 18 fév; 16 mars; 21 avril; 20 mai; 20 juin; 20 juil; 14 août; 12 sept; 27 oct; 20 nov; 20 déc. La foire qui tombe un di est reportée au lendem. 311 h **A3**
Fraissinet de Fourques - 48400 Florac 72 h **C7**
Fraissinet de Lozère - 48220 Pont de Montvert 213 h **D6**
Gabriac - 48110 Ste Croix Vallée Française 102 h **D7**
Gabrias - 48100 Marvejols 149 h **B5**
Garde (la) - 48200 St Chély d Apcher (Cne Albaret-Ste-Marie) RD **B2**
Gatuzières - 48150 Meyrueis F 20 mai (à Cabrillac) 45 h **C7**
48600 *GRANDRIEU ☒ **M** 2e et 4e sa du mois (veaux); **F** 23 janv; 24 fév; 16 mars; 1er je d'avril; 26 avril; 1er je de mai; 18 mai; 15 juin; 13 juil; 6 août; 1er je de sept; 14 sept; 17 oct; 1er je de nov; 11 no ; 18 déc. La foire qui tombe un di ou un jour férié est reportée au lendem. 967 h **D3**
Grandvals - 48260 Nasbinals AP 175 h **A3**
Grèzes - 48100 Marvejols 329 h **B5**
Hermaux (les) - 48500 La Canourgue AP 164 h **A5**
Hures la Parade - 48150 Meyrueis F 15 mai (à la Borie) 157 h **C7**

Ispagnac - 48400 Florac ☒ **M** ma, di; **F** 14 janv; 3 fév; 4 mai; 8 sept; 14 oct; 13 nov; 8 déc. Les foires tombant un di ou un jour férié ont lieu le lendem. 549 h **C6**
Javols - 48130 Aumont Aubrac AP **F** 30 avril; 2 oct 473 h **B3**
Julianges - 48140 Le Malzieu Ville 142 h **B2**
Lachamp - 48100 Marvejols AP 184 h **B4**
Lajo - 48120 St Alban sur Limagnole 182 h **C2**
Langlade - 48000 Mende (Cne Brenoux) **C5**
48300 *LANGOGNE ☒ 🚉 **M** ma et sa; **F** 4 janv 1er fév; sa avant le mardi-gras; sa avant la Passion; 1er sa d'avril; 4 ma ; 6 juin; 1er sa de juil et d'août; 1er sept; 14 oct; 14 nov; 13 déc (2 jours). La foire qui tombe un di ou un lu est avancée au sa précédent 4 337 h **E3**
Lanuéjols - 48000 Mende 318 h **C5**
Larzalier 🚉
Laubert - 48170 Châteauneuf de Randon AP 120 h **D4**
Laubies (les) - 48700 St Amans F 5 mai; 3 oct 258 h **C4**
Laval Atger - 48600 Grandrieu 251 h **D3**
Laval du Tarn - 48500 La Canourgue 163 h **B6**
Luc - 48250 La Bastide Puylaurent RD 🚉 **M** je; **F** 5 avril; 5 oct; 5 nov 300 h **E4**
48270 MALBOUZON RD **F** 8 mai; 23 août; 21 oct 223 h **A3**
Malène (la) - 48210 Ste Enimie RD 232 h **B6**
Malzieu Forain (le) - 48140 Le Malzieu Ville 477 h **B2**
48140 * MALZIEU VILLE (LE) ☒ **M** sa; **M-F** 2e et 4e ve du mois; **F** 4 déc. La foire qui tombe un di est reportée au lu 874 h **B2**
Marchastel - 48260 Nasbinals 92 h **A4**
48100 *MARVEJOLS ☒ 🚉 **M** sa; **F** 17 janv; 13 fév; 12 mars; sa avant les Rameaux; 23 avril; 22 mai; 21 juin; 22 juil; 31 août; 30 sept; 21 oct; 12 nov; 1er et 28 déc. La foire qui tombe un di ou un lu est avancée au sa précédent 5 913 h **B4**
Mas d Orcières - 48190 Bagnols les Bains F 25 avril; 25 sept 179 h **D5**
Mas St Chély (le) - 48210 Ste Enimie AP 117 h **B6**
***Massegros (le) - 48500 La Canourgue** RD **F** 17 mai 278 h **A6**
Mazamalric - 48110 Ste Croix Vallée Française (Cne St-Étienne-Vallée-Française) **D7**
Mazel - 48700 St Amans (Cne Les Laubies) **C3**
48000 *MENDE ☒ 🚉 **M** sa; **F** 1er sa de chaque mois (sauf juin et juil); 7 janv; 2e lu après Pâques; 20 mai; 15 juin; 20 sept; 2 nov. La foire qui tombe un di ou un lu se tient le sa précédent 11 977 h **C5**
48150 *MEYRUEIS ☒ **M** je, sa; **F** 4 mai; 1er juil; 1er et 25 août; 29 sept; 28 oct; 23 nov. La foire qui tombe un di est reportée au lendem. Fête du Rocher : dernier di de mai 1 083 h **C7**
Mialanes - 48140 Le Malzieu Ville (Cne Le Malzieu-Forain) **B2**
Moissac Vallée Française - 48110 Ste Croix Vallée Française F 15 avril; 20 mai 163 h **D7**
Molezon - 48110 Ste Croix Vallée Française AP **F** 7 mars; 12 nov 76 h **D7**
Monastier (le) Pin Moriès - 48100 Marvejols RD 🚉 **F** 10 mai; 5 déc 666 h **B5**

Montbel - 48170 Châteauneuf de Randon AP **F** 22 mars; 30 mai 237 h **D4**
Montbrun - 48210 Ste Enimie 73 h **C6**
Montjézieu - 48500 La Canourgue (Cne de La Canourgue) **B5**
Montrodat - 48100 Marvejols AP **F** 4 mai 822 h **B4**
Monts Verts - 48200 St Chély d Apcher 392 h **A1**
48260 *NASBINALS ☒ **M** ma; **F** je avant la Septuagésime; me avant la Passion; ve après Pâques; 16 mai; 2 juin; ve avant le 2e di de juil; 27 juil; 17 et 28 août (17 : bœufs gras) 9 et 21 sept; (vaches grasses); 8 et 22 oct; 7 nov (chevaux); 21 nov; 17 déc. La foire qui tombe un di ou un jour férié est reportée au lendem. 650 h **A4**
Naussac - 48300 Langogne 110 h **E3**
Noalhac - 48200 St Chély d Apcher 112 h **A3**
Palhers - 48100 Marvejols 175 h **B5**
Panouse (la) - 48600 Grandrieu 197 h **D3**
Paulhac en Margeride - 48140 Le Malzieu Ville F 13 mai; 25 juin; 1er août; 1er sept; 1er oct; 2 nov 178 h **B2**
Pelouse - 48000 Mende M me 159 h **D4**
Pied de Borne - 48800 Villefort M me (à Balmelles) 278 h **E5**
Pierrefiche - 48300 Langogne AP 156 h **D3**
Pin Moriès - 48100 Marvejols **B5**
Planchamp - 48800 Villefort (Cne Pied-de-Borne) AP **F** 6 avril; 20 juin; 25 oct **E5**
Pompidou (le) - 48110 Ste Croix Vallée Française RD **F** 10 fév; 25 mars; 25 avril; 25 mai; 22 déc 228 h **D7**
48220 *PONT DE MONTVERT (LE) ☒ **M** me; **F** 2e me de mai; dernier me de juin; 27 juil; 21 août; 1er me de sept; me suivant la St-Michel. La foire qui tombe un di est reportée au lendem. 312 h **D6**
Pourcharesses - 48800 Villefort M je 109 h **E5**
Prades - 48210 Ste Enimie (Cne Ste-Enimie) **C6**
Prévenchères - 48800 Villefort RD 🚉 **M** je; **F** 16 avril; 20 oct 234 h **E5**
Prinsuéjols - 48100 Marvejols 252 h **A4**
Prunières - 48200 St Chély d Apcher 163 h **B2**
Quézac - 48400 Florac 232 h **C6**
Recoules d Aubrac - 48260 Nasbinals AP **F** me avant les Rameaux; 31 août; 28 sept; 28 oct 301 h **A3**
Recoules de Fumas - 48100 Marvejols AP 126 h **B4**
Recoux (le) - 48500 La Canourgue 128 h **A6**
Ribennes - 48700 St Amans AP 259 h **C4**
Rieutort de Randon - 48700 St Amans ☒ **F** 2e ma de carême, je après Pâques, 7 et 28 juin, 17 juil, 18 sept, 14 et 27 oct, 14 et 28 nov, le 14 des autres mois 686 h **C4**
Rimeize - 48200 St Chély d Apcher RD **F** 27 avril; 27 sept 532 h **B3**
Rocles - 48300 Langogne 226 h **D3**
Rouffiac - 48000 Mende (Cne St-Bauzile) **C5**
Rousses - 48400 Florac AP **M** le ma; **F** 15 avril; 18 mai; 25 nov 79 h **D7**
Rouve Bas - 48240 St Privat de Vallongue (Cne St-André-de-Lancize) RD **D7**
Rozier (le) - 48150 Meyrueis AP **F** 8 sept 114 h **B7**
Salces (les) - 48100 Marvejols AP 152 h **A5**

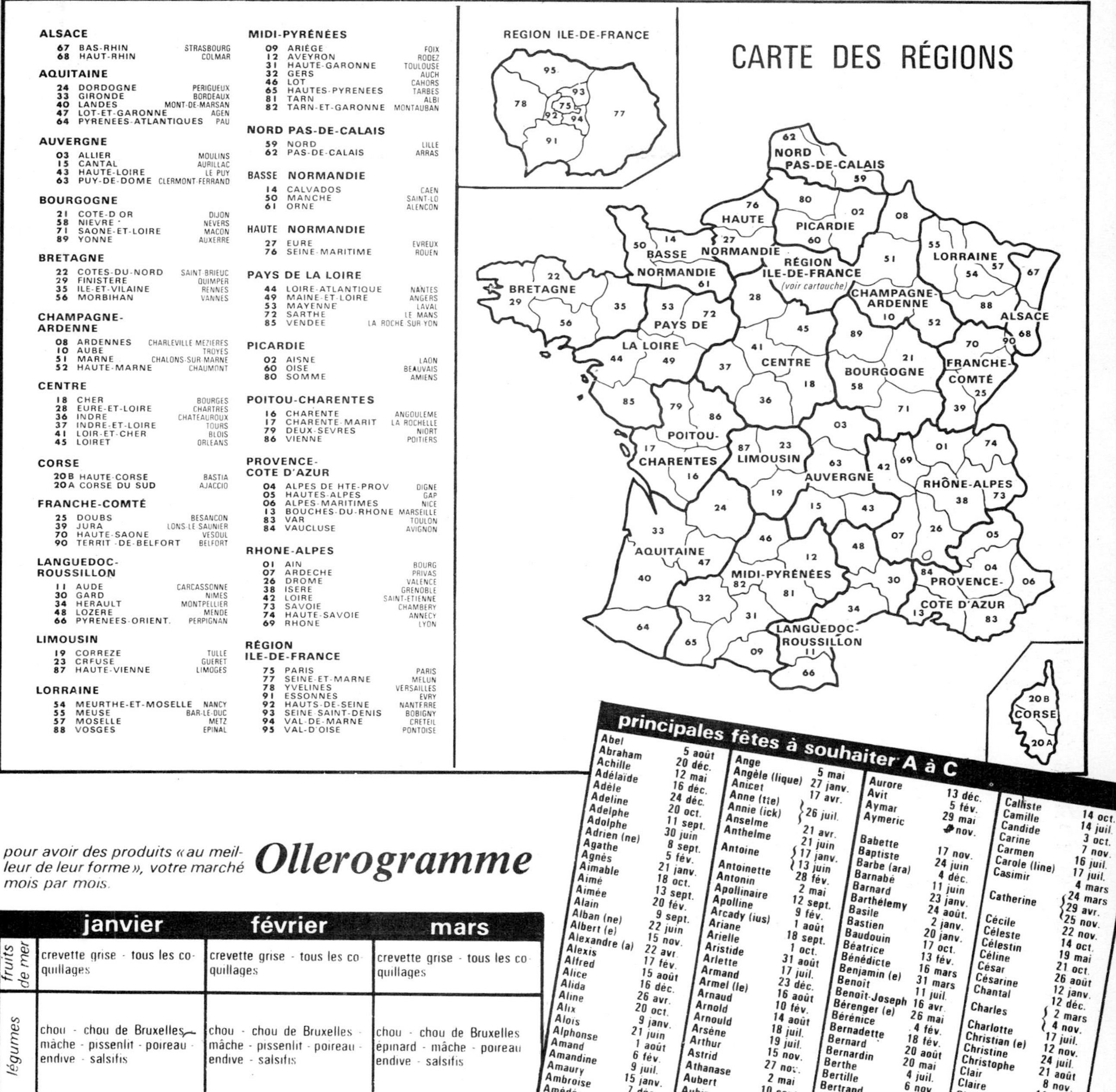

ALSACE
- 67 BAS-RHIN — STRASBOURG
- 68 HAUT-RHIN — COLMAR

AQUITAINE
- 24 DORDOGNE — PERIGUEUX
- 33 GIRONDE — BORDEAUX
- 40 LANDES — MONT-DE-MARSAN
- 47 LOT-ET-GARONNE — AGEN
- 64 PYRENEES-ATLANTIQUES — PAU

AUVERGNE
- 03 ALLIER — MOULINS
- 15 CANTAL — AURILLAC
- 43 HAUTE-LOIRE — LE PUY
- 63 PUY-DE-DOME — CLERMONT-FERRAND

BOURGOGNE
- 21 COTE-D OR — DIJON
- 58 NIEVRE — NEVERS
- 71 SAONE-ET-LOIRE — MACON
- 89 YONNE — AUXERRE

BRETAGNE
- 22 COTES-DU-NORD — SAINT-BRIEUC
- 29 FINISTERE — QUIMPER
- 35 ILE-ET-VILAINE — RENNES
- 56 MORBIHAN — VANNES

CHAMPAGNE-ARDENNE
- 08 ARDENNES — CHARLEVILLE MEZIERES
- 10 AUBE — TROYES
- 51 MARNE — CHALONS-SUR-MARNE
- 52 HAUTE-MARNE — CHAUMONT

CENTRE
- 18 CHER — BOURGES
- 28 EURE-ET-LOIRE — CHARTRES
- 36 INDRE — CHATEAUROUX
- 37 INDRE-ET-LOIRE — TOURS
- 41 LOIR-ET-CHER — BLOIS
- 45 LOIRET — ORLEANS

CORSE
- 20B HAUTE-CORSE — BASTIA
- 20A CORSE DU SUD — AJACCIO

FRANCHE-COMTÉ
- 25 DOUBS — BESANCON
- 39 JURA — LONS-LE-SAUNIER
- 70 HAUTE-SAONE — VESOUL
- 90 TERRIT.-DE-BELFORT — BELFORT

LANGUEDOC-ROUSSILLON
- 11 AUDE — CARCASSONNE
- 30 GARD — NIMES
- 34 HERAULT — MONTPELLIER
- 48 LOZERE — MENDE
- 66 PYRENEES-ORIENT. — PERPIGNAN

LIMOUSIN
- 19 CORREZE — TULLE
- 23 CREUSE — GUERET
- 87 HAUTE-VIENNE — LIMOGES

LORRAINE
- 54 MEURTHE-ET-MOSELLE — NANCY
- 55 MEUSE — BAR-LE-DUC
- 57 MOSELLE — METZ
- 88 VOSGES — EPINAL

MIDI-PYRÉNÉES
- 09 ARIÈGE — FOIX
- 12 AVEYRON — RODEZ
- 31 HAUTE-GARONNE — TOULOUSE
- 32 GERS — AUCH
- 46 LOT — CAHORS
- 65 HAUTES-PYRENEES — TARBES
- 81 TARN — ALBI
- 82 TARN-ET-GARONNE — MONTAUBAN

NORD PAS-DE-CALAIS
- 59 NORD — LILLE
- 62 PAS-DE-CALAIS — ARRAS

BASSE NORMANDIE
- 14 CALVADOS — CAEN
- 50 MANCHE — SAINT-LO
- 61 ORNE — ALENCON

HAUTE NORMANDIE
- 27 EURE — EVREUX
- 76 SEINE-MARITIME — ROUEN

PAYS DE LA LOIRE
- 44 LOIRE-ATLANTIQUE — NANTES
- 49 MAINE-ET-LOIRE — ANGERS
- 53 MAYENNE — LAVAL
- 72 SARTHE — LE MANS
- 85 VENDEE — LA ROCHE SUR YON

PICARDIE
- 02 AISNE — LAON
- 60 OISE — BEAUVAIS
- 80 SOMME — AMIENS

POITOU-CHARENTES
- 16 CHARENTE — ANGOULEME
- 17 CHARENTE-MARIT — LA ROCHELLE
- 79 DEUX-SEVRES — NIORT
- 86 VIENNE — POITIERS

PROVENCE-COTE D'AZUR
- 04 ALPES DE HTE-PROV — DIGNE
- 05 HAUTES-ALPES — GAP
- 06 ALPES-MARITIMES — NICE
- 13 BOUCHES-DU-RHONE — MARSEILLE
- 83 VAR — TOULON
- 84 VAUCLUSE — AVIGNON

RHONE-ALPES
- 01 AIN — BOURG
- 07 ARDECHE — PRIVAS
- 26 DROME — VALENCE
- 38 ISERE — GRENOBLE
- 42 LOIRE — SAINT-ETIENNE
- 73 SAVOIE — CHAMBERY
- 74 HAUTE-SAVOIE — ANNECY
- 69 RHONE — LYON

RÉGION ILE-DE-FRANCE
- 75 PARIS — PARIS
- 77 SEINE-ET-MARNE — MELUN
- 78 YVELINES — VERSAILLES
- 91 ESSONNES — EVRY
- 92 HAUTS-DE-SEINE — NANTERRE
- 93 SEINE SAINT-DENIS — BOBIGNY
- 94 VAL-DE-MARNE — CRETEIL
- 95 VAL-D'OISE — PONTOISE

principales fêtes à souhaiter A à C

Abel	5 août	Ange	5 mai	Aurore	13 déc.	Calliste	14 oct.
Abraham	20 déc.	Angèle (lique)	27 janv.	Avit	5 fév.	Camille	14 juil.
Achille	12 mai	Anicet	17 avr.	Aymar	29 mai	Candide	3 oct.
Adélaïde	16 déc.	Anne (tte) / Annie (ick)	26 juil.	Aymeric	[illegible] nov.	Carine	7 nov.
Adèle	24 déc.	Anselme	21 avr.	Babette	17 nov.	Carmen	16 juil.
Adeline	20 oct.	Anthelme	21 juin	Baptiste	24 juin	Carole (line)	17 juil.
Adelphe	11 sept.	Antoine	17 janv. / 13 juin	Barbe (ara)	4 déc.	Casimir	4 mars
Adolphe	30 juin	Antoinette	28 fév.	Barnabé	11 juin	Catherine	24 mars / 29 avr. / 25 nov.
Adrien (ne)	8 sept.	Antonin	2 mai	Barnard	23 janv.	Cécile	22 nov.
Agathe	5 fév.	Apollinaire	12 sept.	Barthélemy	24 août.	Céleste	14 oct.
Agnès	21 janv.	Apolline	9 fév.	Basile	2 janv.	Célestin	19 mai
Aimable	18 oct.	Arcady (ius)	1 août	Bastien	20 janv.	Céline	21 oct.
Aimé	13 sept.	Ariane	18 sept.	Baudouin	17 oct.	César	26 août
Aimée	20 fév.	Arielle	1 oct.	Béatrice	13 fév.	Césarine	12 janv.
Alain	9 sept.	Aristide	31 août	Bénédicte	16 mars	Chantal	12 déc.
Alban (ne)	22 juin	Arlette	17 juil.	Benjamin (e)	31 mars	Charles	2 mars / 4 nov.
Albert (e)	15 nov.	Armand	23 déc.	Benoît	11 juil.	Charlotte	17 juil.
Alexandre (a)	22 avr.	Armel (le)	16 août	Benoît-Joseph	16 avr.	Christian (e)	12 nov.
Alexis	17 fév.	Arnaud	10 fév.	Bérenger (e)	26 mai	Christine	24 juil.
Alfred	15 août	Arnold	14 août	Bérénice	4 fév.	Christophe	21 août
Alice	16 déc.	Arnould	18 juil.	Bernadette	18 fév.	Clair	8 nov.
Alida	26 avr.	Arsène	19 juil.	Bernard	20 août	Claire	11 août
Aline	20 oct.	Arthur	15 nov.	Bernardin	20 mai	Clarisse	12 août
Alix	9 janv.	Astrid	27 nov.	Berthe	4 juil.	Claude (ine)	15 fév.
Aloïs	21 juin	Athanase	2 mai	Bertille	6 nov.	Clélia	13 juil.
Alphonse	1 août	Aubert	10 sept.	Bertrand	6 sept.	Clémence	21 mars
Amand	6 fév.	Aubin	1 mars	Betty	17 nov.	Clément (ine)	23 nov.
Amandine	9 juil.	Aude	18 nov.	Bienvenue	30 oct.	Clotilde	4 juin
Amaury	15 janv.	Audrey	23 juin	Blaise	3 fév.	Clovis	25 août
Ambroise	7 déc.	Augusta	24 nov.	Blanche	3 oct.	Colette	6 mars
Amédée	30 mars	Auguste	29 fév.	Blandine	2 juin	Colin	6 déc.
Amélie	19 sept.	Augustin (e)	27 mai / 28 août	Bonaventure	15 juil.	Colombe	31 déc.
Amour	9 août	Aure	4 oct.	Boniface	5 juin	Côme	26 sept.
Amos	31 mars	Aurélie	19 sept.	Boris	2 mai	Conrad	26 nov.
Anaïs	26 juil.			Brice	13 nov.		
Anastasie	10 mars			Brigitte	23 juil.		
Anatole	3 fév.			Bruno	6 oct.		
André (e)	30 nov.						

pour avoir des produits « au meilleur de leur forme », votre marché mois par mois.

Ollerogramme

	janvier	février	mars
fruits de mer	crevette grise - tous les coquillages	crevette grise - tous les coquillages	crevette grise - tous les coquillages
légumes	chou - chou de Bruxelles - mâche - pissenlit - poireau - endive - salsifis	chou - chou de Bruxelles - mâche - pissenlit - poireau - endive - salsifis	chou - chou de Bruxelles - épinard - mâche - poireau - endive - salsifis
fromages au lait cru	beaufort - comté - gruyère - livarot - maroilles	beaufort - comté - gruyère - roquefort	beaufort - comté - gruyère - roquefort
fruits	orange - banane - citron - ananas - poire	orange - banane - citron - ananas	orange - banane - citron - ananas

- *Sécheresse de janvier, richesse de fermier*
- *Si février n'a pas de grands froids, le vent dominera tout le reste des mois*
- *En mars, vent ou pluie, que chacun veille sur lui.*

309. Cadres

Qu'y a-t-il de commun entre un patron d'entreprise, un directeur du personnel d'une grosse usine, un ingénieur-chercheur ou un représentant de commerce ? Bien qu'exerçant des métiers différents dans des conditions dissemblables, tous ces gens sont classés dans une même catégorie statistique, celle des cadres supérieurs ou moyens.
Ce groupe social hétérogène a su faire reconnaître son existence et imposer une image que vous allez essayer de définir.

Document 3091
Le Point, 12-09-1983 et (nº 5) 13-05-1985

1. Sur le modèle du tableau suivant retrouvez, pour chacune des annonces, les informations :

Annonce	Personnel recherché	Annonceur	Intermédiaire
1			
2		Poliet	
3			
4			
5	ingénieurs commerciaux		
6			
7			
8			LTM Consultants

CHEF DU PERSONNEL

Importante Société de Services couvrant l'ensemble de la Région Parisienne, et filiale d'un grand Groupe dont le Siège Social est situé en banlieue Nord-Est de PARIS, recherche son Chef du Personnel.

Le candidat, âgé d'une trentaine d'années, ayant déjà exercé sur le terrain, si possible dans le milieu industriel, pendant 3 à 5 ans, doit être disponible rapidement.

Son rôle sera de contrôler l'administration et la gestion du personnel, d'assurer le respect des règles légales, de favoriser le dialogue social à tous les niveaux, en relation avec le Directeur Général et la Direction du Personnel de l'Entreprise.

PM conseil

Merci d'adresser lettre manuscrite et C.V. détaillé à notre Conseil - PERSONNEL MANAGEMENT, 59, avenue Marceau, 75116 PARIS.

CONTESSE

1

Comptable Monaco

Vous désirez travailler dans une petite équipe de direction dynamique dans le centre de Monte-Carlo ?

Une société internationale recherche un comptable capable avec un système d'ordinateur Apple II d'effectuer d'abord le travail administratif comptable pour des sociétés internationales d'investissement et d'immobilier, ensuite la consolidation des chiffres pour la maison mère.

Vous êtes bilingue anglais/français avec un BTS comptable ou équivalent, familiarisé avec la comptabilité anglo-saxonne ? Vous possédez une première expérience similaire et une rémunération de FF 120 000 vous attire ?

Envoyez de toute urgence et confidentiellement votre curriculum vitae avec photo sous référence 822 à :

Le Panorama
57 rue Grimaldi
MC 98000 MONACO

Desseïn

3

RESPONSABLE DU SERVICE TECHNIQUE PARIS

200 000 F ± **Télétransmissions**

Une société française occupant une position de leader dans le domaine de la signalisation, recherche UN RESPONSABLE DE SON SERVICE TECHNIQUE. Sous l'autorité du directeur d'une division, et à partir des orientations qui lui auront été fournies, il sera responsable des études et du développement de systèmes et équipements de télétransmission et télésignalisation mettant en oeuvre des techniques de pointe dans les domaines de l'acoustique, de l'électronique, de l'opto-électronique,... Il gèrera et dirigera un service d'une quinzaine d'ingénieurs et techniciens. Il assurera les relations avec les autres services de la société et avec l'usine située en province. Il sera responsable de la qualité. Le candidat retenu, âgé d'au moins 30 ans, obligatoirement ingénieur de formation, possèdera au moins une première expérience en matière d'étude et développement de produits nouveaux faisant appel à l'électronique et si possible à l'acoustique. La connaissance de l'anglais est indispensable. Ecrire sous référence 598/P à :

GRH conseils

3, avenue de Ségur 75007 PARIS. Discrétion assurée.

4

POLIET

Poliet Distribution est leader de la distribution des produits pour le bâtiment : 5 milliards de CA, 6000 personnes, 50 entités juridiques autonomes. Notre direction générale - siège à Paris - est composée d'une équipe restreinte de "spécialistes" de tout premier plan qui assiste, conseille et contrôle cet ensemble tout en maintenant une politique décentralisée. Nous recherchons un jeune cadre à fort potentiel désireux de rejoindre notre équipe de management en tant que

CONTRÔLEUR DE GESTION

Vous êtes déjà, par certains aspects, un professionnel de la fonction ou vous souhaitez, après d'autres types d'expériences, parfaire vos connaissances de la gestion. En tout état de cause, vous êtes diplômé des "grandes écoles", vous avez de bonnes connaissances comptables et 5 ans d'expériences professionnelles qui vous ont permis d'acquérir une sérieuse teinture d'informatique de gestion, le sens des contacts et un esprit ouvert vers le commercial et les affaires. Vous devrez vous adapter rapidement à notre structure et être à même de jouer votre rôle de liaison entre les filiales et la direction générale sur tous les aspects de contrôle de gestion. Vos interventions et vos recommandations se traduiront par une intégration de plus en plus opérationnelle au sein de notre équipe de direction. Quand vous aurez réussi cela, vous serez prêt à accepter un poste de direction dans une filiale en province.

Si vous pensez avoir le profil de la personne que nous recherchons, écrivez à Roland Gardeux sous réf. 5724 P ; il étudiera avec vous les possibilités d'une future collaboration.

SERIFO CONSEILS DE DIRECTION
47 bis, AVENUE BOSQUET - 75007 PARIS
TELEPHONE : 555.11.11

2

GenRad

GENRAD est leader mondial de l'industrie du test automatique. Son expansion est remarquable : 80% de progression en 1984. GENRAD, à l'écoute permanente des besoins présents et futurs de l'industrie électronique, développe sans relâche de nouvelles technologies. Les perspectives du marché tout autant que les succès que nous connaissons nous permettent de recruter de nouveaux

INGENIEURS COMMERCIAUX

Votre formation (type ISEN, ISEP...) vous met très au fait de la technologie. Sérieux atout lorsque l'on sait que nos équipements de test évoluent vite et que vos interlocuteurs, eux aussi ingénieurs, attendent des conseils avisés. Vous les rencontrerez principalement chez les fabricants de matériels électronique de la région parisienne.

A 30 ans environ, vous avez une expérience significative dans le domaine de la vente liée aux composants et à l'informatique. Vous vous fixez comme objectif d'intégrer une société progressant très rapidement sur des marchés faisant appel à des technologies de pointe.

La connaissance de l'anglais, même élémentaire, est nécessaire pour ces postes très bien rémunérés.

Merci d'adresser votre dossier de candidature complet (lettre manuscrite, CV, photo et prétentions sous réf. 695 P. à notre Conseil **ALPHA CDI,** 181, avenue Charles de Gaulle - 92200 NEUILLY SUR SEINE

ALPHA-CDI

5

TECHNOLOGIE, CROISSANCE, CARRIERE

Disques optiques, imprimantes à laser, unités centrales à circuits CMOS, ces très prochains produits vont accroître encore notre avance dans notre marché.
Nous sommes déjà le 1er constructeur mondial de la périphérie compatible (notre C.A. atteint le milliard de dollars) mais nous avons des ambitions plus grandes. Pour renforcer notre présent et construire notre avenir, pour approfondir nos relations clients, nous créons de nouvelles équipes techniques qui ouvriront des carrières passionnantes à des responsables de produits, des supports techniques d'agence, des chefs de secteur et des techniciens de maintenance.

Responsables de produits

Ces cadres expérimentés auront la complète responsabilité d'une ligne de produits aux plans de sa technicité et de son environnement matériel et humain.

Supports techniques d'agence

Ces cadres confirmés apporteront leur soutien aux équipes de leur agence. Ils auront la responsabilité technique du parc installé, ainsi que le contrôle des outils et des connaissances des hommes en place.

Chefs de secteur

Leur expérience professionnelle et leurs qualités d'animateur, leur permettront d'encadrer une équipe de techniciens, d'en organiser et contrôler l'activité, afin d'assurer la satisfaction des clients dont ils auront la responsabilité.

Techniciens de maintenance

Ces hommes de terrain confirmés, ayant une formation BTS ou DUT, auront la responsabilité d'un parc d'équipement chez les utilisateurs qui leur seront affectés.

Parce que nous investissons autant dans les hommes que dans la technologie, parce que nous ne voulons que les meilleurs du marché, nous assurerons aux candidats retenus une formation complète sur nos produits et nos méthodes en France, en Angleterre ou aux Etats-Unis, un salaire motivant, ainsi que de réelles possibilités d'évolution professionnelle.

Contacter Didier VANDAMME au (3) 956.81.33 qui vous expliquera comment profiter au mieux des opportunités que vous ouvre notre expansion.

Storage Technology Corporation
S.T.C. FRANCE
41 rue Fourny 78530 Buc.

média-system

L'avenir en plus

6

PARIS

UN ETABLISSEMENT FINANCIER DE PREMIER PLAN
diversifiant ses activités, recherche pour son

service organisation

UN ESSEC, SUP DE CO ou ECOLE SUPERIEURE DE GESTION

ayant déjà 3 à 5 ans d'expérience d'organisation administrative (en cabinet ou entreprise) ou tout au moins une très bonne connaissance des circuits administratifs.

Il prendra en charge des missions de conception et réalisation d'opérations d'organisation menées indépendamment ou en équipe selon l'importance du projet et éventuellement en commun avec le Service Informatique.

Il doit être à l'écoute des besoins, trouver des solutions concrètes et faire preuve d'imagination et de sens du contact.

Une réussite à ce poste peut ouvrir des voies vers des responsabilités opérationnelles.

Les candidatures (lettre manuscrite et C.V., sous réf. 2239-P) seront examinées avec la discrétion d'usage par

CSNCR CHAMBRE SYNDICALE NATIONALE DES CONSEILS EN RECRUTEMENT

7

transports heppner.

- 1400 personnes, 25 établissements : groupeur, commissionnaire de transport national et international, entrepositaire - recherchent pour leur implantation de Paris, un

directeur des services groupage France

- **Gestionnaire** : il dirige un centre de profit comprenant 100 personnes ; il est responsable de ses résultats dans le cadre d'une gestion décentralisée.
- **Homme d'exploitation** : il supervise et coordonne les activités (2500 à 3000 T/mois) : messagerie et express, expéditions, arrivages.
- **Commercial** : il anime le service commercial et assure les contacts avec les clients principaux.

Ses responsabilités antérieures acquises à la Direction d'une Unité Transport National d'importance, doivent lui permettre de s'intégrer rapidement dans une organisation élaborée.

Toute discrétion assurée, adressez votre candidature sous référence 1069-P à Françoise BARSI.

LTM CONSULTANTS
63 avenue de Villiers - 75017 Paris

8

2. Retrouvez plus précisément les informations relatives aux huit sociétés.
a - Secteur d'activités ;
b - Taille :
- chiffre d'affaires,
- filiales,
- effectif du personnel ;

c - Appréciations.
Pouvez-vous dire quels sont les points communs à ces entreprises ? Y a-t-il des secteurs ou des domaines dont l'absence vous surprend ?

3. En sous-groupes, caractérisez maintenant le personnel recherché (vous ne trouverez pas toujours toutes les informations) :

Annonce	Age	Titre	Expérience	Langues étrangères
1			Ayant déjà exercé sur le terrain	
2				
3				
4				Connaissance de l'anglais
5	Trente ans environ ingénieur			
6				
7		ESSEC, Sup. de Co., Ec. sup. de gestion		
8				

4. Quelles sont les qualités personnelles demandées ?

5. Définissez les postes proposés par les entreprises. Par exemple, (1) Chef du personnel : son rôle sera de contrôler l'administration et la gestion du personnel.

6. Les informations qui précèdent vous permettent maintenant de tracer le profil des cadres en fonction de leur âge, de leur formation, de leur rôle dans l'entreprise (et des types d'entreprises qui les emploient), de leur lieu de résidence et des qualités attendues d'eux.
Comparez ce portrait à celui que vos camarades auront défini et réalisez collectivement un « profil-robot » du cadre tel que ce document le fait apparaître.

Document 3092
« Femmes aux commandes »,
Le Point, 30-05-1983

7. Lisez le premier portrait du **document 3092** puis, en vous aidant des tableaux ci-dessus, élaborez une grille d'analyse du profil de cette femme cadre et de son entreprise. Remplissez-la ensuite en lisant les quatre portraits suivants :

DOMINIQUE JACQUEMARD
Telle mère telle fille

A 18 ans, elle était attirée par les Lettres. « Crois-tu avoir le talent de Simone de Beauvoir ? interrogea sa mère. Sinon, fais tout de suite autre chose. » Et **Dominique Jacquemard,** 36 ans, fit Sup de co pour perpétuer la

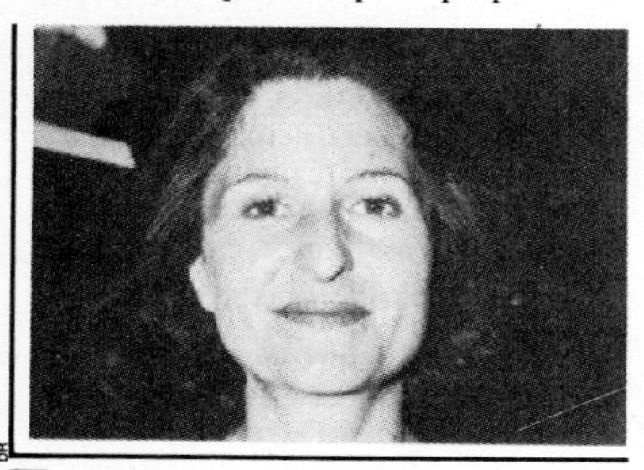

DR

DOMINIQUE JACQUEMARD

tradition (chez Jacquemard, on est PDG de mère en fille). Elle prend peu à peu la relève de sa mère, Raymonde, qui a, elle aussi, hérité l'affaire de sa mère ! Elle dirige le commercial et son mari le personnel. Un exemple de transmission familiale réussie : les chaussettes Olympia (la marque de l'entreprise) ont une croissance de 25 à 30 % par an. « Mais je travaille de plus en plus », dit Dominique, qui voudrait bien trouver le temps d'avoir un deuxième enfant.

BRIGITTE DE GASTINES
SVP j'écoute

Passion de l'information oblige, **Brigitte de Gastines,** 39 ans, pourrait parler de SVP pendant des heures. PDG de cette société créée par des journalistes, la première au monde pour

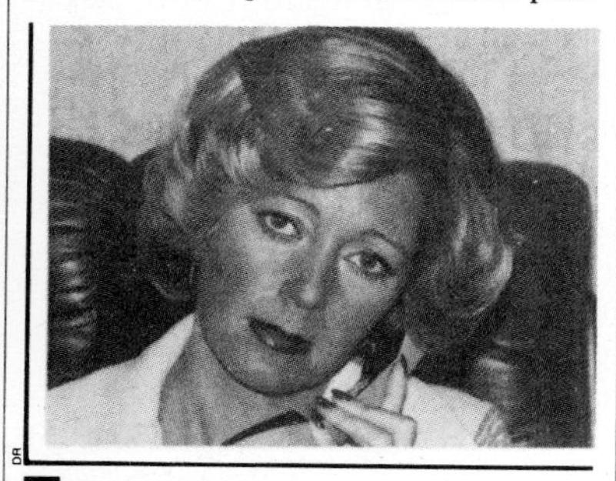

DR

BRIGITTE DE GASTINES

l'information par téléphone (cinq mille questions par jour, soixante-quinze mille utilisateurs, trois cents salariés en France, sans parler des seize capitales étrangères dotées d'un réseau SVP), elle y a fait toute sa carrière depuis sa sortie d'HEC-JF en 1965. Et cette Alsacienne « à la volonté inébranlable » sait tout de cette entreprise qui est un peu son quatrième enfant.

CHRISTIANE DORÉ
Une consommatrice qui a du crédit

Femme, militante socialiste et apôtre de la défense du consommateur : handicaps ou atouts quand on est parachutée (comme elle le fut le 1er juillet dernier) à la tête de Sofinco-La Hénin, une banque spécialisée dans le crédit à la consommation ? **Christiane Doré,** 40 ans, se sent de taille à s'imposer. Comme elle le fit à la revue *50 millions de consommateurs,* dont elle fut rédactrice en chef de 1969 à 1977. Ou, plus tard, au cabinet de Catherine Lalumière. Elle a déjà innové à la Sofinco (par exemple, en bâtissant un plan de promotion pour les femmes). Et découvert que « pour exercer le pouvoir il faut aussi susciter l'adhésion des hommes. »

MOREL

CHRISTIANE DORÉ

ELISE LATTUGONI
Un langage de chantier

Une femme à la tête d'une entreprise de bâtiment, doublée d'une syndicaliste percutante qui, au congrès du CNPF de Villepinte, a forcé l'admiration de ses collègues masculins.

En 1965, **Élise Lattugoni,** 42 ans, deux enfants, pousse son mari à monter une société de bâtiment à Brignoles, dans le Var. A lui la gestion. A elle les rapports avec les architectes, les don-

DR

ELISE LATTUGONI

neurs d'ouvrages, les banquiers et le personnel. Sourires ironiques et galanteries appuyées. « J'ai pris deux ou trois fois le langage du chantier. Les plaisanteries ont cessé. »

JACQUELINE BENASSAYAG
Condamnée à la cigarette

La secrétaire générale de la Seita fume des Royale. Difficile de résister quand on est à la source ! **Jacqueline Benassayag** (41 ans, deux enfants) ne se laisse pas démonter quand on lui parle croisade anti-tabac. Elle répond neuf mille salariés, vingt-six mille planteurs, quarante-cinq mille débitants ; elle répond surtout « instrument à la disposition de la politique du gouvernement ». Née à Tiaret, une petite ville des hauts plateaux algériens, elle débarque à Paris à 18 ans pour faire HEC-JF et sciences-éco. Douze ans à la banque La Hénin, elle est sous-directeur en

DR

JACQUELINE BENASSAYAG

charge du service des études financières et des prévisions, quand on lui propose la Seita en décembre 1981. Bonheur de retrouver les secteurs industriel et commercial... elle accepte. A elle la distribution, l'informatique, les relations européennes, les départements nouveaux. Un regret : pas le temps d'aller assez au cinéma. Et une recommandation : ne plus fumer trop.

▶▶▶

Traits et caractéristiques	B. de GASTINES	C. DORE	E. LATTUGONI	J. BENASSAYAG
1				
2				
etc.				

8. En quoi ces femmes cadres diffèrent-elles de leurs collègues masculins ?

Document 3093
Les Cadres, L. Boltanski, Ed. de Minuit

9. Relisez votre réponse à la question 6 et comparez-la à l'échantillon de référence de l'INSEE dans le tableau du **document 3093**. Vos hypothèses sont-elles confirmées ?

10. Si vos hypothèses n'ont pas été confirmées, confrontez-les avec l'« échantillon exemplaire », résultat de questions posées à des cadres français. Quels sont les écarts entre l'image du cadre et la réalité de sa situation ?
Vous pourrez ensuite lire le texte qui accompagne le tableau. ■

3093

(en pourcentages)	Échantillon « exemplaire »	Échantillon statistique
	Total (n. ex = 192)	Échant. de référence (INSEE)
Pas de diplômes supérieurs au bac	19	56
École d'ingénieurs ou de commerce	44	26
Fonctions = commerciales, marketing, finance	35	28
Fonctions = production, méthode, entretien	11	31
Âgés de 35 à 49 ans	59	35
Habitent Paris ou la région parisienne	80	41
Établissements de moins de 500 salariés	26	75

Invités à donner trois exemples de « cadres très cadres » en mentionnant la fonction exercée, l'âge, le sexe, le diplôme, le revenu mensuel, le nom et la taille de l'entreprise, le lieu de résidence et la marque de la voiture possédée (chaque exemple pouvait être partiellement ou totalement inventé – c'est le cas d'environ la moitié des exemples fournis – ou être choisi dans le milieu de travail ou le cercle de relations), des cadres dotés de caractéristiques différentes, mais aussi des agents occupant des positions éloignées dans l'espace social (par exemple, des enseignants) engendrent un échantillon « exemplaire » ou, si l'on veut « imaginaire », qui n'est pas la reproduction d'un échantillon statistique. [...] Les cadres choisis pour exemple sont, en moyenne, plus diplômés que les cadres dans les différents échantillons statistiques (avec une sur-représentation particulièrement élevée des anciens élèves d'H.E.C.). Ils sont aussi beaucoup plus souvent parisiens, généralement compris dans des âges situés autour de la quarantaine, la « force de l'âge ». Ils exercent dans des proportions exceptionnellement

(suite p. 106)

fortes des fonctions commerciales et, surtout, des fonctions liées au marketing ou à la publicité, au détriment des fonctions de production. Les cadres de la fonction publique sont très rares dans l'échantillon imaginaire (alors que rien, dans les consignes, ne suggérait de limiter les exemples au champ des entreprises). Les petites entreprises et les petits établissements sont sous-représentés au profit des grandes entreprises et, particulièrement, des grands groupes privés, dotés d'une forte visibilité comme, par exemple, B.S.N., Péchiney, et, particulièrement. I.B.M. – les petites entreprises étant souvent des entreprises de publicité ou de service aux entreprises. On voit ainsi se dessiner la représentation stylisée du cadre de « haut niveau » doté d'attributs possédant une valeur emblématique particulièrement forte : *H.E.C., I.B.M., Marketing, publicité, informatique, Mercedes* ou *B.M.W.*, etc. reviennent de façon récurrente et fonctionnent comme des *points saillants* de la représentation. Les cas exemplaires qui viennent « spontanément » à l'esprit quand on évoque le nom de la catégorie et qui servent, en quelque sorte, de points de repère [...] constituent en effet une représentation stylisée et schématisée des agents qui, dans la catégorie, occupent les positions centrales.

FONDERIES
J.HANNARD

28e jour de grè
F.O. NÉGOCIER POUR SAUVER
QUALITÉ
F.O.

C.G.C.
CADRES EN GRÈVE
POURQUOI ?

À BAS LE PATRONAT
DE DROIT DIVIN
CFDT
UN SIECLE DE
POUVOIR ÇA SUFFIT!
CFDT

C.G.T.
nos revendications!

AH, TOUT LE MONDE T'AT-TENDAIT! T'ES AU COURANT ?
QUOI? QU'EST CE QUI SE PASSE?

Le syndicalisme

Trois principes de base régissent le syndicalisme en France : celui de la liberté, celui de l'autonomie et celui de la pluralité syndicales. Employeurs et travailleurs sont libres de fonder des syndicats et d'adhérer ou non à un syndicat de leur choix. Il est notamment interdit aux employeurs de prendre en considération l'appartenance syndicale pour toute décision en matière d'embauchage, de licenciement ou d'avantages professionnels. La création d'un syndicat n'est subordonnée à aucune autorisation, préalable ou postérieure. La seule exigence de fond est relative à l'objet du syndicat, qui doit être l'étude et la défense des intérêts professionnels, un syndicat ne pouvant, par conséquent, grouper que des personnes exerçant la même profession ou des professions similaires. Les règles de forme se limitent au dépôt des statuts et de la liste des membres chargés de l'administration du syndicat. Dès sa constitution, le syndicat est doté de la personnalité civile et peut accomplir tous les actes juridiques attachés à cette qualité.

Les syndicats de base peuvent constituer des unions interprofessionnelles, au plan géographique, ou des fédérations d'industrie. Les unes et les autres sont regroupées au plan national dans des confédérations qui ont la nature juridique de syndicats pour les confédérations de salariés, mais, plus souvent, celle d'associations pour les confédérations d'employeurs.

La portée du principe de pluralité syndicale a été tempérée par l'introduction de la notion de représentativité qui visait à dégager, parmi les syndicats, ceux que leurs effectifs et leur autorité rendaient plus aptes à la participation à des tâches d'intérêt national. La loi a défini un certain nombre de critères (d'effectifs, d'indépendance, d'ancienneté...) à partir desquels peuvent être déterminées les organisations syndicales les plus représentatives. Comme aucun seuil d'effectifs minimum n'a toutefois été prévu, l'appréciation de la représentativité se fait de manière relativement souple et le nombre des organisations syndicales les plus représentatives a tendance à croître dans le long terme.

Les syndicats de salariés (1)

Du côté des salariés, un arrêté interministériel du 31 mars 1966, reconnaît le caractère d'organisations les plus représentatives au plan national et interprofessionnel à cinq confédérations. On peut les classer en trois groupes.

Le premier groupe est né du courant révolutionnaire exprimé dans la Charte d'Amiens en 1906. Deux organisations en sont issues :

— *la Confédération générale du travail (CGT)* créée en 1895, de tendance marxiste, qui regroupe environ 2 millions et demi d'adhérents et qui est affiliée, sur le plan mondial, à la Fédération syndicale mondiale. Elle est particulièrement implantée dans les industries de transformation, la presse, les ports et les organismes sociaux ;

— *la Confédération générale du travail - Force ouvrière (CGT-FO)* s'est séparée de la CGT en 1947, au nom de l'indépendance syndicale vis-à-vis des partis politiques. Elle a environ 600 000 adhérents, qu'elle recrute surtout dans les banques, les assurances, parmi les salariés des professions libérales et dans la fonction publique. Elle est affiliée à la Confédération internationale des syndicats libres.

Les organisations du second groupe sont issues du courant qui trouve son origine dans la doctrine sociale chrétienne :

— *la Confédération française des travailleurs chrétiens (CFTC)* constituée en 1919 et qui est restée fidèle, après la scission de 1964, à la référence chrétienne, a un peu plus de 200 000 adhérents, surtout dans les mines et dans certains secteurs du commerce et des services ;

— *la Confédération française démocratique du travail (CFDT)* s'est séparée de la CFTC en 1964, et a renoncé à la référence chrétienne de la Confédération. Elle a conservé l'essentiel des effectifs de l'ancienne CFTC et regroupe 900 000 adhérents répartis assez également dans toutes les familles professionnelles. Elle est affiliée à la Confédération mondiale du travail.

La CGT-FO, la CFTC et la CFDT sont membres de la Confédération européenne des syndicats.

— Enfin, en 1945, avec la *Confédération générale des cadres (CGC)*, est apparu un syndicalisme catégoriel qui entend défendre les intérêts spécifiques du personnel d'encadrement (mais des organisations propres aux cadres existent également à l'intérieur des autres confédérations de salariés). La CGC regroupe quelque 250 000 adhérents, recrutés principalement dans les grandes entreprises et le secteur semi-public et public.

S'il fallait caractériser sommairement les objectifs et surtout les modes d'action de ces organisations, on pourrait distinguer, d'une part, celles qui se déclarent résolument favorables à la politique contractuelle (CGT-

(1) *Source : Les institutions sociales de la France*, sous la direction de Pierre Laroque. La Documentation Française.

FO, CFTC, CGC), d'autre part, la CGT et la CFDT qui tout en étant favorables à la négociation de conventions, émettent souvent quelque réserve à l'égard d'accords acceptés par les autres organisations et qu'elles jugent insuffisants.

Les syndicats patronaux

Conseil National du Patronat Français (CNPF)

La principale confédération patronale, qui regroupe plus de 900 000 entreprises tant de l'industrie que du commerce et des services, organisées en syndicats professionnels locaux ou régionaux, en syndicats professionnels nationaux, et enfin en Unions, Confédérations, Fédérations et Chambres syndicales professionnelles nationales. Les entreprises se réunissent par ailleurs au sein d'associations interprofessionnelles, à l'échelon local ou régional.

Confédération Générale des Petites et Moyennes Entreprises (CGPME)

Créée en 1944, elle rassemble environ 3 000 syndicats professionnels auxquels sont affiliés environ 120 000 entreprises industrielles, 500 000 entreprises commerciales et près d'un million d'entreprises de services. Un grand nombre de ces entreprises adhèrent également au CNPF, qui assure l'essentiel de la représentation patronale face au syndicalisme salarié et aux pouvoirs publics.

Confédération Nationale de l'Artisanat et des Métiers (CNAM)

Rassemble plus de 100 000 entreprises affiliées à environ 1 000 syndicats et à 18 fédérations de métiers.

Dans le secteur agricole, l'organisation la plus représentative est la *Fédération nationale des syndicats d'exploitants agricoles* (FNSEA).

Document 3112
Français qui êtes-vous ?
Annexe 2 « La société française en chiffres », La Documentation française, 1981

5. Essayez d'établir une relation entre le comportement et les revendications. Caractérisez chacun des syndicats ainsi représenté par les auteurs de la bande dessinée. Exemple : CFDT, mise en cause de l'ordre social, etc.

6. Dans la partie « Les syndicats des salariés », retrouvez les sigles déjà connus et vérifiez les hypothèses que vous avez faites à la question 2. Un autre syndicat apparaît ici ; lequel ? Lisez le paragraphe qui le décrit : y aurait-il une raison objective à son absence dans la bande dessinée ?

7. Classez les syndicats de salariés par ordre d'importance numérique et indiquez leur date de création.
Après avoir lu ce qui concerne chaque syndicat de salariés, précisez ses secteurs d'implantation.

Sigle	Nombre d'adhérents	Date de création	Secteur d'implantation
1			
etc.			

8. Les informations de ce texte contredisent-elles les hypothèses émises à la question 5 ?

9. D'autres syndicats existent en France ; lesquels ? Est-ce que leur existence vous étonne ? Pourquoi ?

10. Lisez maintenant la première colonne de ce document et relevez des exemples qui définissent les trois principes de base du syndicalisme français :
– liberté,
– autonomie,
– pluralité.
Lequel était le mieux illustré dans la bande dessinée ?

11. Pouvez-vous dire quels sont les principes de base du syndicalisme dans votre pays et en quoi ils diffèrent de ceux du syndicalisme français ? ■

312. Gauche-droite

Les Français sont souvent considérés comme très politisés. Il est difficile de le vérifier, mais beaucoup se situent assez spontanément à droite ou à gauche, face à des questions d'intérêt général. La gauche, la droite, ce sont des traditions depuis 1791 : du côté droit du président d'une assemblée politique, « les députés qui appartiennent traditionnellement aux partis conservateurs » ; du côté gauche, « ceux qui professent des idées avancées ». Ce sont aussi des sensibilités, c'est-à-dire des systèmes de valeurs différents. L'analyse des documents qui suivent vous permettra de les reconstituer partiellement.

1. Connaissez-vous chez vous, ou dans d'autres pays, des exemples de tendances traditionnellement opposées ?

Pays	Tendance plutôt conservatrice	Tendance plutôt progressiste
France	droite	gauche
Votre pays		
Grande-Bretagne	conservateurs	travaillistes
etc.		

2. Si, dans votre pays, ces deux sensibilités existent, indiquez, dans la liste qui suit, les points sur lesquels elles s'opposent le plus ouvertement :
a - droits des ouvriers,
b - école,
c - divorce,
d - réforme constitutionnelle,
e - droits des minorités (ethniques, culturelles, religieuses),
f - contrôle de l'économie,
g - avortement,
h - peine de mort,
i - héritage.
Y en a-t-il d'autres non cités ici ?

3. A votre avis, ces opinions sont-elles, en France, plutôt de gauche ou de droite ? Mettez une croix dans la colonne correspondante.

Opinions	Droite	Gauche
a - Les citoyens ont le droit de se défendre tout seuls. *b* - Il faut un système d'éducation unique. *c* - On doit enseigner davantage les langues régionales. *d* - Il faut dénationaliser les banques. *e* - Les jeunes délinquants ne sont pas punis assez sévèrement. *f* - Le droit de grève est fondamental.		

3121

QUI EST DE DROITE? QUI EST DE GAUCHE?

49 % des hommes se classent à gauche, 36 % des femmes seulement

1

On range parfois les Français en deux catégories : ceux qui sont de gauche et ceux qui sont de droite. Dans laquelle de ces deux catégories vous rangeriez-vous ?

		Ceux qui sont de gauche	Ceux qui sont de droite	Refusent de se classer	Sans opinion
TOTAL	**100 %**	**42**	**31**	**20**	**7**
SEXE					
Homme	100 %	49	26	20	5
Femme	100 %	36	34	21	9
AGE					
18 à 24 ans	100 %	42	31	17	10
25 à 34 ans	100 %	54	25	16	5
35 à 49 ans	100 %	45	29	20	6
50 à 64 ans	100 %	37	33	25	5
65 ans et plus	100 %	32	37	21	10
PROFESSION DU CHEF DE FAMILLE					
Agriculteur	100 %	19	38	33	10
Petit commerçant	100 %	29	44	21	6
Cadre supérieur, gros commerçant, industriel	100 %	44	34	20	2
Cadre moyen, employé	100 %	49	26	20	5
Ouvrier	100 %	48	26	18	8
Inactif, retraité	100 %	38	33	21	8
INTENTION DE VOTE AU PREMIER TOUR DE L'ELECTION PRESIDENTIELLE (1)					
G. Marchais	100 %	87	3	7	3
F. Mitterrand	100 %	80	5	10	5
V. Giscard d'Estaing	100 %	7	66	22	5
J. Chirac	100 %	13	60	20	7

(1) G. Marchais : candidat du parti communiste.
F. Mitterrand : candidat du parti socialiste (président de la République élu en 1981).
V. Giscard d'Estaing : candidat de l'Union pour la démocratie française, UDF (Président de la République élu en 1974).
J. Chirac : candidat du Rassemblement pour la République, RPR (mouvement d'inspiration gaulliste).

3121 **45 % des Français pensent que la gauche et la droite sont également attachées à l'idée de patrie**

2

A votre avis, qui de la gauche ou de la droite est le plus attachée...

		La gauche	La droite	Autant l'une que l'autre	Sans opinion
... à l'idée de patrie	100 %	11	30	45	14
... à la justice sociale	100 %	46	13	26	15
... à dénoncer les atteintes aux droits de l'homme dans n'importe quel pays du monde	100 %	34	18	29	19
... au progrès	100 %	20	23	41	16
... aux libertés (politiques et religieuses, économiques et syndicales, culturelles et sociales)	100 %	26	30	28	16
... à la tolérance	100 %	23	28	28	21
... à la construction européenne	100 %	12	39	27	22
... à la participation des citoyens à la vie politique	100 %	34	15	31	20

52 % des électeurs communistes estiment que la gauche est le plus apte à défendre le Franc...

3

Vous vous apprêtez à voter Georges Marchais : Qui de la gauche ou de la droite vous semble le plus apte à défendre...

		La gauche	La droite	Autant l'une que l'autre	Sans opinion
... la propriété	100 %	41	24	22	13
... le droit d'héritage	100 %	37	26	16	21
... la famille	100 %	60	6	26	8
... le droit des femmes	100 %	67	3	18	12
... la culture française	100 %	46	6	31	17
... le plein-emploi	100 %	80	—	11	9
... le niveau de vie	100 %	82	—	9	9
... la bonne marche de l'économie	100 %	68	4	13	15
... le Franc	100 %	52	6	23	19

Document 3121
« Qui est de gauche ? Qui est de droite ? »
Le Nouvel Observateur, 30-03-1981

4. Dans le premier tableau du **document 3121** (page 115), relevez la classe d'âge où l'on se déclare le plus clairement à gauche, à droite. Procédez de même pour les trois autres critères. Dressez les portraits-robots suivants :

a - L'« homme de droite » est une femme de _ _ ans. Dans la famille, il y a un _ _ _ _ _ _ _ _ _ _ _ _ _. Elle a sans doute voté pour _ _ _ _ _ _ _ _ _ _ _ _ _ _ _ aux présidentielles de 1981.

b - L'« homme de gauche »...

5. A partir du deuxième tableau du **document 3121**, vérifiez les hypothèses que vous avez faites dans les questions 2 et 3.

3121 ... mais 30 % seulement des électeurs socialistes

Vous vous apprêtez à voter François Mitterrand : Qui de la gauche ou de la droite vous semble le plus apte à défendre...

		La gauche	La droite	Autant l'une que l'autre	Sans opinion
... la propriété	100 %	23	37	28	12
... le droit d'héritage	100 %	16	44	22	18
... la famille	100 %	37	8	45	10
... le droit des femmes	100 %	50	5	35	10
... la culture française	100 %	21	15	49	15
... le plein-emploi	100 %	72	2	17	9
... le niveau de vie	100 %	71	3	19	7
... la bonne marche de l'économie	100 %	43	7	34	16
... le Franc	100 %	30	15	37	18

6. A gauche comme à droite, il y a des nuances importantes. Dans les tableaux 3 et 4, qui concernent respectivement les électeurs communistes et socialistes, on examinera l'image qu'ils ont d'eux-mêmes.
Vous évaluerez leur degré d'accord et de désaccord :

a - en calculant les différences dans les réponses, question par question :
Par exemple : La gauche est plus apte à défendre la propriété.
41 % Parti communiste
23 % Parti socialiste
Différence : 14 %
etc.

b - en classant par ordre « d'accord croissant » :
Par exemple : 1 - la culture française 25 %
- la bonne marche de l'économie 25 %
2 -

Document 3122
« Liberté 81 »,
Le Monde, 22-02-1981 et 01-03-1981

7. Lisez les questions qu'on a posées aux lecteurs du *Monde* (voir **document 3011**, pp. 54 et 55) et examinez les tableaux qui résument leurs réponses (voir **document 3122**).

Question 2 – tableau 1
Quel est le mot qui évoque le plus l'absence de liberté pour l'extrême gauche ? La campagne est-elle, pour le centre, plutôt proche de l'idée de liberté ou de celle d'absence de liberté ?

Question 6 – tableau 2
Complétez : Les électeurs du centre droit estiment à _ _ % que les tribunaux _ _ _ _ _ _ _ _ _ _ _ en ce qui concerne la délinquance des jeunes.

Question 33 – tableau 3
Complétez : Supprimer le droit de vote serait _ _ _ _ _ _ _ _ pour les électeurs du centre gauche que pour ceux de l'_ _ _ _ _ _ _ _ _ et de l'_ _ _ _ _ _ _ _ _ _ _ _ _ _.

8. Dans ces graphiques, comment sont représentées les différences les plus nettes de sensibilité (par exemple, tableau 3 : transmission de l'héritage) ?
A partir de cette indication relevez, pour chaque tableau :
a - les points sur lesquels les opinions divergent.
b - les points sur lesquels il semble y avoir un accord.

9. Utilisez ces informations pour vérifier à nouveau les impressions que vous avez exprimées dans les questions 2 et 3. ■

Comment les Français se représentent-ils la gauche et la droite ? Comment la gauche se voit-elle elle-même ?

Réponses à un questionnaire sur les libertés (voir MATÉRIAUX 301) : 25 000 lecteurs du journal *Le Monde* (novembre 1980). Dans les questions d'identification, on demandait aux participants de désigner le « mouvement politique » dont ils se sentaient le plus proche.

Tableau 1

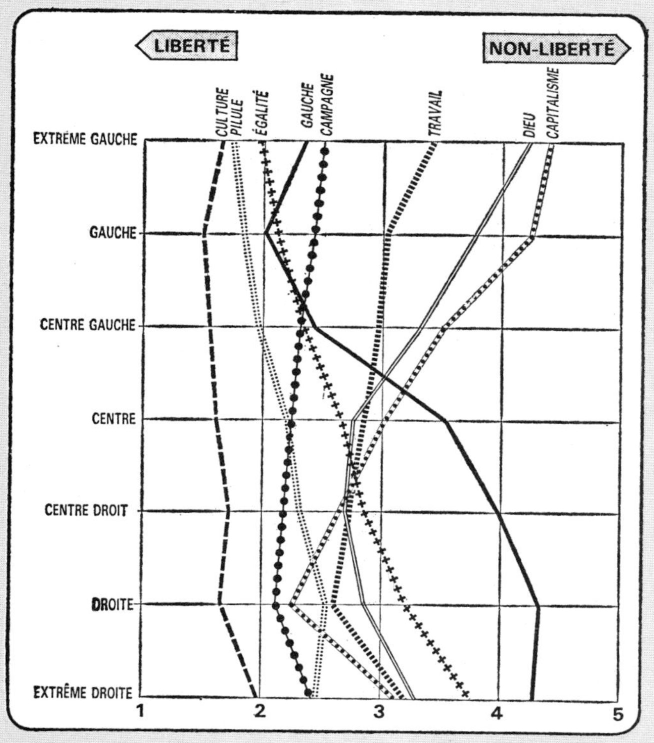

Les lecteurs devaient situer un certain nombre de mots qui leur étaient proposés, sur une échelle en cinq degrés allant de la liberté (1) à la non-liberté (5). On voit dans ce tableau dans quelle mesure l'association entre les thèmes et l'idée de liberté dépend de l'opinion politique.

(---)

Ces représentations symboliques sont soumises aux options idéologiques : les mots choisis comme évoquant la liberté ne sont pas les mêmes pour la gauche et la droite. Si le mot « pilule » *vient en deuxième position de l'extrême gauche jusqu'au centre, il est remplacé par le mot* « campagne », *du centre droit à l'extrême droite (le thème de la* « liberté naturelle » *reste une idée de droite...). A l'opposé, le mot* « capitalisme » *associé à l'absence de liberté de l'extrême gauche au centre gauche, est remplacé par...* « gauche » *du centre droit jusqu'à l'extrême droite.*

Les tribunaux sont-ils assez sévères ?

Tableau 2

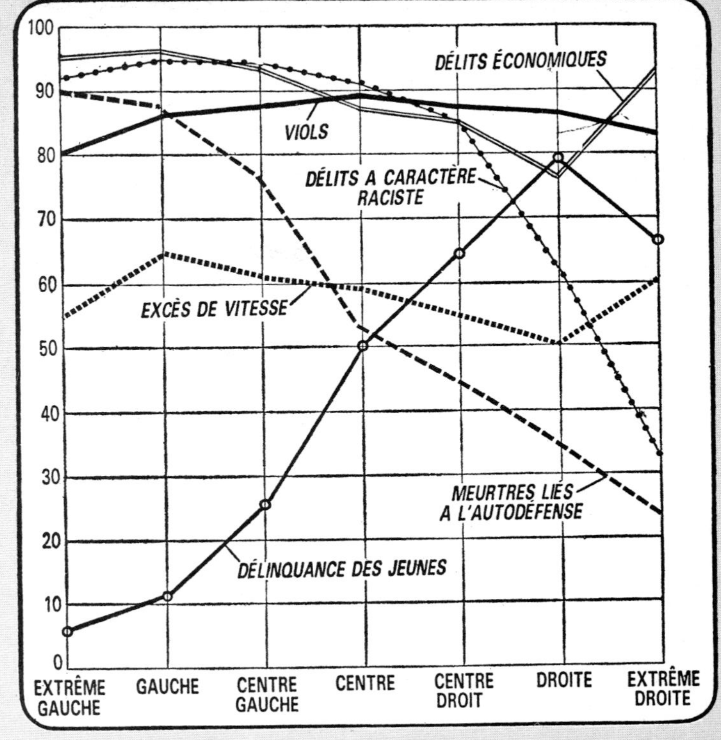

La question était : « Pensez-vous que les tribunaux sont trop sévères ou pas en ce qui concerne... » Nous avons regroupé les réponses classées dans les colonnes « plutôt pas assez sévères » et « certainement pas assez sévères ». La délinquance des jeunes divise profondément les lecteurs d'opinions politiques opposées.

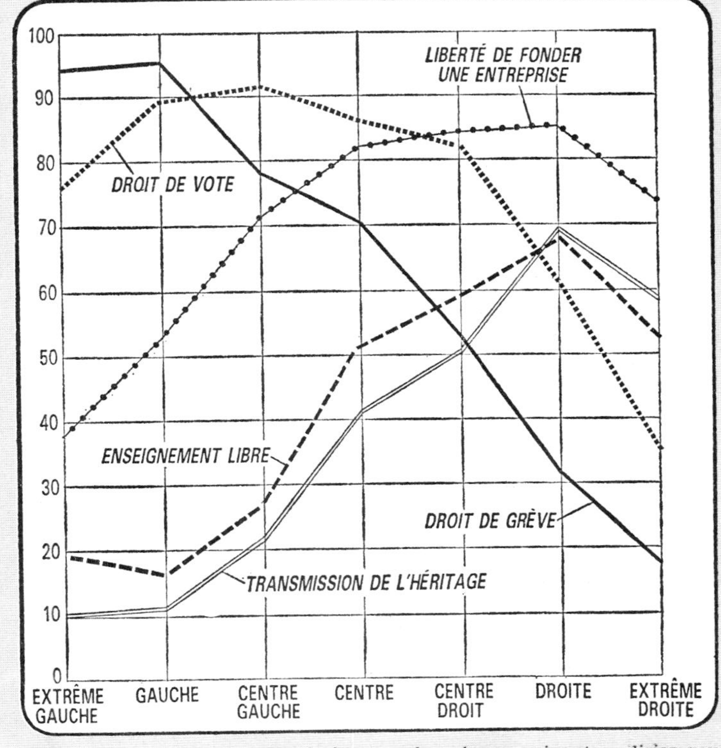

Si on les supprimait, serait-ce très grave ?

Tableau 3

La question était : « Pour chacune des choses suivantes, diriez-vous que, si on la supprimait, ce serait pour vous très grave ou non ? » Selon qu'on se situe à gauche ou à droite, les réponses varient énormément, comme le montrent particulièrement les opinions sur le droit de grève.

313. Élections

Les structures administratives et politiques d'un pays ne se «voient» pas dans la vie quotidienne, sinon à quelques noms inscrits sur des bâtiments : mairie, Assemblée nationale. Les informations à leur sujet semblent donc se trouver seulement dans des ouvrages spécialisés. Pourtant, certaines transparaissent quand des événements les mettent en jeu. Ainsi, on reconstruira ici une partie du système électoral français en se servant de quelques résultats d'élections partielles.

Document 3131
« Résultat des élections cantonales, Strasbourg VIII, *Le Monde*, 20-12-1983

Document 3132
« Résultats des élections cantonales, Verny »,
Le Monde, 29-11-1983

A. Arithmétique électorale

1. Ces deux textes concernent un même type d'élections.
a - Dans quelle division administrative ?
b - Pour quelle fonction ?
c - Ils se composent de deux parties. Quel est leur contenu respectif ?

2. Relevez, pour chaque canton, les informations suivantes :
a - candidat élu,
b - raison de l'élection,
c - résultats au premier tour (en nombre de voix) du candidat élu.

3. Retrouvez dans les textes les mots qui correspondent aux abréviations :
- inscr. :
- vot. :
- suffr. expr. :

4. Les chiffres qui correspondent, pour chaque élection, à incr., vot. et suffr. expr. sont toujours décroissants.
A votre avis, pourquoi y a-t-il :
a - moins de vot. que d'inscr. ?
b - moins de suffr. expr. que de vot. ?
Complétez la formule suivante qui sert de base à tout calcul électoral en France :
— Inscr. — abstentions = ...
— Vot. — ...... = suffr. expr.

5. En France, les citoyens sont-ils obligés de voter et, quand ils votent, peuvent-ils quand même refuser de choisir un candidat ?

3131 **Une élection cantonale**

BAS-RHIN : canton de Strasbourg-VIII (2e tour).

Inscr., 14 762 ; vot., 4 881 ; suffr. expr., 4 703. MM. Hervé Bussé, U.D.F.-C.D.S., 3 423, ELU; André Bord, R.P.R., 1 280.

[Il s'agissait de pourvoir le siège laissé vacant par le décès d'Armand Bussé, U.D.F.-C.D.S., qui avait été élu au second tour du scrutin de mars 1979 avec 2 654 voix contre 2 631 à M. Bernard Loeffler, R.P.R., pour 5 285 suffrages exprimés, 6 064 votants et 13 725 électeurs inscrits.

M. André Bord n'a pas réussi à reprendre le siège qu'il avait occupé de 1961 à 1979.

M. Hervé Bussé, fils du conseiller général décédé, qui bénéficiait du soutien de M. Marcel Rudloff, C.D.S., sénateur et maire de Strasbourg, et de M. Daniel Hoeffel, C.D.S., président du conseil général, recueille 72,78 % des suffrages exprimés. Il ancre ainsi fortement le C.D.S. dans ce canton que son père avait conquis en 1979 avec 23 voix d'avance et 50,21 % des suffrages exprimés.]

3132

MOSELLE : canton de Verny (2e tour).

Inscr., 16 000 ; vot., 6 454 ; suffr. expr., 5 829. MM. Wamgenwitz, U.D.F., 3 570, *ÉLU ;* Perrin, R.P.R., 2 259.

[Il s'agissait de pourvoir au remplacement de M. Bernard Lincks, R.P.R., démissionnaire pour des raisons professionnelles. Il avait été élu au second tour du scrutin de mars 1982 avec 6 715 voix, contre 4 220 au candidat socialiste M. François pour 10 935 suffrages exprimés et 11 360 votants. Il y avait 16 010 électeurs inscrits.

La majorité n'était pas représentée pour ce second tour de scrutin, ce qui explique peut-être l'augmentation des votes blancs et nuls (625 au lieu de 202) et le faible taux de participation (39,23 % au lieu de 44,88 %).

Les résultats du premier tour avaient été les suivants : inscr. 16 448; vot., 7 382; suff. expr., 7 180. MM. Walgenwitz, 2 939; Perrin, 2 420; François, P.S. 1 573; Antoine, P.C., 251.

M. Walgenwitz qui recueille 61,24 % des suffrages, retrouve ainsi le siège qu'il avait occupé de 1970 à 1982.]

3133 **SAVOIE : canton d'Aix-les-Bains (premier tour).**

Inscr., 15 303 ; vot., 8 298 ; suffr. expr., 8 107. MM. Jacques Moucot, div. d., 4 877, ÉLU ; Frédéric Curtelin, P.S., 2 418 ; Pierre-Edouard Dorges, div. d., 434 ; Mme Catherine Tonello, P.C., 378.

[Il s'agissait de pourvoir au remplacement de M. André Grosjean, R.P.R., contraint par les élus du conseil général à la démission. M. Grosjean a été condamné, le 22 décembre 1982, par la cour d'appel de Chambéry, à six mois de prison avec sursis et 20 000 F d'amende pour avoir écoulé 6 tonnes de faux gorgonzola, par l'intermédiaire d'une société fromagère dont il est le principal actionnaire et où il occupe les fonctions de directeur technique.

M. Grosjean avait été élu au premier tour du scrutin de mars 1979, avec 5 643 voix contre 1 803 au candidat socialiste, M. Bocquet, 1 164 à M. Pallière, s. étiq., et 812 au candidat communiste, M. Bonnet pour 9 422 suffrages exprimés, 9 591 votants et 14 031 électeurs inscrits.

En élisant avec 60,15 % des suffrages M. Moucot, adjoint à l'urbanisme et aux travaux au conseil municipal d'Aix-les-Bains, et proche collaborateur de M. Grosjean à la mairie, les électeurs ont voulu manifester leur soutien à la politique conduite jusqu'alors par ce dernier. M. Dorges, lui aussi candidat d'opposition, a été élu, en mars dernier, conseiller municipal sur une liste qui faisait campagne pour le « retour à l'honnêteté ». Il ne recueille que 5,36 % des suffrages exprimés.]

Document 3133
« Résultats des élections cantonales, Aix-les-Bains », *Le Monde,* 13-12-1983

B. Qui gagne ?

6. Quelle différence y a-t-il entre l'élection d'Aix-les-Bains et celles de Strasbourg VIII et de Verny ? (Servez-vous uniquement des deux premières lignes de ces articles.)
– Verny et Strasbourg VIII :
– Aix-les-Bains :

7. Combien y a-t-il de tours de scrutin ?
M. J. Moucot (Aix-les-Bains) est élu au premier tour ;
MM. Wamgenwitz (Verny) et Bussé au second. Comparez les résultats de ces deux tours :

LOT (première circonscription)

PARTIS	18 DÉCEMBRE 1983		11 DÉCEMBRE 1983		14 JUIN 1981		19 MARS 1978		12 MARS 1978	
	Inscrits .... 62 104 Votants .... 48 730 Abst. .... 21,53 % Suf. exp. 47 728		Inscrits .... 62 109 Votants .... 44 641 Abst. .... 28,12 % Suf. exp. 43 710		Inscrits .... 60 752 Votants .... 45 980 Abst. .... 24,31 % Suf. exp. 45 085		Inscrits .... 58 982 Votants .... 50 638 Abst. .... 14,14 % Suf. exp. 49 363		Inscrits .... 58 989 Votants .... 50 575 Abst. .... 14,26 % Suf. exp. 49 629	
	Voix	%	Voix	%	Voix	%	Voix	%	Voix	%
M.R.G.	B. Charles 25 029	52,44	B. Charles 9 962	22,79	M. Faure 25 803	57,23	M. Faure 30 046	68,86	M. Faure 20 468	41,24
R.P.R.	A. Carle 22 699	47,55	A. Carle 18 975	43,41	J. Aurin 9 976	22,12	A. Dauga 19 317	39,13	A. Dauga 11 635	23,44
P.S.			M. Baldy 7 020	16,06						
P.C.			H. Thamier 5 527	12,65	J.-P. Valla 5 971	13,24			Y. Arenes 8 540	17,20
U.D.F.					J. Devrelle 3 335	7,39				
Écol.			P. Costes 1 490	3,40					M. Legrand 3 104	6,25
Div. d.			R. Laur 679	1,55					J.-B. Costes 4 922	9,91
L. O.									L. Degorge 960	1,93
Ind.			P. Couderc 57	0,13						

MORBIHAN (deuxième circonscription)

PARTIS	18 DÉCEMBRE 1983		11 DÉCEMBRE 1983		14 JUIN 1981		12 MARS 1978	
	Inscrits .... 67 129 Votants .... 36 978 Abst. .... 44,91 % Suf. expr. 33 529		Inscrits .... 67 138 Votants .... 41 231 Abst. .... 38,58 % Suf. expr. 40 628		Inscrits .... 65 472 Votants .... 48 490 Abst. .... 25,93 % Suf. expr. 47 955		Inscrits .... 63 340 Votants .... 52 814 Abst. .... 16,61 % Suf. expr. 52 162	
	Voix	%	Voix	%	Voix	%	Voix	%
U.D.F.	A. Kergueris 19 749 M. Naël 13 780	58,90 41,09	M. Naël 11 441 A. Kergueris 8 932 J. Kerguetis 6 281	28,16 21,98 15,45	C. Bonnet 29 996	62,55	C. Bonnet 32 303	61,92
P.S.			P. Baudic 6 296	15,49	P. Baudic 14 335	29,89	B. Le Niliot 8 888	17,03
F.N.			J.-M. Le Pen 4 884	12,02				
P.C.			R. Mory 2 177	5,35	R. Mory 3 623	7,55	R. Mory 6 018	11,53
Ecol.							M. Le Corvec 3 395	6,50
L.O.							Mme C. Batisse 906	1,73
U.D.B.			B. Guérin 617	1,51			D. Dolle 652	1,24
C.C.A.					E. Le Proust 1	0,00		

		1er tour		2e tour	
		nombre de suffr. expr.	% de suffr. expr.	nombre de suffr. expr.	% de suffr. expr.
Strasbourg VIII	Bussé Bord Autres candidats	– – –	– – –	–	–
Verny	Wamgenwitz Perrin Autres candidats		– –	–	–
Aix-les-Bains	Moucot Curtelin	4877 2418	60,15 %	– –	– –

En examinant ces données, pouvez-vous expliquer dans quelles conditions un candidat est élu ?

C. Qu'est-ce qu'une circonscription ?

Document 3134
« Résultats des élections partielles, Lot et Morbihan »,
Le Monde, 20-12-1983

8. Les résultats qui figurent dans le **document 3134** concernent un type d'élections différentes de celui des documents précédents.
Essayez de caractériser :
a - leurs ressemblances,
b - leurs différences.
Complétez le tableau suivant :

Division territoriale	Fonctions électives
Canton	Conseiller général
	Député à l'Assemblée nationale

9. Quelle différence pouvez-vous constater entre les deux circonscriptions qui élisent chacune un seul député ?
(Vous pouvez retrouver une différence semblable entre les trois cantons où l'on élit des Conseillers généraux.)
Compte tenu de ces remarques, vous constatez que le critère le plus important pour le découpage des circonscriptions n'est pas le nombre d'inscrits. Dans ces conditions, quels problèmes politiques peut poser ce découpage ?

D. Que se passe-t-il entre les deux tours ?

Document 3135
« Morbihan : un désaveu... »,
Le Monde, 20-12-1983

10. Dans le Lot et dans le Morbihan, il y avait sept candidats au premier tour, deux au second.
a - Qu'ont pu faire, au second tour, les électeurs des candidats éliminés ?
b - B. Charles et A. Carle, par exemple, ont obtenu davantage de voix au second tour qu'au premier. Calculez ces différences. Pouvez-vous les expliquer ?
c - Quelles caractéristiques de la vie politique ce phénomène laisse-t-il deviner ?
Vérifiez vos hypothèses dans l'analyse du scrutin faite dans le **document 3135.**

3135

MORBIHAN : un désaveu infligé aux instances nationales de l'U.D.F. et à M. Bonnet

[1] Le maire de Plouhinec, M. Aimé Kerguéris, vice-président du conseil général, l'emporte largement dans la deuxième circonscription du Morbihan, où un duel fratricide l'opposait à l'autre candidat de l'U.D.F., M. Michel Naël, maire d'Auray et candidat officiel de l'opposition, arrivé pourtant en tête du ballotage au terme du premier tour de scrutin.

[2] L'ancien suppléant de M. Christian Bonnet regagnera donc le Palais Bourbon, où il avait déjà siégé de 1978 à 1981 quand le maire de Carnac occupait les fonctions de ministre de l'intérieur. Sa victoire est très nette : M. Aimé Kerguéris recueille 58,90 % des suffrages exprimés et 10 817 voix de plus que le 11 décembre, alors qu'il y a eu 4 253 votants de moins. Il a bénéficié non seulement d'un bon report des suffrages obtenus au premier tour par son cousin, M. Joseph Kerguéris, maire de Landévant et animateur départemental des Clubs Perspectives et Réalités, qui s'était désisté en sa faveur, mais aussi du report des suffrages recueillis par M. Jean-Marie Le Pen qui, lui, n'avait donné aucune consigne de vote. Son rival, M. Naël, n'a obtenu que 2 339 voix de plus qu'au premier tour.

Le maire d'Auray, principale localité de la circonscription, a été desservi par l'attitude des instances nationales du R.P.R. qui, conformément à un accord passé avec l'état-major national de l'U.D.F., l'avaient soutenu jusqu'au 11 décembre avant de déclarer leur *« neutralité »* entre les deux tours.

M. Aimé Kerguéris, pour sa part, était appuyé par les dirigeants R.P.R. de la circonscription, son suppléant, M. Eugène Le Couviour, étant d'ailleurs membre du mouvement chiraquien. Son élection constitue donc un désaveu infligé aux instances nationales de l'U.D.F. ainsi qu'à M. Christian Bonnet qui avait appelé à voter pour M. Naël, sans toutefois mener campagne en sa faveur.

Dans leur majorité, les électeurs ont exprimé leur confiance au maire de Plouhinec, apprécié notamment dans les milieux agricoles. En cela, ils n'ont pas suivi l'ancien ministre de l'intérieur. Elu sénateur, ce dernier n'avait jamais expliqué publiquement pourquoi il n'avait pas choisi comme dauphin son ancien suppléant, qui apparaissait pourtant comme son héritier légitime.

Né le 3 juin 1940 à Plouhinec, M. Aimé Kerguéris est conseiller municipal de cette commune depuis 1965, maire depuis 1971 et conseiller général du canton de Port-Louis depuis 1973. Cet agriculteur est père de cinq enfants.

A.R.

11. Pour les élections législatives de 1986, on a choisi un nouveau système : la proportionnelle départementale à un tour. Pouvez-vous décrire, dans ses grandes lignes, ce mode de scrutin ? ■

314. Les mots de la rue

Par leurs dimensions, la densité de la circulation, leurs maisons ou leurs boutiques, les rues des villes disent quelque chose. Mais elles bombardent aussi le passant de mille messages écrits. On y est si habitué qu'on croit ne plus les voir. Pourtant, à peine arrivé dans un pays étranger, c'est leur absence qu'on remarque, ou leur abondance, ou tout simplement leur différence. En fait, ces textes de la rue sont des révélateurs de la vie économique, sociale et culturelle et c'est ainsi que vous serez invités à les observer ici.

Documents
31401 à 31424
pp. 129 à 133

1. Parcourez l'ensemble des photos pour y repérer les messages écrits et les images. Par rapport à votre pays, quel est leur aspect général ?

2. En sous-groupes, classez tous ces écrits en fonction de leur support. Indiquez le numéro de la photo.
Par exemple,
a - enseignes : **8**
b - cadres d'agences de publicité : **5, 11, 20**
c - etc.

3. Identifiez et classez les différentes matières et/ou les matériaux utilisés pour les rédiger.
Par exemple,
a - crayon feutre, manuscrit : **18, 23**
b - imprimerie
c - etc.

4. A partir de ces premiers repérages, caractérisez la nature de l'écrit de la rue en France (quantité, légalité, etc.).

5. Ces affiches, panneaux, enseignes, etc. apportent des informations sur des secteurs différents de la vie économique, politique, etc. Regroupez-les selon ces critères (lorsque c'est nécessaire, faites des sous-catégories plus fines).

Par exemple,
a - artisanat : **19.**
b - commerce : restaurants, **8** ; alimentation, **11**, etc.
c - sports et loisirs
d - etc.

Quels sont les domaines les plus représentés ? Selon vous, que révèle cette fréquence ?
Y a-t-il des secteurs qui font l'objet, chez vous, d'affichages ou de graffitis qui n'apparaissent pas ici ? Lesquels ? Commentez les raisons des différences constatées.
Relevez-vous, au contraire, des messages dont la nature vous surprend ? Lesquels et pourquoi ?

6. D'où émanent ces divers écrits ? Regroupez-les en fonction de leur origine.
Par exemple,
a - personnes identifiables **(9, 18)** ou non
b - etc.
Quel rapport pouvez-vous établir entre cette origine et les supports et matériaux (questions 2 et 3) ?

7. Toutes les manifestations écrites de la rue n'ont pas le même but et ne visent pas à provoquer la même réaction chez leur lecteur. Classez-les selon qu'elles veulent
a - informer,
b - convaincre,
c - tenter,
d - prévenir,
e - séduire,
f - etc.
Établissez les relations qui existent entre ces intentions, la nature du message et son origine, puis commentez.

8. Certains de ces textes, ainsi que des panneaux (chantier, circulation), informent sur l'organisation urbaine en France. Dites lesquels et dégagez les points de la vie collective qui donnent lieu à des lois.
Par exemple : l'urbanisme fait l'objet d'une réglementation qui exige que soient annoncés l'objet d'un chantier, la nature des travaux, l'identité des entreprises, etc. **(3, 24).**

9. L'ensemble de ces écrits fournit certaines indications sur le mode de vie et la mentalité des Français citadins. Étant entendu qu'ils sont marqués par leur date (printemps 1985), dites :
a - quelles semblent être les préoccupations les plus évidentes en matière de politique ou d'idéologie ;
b - quels loisirs sont proposés aux Parisiens.

10. De manière plus générale, quelle image ces textes donnent-ils de la société française (économie, liberté d'expression, etc.) ? ■

315. Quartiers

On peut, lorsqu'on visite une ville étrangère, s'en tenir aux recommandations des guides touristiques et n'y voir que les hauts lieux de l'histoire et de la culture. Mais si l'on veut se faire une idée de la vie des gens dans leur diversité, il est sans doute préférable d'y flâner hors des quartiers prestigieux. C'est alors que les rues livrent, à qui sait regarder, les mille indices caractéristiques de leurs fonctions, de leur histoire récente et du mode de vie de la population qui y habite. Aussi anonymes soient-elles, elles révèlent au passant attentif l'atmosphère du quartier auquel elles appartiennent.

1. A partir de ce que vous savez de votre ville ou de toute autre cité d'une certaine importance, dites quelles peuvent être les fonctions d'un quartier.
Par exemple, il y a en général dans une ville un ou plusieurs endroits où l'on va faire ses achats et qui ont donc une fonction commerciale.

2. En sous-groupes, faites la liste de tout ce qui, dans une rue, permet de déterminer sa fonction dominante.
Par exemple, la dimension et l'ancienneté des bâtiments ou la densité et l'allure des passants.
Mettez vos résultats en commun afin de réaliser un inventaire aussi complet que possible de ces critères d'identification.

Documents 31501 à 31524
pp. 134 à 138

3. Regardez maintenant l'ensemble des photos. Retrouvez sur certaines d'entre elles le nom des rues. Cherchez-les sur un plan de Paris en vous aidant de l'index alphabétique.
Que peut-on dire de ces deux rues selon leur situation dans l'arrondissement ? Comment peut-on, de manière générale, caractériser ces deux arrondissements par rapport à leur situation dans la ville ?

4. Observez ensuite les photos une à une et, toujours à l'aide du plan, indiquez pour chacune d'elles l'endroit probable d'où elle a été prise. Ce travail vous permettra de reconstituer la rue comme si vous vous y promeniez vous-même.

5. Identifiez rapidement les boutiques et les activités commerciales ou artisanales.

6. Répartissez-vous en sous-groupes et, à la lumière de l'inventaire établi à la question 2, classez les photos selon un ou deux de ces indices que vous choisirez. (Vous indiquerez le numéro des photos.)
Par exemple,
a - constructions en cours :
rue Lacépède : **12**, chantier Bateg ;
rue des Orteaux : **16**, **24**, chantiers ; **18**, permis de construire ;
b - nature des immeubles (nombre d'étages, matériaux, ancienneté, etc.) ;
c - commerces ;
d - boutiques d'artisans ;
e - passants ;
f - circulation automobile ;
g - mobilier urbain et végétation ;
h - etc.

7. Résumez l'ensemble de vos observations sur ces points précis en une ou deux phrases.
Par exemple, *f :* la rue Lacépède, comme la rue des Orteaux, paraît peu passante. La circulation est plus dense dans la rue Monge et dans la rue des Pyrénées ainsi que le montrent les photos des carrefours. En revanche, un grand nombre de voitures en stationnement engage à penser qu'il s'agit de rues résidentielles où les immeubles sont trop anciens ou trop modestes pour posséder des garages.
Vous communiquerez ces informations au reste de la classe afin de constituer, collectivement, une description interprétative de ces rues.

8. Regardez de nouveau le plan et les environs immédiats des deux rues.

a - Rue Lacépède :
- cherchez dans un dictionnaire ou une encyclopédie les noms des rues voisines : Cuvier, Linné, Geoffroy-Saint-Hilaire, Jussieu, et dites ce qui justifie la présence de ces personnages célèbres ici ;
- quels édifices trouvez-vous dans le quartier ou l'arrondissement qui peuvent expliquer les éditeurs spécialisés ou les imprimeurs ?
- par quoi s'explique le nom de l'imprimerie du coin de la rue de la Clef ?

b - Rue des Orteaux :
- d'après le nom des rues avoisinantes (des Haies, des Maraîchers, des Vignoles, pour vignobles), quelle était la nature de ce quartier autrefois ?
- dans un guide de Paris, recherchez la fonction de la rue du Faubourg Saint-Antoine (11e arrondissement) et du quartier qui l'entoure. Quelle relation peut-on établir avec l'artisanat qui domine encore dans la rue des Orteaux ?

9. En vous appuyant sur ces nouvelles observations, étendez les remarques que vous avez faites à la question 7 et caractérisez les deux quartiers par leur urbanisme, leurs fonctions, leur population, etc.

10. Si cela est possible, vérifiez vos hypothèses dans un guide détaillé de Paris. ■

1

2

la non-peur
la non-peur

OPHLN
TOURELLES
AVRON-TAPIS
SOLDE

3

PEINTRES
CONTEMPORAINS
EXPOSITION/VENTE
REGLEMENT

4

PUBLIA
bowling
MOUFFETARD
bar
jeux
8 pistes AMF
de compétitions
EN FACE AU N°73

5

31401 à 31424

6

7

8

9

10

11

PICCADILLY
Le jeans qu'on s'arrache.
La crème dessert des beaux bébés.
TRANCHES DE VIE
TRANCHES DE VIE

12
13

ETHIOPIE

GOUVERNEMENTS SOLIDAIRES
OUVRIERS POLONAIS SOLITAIRES

14

PEROU
DES QUETCHUAS
DU 25 OCT. AU 6 NOV.
JEAN TIBERI
L'OPPOSITION
L'OPPOSITION
LIBRES
RESPONSABLES
DECIDES
GRENOBLE 1984

15

LES NANAS
URGENCE
CLINT EASTWOOD
LA CORDE RAIDE
PATHE CLICHY 1.2.3
PALACE
COTTON CLUB
LE TÉLÉPHONE SONNE TOUJOURS DEUX FOIS !!
ÇA N'ARRIVE QU'À MOI
LA COMPAGNIE DES LOUPS

16

J-P PLANCHOU
Député de PARIS
Reçoit :
-ici le lundi de 9h à 12h
-à la Mairie du XXe le vendredi de 17h à 19h
La permanence est ouverte :
le lundi
le mardi
le mercredi
le jeudi
de 15h à 19h

17

DEVANTURES
VITRINES
CUIVRERIES
ALUMINIUM
MOLYDAL COMPANY S.A
(FRANCE)
LUBRIFIANTS SPÉCIAUX
STEWART WARNER FRANCE S.A
ALEMITE THOR
TAPISSERIE DÉCORATION
Chibault

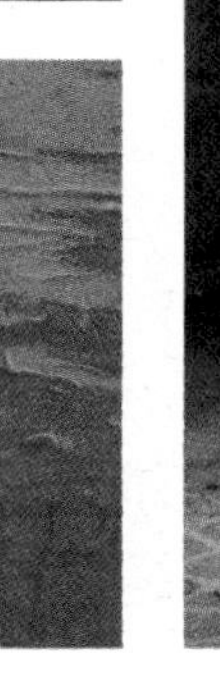
A SAISIR !
Rue des Pyrénées
Propriétaire vend Appartements
Studio 30m² ; 200000 FR
2 Pièces 35m² ; 260000 FR
R.I.R.G 544.26.30

18

19

MARDI 5 FÉVRIER 1985
20 H 30
J. CHIRAC
J. TOUBON
DICK UKEIWÉ
SALLE DE LA MUTUALITÉ
Avec
EUROPE 1
publication
phonogram

20

mairie de paris
informations
IMPROVISATION
THEATRALE
TOUS LES LUNDIS
A 20H30
AU BATACLAN
50, BD VOLTAIRE 11E
TEL: 700-30-12

21

ACHETE
comptant
au meilleur cours
TOUS BIJOUX
pièces or argent
PIERRES PRÉCIEUSES
ORFEVRERIES
ANCIENNES ou MODERNES
TOUS DEBRIS
OR ARGENT PLATINE
BIBELOTS • PETITS MEUBLES
C.H.A.M.P.
40, R. SAINT-PAUL - PARIS
Tél. : 272.20.77
URS DE
GREC
ODERNE

22

636.32-08
OUVERT
du LUNDI au VENDREDI
de 8h30 à 12h
14h à 18h30
SAMEDI de 8h30 à 12h
PAVILLON
A VENDRE
LE MAGASIN
EST OUVERT
LE SAMEDI
FORMATION
DE L'ACTEUR
THEATRE - CINEMA - VIDEO
COURS
Jean-Jacques MAHN
tél. 209.91.12
CLAIR D'USINE

23

Travaux financés
par l'Etat et par la
Région Ile de France
fonds
spécial
de
Grands Travaux
Le RER progresse
Nous construisons la gare "Saint MICHEL" de la ligne B du RER
en correspondance avec la ligne C du RER
La mise en service est prévue courant 1987
Travaux de gros oeuvre
Maître d'oeuvre
RATP
Direction des travaux neufs
Service NS1
21, Bd Bourdon 75004 PARIS
271.25.35
Informations
634.54.58
RATP

24

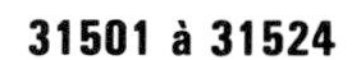

31501 à 31524

1

2

3

4

5

Fabrication Artisanale
La Carte
des Pains
6

HOTEL Saint Christophe
SAINT CHRISTOPHE
BOUCHERIE CHEVALINE
7

PM
PM
8

le mange tout
9

10

11

12

rue des Orteaux

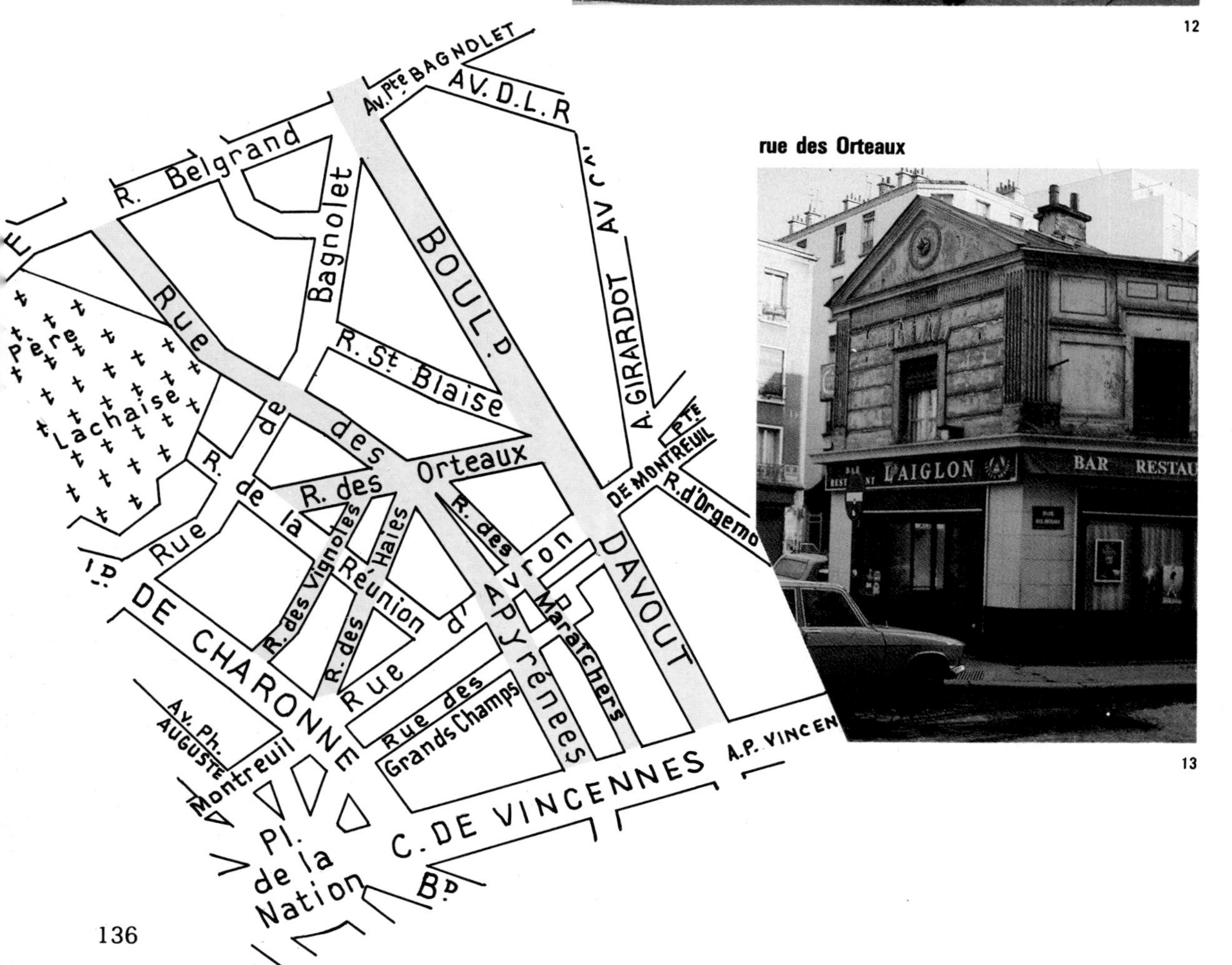

13

14

SANIVI
25
PLOMBERIE-CHAUFFAGE
MAÇONNERIE-CARREL

15

16

DÉCOUPAGE
EMBOUTISSAGE
Ets A. OLIVE
ELECTRICITE

17

RPR
TAPISSIER

18

19

20

21

22

23

24

1

81

AVIGNON - DIGNE

PNEU MICHELIN
46, Av. de Breteuil 75341 PARIS CEDEX 07
Tél. (1) 539 25 00

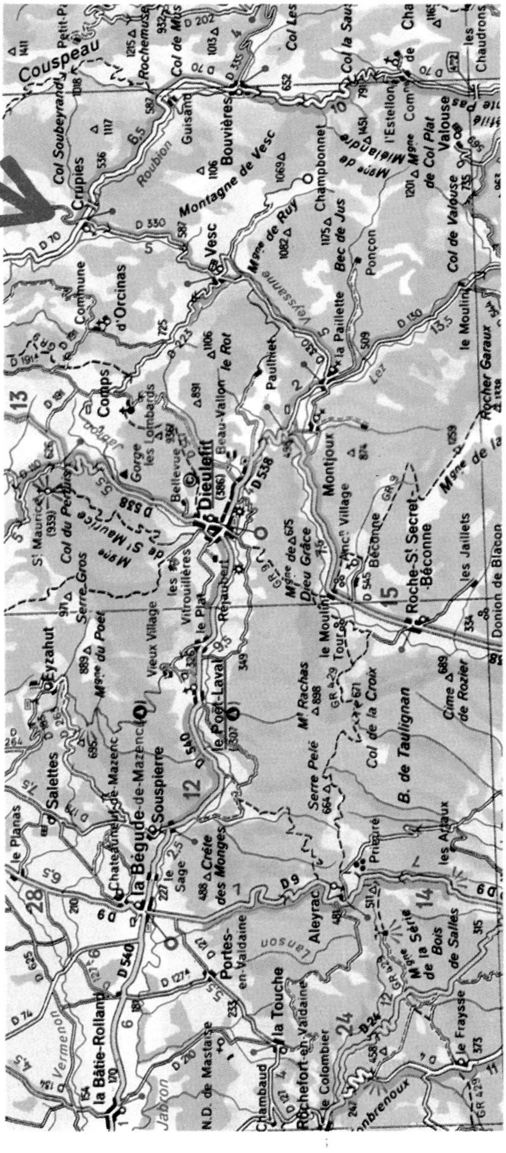

2

3

4

5

6

31801 à
31812
7
A
B
C
D
1
2
3
4
5
6
la Pie verte
les Vitrouillères
CREST
BOURDE
D538
CLINIQUE
BELLEVUE
Ancien chemin de Rochebaudin
chemin des Lots
chemin de Pouchain
LOT DU
SALERAS
Ruisseau de Saleras
d'Espeluche
Ruisseau de la Glacière
chemin des Plattes
LE JABRON
rue de Saleras
JUSTIN
JOUVE
Ravin de
LOT DE
LA BONNASSE
Route du Belvedère
le BELVEDERE
LOT DE REJAUBERT
le Jas
Pl. du
CHAMPS
de
MARS
Côte
MAISON
MEDICALE
"LE JAS"
Allée du Jas
ECOLE
Ste MARIE
HOPITAL
TRESOR
PUBLIC
rue Fontette
Ruiss
rue Garde Dieu
rue
Roger Morin
BOURG
PTT
Godefrais
rue Chinchourier
Rouvières
les 3
croix
Ch. des Plattes
COLLEGE
Voie des Ecoles
GENDARMERIE
VILLAGE
d'ENFANTS
REJAUBERT
GROUPE
SCOLAIRE
rue Bonnefoy
rue Reboul
rue Brugière
rue Gabriel Peri
ch. Verrerie
GARE ROUTIERE
Quai
rue Teinturier
FOYER
TEMPLE
Pl. CHATEAURAS
rue des RAYM
la Vieille Route
PARC
DES SPORTS
le Juncher
Avenue SADI CARNOT
le parol
rue Brun Larochette
ECOLE MAT
Pl. BRUN
LAROCHETTE
PARC
de la
BEAUME
PISCINE
CAMPING
LES Gds PRES
CIMETIERE
N.D. de la
CALLE
Vieille Route de Montelimar
le Faux
TENNIS
LOT
ARTISANAL
MONTELIMAR
LE JABRON
D540
Garage
BENOIT
Route des Bas Hubacs
Route
le grand moulin
Graveyron
ETS CAVET
PEIR JAVOL
Provence
Arts
Publicité

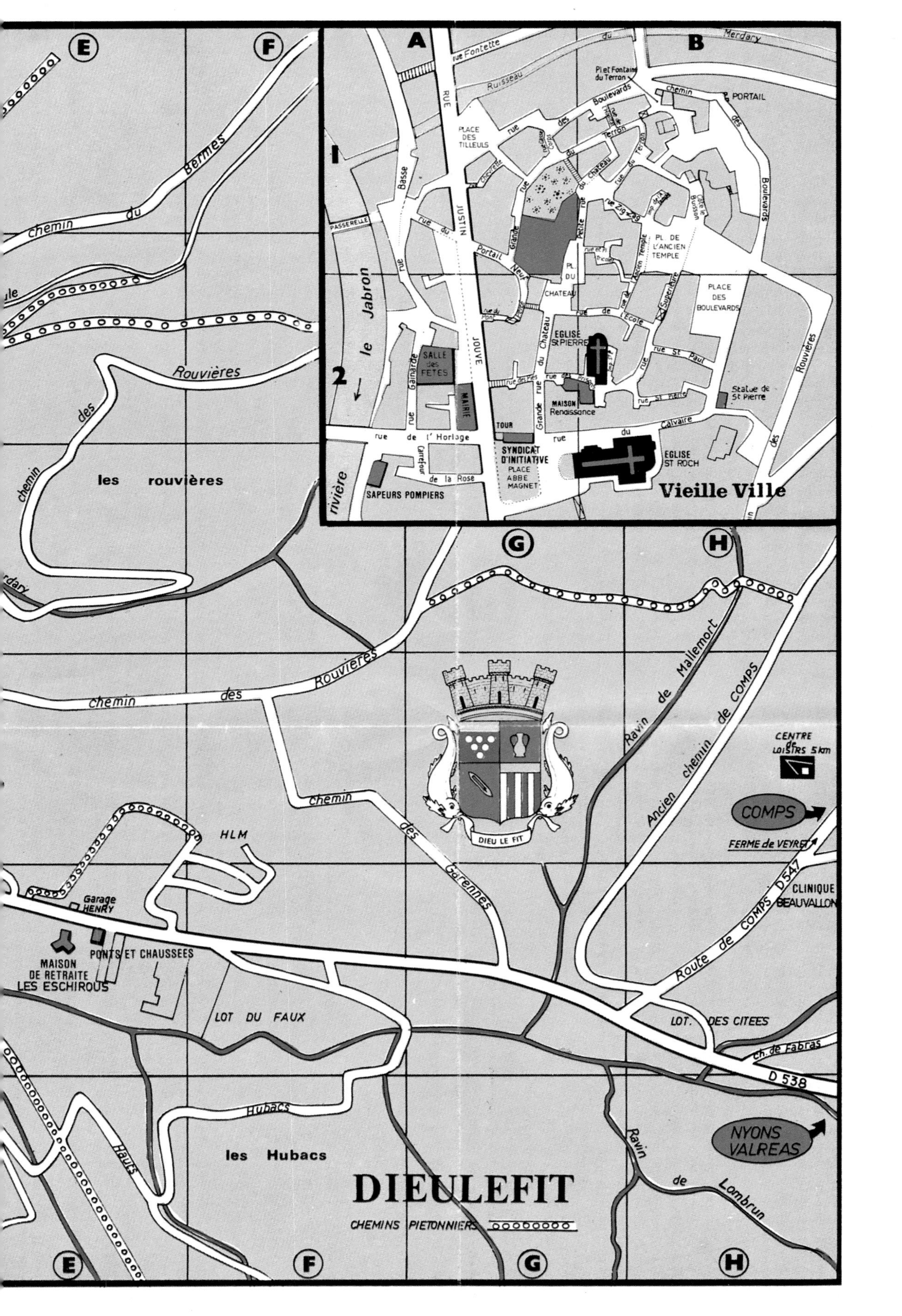

DIEULEFIT
CHEMINS PIETONNIERS
Vieille Ville
A
B
E
F
G
H
1
2
rue Fontette
Ruisseau du Merdary
Pl et Fontaine du Terron
chemin
PORTAIL
Boulevards
PLACE DES TILLEULS
RUE JUSTIN JOUVE
rue Basse
PASSERELLE
rue du Portail Neuf
Grande rue
Petite rue du Chateau
rue Zig-Zag
PL DE L'ANCIEN TEMPLE
PL DU CHATEAU
PLACE DES BOULEVARDS
rue de l'Ecole
Superieure
EGLISE St PIERRE
rue St Paul
le Jabron
SALLE des FETES
MAIRIE
rue Gainarde
Statue de St Pierre
MAISON Renaissance
TOUR
rue de l'Horlage
rue du Calvaire
SYNDICAT D'INITIATIVE
PLACE ABBE MAGNET
EGLISE ST ROCH
Carrefour de la Rose
SAPEURS POMPIERS
rivière
chemin du Bermes
chemin des Rouvières
les rouvières
Merdary
chemin des Garennes
Ravin de Mallemort
Ancien chemin de COMPS
CENTRE de LOISIRS 5 km
COMPS
FERME de VEYRET
CLINIQUE BEAUVALLON
Route de COMPS D547
DIEU LE FIT
HLM
Garage HENRY
MAISON DE RETRAITE LES ESCHIROUS
PONTS ET CHAUSSEES
LOT DU FAUX
LOT. DES CITEES
ch. de Fabras
D 538
NYONS VALREAS
Hubacs
Hauts
les Hubacs
Ravin de Lombrun

8

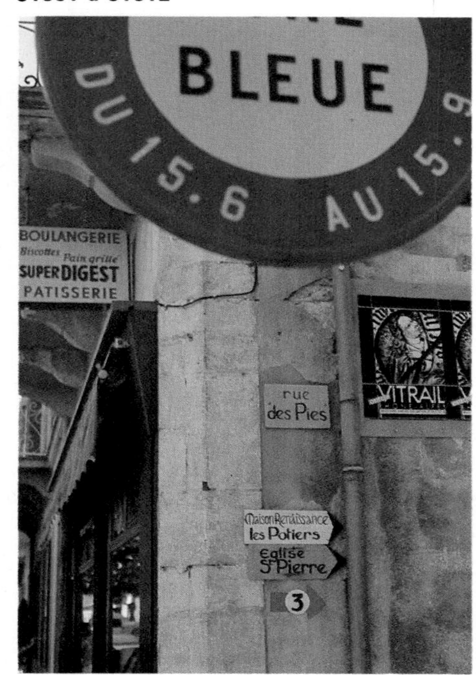

BLEUE
DU 15.6 AU 15.9
BOULANGERIE
Biscottes Pain grillé
SUPER DIGEST
PATISSERIE
rue
des Pies
VITRAIL
Maison Renaissance
les Potiers
Eglise
St Pierre
3

9

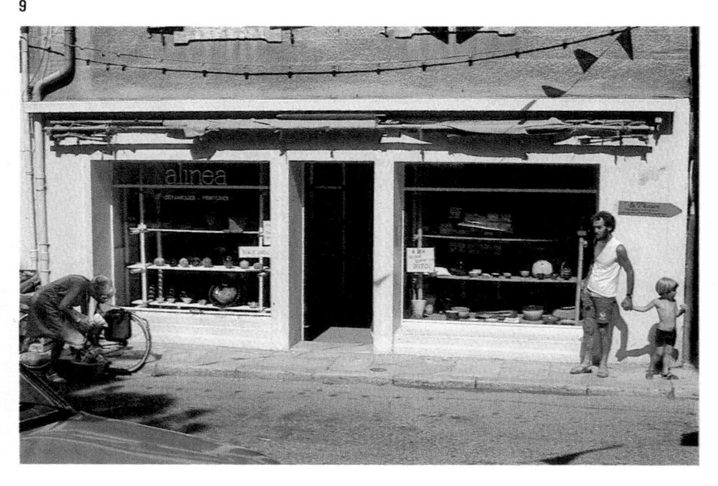

alinea

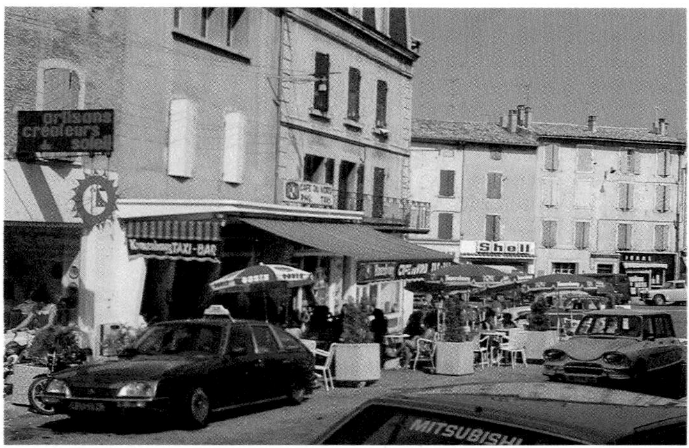

artisans
créateurs
soleil
TAXI-BAR
Shell
MITSUBISHI

10

11

12

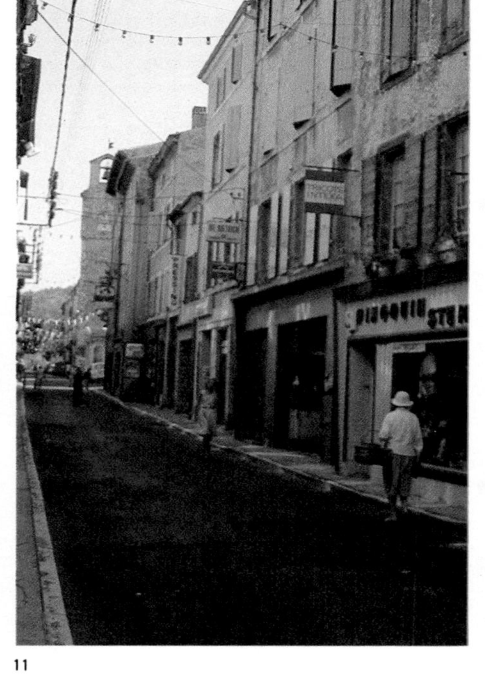

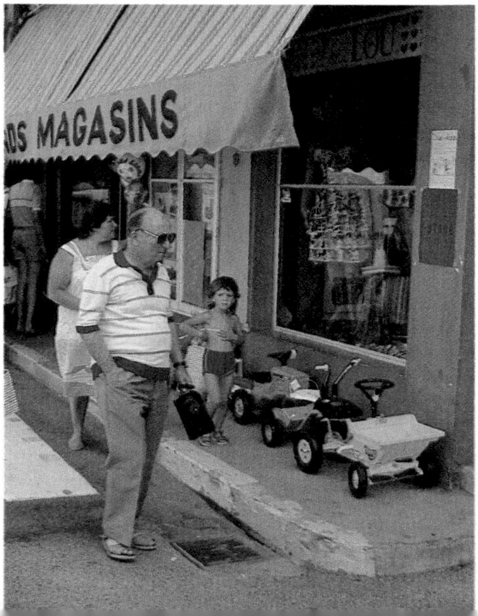
MAGASINS

316. Les timbres et l'histoire

Beaucoup de timbres-poste ont des sujets historiques et commémorent les grands hommes et les grands événements de l'histoire nationale. Mais les timbres témoignent aussi de leur époque ; ils traduisent un peu de son atmosphère. Pour mieux saisir ce que les timbres disent, on comparera ici ceux des années 1943, 1963 et 1983. Quelques-unes des mutations de la société française apparaîtront ainsi.

Documents
3161
3162
3163
Catalogue de timbres-poste
1984, tome 1,
Ed. Yvert et Tellier

1. Pour affranchir le courrier ou les colis postaux, un nombre limité de timbres suffirait. Pourquoi toutes les administrations des postes multiplient-elles les émissions de timbres ?

2. Regardez ces trois séries de timbres. A l'aide de leurs légendes ou du titre de la série, essayez de comprendre la nature du sujet représenté. Quelles impressions d'ensemble retirez-vous de chacune d'elles ? Ces séries sont-elles semblables ?

3161

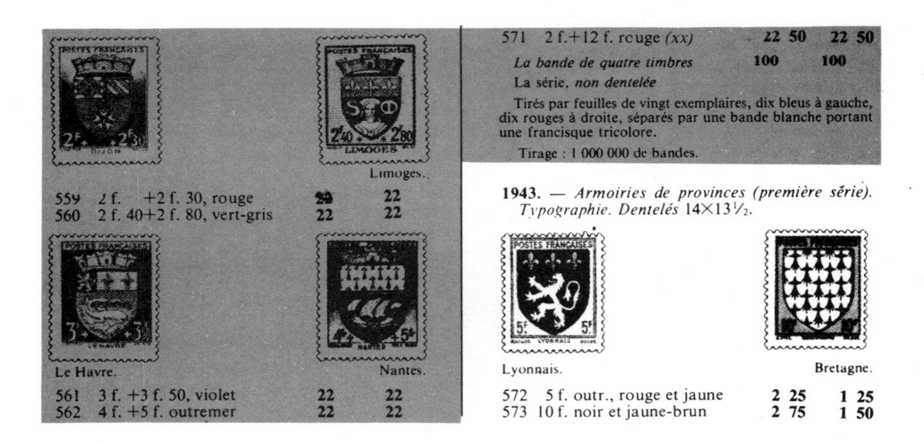

Limoges.

559 2 f. +2 f. 30, rouge [illegible] 22
560 2 f. 40+2 f. 80, vert-gris 22 22

Le Havre. Nantes.

561 3 f. +3 f. 50, violet 22 22
562 4 f. +5 f. outremer 22 22

571 2 f.+12 f. rouge *(xx)* 22 50 22 50
La bande de quatre timbres 100 100
La série, *non dentelée*
Tirés par feuilles de vingt exemplaires, dix bleus à gauche, dix rouges à droite, séparés par une bande blanche portant une francisque tricolore.
Tirage : 1 000 000 de bandes.

1943. — *Armoiries de provinces (première série). Typographie. Dentelés* 14×13½.

Lyonnais. Bretagne.

572 5 f. outr., rouge et jaune 2 25 1 25
573 10 f. noir et jaune-brun 2 75 1 50

Provence.

Ile-de-France.

574	15 f. outr., rouge et jaune	13 50	9
575	20 f. brun, outr. et jaune	8 25	6
	La série, *non dentelée*	166	

Tirages : 39 500 000, 45 350 000, 12 000 000 et 10 600 000.

Sans impression rouge dans l'écusson

572a	5 f. outr. et jaune	560

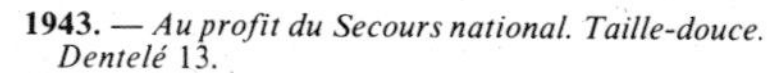

1943. — *Au profit du Secours national. Taille-douce. Dentelé* 13.

584	1 f. 50+3 f. 50, noir	3 75	3 75
	a. *(Non dentelé)*	225	

Tirage : 1 150 000.

1943. — *Au profit du Secours national. Taille-douce. Dentelés* 13.

576	1 f. 20+1 f. 40, violet-brun	75	75
577	1 f. 50+2 f. 50, rouge	75	75
578	2 f. 40+7 f. brun	75	75
579	4 f.+10 f. violet-brun	75	75
580	5 f.+15 f. rouge-brun	75	75
	Nos 576 à 580 (5 val.)	375	375

Tirés par feuilles de vingt-cinq (5×5). Chaque bande horizontale comporte les cinq valeurs, dans l'ordre des numéros.

La bande de cinq timbres	450	450
La série, *non dentelée*		

Tirage : 1 075 000 bandes.

ak

Le lac Lérié et la Meije.

al

1943. — *Type* **ak**. *Antoine Laurent de Lavoisier (1743-1794) (d'après David). Taille-douce. Dentelé* 14×13.

581	4 f. bleu	1	1
	a. *(Non dentelé)*	45	

Tirage : 2 610 000.

1943. — *Type* **al**. *Paysage du Dauphiné. Taille-douce. Dentelé* 13.

582	20 f. vert foncé	4	4
	a. *(Non dentelé)*	175	

Tirage : 1 675 000.

1943. — *Cinquième centenaire de l'Hôtel-Dieu de Beaune. Taille-douce. Dentelé* 13.

Nicolas Rolin (1380-1461) et Guigone de Salins, d'après Roger de La Pasture (Van der Weyden), et porche de l'Hôtel-Dieu.

583	4 f. bleu	2	2
	a. bleu-gris	15	15
	b. bleu gris, impression défectueuse		
	c. bleu-noir	7 50	5
	d. *(Non dentelé)*	150	

Tirage : 2 450 000.

1943. — *Au profit de la famille du prisonnier. Taille-douce. Dentelés* 13.

585	1 f. 50+8 f. 50, gris-brun	6	6
586	2 f. 40+7 f. 60, vert	6	6
	La paire, *non dentelée*	400	

Tirages : 1 190 000 et 1 050 000, dont 1 000 000 de paires vendues.

1943. — *Célébrités du XVI*^e^ *siècle. Taille-douce. Dentelés* 13.

Michel Eyquem de Montaigne (1533-1592), moraliste.

François Clouet (1520-1572), peintre. Autoportrait.

587	60 c.+80 c. vert-bleu	13	13
588	1 f. 20+1 f. 50, noir	13	13

Ambroise Paré (1510-1590), chirurgien.

Pierre Terrail, seigneur de Bayard (1476-1524).

589	1 f. 50+3 f. outremer	13	13
590	2 f. 40+4 f. rouge	14	14

Maximilien de Béthune, baron de Rosny, duc de Sully (1560-1641).

Henri IV (1553-1610).

591	4 f.+ 6 f. brun-rouge	16	16
592	5 f.+10 f. vert	16	16
	N°s 587 à 592 (6 val.)	85	85
	La série, *non dentelée*	800	
	Tirage : 1 000 000 de séries.		

1943. — *Coiffes régionales. Au profit du Secours national. Taille-douce. Dentelés* 13.

Picardie.

Bretagne.

593	60 c.+1 f. 30, brun	15	15
594	1 f. 20+2 f. violet	15	15

Ile-de-France

Bourgogne.

595	1 f. 50+4 f. bleu-vert	15	15
596	2 f. 40+5 f. carmin	15	15

Auvergne.

Provence.

597	4 f.+6 f. bleu	20	20
598	5 f.+7 f. rouge	20	20
	N°s 593 à 598 (6 val.)	100	100
	La série, *non dentelée*	800	
	Tirage : 1 030 000, dont 1 000 000 de séries vendues.		

3162

fy

fz

1963. — *Type* ***fy****. Bathyscaphe « Archimède ». Taille-douce. Dentelé* 13.

1368	30 c. bleu et noir	2 25	2
	a. *(Non dentelé)*	165	
	Tirage : 5 400 000.		

1963. — *Type fz. Floralies nantaises. Taille-douce. Dentelé* 13.

1369	30 c. polychrome	2 25	2
	a. *(Non dentelé)*	150	
	Tirage : 5 450 000.		

1963. — *Célébrités. Surtaxe au profit de la Croix-Rouge. Taille-douce. Dentelés* 13.

Jacques Amyot (écrivain, 450e anniversaire de sa naissance).

Étienne Méhul (compositeur, bicentenaire de sa naissance).

1963. — *Exposition philatélique internationale « PHILATEC 1964 », à Paris (Prélude). Taille-douce. Dentelé* 13.

Le Grand Palais. Cheval de Marly, aux Champs-Élysées.

1403	25 c. gris, rouge et vert	1 50	0 75
	a. *(Non dentelé)*	185	
	Tirage : 52 525 000.		
	Voir également les n°s 1414 à 1417 et le n° 1422 émis en 1964.		

1370	20 c. +10 c. brun-lilas, gris et violet	10	10
1371	20 c.+10 c. rouge, bleu et brun-rouge	12	12

Pierre de Marivaux (écrivain, bicentenaire de sa mort).

Nicolas Vauquelin (chimiste, bicentenaire de sa naissance).

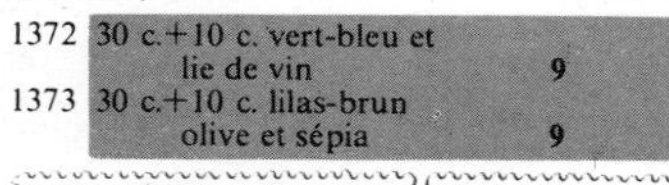

1372	30 c.+10 c. vert-bleu et lie de vin	9	9
1373	30 c.+10 c. lilas-brun olive et sépia	9	9

Jacques Daviel (chirurgien, bicentenaire de sa mort).

Alfred de Vigny (poète, centenaire de sa mort).

1374	50 c.+20 c. bleu, jaune-brun et olive	10	10
1375	50 c.+20 c. brun-noir, bleu-gris et sépia	15	15
	N°s 1370 à 1375 (6 val.)	65	65
	La série, *non dentelée*	350	

Tirages : 1 950 000, 1 900 000, 1 950 000, 1 900 000, 1 950 000 et 1 900 000.

1963. — *Oeuvres d'art. Taille-douce. Dentelés* 12½ × 13.

Lutte de Jacob avec l'Ange, de Delacroix.

Vitrail de l'Église Sainte-Foy, à Conches.

1376	50 c. polychrome	27 50	20
1377	1 f. polychrome	42 50	32 50
	La paire, *non dentelée*	1100	

Tirages : 4 290 000 et 3 622 500.

Char de poste gallo-romain.

ga

1963. — *Type* ***ga****. Journée du Timbre. Surtaxe au profit de la Croix-Rouge. Taille-douce. Dent.* 13.

1378	20 c.+5 c. lilas-brun et bistre	2 25	2 25
	a. *(Non dentelé)*	70	

Tirage : 3 000 000.

1963. — *Type* ***gb****. Campagne mondiale contre la faim. Taille-douce. Dentelé* 13.

1379	50 c. vert-noir et br.-rouge	2 75	2 25
	a. *(Non dentelé)*	165	

Tirage : 5 050 000.

1963. — *Hauts lieux de la Résistance. Taille-douce. Dentelés* 13.

A la mémoire des résistants des Glières (Haute-Savoie).

A la mémoire des déportés, monument de Paris.

1380	30 c. brun-violet et olive	2 75	2 75
1381	50 c. bleu-noir	3 25	3 25
	La paire, *non dentelée*	150	

Tirages : 5 460 000 et 5 655 000.

1963. — *Grands hommes de la Communauté Économique Européenne. Taille-douce. Dent.* 13.

Ludwig van Beethoven, musicien allemand (1770-1827).

Emile Verhaeren, poète belge (1855-1916).

1382	20 c. vert, bl.-noir et br.-jne	2 50	2 50
1383	20 c. grenat, noir et violet	2 50	2 50

F. Mazzini, homme d'État italien.

Émile Mayrisch, diplomate luxembourgeois.

1384	20 c. olive, bleu-noir et brun-carminé	2 50	2 50
1385	20 c. brun-jaune, sépia et brun carminé	2 50	2 50

Hugo de Groot, homme d'État néerlandais.

1386	30 c. brun-jne, violet et sépia	2 50	2 50
	N°s 1382 à 1386 (5 val.)	12 50	12 50
	La série, *non dentelée*	500	

Tirages : 6 000 000, 6 250 000, 6 600 000, 6 100 000 et 5 150 000.

Hôtel des Postes, en 1863.

gc

Lycée Louis le Grand.

gd

1963. — *Type* ***gc****. Centenaire de la 1re Conférence postale internationale, à Paris. Taille-douce. Dentelé* 13.

1387	50 c. sépia	3	2 50
	a. *(Non dentelé)*	275	

Tirage : 5 580 000.

1963. — *Type* **gd.** *4e centenaire du Lycée Louis le Grand, à Paris. Taille-douce. Dentelé 13.*

1388	30 c. vert foncé	2 25	2
	a. *(Non dentelé)*	75	
	Tirage : 7 295 000.		

1963. — *Congrès de la Fédération des sociétés philatéliques françaises, à Caen. Taille-douce. Dentelé 13.*

Église Saint-Pierre et donjon du château.

1389	30 c. gris-bleu et brun	2 25	2 25
	a. *(Non dentelé)*	75	
	Tirage : 6 620 000.		

1963-65. — *Série touristique. Taille-douce. Dentelés 13.*

Château d'Amboise.

Côte d'Azur varoise.

1390	30 c. bleu-gris, vert et ocre	2	0 75
1391	50 c. bleu-noir, rouge-brun et vert	3	0 50

Saint-Flour.

Tour de César, à Provins.

1392	60 c. bleu, vert et rouge-brun	3 50	2 25
1392A	70 c. gris, vert-bleu et rose	3	0 50

Vittel.

Abbaye de Moissac.

1393	85 c. vert-jaune, vert et violet-brun	9	1 25
1394	95 c. sépia et gris	6	1 50

Chapelle de Notre-Dame du Haut, à Ronchamp.

1394A	1 f. 25, bl., vert-noir et ol.	6	2 25
	Nos 1390 à 1394A (7 val.)	32 50	9
	La série, *non dentelée*	450	

Tirages : 82 250 000, 74 250 000, 47 690 000, 279 535 000, 29 240 000, 19 830 000 et 19 650 000.

Un 40 c. au type du 1 f. 25 a été émis en 1965 (no 1435).

ge

gf

1963. — *Type* **ge.** *Championnats du monde de ski nautique, à Vichy. Taille-douce. Dentelé* 13.

1395	30 c. vert fcé, noir et rouge	2	1 50
	a. *(Non dentelé)*	225	
	Tirage : 6 515 000.		

1963. — *Type* **gf.** *Europa. Taille-douce. Dentelés* 13.

1396	25 c. brun-rouge	1 75	1
1397	50 c. vert-bleu	2 75	2
	La paire, *non dentelée*	450	
	Tirages : 19 435 000 et 10 765 000.		

1963. — *Taille-douce. Dentelés* 12½×13.

Les mariés de la Tour Eiffel, de Chagall.

Les marchands de fourrures, vitrail de la cathédrale de Chartres.

1398	85c. polychrome	13	9
1399	95 c. polychrome	7	5
	La paire, *non dentelée*	1100	
	Tirages : 4 435 000 et 4 292 500.		

1963. — *Centenaire de la Croix-Rouge internationale. Surtaxe au profit de la Croix-Rouge française. Croix en rouge. Taille-douce. Dent.* 13.

L'enfant à la grappe, par David d'Angers (1788-1856).

Le fifre, par Manet (1832-1883).

1400	20 c.+10 c. noir	4	4
1401	25 c. +10 c. vert foncé	4	4
	La paire, *non dentelée*	300	
	Tirage : 2 100 000 paires.		
	Ont été aussi émis en carnets (tirage : 300 700).		

1963. — *Maison de la Radiodiffusion-Télévision, à Paris. Taille-douce. Dentelé* 13.

1402	20 c. bleu, bistre, vert et rge	1 25	1
	a. *(Non dentelé)*	75	
	Tirage : 9 660 000.		

1983. — *Région. Héliogravure. Dentelé* 13.

Provence-Alpes-Côte d'Azur.

2252	1 f. multicolore	2	0 75
	a. *(Non dentelé)*	55	
	Tirage : 10 000 000.		

1983. — *Série touristique. Taille-douce. Dentelés* 13.

Brantôme en Périgord.

Concarneau, remparts de la Ville-close.

2253	1 f. 80, vert foncé, bleu foncé, et brun-rouge	3 25	0 50
2254	3 f. brun foncé et bleu vert	5	1 50

Abbaye de Noirlac, Bruère Allichamps (Cher).

2255	3 f. 60,	6	2
	La série, *non dentelée*		
	Tirages : 10 000 000, 8 000 000, 8 000 000.		

1983. — *500ᵉ anniversaire de la naissance de Martin Luther (1483-1546), théologien et réformateur. Taille-douce. Dentelé* 13 × 121/2.

Portrait, d'après Lucas Cranach.

2256	3 f. 30, bistre et brun	6 75	2
	a. *(Non dentelé)*	135	
	Tirage : 8 000 000.		

1983. — *Centenaire de l'Alliance française. Taille-douce. Dentelé* 13.

Symboles.

2257	1 f. 80, bleu, br. et rouge	3 25	0 75
	a. *(Non dentelé)*	80	
	Tirage : 10 000 000.		

1983. — *Journée du timbre. Oeuvre de Rembrandt. Taille-douce. Dentelé* 13.

« Homme dictant une lettre ».

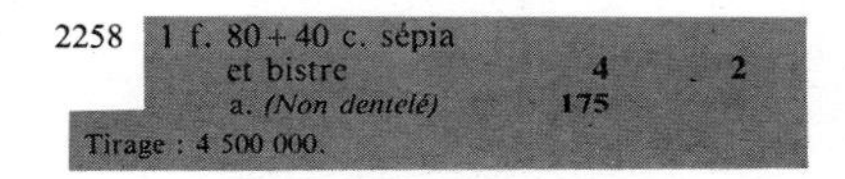

2258	1 f. 80 + 40 c. sépia et bistre	4	2
	a. *(Non dentelé)*	175	
	Tirage : 4 500 000.		

1983. — *Hommage à la femme. Journée internationale de la femme. Taille-douce. D.* 13.

Danielle Casanova, résistante morte en déportation.

2259	3 f. noir et brun-rouge	6	1 50
	a. *(Non dentelé)*	65	
	Tirage : 7 000 000.		

1983. — *Année mondiale des communications. Héliogravure. Dentelé* 13.

2260	2 f. 60, multicolore	4 75	2
	a. *(Non dentelé)*	75	
	Tirage : 8 000 000.		

1983. — *Bicentenaire de l'air et de l'espace. Premières ascensions de l'homme dans l'atmosphère. Héliogravure. Dentelés* 13.

Sujets : 2 f. 1ʳᵉ ascension en montgolfière à air chaud par Pilâtre de Rozier et le marquis d'Arlandes ; 3 f. 2ᵉ ascension en ballon à hydrogène par J. Charles et M.N. Robert.

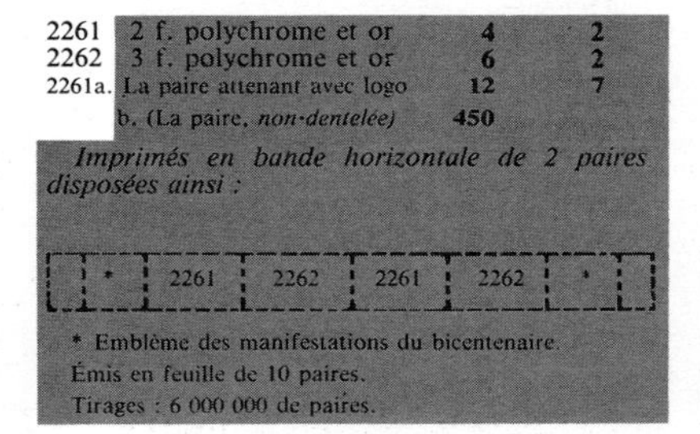

2261	2 f. polychrome et or	4	2
2262	3 f. polychrome et or	6	2
2261a.	La paire attenant avec logo	12	7
	b. (La paire, *non-dentelée*)	450	

Imprimés en bande horizontale de 2 paires disposées ainsi :

*	2261	2262	2261	2262	*

* Emblème des manifestations du bicentenaire.
Émis en feuille de 10 paires.
Tirages : 6 000 000 de paires.

1983. — *Série « Création philatélique ». Héliogravure. Dentelé* 13.

« Aurora-Set », œuvre de Dewasne.

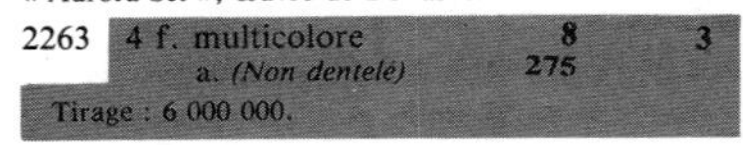

2263	4 f. multicolore	8	3
	a. *(Non dentelé)*	275	
	Tirage : 6 000 000.		

1983. — *Série artistique. Taille-douce. Dentelés* 12 1/2 × 13.

« Vénus et Psyché », œuvre de Raphaël.

Illustration des Contes de Perrault, œuvre de Gustave Doré

2264	4 f. brun-orange et brun clair	8	3
	a. *(Non dentelé)*	325	
2265	4 f. multicolore	7	3
	a. *(Non dentelé)*	325	
	Tirages : 6 000 000 pour chaque valeur.		

1983. — *Flore et faune de France (I). Fleurs de montagne. Taille-douce. Dentelés* 12 1/2.

Carline (Carlina flore rubente).

Martagon (Lilium montanum).

2266	1 f. multicolore	1 75	1
2267	2 f. multicolore	3 50	1

Aster (Aster montanus cœruleus).

Aconit (Aconitum pyrenaicum).

2268	3 f. multicolore	5 25	1 25
2269	4 f. multicolore	7	1 50
	La série, *non dentelée*	400	
	Tirages : 8 000 000 pour chaque valeur.		

1983. — *Europa. Les grandes œuvres du génie humain. Taille-douce. Dentelés* 13.

La photographie.

Le cinéma.

2270	1 f. 80, brun foncé et brun-rouge	3 75	1
2271	2 f. 60, brun foncé et brun-rouge	5 25	2
	La paire, *non dentelée*	275	
	Tirages : 12 000 000 et 8 000 000.		

1983. — *Convention de Paris pour la protection de la propriété industrielle. Héliogravure. Dent.* 13.

2272	2 f. polychrome	4	1 25
	a. *(Non dentelé)*	65	
	Tirage : 8 000 000.		

1983. — *Congrès national de la Fédération des Sociétés philatéliques françaises, à Marseille. Taille-douce. Dentelé* 13.

Vieux-Port et Notre-Dame-de-la-Garde.

2273	1 f. 80, bleu et rouge	3 25	1 25
	a. *(Non dentelé)*	60	
	Tirage : 8 000 000.		

1983. — *Type « Liberté ». Deux bandes de phosphore. Taille-douce. Dentelés* 13.

2274	2 f. rouge	4	0 50
2275	2 f. 80, bleu	5 50	0 75
2276	10 f. violet	17 50	0 75
	Provenant de roulettes. Dent. 13 *horizontalement.*		
2277	2 f. rouge (2 bandes de phosphore)	4 50	1 50
	a. (N° rouge au verso)	8	

1983. — *50ᵉ anniversaire de la création de la Compagnie Air-France. Héliogravure. Dent.* 13.

2278	3 f. 45,	6	2 50
	a. *(Non dentelé)*	175	
	Tirage : 6 500 000.		

147

1983. — *Personnages célèbres. Taille-douce. Dentelés* 13.

André Messager (1852-1929), compositeur et chef d'orchestre.

Jacques-Ange Gabriel (1698-1782), architecte.

2279	1 f. 60 + 30 c. noir et bleu	4 50	4 50
2280	1 f. 60 + 30 c. orange et noir	4	4

Hector Berlioz (1803-1869), compositeur.

2281	1 f. 80 + 40 c. noir et viol.	5	5

1983

Max-Pol Fouchet (1913-1980), écrivain.

2282	1 f. 80 + 40 c. rouge, et noir	5	5

René Cassin (1887-1976), juriste. (Prix Nobel de la paix, 1968).

2283	2 f. + 40 c. vert et noir	5	5
	Nos 2279 à 2284 (6 val.)	28 50	28 50
	Tirage : 3 000 000 de séries.		

3. Année par année, identifiez clairement les sujets à l'aide, si nécessaire, d'informations complémentaires (utilisez un dictionnaire). Relevez, sur ces timbres, les indications écrites qui ne servent pas à identifier ce qui est représenté.

a - Indication d'origine : par exemple, 1943 « Postes françaises » (nos 574-75), etc.
Quelle signification peut-on donner à ces variations ?

b - 1963 (no 1368) : « Record de plongée » ;
Continuez avec les nos 577-79, 1381, 2257.
En quoi les indications qui figurent sur les timbres nos 577-79 sont-elles différentes de celles qui apparaissent sur les précédents ?

c - Au profit de quelles organisations sont émis les timbres à surtaxe ?

4. Classez ensuite ces timbres dans des séries aussi homogènes que possible. Certaines catégories sont communes à deux ou trois années, lesquelles ? Exemples de catégories : art, hommes célèbres, etc.

5. Pourquoi faudrait-il classer à part :
– les timbres 576 et 580 (de 1943) qui représentent le maréchal Pétain ?
– les timbres 577-579 et 584-586 ?
– la série 2266-69 : « fleurs de montagne » ?
Qu'est-ce que chacun de ces trois groupes évoque ?

6. Pour les catégories qui sont communes à deux années (ou aux trois), examinez les différences qui semblent révélatrices.

a - Évocation de la diversité du territoire national (région, sites).

	France rurale	France administrative	France touristique
1943			
1963			
1983			

Dans cette catégorie, quels sont les timbres qui se rapportent le plus nettement à l'Ancien Régime (avant 1789), aux grandes vacances et aux cartes postales ?
Que peut indiquer cette évolution dans la représentation des paysages français ?

b - Personnages célèbres.
Construisez un tableau qui fasse apparaître, pour chacune des trois années 1943, 1963 et 1983, les indications suivantes :
— personnages français, personnages étrangers,
— leur domaine,
— leur époque : contemporains ou historiques,
— le style de l'effigie.
Là aussi, on peut voir apparaître certaines tendances, moins clairement cependant que dans le groupe précédent. Dites lesquelles.

c - Commémorations, événements contemporains.
Cet ensemble est moins homogène. Pourtant :
— certains timbres s'inscrivent dans un cadre international. Lesquels ? Par exemple, en 1963, « Europa » ; en 1983, « Année mondiale des communications », etc.
— d'autres évoquent le monde des techniques et de l'économie. Lesquels ? Par exemple, en 1963, le bathyscaphe, etc.

Que peut-on déduire de ces différences entre les trois années ?

7. Examinez maintenant les catégories qui ne se retrouvent pas sur plusieurs années ou qui ne comportent que peu d'éléments.

a - Quels détails des timbres de 1943 permettent de reconstituer, directement ou indirectement, des « caractéristiques » de cette époque ? Par exemple, guerre-bombardements (584), etc.

b - Les timbres qui se rapportent aux arts plastiques apparaissent en 1963 et en 1983. Lesquels vous semblent célébrer des œuvres connues ? Lesquels vous semblent destinés à faire connaître des œuvres et des formes d'art mal connues du grand public ?

8. Parmi les timbres de ces trois années, lesquels vous semblent des timbres de propagande, lesquels des timbres éducatifs ?

9. Réunissez toutes les observations et les interprétations précédentes. Essayez d'en tirer une image d'ensemble de l'évolution de la société française pendant ces quarante années.

	1943	1963	1983
Type de constitution			
Importance de l'agriculture			
Importance de l'industrie			
Tourisme			
Civilisation rurale			
Civilisation des loisirs			
Propagande			
Éducation			
Ouverture vers l'extérieur			
Ouverture à la modernité			

Pouvez-vous localiser la période pendant laquelle la France, grand pays agricole, est devenue une puissance industrielle et commerciale, transformation profonde qui a aussi affecté sa structure sociale et ses systèmes de valeurs ?

10. Comparez la représentation que vous avez établie à l'aide de ces timbres aux indications chronologiques **(CHRONOLOGIES 600)**. En quoi vous semble-t-elle conforme à l'évolution réelle de la société française ? Dans quels domaines ces quelques timbres sont-ils muets ? ■

317. Familles politiques

La vie politique française s'organise traditionnellement autour de quatre grands partis dont chacun peut, à un moment ou à un autre, occuper le pouvoir. Si on leur ajoute un parti d'extrême-droite qui a récemment obtenu un certain succès, 85 % de l'électorat français est représenté par ces organisations. Leur composition et leur idéologie ont fait l'objet de nombreuses études, mais il est possible de les caractériser globalement à partir de l'image que chacune donne d'elle-même à l'occasion des différentes élections.

Documents
31701 à 31704
Quatre bulletins électoraux

1. De quelle élection s'agit-il ? A quelle date a-t-elle eu lieu ? Quelle expression, à la fin des **listes 1** et **3**, prouve qu'il s'agit d'un document officiel ?

2. Quels partis sont ici en présence ? Précisez-le pour chacune des listes.
En examinant son titre, dites quelles sont les deux particularités de la **liste 3**.
(L'une de ces particularités est mise en valeur pour les caractéristiques des candidats 2 et 3.)
Pouvez-vous donner le sens de :
UDF : U---- pour la D--------- F--------
RPR : R------------ Pour la R---------

3. Observez ces listes et dégagez leurs points communs en ce qui concerne :
a - le nombre de candidats,
b - le classement des candidats.
Qu'en déduisez-vous sur le mode de scrutin de ces élections : qui sera élu, et en fonction de quel facteur ?

4. Relevez les éléments qui identifient chaque candidat et, en parcourant plus particulièrement les **listes 1** et **4**, établissez-en l'inventaire.
a - état civil : nom, prénom;
b -
c - fonctions (précisez);
etc.

Election des représentants à l'Assemblée des communautés européennes

Scrutin du 17 juin 1984 **Bulletin de vote**

Liste présentée par le Parti communiste français

1/**Georges Marchais**
Métallurgiste, député à l'Assemblée européenne, député du Val-de-Marne, secrétaire général du Parti communiste français (**Val-de-Marne**).

2/**Danielle De March**
Employée, vice-présidente de l'Assemblée européenne, conseillère générale (**Var**).

3/**René Piquet**
Métallurgiste, président des élus communistes et apparentés français à l'Assemblée européenne, membre du Bureau politique (**Haute-Garonne**).

4/**Paul Vergès**
Journaliste, député à l'Assemblée européenne, maire du Port, secrétaire général du Parti communiste réunionnais (**La Réunion**).

5/**Emmanuel Maffre-Baugé**
Viticulteur, député à l'Assemblée européenne, ex-responsable national paysan, écrivain, sans appartenance politique (**Hérault**).

6/**Jacqueline Hoffmann**
Soudeuse, députée à l'Assemblée européenne (**Yvelines**).

7/**Pierre Pranchère**
Cultivateur, député à l'Assemblée européenne, conseiller général (**Corrèze**).

8/**Francis Wurtz**
Professeur, député à l'Assemblée européenne (**Bas-Rhin**).

9/**Robert Chambeiron**
Haut fonctionnaire au ministère des Finances, député à l'Assemblée européenne, secrétaire général de l'Union progressiste, secrétaire général adjoint du Conseil national de la résistance.

10/**Maxime Gremetz**
Métallurgiste, député à l'Assemblée européenne, membre du Bureau politique (**Somme**).

11/**Sylvie Leroux**
Chercheur scientifique, députée à l'Assemblée européenne (**Finistère**).

12/**Louis Baillot**
Ingénieur A.M., député à l'Assemblée européenne, conseiller de Paris (**Paris**).

13/**Yves Coquelle**
Carreleur, maire de Rouvroy, conseiller régional du Nord-Pas-de-Calais (**Pas-de-Calais**).

14/**Henriette Poirier**
Institutrice, député à l'Assemblée européenne (**Gironde**).

15/**René Chevailler**
Ouvrier, conseiller général, conseiller municipal de Lyon (**Rhône**).

16/**Maurice Martin**
Cheminot, député à l'Assemblée européenne, conseiller général (**Aude**).

17/**Gisèle Moreau**
Employée de banque, conseillère de Paris, membre du Bureau politique (**Paris**).

18/**Dominique Bucchini**
Professeur, député à l'Assemblée européenne, vice-président de l'Assemblée régionale de Corse, maire de Sartène (**Corse-Sud**).

19/**André Lajoinie**
Cultivateur, député, président du groupe communiste à l'Assemblée nationale, conseiller régional d'Auvergne, membre du Bureau politique (**Allier**).

20/**Roland Favaro**
Chaudronnier, secrétaire du comité régional de Lorraine (**Meurthe-et-Moselle**).

21/**Georges Valbon**
Typographe, conseiller général, conseiller régional d'Ile-de-France, maire de Bobigny (**Seine-Saint-Denis**).

22/**Gustave Ansart**
Métallurgiste, député, conseiller régional du Nord/Pas-de-Calais, membre du Bureau politique (**Nord**).

23/**Ellen Constans**
Professeur agrégé, docteur ès lettres, vice-présidente du conseil général, maire adjointe de Limoges (**Haute-Vienne**).

24/**Paul Laurent**
Agent technique, conseiller de Paris, membre du Bureau politique (**Paris**).

25/**Alain Bocquet**
Employé, député, conseiller régional du Nord-Pas-de-Calais (**Nord**).

26/**Roland Leroy**
Cheminot, directeur de « l'Humanité », membre du Bureau politique (**Seine-Maritime**).

27/**Jacques Denis**
Ouvrier peintre, député à l'Assemblée européenne (**Val-de-Marne**).

28/**Joseph Legrand**
Mineur, député, conseiller régional du Nord/Pas-de-Calais, maire de Carvin (**Pas-de-Calais**).

29/**Guy Hermier**
Professeur agrégé, député, conseiller régional de Provence/Côte d'Azur, membre du Bureau politique (**Bouches-du-Rhône**).

30/**Marie-France Beaufils**
Institutrice, conseillère générale, maire de Saint-Pierre-des-Corps (**Indre-et-Loire**).

31/**Pierre Juquin**
Professeur agrégé, membre du Bureau politique (**Essonne**).

32/**André Duroméa**
Artisan, député, conseiller régional de Haute-Normandie, maire du Havre (**Seine-Maritime**).

33/**Robert Jarry**
Ouvrier du bâtiment, conseiller général, conseiller régional des Pays de Loire, maire du Mans (**Sarthe**).

34/**Guy Ducoloné**
Ajusteur, député, vice-président à l'Assemblée nationale, conseiller général, conseiller régional d'Ile-de-France (**Hauts-de-Seine**).

35/**Michel Germa**
Imprimeur, président du conseil général du Val-de-Marne, conseiller régional d'Ile-de-France (**Val-de-Marne**).

36/**Colette Gœuriot**
Institutrice, députée, conseillère régionale de Lorraine, maire de Jœuf (**Meurthe-et-Moselle**).

37/**Jacques Rimbault**
Ajusteur, député, conseiller général, conseiller régional du Centre, maire de Bourges (**Cher**).

38/**François Asensi**
Dessinateur, député (**Seine-Saint-Denis**).

Liste présentée par
le Parti communiste français

39/Jean Reyssier
Ouvrier S.N.C.F., conseiller général, maire de Châlons-sur-Marne (**Marne**).

40/Serge Paganelli
Ouvrier, conseiller général, maire d'Audincourt (**Doubs**).

41/Jean-Jacques Barthe
Instituteur, député, conseiller général, conseiller régional du Nord/Pas-de-Calais, maire de Calais (**Pas-de-Calais**).

42/Jean-Pierre Kahane
Professeur, docteur ès sciences (**Essonne**).

43/Jean Giard
Maçon, conseiller régional de Rhône-Alpes, conseiller municipal de Grenoble (**Isère**).

44/Bernard Deschamps
Instituteur, vice-président du conseil général (**Gard**).

45/Jacqueline Fraysse-Cazalis
Médecin, députée, conseillère régionale d'Ile-de-France (**Hauts-de-Seine**).

46/Pierre Goldberg
Technicien PTT, conseiller général, conseiller régional d'Auvergne, maire de Montluçon (**Allier**).

47/André Soury
Cultivateur, député, conseiller général, conseiller régional de Poitou/Charente, maire de Pressignac (**Charente**).

48/Nelly Foissac
Professeur, maire adjointe d'Albi (**Tarn**).

49/Robert Montdargent
Ouvrier-tailleur, député, conseiller régional d'Ile-de-France, maire d'Argenteuil (**Val-d'Oise**).

50/Joseph Sanguedolce
Mineur, maire de Saint-Etienne de 1977 à 1983 (**Loire**).

51/Charles Caressa
Ouvrier du bâtiment, conseiller général, conseiller municipal de Nice (**Alpes-Maritimes**).

52/Myriam Barbera
Coiffeuse, secrétaire du Comité régional du Languedoc-Roussillon (**Hérault**).

53/René Rieubon
Ajusteur, député, conseiller régional de Provence-Côte d'Azur, maire de Port-de-Bouc (**Bouches-du-Rhône**).

54/André Tourné
Cultivateur, député, conseiller régional du Languedoc-Roussillon (**Pyrénées-Orientales**).

55/Roland Plaisance
Contrôleur URSSAF, conseiller général, maire d'Evreux (**Eure**).

56/Jean Jarosz
Instituteur, député, conseiller général, conseiller régional du Nord/Pas-de-Calais, maire de Feignies (**Nord**).

57/Dominique Frelaut
Ouvrier, député, maire de Colombes (**Hauts-de-Seine**).

58/Daniel Le Meur
O.S., député, conseiller régional de Picardie, (**Aisne**).

59/André Faivre
Maçon, conseiller général (**Saône-et-Loire**).

60/Marcel Drouilhet
Agriculteur, dirigeant d'organisations paysannes (**Lot-et-Garonne**).

61/Chantal Leblanc
Psychologue, conseillère municipale d'Abbeville (**Somme**).

62/Paul Souffrin
Médecin, sénateur, conseiller régional de Lorraine, maire de Thionville (**Moselle**).

63/Paul Fromonteil
Professeur, vice-président du conseil régional de Poitou-Charente, conseiller municipal de Châtellerault (**Vienne**).

64/Marcel Lemoine
Comptable, vice-président du conseil général, maire de Déols (**Indre**).

65/Marius Cartier
Retraité SNCF, conseiller général, maire de Saint-Dizier (**Haute-Marne**).

66/Geneviève Rodriguez
Employée, conseillère générale, maire de Morsang-sur-Orge (**Essonne**).

67/Félix Leyzour
Instituteur, vice-président du conseil général, conseiller régional de Bretagne (**Côtes-du-Nord**).

68/Josiane Voyant
Employée, secrétaire nationale du Mouvement de la jeunesse communiste (**Val-de-Marne**).

69/Roger Gorse
Ouvrier SNCF, conseiller général, conseiller régional d'Aquitaine (**Dordogne**).

70/Georges Sabatier
Cultivateur, conseiller général, conseiller régional de Provence-Côte d'Azur, maire de Bollène (**Vaucluse**).

71/Marie-Claude Beaudeau
Secrétaire, sénatrice, conseillère générale (**Val-d'Oise**).

72/René Visse
Ouvrier PTT, vice-président du conseil général, conseiller régional de Champagne-Ardennes (**Ardennes**).

73/Yvonne Allégret
Employée, maire adjointe de Valence (**Drôme**).

74/Marcel Houel
Maçon, conseiller général, maire de Vénissieux (**Rhône**).

75/Raymond Erracarret
Instituteur, conseiller général, conseiller régional de Midi-Pyrénées, maire de Tarbes (**Hautes-Pyrénées**).

76/Gérard Bordu
Electricien, maire de Chelles de 1977 à 1983 (**Seine-et-Marne**).

77/Jean-Claude Forafo
Ouvrier, maire adjoint de Cherbourg, vice-président de la Communauté urbaine de Cherbourg (**Manche**).

78/André Chène
Métallurgiste, conseiller général, maire de Fleury-lès-Aubrais (**Loiret**).

79/Jacques Garcia
Agent d'administration, conseiller général, maire de Montbard (**Côte-d'Or**).

80/Jean-Louis Le Corre
Ajusteur, maire de Trignac (**Loire-Atlantique**).

81/Armand Guillemot
Chaudronnier, maire adjoint de Lorient (**Morbihan**).

Vu, les candidats

SCRUTIN DU 17 JUIN 1984

liste socialiste pour l'Europe

1 - **Lionel JOSPIN**
Premier secrétaire du Parti socialiste
Député de Paris
(Région parisienne)

2 - **Nicole PERY**
Parlementaire européen
Conseillère municipale de Bayonne (Pyrénées-Atlantiques)
(Aquitaine)

3 - **Jean-Pierre COT**
Ancien ministre de la Coopération et du Développement
Maire de Coise-Saint-Jean-Pied-Gauthier (Savoie)
Professeur de droit international
(Rhône-Alpes)

4 - **Gisèle CHARZAT**
Parlementaire européen
Journaliste
(Basse-Normandie)

5 - **Max GALLO**
Secrétaire d'État, porte-parole du gouvernement
Conseiller municipal de Nice (Alpes-Maritimes)
Écrivain
(Provence-Côte d'Azur)

6 - **Roger FAJARDIE**
Parlementaire européen
Maire de la Groutte (Cher)
(Centre)

7 - **Bernard THAREAU**
Parlementaire européen
Agriculteur
(Pays de Loire)

8 - **Didier MOTCHANE**
Parlementaire européen
Conseiller commercial
(Région parisienne)

9 - **Alain BOMBARD**
Parlementaire européen
Conseiller général de Six-Fours (Var)
Biologiste
(Provence-Côte d'Azur)

10 - **Yvette FUILLET**
Parlementaire européen
Adjoint au maire de Marseille (Bouches-du-Rhône)
Cadre d'assurance
(Provence-Côte d'Azur)

11 - **Léon FATOUS**
Maire et conseiller général d'Arras (Pas-de-Calais)
Directeur de société
(Nord-Pas-de-Calais)

12 - **Jean-Paul BACHY**
Enseignant au Conservatoire national des arts et métiers
(Champagne-Ardennes)

13 - **Henry SABY**
Parlementaire européen
Maire d'Aygues-Vives (Haute-Garonne)
Ingénieur
(Midi-Pyrénées)

14 - **Georges SUTRA de GERMA**
Parlementaire européen
Viticulteur
(Languedoc-Roussillon)

15 - **Marie-Claude VAYSSADE**
Parlementaire européen
Conseillère municipale de Vandœuvre (Meurthe-et-Moselle)
(Lorraine)

16 - **Jean BESSE**
Adjoint au directeur régional de la Jeunesse et des Sports de Basse-Normandie
Conseiller général de Troarn (Calvados)
(Basse-Normandie)

17 - **Charles-Émile LOO**
Parlementaire européen
Dirigeant de coopérative ouvrière de production
(Provence-Côte d'Azur)

18 - **Colette GADIOUX**
Adjoint au maire de Limoges (Haute-Vienne)
Chef du service régional de la formation professionnelle et de l'apprentissage du Limousin
(Limousin)

19 - **Louis EYRAUD**
Parlementaire européen, conseiller général de Brioude (Haute-Loire)
Vétérinaire
(Auvergne)

20 - **Marie-Noëlle LIENEMANN**
Conseillère municipale de Massy (Essonne)
Administrateur à l'Union des foyers des jeunes travailleurs
Professeur de lycée
(Région parisienne)

21 -**Jean-Marie ALEXANDRE**
Conseiller municipal de Souchez (Pas-de-Calais)
Cadre supérieur
(Nord-Pas-de-Calais)

22 - **Jean CRUSOL**
Maître assistant de sciences économiques
(Martinique)

23 - **Martine BURON**
Conseillère municipale de Chateaubriand (Loire-Atlantique)
Architecte
(Pays de Loire)

24 - **Jacques MOREAU**
Parlementaire européen, président de la Commission économique et monétaire au Parlement européen,
Conseiller municipal de Fresnes
(Région parisienne)

25 - **Louis CHOPIER**
Conseiller général et conseiller municipal de Saint-Malo (Ille-et-Vilaine)
(Bretagne)

26 - **André SOUSI**
Maire de Bron (Rhône)
Cadre industriel retraité
(Rhône-Alpes)

27 - **Charles WENDLING**
Conseiller municipal de Colmar (Haut-Rhin)
Avocat
(Alsace)

28 - **Didier MIGAUD**
Fonctionnaire de collectivité locale
(Rhône-Alpes)

29 - **Marc DOLEZ**
Conseiller municipal de Douai (Nord)
Conseiller technique au conseil général du Nord
(Nord-Pas-de-Calais)

30 - **Marie-Thérèse MUTIN**
Maire de Cessey-sur-Tille (Côte-d'Or)
Institutrice
(Bourgogne)

31 - **Pierre MAUGER**
Maire et conseiller général d'Alençon (Orne)
Secrétaire général de l'association des Maires de France
(Basse-Normandie)

32 - **Paule DUPORT**
Parlementaire européen
Conseillère municipale de Saint-Egrève (Isère)
Médecin
(Rhône-Alpes)

33 - **Roland MARCHESIN**
Parlementaire européen
Conseiller municipal d'Audun-le-Tiche (Moselle)
Mineur
(Lorraine)

34 - **Marie BASSET**
Chargée de mission aux droits de la femme
Institutrice
(Midi-Pyrénées)

35 - **Gérard FUCHS**
Parlementaire européen
Maître de conférences à l'École polytechnique
(Région parisienne)

36 - **André BILLARDON**
Député de Saône-et-Loire
(Bougogne)

liste socialiste pour l'Europe

37 - **Michel FRANCAIX**
Conseiller municipal de Chambly (Oise)
Cadre commercial
(Picardie)

38 - **Jean-Yves AUTEXIER**
Conseiller d'arrondissement de Paris
Cadre administratif
(Région parisienne)

39 - **Alain CLAEYS**
Conseiller général de Poitiers
(Poitou-Charentes)

40 - **Pierre LALUMIÈRE**
Parlementaire européen
Professeur à la faculté de droit de Paris-I
(Aquitaine)

41 - **Philippe LENTSCHENER**
Publicitaire
(Région parisienne)

42 - **Dominique ROBERT**
Conseillère générale et conseillère municipale de Caen (Calvados)
Attachée de presse
(Basse-Normandie)

43 - **Jean-Baptiste MOTRONI**
Conseiller général
Masseur kinésithérapeute
(Corse)

44 - **Patrick WEIL**
Cadre à Air France
(Région parisienne)

45 - **Jeanine PARENT**
Ingénieur
(Région parisienne)

46 - **Gilbert LE BRIS**
Maire et conseiller général de Concarneau (Finistère)
(Bretagne)

47 - **Jean-Luc GONNEAU**
Conseiller de Paris
Ingénieur-conseil
(Région parisienne)

48 - **Marie PIERRET**
Attachée commerciale
(Lorraine)

49 - **Jacques DELHY**
Conseiller municipal de Rosny-sous-Bois (Seine-Saint-Denis)
Professeur d'histoire
(Région parisienne)

50 - **Josette ROBERT**
Institutrice
(Aquitaine)

51 - **Alfred RECOURS**
Conseiller municipal de Conches (Eure)
Inspecteur Éducation nationale
(Haute-Normandie)

52 - **Marie-José DENYS**
Directrice administrative de l'école nationale de musique de La Rochelle
(Poitou-Charentes)

53 - **Jean-Claude FRUTEAU**
Maire et conseiller général de Saint-Benoît (Réunion)
Professeur agrégé de lettres
(Réunion)

54 - **Jean-Claude FRECON**
Maire de Pouilly-lès-Feurs (Loire)
Instituteur
(Rhône-Alpes)

55 - **Jacques AUXIETTE**
Maire et conseiller général de La Roche-sur-Yon (Vendée)
Proviseur de lycée
(Pays de Loire)

56 - **José ESCANEZ**
Maire de Château-Arnoux-Saint-Auban (Alpes de Haute-Provence)
Dessinateur
(Provence-Côte d'Azur)

57 - **Michel LABONNE**
Maître de Recherches à l'INRA de Montpellier
(Languedoc-Roussillon)

58 - **Dinah CAUDRON**
Déléguée régionale aux droits de la femme
Inspecteur des impôts
(Nord-Pas-de-Calais)

59 - **Christian ODOUX**
Conseiller municipal de Tourcoing (Nord)
Professeur d'économie
(Nord-Pas-de-Calais)

60 - **Claude FRITSCH**
Principal de collège
(Alsace)

61 - **Renée SOUM**
Député des Pyrénées-Orientales
Conseillère générale et conseillère municipale de Perpignan (Pyrénées-Orientales)
Professeur de mathématiques
(Languedoc-Roussillon)

62 - **Yves JAMBEL**
Maire et conseiller général d'Hayange (Moselle)
Magasinier
(Lorraine)

63 - **Rubens CRÉMIEUX**
Pépiniériste-viticulteur
(Provence-Côte d'Azur)

64 - **Josette SOULIER**
Conseillère municipale de Livry-Gargan (Seine-Saint-Denis)
Retraitée de l'Éducation nationale
(Région parisienne)

65 - **Gisèle STIEVENARD**
Assistante parlementaire
(Région parisienne)

66 - **Philippe LAURETTE**
Étudiant
(Région parisienne)

67 - **Bruno VIALLET**
Cadre supérieur administratif
(Auvergne)

68 - **Michel VIGNAL**
Premier adjoint au maire de Laon (Aisne)
Professeur d'histoire et de géographie à l'École normale de Laon
(Picardie)

69 - **Marie-Arlette CARLOTTI**
Député suppléant des Bouches-du-Rhône
Rédacteur
(Provence-Côte d'Azur)

70 - **Hélène LE SAVOUROUX**
Adjointe au maire de Colombes (Hauts-de-Seine)
Institutrice
(Région parisienne)

71 - **Marc MIGNOT**
Conseiller général de Montbarrey
Conseiller municipal de Mont-sous-Vaudrey (Jura)
Vétérinaire
(Franche-Comté)

72 - **Charles JOSSELIN**
Député des Côtes-du-Nord
Président du conseil général et maire de Pleslin-Trigavou (Côtes-du-Nord)
Ingénieur économiste
(Bretagne)

73 - **Raoul CARTRAUD**
Président du conseil régional de Poitou-Charentes
Député de la Vienne, maire de Civray
(Poitou-Charentes)

74 - **Noël JOSEPHE**
Président du conseil régional du Nord-Pas-de-Calais
Député du Pas-de-Calais
Maire de Beuvry
Inspecteur de l'Éducation nationale
(Nord-Pas-de-Calais)

75 - **Louis LONGEQUEUE**
Président du conseil régional du Limousin
Sénateur Maire de Limoges (Haute-Vienne)
Pharmacien en retraite
(Limousin)

76 - **Philippe MADRELLE**
Président du conseil régional d'Aquitaine
Sénateur de la Gironde
Conseiller général et conseiller municipal de Carbon-Blanc (Gironde)
Professeur
(Aquitaine)

77 - **Michel PEZET**
Président du conseil régional de Provence-Côte d'Azur
Adjoint au maire de Marseille
Avocat
(Provence-Côte d'Azur)

78 - **Maurice POURCHON**
Président du conseil régional d'Auvergne
Député du Puy-de-Dôme
Conseiller général et conseiller municipal de Clermont-Ferrand
Professeur
(Auvergne)

79 - **Alex RAYMOND**
Président du conseil régional Midi-Pyrénées
Maire de Colomiers (Haute-Garonne)
Conseiller général de Toulouse
Directeur de société
(Midi-Pyrénées)

80 - **Walter AMSALLEM**
Président du conseil régional de Picardie
Maire et conseiller général de Beauvais (Oise)
Pharmacien
(Picardie)

81 - **Jacques PIETTE**
Compagnon de la Libération
Maire d'Hénin-Beaumont (Pas-de-Calais)
(Nord-Pas-de-Calais)

31703

— Bulletin de vote —

Union de l'Opposition pour l'Europe et la défense des libertés.

Liste présentée par

l'UDF et le RPR

conduite par

Simone Veil

1. Simone VEIL
Ancien Président de l'Assemblée des Communautés Européennes
Président de la Commission Juridique de l'Assemblée des Communautés Européennes

2. Bernard PONS
Secrétaire Général du RPR, Député, Conseiller de Paris

3. Jean LECANUET
Président de l'UDF, Sénateur-Maire de Rouen
Membre de l'Assemblée des Communautés Européennes

4. Christian de LA MALÈNE
Sénateur, Adjoint au Maire de Paris, Président du Groupe des Démocrates Européens de Progrès à l'Assemblée des Communautés Européennes

5. Michel PONIATOWSKI
Président d'Honneur du Parti Républicain, Membre de l'Assemblée des Communautés Européennes, Maire de l'Isle-Adam

6. Alain JUPPÉ
Adjoint au Maire de Paris, Conseiller Régional d'Ile-de-France

7. Pierre PFLIMLIN
Premier Vice-Président de l'Assemblée des Communautés Européennes

8. Philippe MALAUD
Président du Centre National des Indépendants et Paysans, Conseiller Général de Saône-et-Loire

9. André ROSSI
Membre de l'Assemblée des Communautés Européennes, Maire de Château-Thierry, Vice-Président du Conseil Général de l'Aisne

10. Nicole CHOURAQUI
Secrétaire Nationale du RPR, Adjoint au Maire de Paris

11. Georges DONNEZ
Membre de l'Assemblée des Communautés Européennes, Maire de Saint-Amand-les-Eaux, Président Délégué du Parti Social Démocrate

12. Alain CARIGNON
Maire de Grenoble, Conseiller Général de l'Isère

13. Jean François DENIAU
Président des Clubs Perspectives et Réalités, Président du Conseil Général du Cher, Vice-Président du Conseil Régional du Centre

14. André FANTON
Délégué National du RPR, 1er Adjoint au Maire de Lisieux

15. Dominique BAUDIS
Maire de Toulouse

16. Jean-Pierre ROUX
Maire d'Avignon

17. Roger CHINAUD
Maire du 18e arrondissement de Paris, Conseiller Régional d'Ile-de-France, Conseiller Politique du Parti Républicain

18. Alfred COSTE-FLORET
Président de la Démocratie Chrétienne Française

19. Nicole FONTAINE
Ancienne Déléguée au Secrétariat Général de l'Enseignement Catholique

20. Gaston FLOSSE
Vice-Président du Conseil de Gouvernement de la Polynésie Française, Maire de Pirae

21. Yves GALLAND
Secrétaire Général du Parti Radical, Membre de l'Assemblée des Communautés Européennes

22. Jean-François MANCEL
Secrétaire National du RPR, Conseiller Général de l'Oise

23. Robert HERSANT
Éditeur de presse

24. Anne-Marie DUPUY
Maire de Cannes

25. Claude WOLFF
Député-Maire de Chamalières, Conseiller Général du Puy-de-Dôme

26. Jean MOUCHEL
Président de la Chambre d'Agriculture du Calvados et de la Chambre Régionale d'Agriculture de Normandie

27. Pierre BERNARD-REYMOND
Vice-Président du Conseil Général des Hautes-Alpes, Ancien Secrétaire d'État auprès du Ministre des Affaires Étrangères chargé des questions européennes

28. Jacques VERNIER
Maire de Douai

29. Christiane SCRIVENER
Membre de l'Assemblée des Communautés Européennes

30. Denis BAUDOUIN
Représentant du Parti Libéral, Directeur Général de l'Information à la ville de Paris

31. Jean-Thomas NORDMANN
Membre de l'Assemblée des Communautés Européennes

32. Jean-Claude PASTY
Délégué National du RPR, Conseiller Général de la Creuse

33. Gérard LONGUET
Vice-Président du Conseil Général de la Meuse, Conseiller Régional de Lorraine

34. Magdeleine ANGLADE
Adjoint au Maire de Paris, Membre du Bureau National du Centre National des Indépendants et Paysans.

35. Jacques MALLET
Secrétaire National du Centre des Démocrates Sociaux chargé des Affaires Européennes

36. Guy GUERMEUR
Président National du Combat pour la Liberté de l'Enseignement, Conseiller Municipal de Lorient, Président du Comité Régional RPR de Bretagne

37. Michel DEBATISSE
Président de la Chambre d'Agriculture du Puy-de-Dôme, Président d'Honneur de la Fédération Nationale des Syndicats d'Exploitants Agricoles

38. Jacqueline THOME PATENÔTRE
Vice-Président du Mouvement Européen International

39. Simone MARTIN
Membre de l'Assemblée des Communautés Européennes, Conseillère Municipale de Saint-Dizier, Ancienne Vice-Présidente du Centre National des Jeunes Agriculteurs

40. François MUSSO
Ancien Président de la Fédération Départementale des Syndicats d'Exploitants Agricoles de Corse

41. Jean-Pierre ABELIN
Vice-Président du Conseil Général de la Vienne, Président National des Jeunes Démocrates Sociaux

42. Alain MARLEIX
Délégué National du RPR, Chargé de mission régional du RPR pour l'Auvergne

43. Hervé de CHARETTE
Conseiller Municipal de Nevers, Membre du Conseil National de l'UDF

44. Pierre LATAILLADE
Conseiller Général de la Gironde, Maire-Adjoint d'Arcachon

45. Jean-Marie VANLERENBERGHE
Directeur d'un Organisme Mutualiste

46. Roger GAUTHIER
Membre de l'Assemblée des Communautés Européennes, Chef Porion dans les Mines de fer de Lorraine, Conseiller Municipal de Hayange

47. Roland BLUM
Conseiller Général des Bouches-du-Rhône, Conseiller Municipal de Marseille

48. Paulin BRUNÉ
Conseiller Général de la Guyane

49. Robert DELOROZOY
Membre de l'Assemblée des Communautés Européennes, Maire de Choisel

50. Jean-Pierre CASSABEL
Maire de Castelnaudary, Conseiller Général de l'Aude

51. André FOURÇANS
Professeur d'Économie dans l'enseignement supérieur

52. Raymond TOURRAIN
Conseiller Municipal de Besançon, Président du comité Régional RPR de Franche-Comté

53. Charles BAUR
Maire de Villers-Cotterêts, Conseiller Régional de Picardie, Secrétaire Général du Parti Social Démocrate

54. Hubert BUCHOU
Président de la Fédération Nationale des SAFER, Ancien Vice-Président de la Fédération Nationale des Syndicats d'Exploitants agricoles

55. Roger PARTRAT
Vice-Président du Centre des Démocrates Sociaux

56. Roland VERNAUDON
Conseiller Général du Val-de-Marne, 1er Adjoint au Maire de Vincennes.

57. Gérard BENHAMOU
Adjoint au Maire de Nancy

58. Christiane PAPON
Président du Centre Féminin d'Études et d'Informations Femme-Avenir, Conseillère Municipale de Neuilly-sur-Seine

59. Stéphane DERMAUX
Maire de Tourcoing

60. Dominique PERBEN
Maire de Chalon-sur-Saône

61. Georges de BREMOND D'ARS
Secrétaire Général des Clubs Perspectives et Réalités

62. Jean-Paul HUGOT
Maire de Saumur

63. Monique BADENÈS
Conseiller Technique au cabinet du Président du Sénat, Déléguée Générale de l'Association "Femmes Démocrates"

64. Patrick DEVEDJIAN
Maire d'Antony

65. Robert BATAILLY
Maire du 8e arrondissement de Lyon

66. Jacqueline GRAND
Conseiller Municipal de Marseille

67. Jean-Pierre RAFFARIN
Conseiller Municipal de Poitiers, Délégué National du Parti Républicain

68. Désiré DEBAVELAERE
Président de la Chambre d'Agriculture du Pas-de-Calais, Maire de Campagne-lès-Hesdin

69. Pierre LETAMENDIA
Conseiller Municipal de Bayonne, Conseiller du District Bayonne-Anglet-Biarritz

70. Jean UEBERSCHLAG
Adjoint au Maire de Saint-Louis

71. Jean-Pierre BEBEAR
Conseiller Municipal de Bordeaux

72. Daniel LABORDE
Conseiller Municipal de Nouméa

73. Raymond LEISSNER
Adjoint au Maire de Strasbourg

74. Bernard LEMOUX
Chef d'entreprise

75. Hubert GRIMAULT
Conseiller Général du Maine-et-Loire, Conseiller Municipal d'Angers, Secrétaire du Conseil Régional des Pays de Loire

76. Marie-Antoinette ISNARD
Déléguée Nationale du RPR, Secrétaire de la Fédération RPR des Français de l'étranger

77. Nicole BERTROU
Adjoint au Maire de Carcassonne

78. Jacques SOURDILLE
Président du Conseil Général des Ardennes

79. Hugues SIRVEN-VIENOT
Adjoint au Maire de Boulogne-Billancourt

80. Francis HARDY
Maire de Cognac, Conseiller Régional de Poitou-Charentes

81. Denys BANSSILLON
Adjoint au Maire du 6e arrondissement de Lyon.

Vu les candidats.

PA 78-B 0666

BULLETIN DE VOTE

Liste du Front d'Opposition Nationale pour l'Europe des Patries

1. Jean-Marie LE PEN

Ancien Député de Paris,
Ancien Sénateur de la Communauté,
Conseiller du 20e Arrondissement de Paris,
Croix de la Valeur Militaire,
Président du Front National.

2. **Michel de CAMARET**
Ambassadeur, Ancien Ambassadeur de France auprès du Conseil de l'Europe et de l'Assemblée Européenne à Strasbourg, Commandeur de la Légion d'Honneur, Compagnon de la Libération, Military Cross, Croix de Guerre, 7 citations, T.O.E.

3. **Jean-Pierre STIRBOIS**
Imprimeur, Adjoint au Maire de Dreux, Secrétaire Général du Front National.

4. **G.A. PORDEA**
Docteur en Droit, Ancien Diplomate, Président Délégué de la Fondation pour l'Europe, Consul Honoraire de la République de Pologne en exil (Londres).

5. **Olivier d'ORMESSON**
Exploitant agricole, Chevalier de la Légion d'Honneur. Croix de Guerre 39-45, Croix du Combattant, Médaille de Dunkerque, Médaille d'Honneur Départementale et Communale de Vermeil, Maire d'Ormesson-sur-Marne, Conseiller Général du Val-de-Marne, Député Européen sortant.

6. **Bernard ANTONY, dit Romain MARIE**
Directeur de Société, Président des Comités Chrétienté-Solidarité.

7. **Dominique CHABOCHE**
Cadre Supérieur
Médaille de Vermeil de Sauvetage, Médaille d'Argent de la Marine Marchande, Vice-Président du Front National.

8. **J.-M. LE CHEVALLIER**
Chef de Cabinet de Jean-Marie LE PEN, Ancien Membre de la Section des Finances du Conseil Economique et Social, Médaille d'Argent de la Ville de Paris.

9. **Martine LEHIDEUX**
Attachée de Direction, Membre du Comité Central du Front National.

10. **Michel COLLINOT**
Directeur de Publication, Membre du Bureau du Front National, Secrétaire Régional du Front National de Bourgogne.

11. **Roland GOGUILLOT dit Roland GAUCHER**
Journaliste, Ecrivain, Membre du Bureau du Front National.

12. **Gilbert DEVEZE**
Exploitant Forestier, Agriculteur, Officier de la Légion d'Honneur, Croix de Guerre 39-40 et 40-45, Croix des Combattants Volontaires, Médaille de la Résistance, Officier de la Croix de Vaillance de l'Armée Polonaise Libre,
Ancien Député, Ancien Sénateur, Ancien Sénateur de la Communauté.

13. **Maître PALMIERI**
Avocat Honoraire à la Cour de Paris, Secrétaire Régional du Front National de Corse.

14. **Mourad KAOUAH**
Ancien Député d'Alger, Ancien Combattant 39-45, Croix de Guerre, 3 citations, Médaille du Combattant de l'Europe.

15. **Roger HOLEINDRE**
Grand Reporter, Ecrivain (prix Asie 1980), Résistant à 15 ans 1/2, Ancien du Corps Expéditionnaire Français d'Extrême-Orient, Parachutiste en Algérie, Médaille Militaire, 5 citations, 2 blessures.

16. **Marguerite de MAC-MAHON, Duchesse de MAGENTA**
Exploitant agricole et Forestier, Chevalier de la Légion d'Honneur, Croix de Guerre 39-45.

17. **Pierre GUILLEMARD**
Agriculteur en Nouvelle Calédonie, Médaille des Évadés, Délégué National du Front National pour les DOM-TOM.

18. **Yann CADORET**
Ancien Champion de France d'Enduro, Grand Invalide Civil, Secrétaire Départemental du Front National du Morbihan.

19. **Yann PIAT**
Mère de famille, Secrétaire Départementale du Front National des Landes.

20. **Jean de THONEL Chevalier d'ORGEIX**
Artiste dramatique (Jean PAQUI), Sportif, Homme de Lettres, Champion International d'Equitation, Médaille de Bronze J.O. de Londres, Champion International de Voltige aérienne.

21. **Christine JOBIN**
Mère de famille, Membre du Bureau Fédéral du Front National des Alpes-Maritimes.

22. **Jacques TAURAN**
Imprimeur, Chevalier de l'Ordre National du Mérite, Ancien Membre du Conseil Economique et Social, Secrétaire Régional du Front National du Limousin.

23. **J.-Pierre SCHENARDI**
Chef d'Entreprise, Conseiller Municipal de Nogent-sur-Marne, Secrétaire Régional du Front National d'Ile de France, membre du Bureau du Front National.

24. **Bernard MAMY**
Ingénieur Conseil, Exploitant agricole, Ancien Conseiller Général d'Alger, Secrétaire Départemental du Front National du Var.

25. **Myriam BAECKEROOT**
Mère de famille, Expert-Comptable stagiaire.

26. **Danielle PEIFFERT**
Professeur de Lycée à Metz.

27. **A. du PELOUX de PRARON**
Conseil Immobilier, Vice-Président de la Commission Culturelle du C.N.I.P., Délégué National et Président de Paris du Cercle Renaissance, Médaille du Mérite Européen, Médaille de la Ville de Paris.

28. **Alain JAMET**
Attaché Commercial, Licencié en Droit, Ancien Para d'Algérie, Croix de la Valeur Militaire Secrétaire Régional du Front National du Languedoc-Roussillon.

29. **Guy VIARENGO**
Directeur Commercial, Croix commérative d'Algérie.

30. **Serge LOPEZ**
Promoteur Immobilier, Membre du Bureau Fédéral du Front National de l'Hérault, Responsable de Béziers

31. **Claude MOREAU**
Chef d'Entreprise, Commandant de Réserve, Croix de la Valeur Militaire, Secrétaire Départemental du Front National de l'Yonne.

32. **Roland BADER**
Chef d'Entreprise P.M.I., Ancien Champion d'Alsace et de France de Natation, Ancien Champion de France de Sauvetage.

33. **Ronald PERDOMO**
Diplômé d'Études Supérieures de Droit Public, Avocat au Barreau de Marseille, Vice-Président de la Corporation des Étudiants en Droit et de l'Association Générale des Étudiants d'Aix-en-Provence.

34. **Henri BARONE**
Publicitaire, Secrétaire Départemental du Front National de Savoie et de Haute-Savoie.

35. **Brigitte WATERLOT**
Mère de famille, Membre du Bureau du Front National de la Région Auvergne, Responsable du Front National de l'Allier.

36. **Jean-François JALKH**
Journaliste, Membre du Bureau du Front National.

37. **Docteur Henri DAVID**
Médecin Généraliste, Vice-Président du Front National, Président de la Fédération des Hauts-de-Seine du Front National.

38. **Michel NYS**
Dessinateur, Secrétaire Régional du Front National Nord Pas-de-Calais

39. **Cl. DUPONT-TINGAUD**
Mère de famille, Responsable d'Association de Parents d'Élèves, Membre du Bureau du Front National du Finistère.

40. **Jacques BOMPARD**
Chirurgien Dentiste, Assistant à la Faculté de Montpellier. Chargé de Cours. Secrétaire Régional du Front National Provence Côte d'Azur.

41. **Jacques RICARD**
Commerçant, Ancien Combattant, engagé à moins de 20 ans, Membre du Comité Central du Front National Aquitaine.

42. **R. HEMMERDINGER**
Directeur Entreprise de Confection féminine, Délégué S.N.P.M.I., Juge des Référés au Conseil des Prud'Hommes de Paris, Médaille de la Résistance, Croix de Guerre, Ancien Capitaine F.F.L.

43. **Gilbert MELAC**
Directeur de Région, Secrétaire Régional du Front National Midi-Pyrénées.

44. **Michel HEULS**
Cadre Commercial, Secrétaire du Front National de Tourcoing.

45. **André HÉRIN**
Artisan, Commerçant, Membre de la Chambre de Commerce de Dunkerque, Membre du S.N.P.M.I.

46. **Francis AGOSTINI**
Agriculteur, Chevalier de la Légion d'Honneur, Chevalier de l'Ordre National du Mérite, Croix de Guerre, Président de la Commission Agriculture du Front National, Membre de la F.D.S.E.A. des Bouches-du-Rhône.

47. **Carl LANG**
Masseur-Kinésithérapeute, Responsable National du Front National de la Jeunesse.

48. **Thierry ROGISTER**
Directeur de Marketing, Diplôme de la Faculté de Droit de Paris, Ancien Élève de l'E.D.C., Officier de Réserve, Secrétaire Départemental du Front National des Yvelines.

49. **Francine COMMENGE**
Mère de famille, Membre du Bureau Fédéral du Front National de Paris-Ville.

50. **Jean-Marie CUNY**
Editeur Libraire à Nancy, Directeur de la Revue "Lorraine-Populaire".

51. **Louis RESSICAUD**
Commandant en Retraite de l'Armée de l'Air, Officier de la Légion d'Honneur, Médaille Militaire, Croix de Guerre, T.O.E. 7 citations, Membre du Comité Central du Front National Responsable du Front National de l'Essonne.

52. **Raymond FRAYSSE**
Cadre commercial, Secrétaire de la Section du 20e Arrondissement du Front National Paris.

53. **Maître Anne FIRMIN**
Avocate au Barreau d'Abbeville.

54. **Paul SOLELHAC**
Chirurgien Dentiste, Secrétaire Départemental du Front National de la Loire.

55. **Henri LE GUICHAOUA**
Commissaire aux Comptes, Ancien Officier Supérieur en retraite, Médaille des Évadés, Président Départemental du C.N.I.P. pour les Pyrénées-Atlantiques.

56. **Pierre DURAND**
Editeur, Membre du Bureau du Front National, Médaille d'Argent de la Ville de Paris.

57. **Paul MALAGUTI**
Chef d'Entreprise, Grand Invalide de Guerre.

58. **Xavier DIGNEAU**
Cadre Commercial, Secrétaire Départemental du Front National de la Gironde.

59. **Paul PELLETIER**
Artisan Marin-Pêcheur, Secrétaire Départemental du Front National du Loir-et-Cher.

60. **Me Jacques THIÉBAUD**
Huissier, Secrétaire Départemental du Front National du Doubs.

61. **Daniel ESTRELLA**
Cadre Commercial, Conseiller Municipal de Croissy-Beaubourg, Secrétaire Départemental du Front National de Seine-et-Marne.

62. **André CENDRE**
Chef d'Entreprise, Chevalier de l'Ordre du Mérite (Industrie), Conseiller du Commerce Extérieur, Secrétaire Départemental du Front National de la Nièvre.

63. **Jacques SAMSON**
Ingénieur Retraité, Chevalier de l'Ordre National du Mérite, Front National Champagne Ardennes.

64. **Doct. J.-F. DELACROIX**
Médecin Thermaliste, Conseiller Municipal de Bagnoles-de-l'Orne, Secrétaire Régional du Front National de Basse-Normandie.

65. **Claude NEVEUX**
Architecte D.P.L.G., Membre du Bureau Départemental du Front National d'Ille-et-Vilaine.

66. **C. FOURNIER-CHÉRON**
Mère de famille, 7 enfants, Secrétaire Départementale du Front National du Cher.

67. **Yves ALMES**
Ancien Directeur de Société, Ancien Membre du Comité Economique et Social d'Ile-de-France, Conseiller Prud'Homme de Paris.

68. **F. JEANNIN-NALTET**
Professeur, Mère de famille.

69. **Guy HARLE d'OPHOVE**
Conseiller en marketing, Membre du Comité Directeur du S.N.P.M.I. de l'Oise, Président de la Section Activités Diverses au Conseil des Prud'Hommes de Compiègne.

70. **Jean-Michel VERDON**
Assureur Conseil, Secrétaire Départemental du Front National de l'Indre-et-Loir.

71. **Stéphane BULAN**
Artiste Peintre, Conseiller municipal de Châteauneuf-sur-Charente, Secrétaire Régional du Front National Poitou-Charente.

72. **Dominique CHAUVIN**
Visiteur Médical, Secrétaire Départemental du Front National de la Seine-Maritime.

73. **Y. de COATGOUREDEN**
Avocat à la Cour, Membre du Comité Central du Front National.

74. **Chantal RUBI**
Mère de famille, Infirmière.

75. **Philippe NAIBO**
Cultivateur - Lot-et-Garonne, Coureur cycliste amateur.

76. **Commandant Albert LEPINE**
Chevalier de la Légion d'Honneur Croix de Guerre 39-45 et T.O.E.

77. **Guy FONTAINE**
Secrétaire Comptable, Sous-Officier parachutiste campagne d'Algérie, Membre du Bureau Départemental Du Front National de l'Isère.

78. **Michel RAYMOND**
Chef d'Entreprise à Orléans, Secrétaire Départemental du Front National du Loiret.

79. **Hubert de ROUGE**
Attaché de Direction

80. **Gilles NERET-MINET**
Commissaire Priseur, Conseiller Municipal de Neuilly-sur-Seine.

81. **Bruno GOLLNISCH**
Docteur en Droit, Professeur de Japonais, Doyen de Faculté, Lyon.

Par exemple :

- **Liste 3**, candidat 23 : Robert Hersant, éditeur de presse (prénom, nom, profession);
- **Liste 3**, candidat 62 : Jean-Paul Hugot, maire de Saumur (prénom, nom, fonction politique élective, localisation géographique).

5. En groupe, dépouillez maintenant une liste complète selon le classement dégagé à la question 4 . Vous pouvez le présenter de la manière suivante :
Liste n° --, présentée par -------------

	a - Noms des candidats	*b* -	*c* - Fonctions	*d* -	*e* - Localisation géographique
1 2 3 etc.					

Vous examinerez chacune de ces colonnes afin de caractériser l'image que le parti donne de lui-même.

a - Classez les professions représentées en vous aidant du **document 3051**, et dites quelles sont les catégories les plus fréquentes. Faites séparément une analyse semblable pour les candidates.

b - Analysez la place qu'occupent les fonctions politiques, qu'elles soient électives, dans le parti, ou d'une autre nature.

c - Quelle représentativité peuvent donner les autres titres des candidats (par exemple : mère de famille) ?

d - Enfin, en vous aidant d'une liste des régions et des départements français (voir, par exemple, **document 3082**), commentez l'implantation géographique des partis. Pour les **listes 1** et **2**, comparez vos remarques aux deux cartes du **document 3172** : *Les deuxièmes élections européennes* et dites s'il y a une relation entre le nombre de candidats et les résultats d'une région donnée.

Document 3172
Cartes des résultats du P.C. et du P.S., ***Les deuxièmes élections Européennes, 1984,*** Dossiers et documents du Monde

6. Confrontez le portrait que vous avez obtenu à celui que les autres sous-groupes de votre classe ont établi pour les autres listes. Comparez les partis entre eux. A quels groupes sociaux s'adressent-ils ? Quelles valeurs, quels programmes semblent-ils défendre ? ■

3172

LES DEUXIÈMES ÉLECTIONS EUROPÉENNES

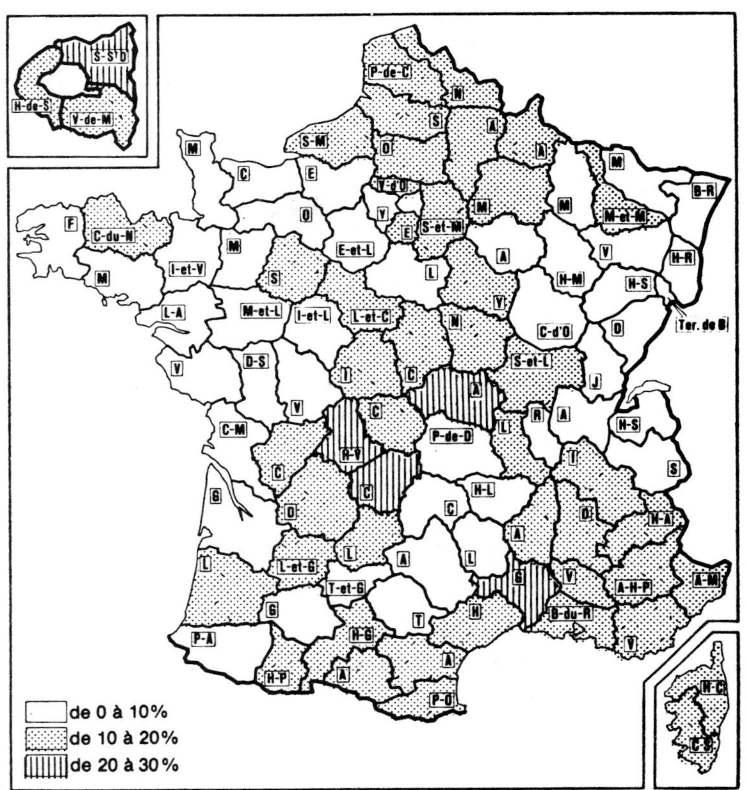

Résultats du P.C.F.

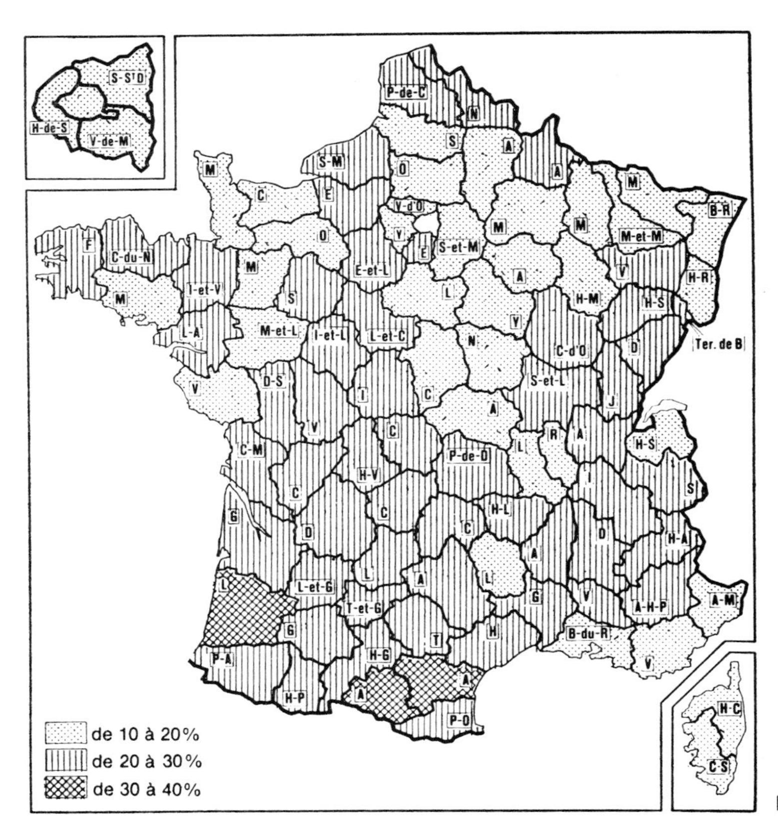

Résultats du P.S.

318. « Vivre et travailler au pays »

A défaut d'un vrai voyage d'études, on peut essayer de découvrir une petite ville, avec ses particularités, à partir de documents ordinaires : des plans, des affiches, des cartes postales et des enseignes. Au-delà des impressions qui se dégagent d'un premier contact de ce type, vous essaierez de situer les lieux, de caractériser les ressources et de définir les difficultés que rencontre le coin de la province française présenté ici.

Documents 31801 à 31812
Documentation photographique sur Dieulefit (Drôme)

1. Regardez l'ensemble des documents (pp. 139 à 144) et dites quelle première impression de Dieulefit s'en dégage : les dimensions de la ville, son ancienneté, son intérêt touristique, le niveau de vie de ses habitants, etc.

2. Regardez maintenant ces documents l'un après l'autre :

1 - Carte

a - Situez la région de Dieulefit en France.

b - En utilisant la légende, comparez l'importance de Dieulefit et de sa population à celle des villes voisines. Quelle est la ville importante la plus proche ?

c - Décrivez les caractéristiques géographiques de l'environnement de Dieulefit (relief, cours d'eau, etc.).

d - Observez les routes qui vont à Dieulefit ou le traversent. Comparez-les à celles qui traversent Montélimar. Quelle conclusion pouvez-vous en tirer sur l'activité relative de ces deux agglomérations ?

2 - Carte postale

a - Définissez l'environnement de Dieulefit.

b - Définissez ensuite l'aspect général de la ville.

c - Comme les cartes postales présentent, généralement, les aspects attrayants d'un site, dites quels sont ces derniers ici, puis commentez-en les aspects positifs et négatifs.

3 - Carte postale

a - On retrouve ici certains éléments positifs de Dieulefit. Lesquels ?

b - A votre avis, les habitants sont-ils toujours conscients du pittoresque de leur petite ville ? Justifiez votre réponse.

c - Compte tenu de votre réponse en *b* , quelle tâche urgente la municipalité doit-elle entreprendre ?

4 - Carte postale

a - Pouvez-vous situer ce lieu sur le plan ? En quoi diffère-t-il des autres sites ?

b - Quelles sont les fonctions de cette partie de la ville ? En observant les différents éléments de l'image, citez-en au moins trois.

7 - Plan

a - Ce plan permet de voir comment le bourg s'est développé. Délimitez la partie la plus ancienne puis identifiez les extensions qui ont eu lieu par la suite.

b - Complétez les séries suivantes :
- mairie, école maternelle, etc.
- clinique, etc.
- camping, tennis, etc.

Dites quelle est la fonction de ces bâtiments ou de ces installations et ce qu'ils révèlent de la vie de ce bourg.

c - Quels moyens de transport assurent l'accès à Dieulefit ?

d - Mettez en relation vos réponses à *b* et *c* avec les remarques que vous avez pu faire au sujet de la **carte 1**.

e - Quelles sont les ressources sur lesquelles semble reposer la vie économique de Dieulefit ?

5 - Photo

Mettez en relation ce que vous voyez sur cette photo avec les conclusions auxquelles vous étiez arrivé dans la question précédente. En particulier, quelle forme d'intervention municipale laisse-t-elle entrevoir ?

6 - Photo

a - Retrouvez cette rue sur le plan.

b - Quelle est sa fonction ?

c - Quelle impression générale donne-t-elle ?

8 - Photo

a - L'une des ressources saisonnières de ce bourg apparaît ici. Laquelle ? Dites quels sont les deux indices qui vous permettent de l'identifier.

b - Quels problèmes cette activité pose-t-elle sans doute à la municipalité ?

9 - Photo

a - La boutique représentée ici est différente de celles que vous avez déjà pu observer. En quoi consiste cette différence (nature des produits, consommateurs visés, etc.) ?

b - Dans quelles photos les objets vendus ici apparaissaient-ils ou étaient-ils évoqués ? Qu'en déduisez-vous sur la place de cette activité à Dieulefit ?

10 - Photo

a - Quelle impression donne cette place ?

b - Relevez le nom de la première boutique sur la gauche. En quoi l'existence de ce magasin vient-elle confirmer des remarques que vous avez faites précédemment ?

11 - Photo

a - Retrouvez cette rue sur le plan.

b - Donne-t-elle la même impression que les **photos 6** et **9** ? Justifiez votre réponse.

c - En quoi ces lieux sont-ils « provinciaux » (en termes d'activité, de mode, d'effort promotionnel, etc.) ?

12 - Photo

Cette photo met en évidence des modes de vie et des besoins contradictoires. Lesquels ?

Document 3182
Extraits du programme de la liste « Vivons et travaillons ensemble à Dieulefit » (élections municipales 6-03-1983)

Document 3183
Commissions « économie » et « contrat de pays », *Bulletin municipal de Dieulefit* (n° 0 juillet 1983)

3. A l'issue de cette « promenade » dans les rues de Dieulefit, essayez de dire sur quoi repose l'économie de cette petite ville.
Quelle influence cela peut-il avoir sur le mode de vie des habitants ?
Quels problèmes la municipalité doit-elle résoudre en termes d'emploi et d'occupations ?

4. Parcourez les **documents 3182** et **3183**. Complétez la liste des problèmes que vous avez établie à la question 3 et confrontez les solutions proposées avec celles que vous avez pu imaginer. ■

PROJETS

Néanmoins, il reste encore beaucoup à réaliser, mais pendant ce mandat, nous avons une option prioritaire : **l'économie de Dieulefit** (implantation de petites industries et pour ce faire agrandissement de la Zone Artisanale, soutien continu au climatisme local, création d'un ensemble touristique, artistique et culturel sous l'égide du Conseil Municipal dans la Villa Morin ou parc de la Baume, recherche d'un terrain pour construction d'une caserne pour nos sapeurs-pompiers).

Pour notre jeunesse : Gymnase pour lequel nous avons déjà engagé les démarches nécessaires.

Nous avons à l'étude :

Élargissement de la rue des Raymonds, nouveau plan de circulation et de stationnement, extension du réseau d'eau, système d'assainissement, réfection du Beffroy, agrandissement et aménagement du Camping.

Liste **Dieulefit d'abord** (municipalité sortante).

NOUS PROPOSONS DES OBJECTIFS PRÉCIS

— Recherche d'activités pour les demandeurs d'emploi.
— Développement de la zone artisanale.
— Étude du problème délicat et urgent de la circulation à DIEULEFIT.
— Protection du cadre de vie et des sites de DIEULEFIT.
— Modernisation du collège.
— Solution pour loger les familles travaillant à DIEULEFIT.
— Création d'un restaurant scolaire pour l'école maternelle et d'un service-repas pour le 3e âge.
— Construction d'un gymnase à la disposition de tous les sportifs.
— Propreté de notre Ville.
— Dialogues et collaboration avec les associations.
— Conservation du caractère particulier de notre Cité.

L'avenir de DIEULEFIT n'est pas indépendant de son canton rural et agricole. Il est lié à l'essor de son artisanat et de ses entreprises. Il est largement conditionné par son devenir climatique et touristique, et le commerce DIEULEFITOIS n'a évidemment d'avenir qu'avec l'ensemble de la vie économique et sociale de notre commune et de son canton.

C'est pourquoi les candidats veulent œuvrer pour qu'une large consultation s'engage entre tous les partenaires sociaux et économiques et avec les élus des autres communes du Canton, pour bâtir ensemble l'avenir.

Il faut donc explorer les possibilités des contrats de pays et les contrats de petites villes.

Liste **Vivons et travaillons ensemble à Dieulefit** (qui a enlevé la mairie).

Commission ECONOMIE

Cette commission couvre un certain nombre d'activités essentielles pour la vie de DIEULEFIT et de sa commune, telles que : *Artisanat, Commerce et Marché, Industrie, Tourisme et Climatisme, Agriculture, Logement permanent et saisonnier.*

Comme nous l'avons dit avant les élections, nous voulons nous efforcer de faire revivre DIEULEFIT. Nous voudrions que le tourisme s'étende sur l'année entière et non pas seulement sur deux mois d'été, afin que commerces et hôtels ne courent pas sans cesse des risques de fermeture. Nous voudrions développer l'artisanat et, si possible, la petite industrie. (...)

Description de la commission extra-municipale (ouverte à tous les administrés).

Commission CONTRAT DE PAYS

Elle constate avec vous :

. la fragilité de la vie économique et de l'emploi à DIEULEFIT et dans le canton;
. la difficulté pour les jeunes de VIVRE au Pays, et le vieillissement général de la population ;
. les moyens plus que limités de DIEULEFIT et des petites communes du canton pour faire face à l'avenir avec la population. (...)

Elle vous propose :

. de découvrir les actions de développement tentées dans d'autres cantons de la Drôme grâce aux Plans d'Aménagement Rural et aux Contrats de Pays ;
. de participer éventuellement - en fonction de vos occupations et de vos centres d'intérêt - à l'un des groupes de travail qui collaborera à la création d'un Plan d'Aménagement Rural pour le canton de DIEULEFIT.

Description de la commission extra-municipale.

319. Publicité radio

Les trois stations nationales et les stations régionales de Radio-France, qui constituent un service public, ne diffusent pas de publicité de marque. Mais on peut en entendre sur d'autres postes francophones tels que Europe 1 ou RTL dont l'auditoire est très important. A défaut de pouvoir définir précisément le caractère de cette publicité, il est possible, sur un échantillon réduit, d'en retrouver le style et le ton.

Vous écouterez le document sonore aussi souvent que cela vous sera nécessaire.

Document
3191
Messages publicitaires, Europe 1

1. Après une première écoute, vous direz quels sont les indices qui permettent d'identifier ces émissions comme annonces publicitaires. Si, par rapport à vos habitudes d'auditeur de radio, vous pensez que des doutes sont possibles, dites pourquoi. S'agit-il d'annonces en direct ou enregistrées ?

2. Indiquez ci-dessous, à côté de chaque produit, la marque qui lui correspond dans les annonces que vous avez écoutées.
a - alimentation :
b - tarif réduit :
c - voyage : par exemple, Croisières Paquet.
d - matériel audio-visuel :
e - nourriture pour chien :
f - automobile :

3. Le slogan publicitaire est la formule qui, de manière concise et frappante, annonce un produit, l'identifie. Pour cette raison, il est mis en valeur. En étant attentif aux ruptures de rythmes, changements de voix, etc., repérez les slogans et dites par quels procédés ils sont soulignés.
Par exemple : « Darty, le contrat de confiance » vient en fin de message et est annoncé par une musique qui attire l'attention.

4. Chaque produit est présenté avec des arguments de vente que l'on peut résumer en quelques mots. A côté des termes ci-dessous, dites de quel produit il s'agit et comment les qualités en sont présentées dans l'annonce.

Argument de vente	Produit	Preuves de qualité
a - fiabilité *b* - exotisme *c* - nouveauté et facilité *d* - économie *e* - technicité *f* - qualité et adéquation aux besoins	Darty, le contrat de confiance	Service rapide, choix de marques, prix compétitifs.

5. Par quels moyens l'auditeur est-il directement interpellé dans ces messages ? Quel est le but de cette interpellation ?

6. En fonction des produits promus et des arguments utilisés, quelle idée vous faites-vous du niveau de vie de la société qui produit et reçoit des annonces de ce type ?

7. Vous allez maintenant analyser dans ces publicités quelques éléments de la technique radiophonique mise en œuvre en utilisant les critères suivants :
a - voix d'homme, voix de femme et valeur de la voix ;
b - musique instrumentale ou chantée (solos ou chœurs) ;
c - message chanté ou parlé ;
d - etc.
Vous pouvez regrouper vos observations dans un tableau semblable au tableau ci-dessous afin de faciliter la comparaison :

Produit	H/F	Parlé	Chanté	Musique	Bruitage
Paquet Friskies etc.	H, voix séductrice F, voix jeune, gaie	×	–	×	–

8. A partir de ces données, caractérisez l'image sonore de chaque publicité, confrontez-la aux arguments de vente et définissez l'intention de l'annonceur. Par exemple, Renault 9 : voix d'homme autoritaire ; texte parlé sur fond musical, rythme rapide ; pas de bruitage. Impression de vitesse mais aussi de sérieux et de sécurité. L'annonceur veut informer et convaincre par l'efficacité.

9. Classez ces messages en trois catégories, du plus descriptif au plus expressif, en fonction des informations qu'ils contiennent (prix, forme, composition, performance, limites, mode de fonctionnement, etc.) mais aussi de l'accompagnement sonore du texte. Peut-on trouver une cohérence entre la forme de la publicité et la nature des produits ?

10. Pour que ces messages se fixent dans la mémoire des auditeurs, les publicitaires utilisent encore d'autres procédés que l'on trouverait par exemple en poésie, comme les rimes (Maggi : Minouche/bouche ; souper/lunée/moulinée) ou les métaphores (Paquet : « Larguez les amarres »).
Identifiez-en quelques-uns en donnant les exemples correspondants. Qu'ajoutent-ils à l'ambiance générale des annonces ?

11. Écoutez encore une fois l'ensemble des messages. Pouvez-vous caractériser l'impression qui s'en dégage ? Comment le consommateur français semble-t-il pouvoir être convaincu ? ■

3191

Transcription des messages

Nota : dans cette transcription, on n'utilise aucun signe de ponctuation.

CROISIÈRES PAQUET

un grand paquebot tout blanc dans le golfe d'Aqaba c'est l'azur immobile sur l'eau de la mer Rouge une eau si transparente que vous-même survolant en silence les fonds de corail vous vous êtes demandé si la magie de l'Orient n'avait pas transformé ce jour-là votre planche à voile en tapis volant une croisière en mer Rouge en février en mars larguez les amarres avec Paquet demandez le catalogue à votre agent de voyages ou à Croisières Paquet

FRISKIES

Premier message : papa et moi le poulet froid croquettes Friskies pour toi mon chien les garçons vite v'la le steak-frites croquettes Friskies pour toi mon chien bébé Pierrot tes petits pots croquettes Friskies pour toi mon chien toi mon chien tu fais tellement partie de la famille qu'on pourrait oublier que tu es un chien mais pour toi Friskies offre un choix d'aliments spécialement adaptés rien que pour toi et aujourd'hui de bonnes croquettes Friskies riches en bœuf croquettes Friskies pour toi mon chien

Deuxième message : papa et moi le poulet froid Friskies souper pour toi mon chien les garçons vite v'la le steak-frites Friskies souper pour toi mon chien bébé Pierrot tes petits pots Friskies souper pour toi mon chien tu fais tellement partie de la famille qu'on pourrait oublier que tu es un chien mais pour toi Friskies offre un choix d'aliments spécialement adaptés rien que pour toi et ce soir Friskies souper au bœuf et aux flocons de céréales et de légumes Friskies souper pour toi mon chien

Troisième message : papa et moi le poulet froid croquettes Friskies pour toi mon chien les garçons vite v'la le steak-frites croquettes Friskies pour toi mon chien bébé Pierrot tes petits pots croquettes Friskies pour toi mon chien toi mon chien tu fais tellement partie de la famille qu'on pourrait oublier que tu es un chien mais pour toi Friskies offre un choix d'aliments spécialement adaptés rien que pour toi au menu ce soir croquettes Friskies à la volaille aux légumes verts et au fromage croquettes Friskies pour toi mon chien

DARTY

Premier message : si l'on vient dépanner votre téléviseur après quinze jours c'est vraiment long si l'on vient dans la semaine c'est déjà mieux si l'on vient dans les trois jours ça devient presque sérieux si l'on vient le jour même sur simple appel avant dix heures vous êtes sûrement client Darty Darty le contrat de confiance

Deuxième message : si vous devez choisir votre appareil parmi deux ou trois modèles de grandes marques c'est vraiment juste si vous devez le choisir parmi une dizaine de modèles de grandes marques c'est déjà un peu mieux si vous devez le choisir parmi une vingtaine de modèles de grandes marques ça devient presque sérieux si vous pouvez choisir exactement l'appareil qui vous convient parmi le plus grand nombre de modèles et deux cents grandes marques alors vous êtes client Darty Darty le contrat de confiance

Troisième message : des prix bas vous pouvez en trouvez un jour dans l'année oui mais si ce jour-là vous n'avez rien à acheter des prix bas vous pouvez en trouver trois jours dans l'année vous n'êtes guère plus avancé des prix bas vous pouvez en trouver quinze jours de temps en temps vous ne sautez pas au plafond pour autant mais quand vous êtes sûr quoi qu'il arrive de profiter des prix bas tous les jours de l'année avec la sécurité du remboursement de la différence alors c'est que vous êtes client Darty Darty le contrat de confiance

MAGGI

Maggi Maggi la nouvelle façon de souper soupe moulinée de Marinouche plat de légumes eau à la bouche quand ma Minouche est mal lunée je mitonne une soupe moulinée Maggi Maggi un câlin dans chaque cuillerée soupe moulinée c'est tout velours pour chavirer les minouches Maggi Maggi la nouvelle façon de souper soupe moulinée de Maggi deux nouvelles variétés

RENAULT 9

la Renault 9 fixez-lui un but une destination elle vous y mène avec certitude Renault 9 une précision absolue suspension à quatre roues indépendantes train avant à déport négatif la Renault 9 vous conduit là où vous le décidez à la vitesse que vous décidez Renault 9 neuf versions à partir de quarante-sept mille sept cents francs Renault 9 la certitude

PTT

blanc blanc blanc partout en France blanc blanc blanc téléphonez à votre convenance eh oui de dix-huit heures à vingt et une heures trente du lundi au vendredi c'est le tarif blanc trente pour cent de réduction sur vos communications alors pour téléphoner choisissez les couleurs du temps ces tarifs s'appliquent en France métropolitaine et ne concernent pas les communications locales

320. Le Jeu des mille francs

Certains des jeux que proposent la radio et la télévision deviennent très populaires et le restent pour longtemps. S'ils plaisent au public, ce n'est sans doute pas seulement parce qu'ils sont divertissants : il est probable que celui-ci y retrouve des valeurs qui sont les siennes. Nous analyserons ici les raisons du succès d'un jeu radiophonique.

Document 3201
Transcription partielle du, *Jeu des mille francs,* Marsac 17-05-1984

1. Cette émission du Jeu des mille francs a été enregistrée dans un petit village du centre de la France. Écoutez-la en suivant la transcription.

2. Au fur et à mesure, essayez d'établir le plan général de cette émission qui obéit toujours au même scénario depuis sa création en 1965. Repérez-en aussi les acteurs.

a - *Présentation :*
- salutations toujours identiques,
-
- etc.

b - *Épreuve :* six questions qui donnent lieu à un déroulement identique
- numéro d'ordre ou « couleur » de la question (éventuellement),
- texte de la question,
- etc.

Épreuve (suite) :
A quelles conditions peut-on arriver à cette seconde phase, la plus passionnante (voir aussi **document 3201**) ?

c - *Conclusion :* remerciements, etc.

3. A l'aide de la seule transcription, complétez la description du jeu en répondant aux questions suivantes :

a - Qui invente les questions ?
b - A quoi sert le candidat appelé « renfort » ?
c - Combien peut-on gagner ?
d - A qui vont les gains si les candidats ne savent pas répondre ?
e - A combien de réponses ont-ils droit par question ?
f - Quand peuvent-ils décider de s'arrêter ?

Le Jeu des 1 000 francs
Marsac, 17 mai 1984

Nota : dans cette transcription minimale on n'utilise aucun signe de ponctuation et les noms de personnes ont été remplacés par un signal sonore.

(applaudissements)
Lucien Jeunesse — chers amis bonjour
Public — bonjour
L. J. — à une trentaine de kilomètres de Limoges et de Guéret à soixante-cinq d'Aubusson et à cinq de Bénévent-l'Abbaye Marsac est une station verte de vacances au cœur du pays creusois avant la révolution c'était une cure régulière placée sous le patronage de Saint-Pierre à trois cent-soixante mètres d'altitude Marsac occupe une situation privilégiée avec vue sur l'Ardour les bois la campagne et les monts du Limousin mais vous êtes certainement natif de la région Monsieur ...
Premier candidat — oui je suis de Marsac
L. J. — et vous avez voyagé beaucoup
1er cand. — beaucoup j'ai fait l'Indochine euh l'Afrique du Nord, Chypre tout ça dans ma carrière
L. J. — car vous étiez militaire
1er cand. — militaire c'est exact (...)
L. J. — je vous remercie beaucoup Monsieur. Monsieur ... a fait quinze kilomètres ce n'est pas bien loin pour nous rejoindre car vous habitez
Deuxième candidat — à Chatelus-le-Marcheix
L. J. — qui a quelque chose de particulier non
2e cand. — euh il est réputé pour son calme et il attire les pêcheurs et les amateurs de nature
L. J. — tout comme les personnes qui viennent à Marsac vous avez enseigné dans cette région
2e cand. — j'ai fait mes débuts d'instituteur à Chatelus-le-Marcheix puis je suis parti trente-deux ans en Mayenne où j'ai terminé à Laval et je suis revenu au point de départ
L. J. — merci beaucoup Monsieur ... voici la première question bleue (...) quel est le nom usuel de la sterne S- T- E- R- N- E- oiseau palmipède à tête noire et à dos gris qui vit sur les côtes (chronomètre)
1er cand. — la rieuse
L. J. — oui mais il y a un autre nom la sterne c'est
1er cand. — l'hirondelle de mer
L. J. — l'hirondelle de mer bravo merci monsieur (applaudissements)
L. J. — je ne savais pas qu'on l'appelait la rieuse
1er cand. — ah si moi je pense que la sterne c'est la rieuse
L. J. — oui c'est cela parce que son cri rappelle peut-être un rire
1er cand. — elle a peut-être
L. J. — en tout cas ça vous fait rire oui oui voici la question suivante de Monsieur et Madame ... Les Sables-d'Olonne que signifie cette expression prononcer une harangue (chronomètre)
1er cand. — c'est faire un discours
L. J. — devant qui
2e cand. — devant un public nombreux
L. J. — c'est ça un haut personnage ou devant des troupes et par extension c'est devenu un discours ennuyeux n'est-ce pas haranguer merci Monsieur (applaudissements)
L. J. — troisième question de Madame ... rue Edouard-Branly à Palaiseau à quel moment précis un pilote d'avion fait-il une manœuvre appelée ressource (chronomètre)
L. J. — non pas quand il soupire comment
1er cand. — quand il est en basse altitude et puis qui reprend la montée c'est ça une ressource pour un avion
L. J. — quand il redresse l'avion à la suite d'un piqué bravo Monsieur (applaudissements) mes compliments mais c'est à vous à qui je vais donner les galons de capitaine merci beaucoup Monsieur ... quelle est l'origine nous demande Monsieur ... La Garenne La-Roche-sur-Yon Vendée quelle est l'origine du mot candidat (chronomètre)
L. J. — candidat décomposez le mot vous allez trouver tout de suite candidat
1er cand. — quand il est euh quand il est disponible quand
L. J. — ah non non non candidat
1er cand. — le machin du jour candi non hé oui alors donc c'est un un élève quoi qui est qui ignore tout puis il est candidat il est candide donc

3201

L. J.	– pourquoi candide aussi ça ça vient de là mais vous êtes tout près Monsieur mais il me faut une explication
1er cand.	– candidat candide
L. J.	– vous allez réfléchir Monsieur vous avez encore quinze secondes pour me donner une réponse plus précise dans un instant voici la question de Madame ... à Lorient savez-vous qui a composé la célèbre opérette *Ciboulette* en 1923 le compositeur de *Ciboulette* (chronomètre)
1er cand.	– Sacha Guitry
L. J.	– non non le compositeur vous savez dans *Ciboulette* on chante euh (il chante) nous avons fait un beau voyage (bis) nous arrêtant à tous les pas (bis) nous avons rencontré Monsieur le maire de Marsac euh Monsieur le maire et le curé c'est
1er cand.	– Messager
L. J.	– c'est pas Messager non eh bien vous me donnerez la réponse dans un instant voici la question de Madame ... rue Louis-Vittez à Toulouse quel est le paquebot britannique qui fut torpillé près des côtes d'Irlande le 7 mai 1915 par un sous-marin allemand (chronomètre)
1er cand.	– Lusitania
L. J.	– comment
1er cand.	– Lusitania
L. J.	– le Lusitania bravo Monsieur ... (applaudissements)
L. J.	– mille deux cents personnes périrent dont cent vingt-quatre Américains mais les U.S.A. n'entrèrent pas en guerre pour autant ils attendirent 1917 eh bien j'ai deux questions à proposer à Monsieur ... quelle est l'origine du mot candidat et là il me faut une explication Monsieur (chronomètre)
2e cand.	– je ne sais pas je ne vois pas
L. J.	– vous ne voyez pas ah
1er cand.	– candidoit quand il doit
L. J.	– ah non non là vous vous égarez vous étiez bien parti vous aviez pensé à candide en effet parce que ça vient du latin *candidus* mais *candidus* veut dire blanc et les candidats aux fonctions publiques à Rome s'habillaient de blanc pour briguer les suffrages voyez c'était assez difficile évidemment mais fort intéressant et cette question rapportera à Monsieur ... La-Roche-sur-Yon en Vendée cent francs mais qui a composé l'opérette *Ciboulette* en 1923
2e cand.	– Reynaldo Hahn
L. J.	– Reynaldo Hahn bravo (applaudissements)
L. J.	– vous avez fait une belle remontée vous allez être repêchés je l'espère voici la question méfiez-vous il y a peut-être un piège un nilomètre ça s'écrit N-I-L-O-M-È-T-R-E- nilomètre est-ce une machine à fabriquer le nylon une colonne graduée ou un chef crocodile du Nil ah ben dites donc (chronomètre) nilomètre machine à fabriquer le nylon colonne graduée ou chef crocodile du Nil
2e cand.	– deux le deux la colonne graduée
L. J.	– voilà le deux c'est bien la colonne graduée vous avez raison bravo ah mes compliments (applaudissements)
L. J.	– vous avez grâce à ce nilomètre l'accès au (le public enchaîne et scande)
Public	– banco banco banco banco
L. J.	– au banco demandent vos amis de Marsac question à mille francs de Monsieur ... rue de Tolbiac à Paris quel est le nom actuel de l'ancienne Orléansville où eurent lieu deux terribles tremblements de terre en 1954 et en 1980 une ville qui fut créée par Bugeaud en 1843 (chronomètre)
2e cand.	– El Asnam
L. J.	– alors là là Monsieur Monsieur ... là triomphe là il a levé le doigt (applaudissements)
L. J.	– attendez vous n'avez rien entendu mais je crois qu'il connaît la réponse vous allez le dire bien fort dans le micro je vous écoute Monsieur ...
2e cand.	– El Asnam
L. J.	– vous pouvez l'épeler
2e cand.	– E-L- plus loin A-S-N-A-M-
L. J.	– bravo Monsieur ... excellente réponse qui vous permet ayant gagné (applaudissements) les mille francs du banco de demander le super à cinq mille francs super (le public enchaîne et scande)
Public	– super super super super
L. J.	– super banco
2e cand.	– ça fait cinq fois que j'essaie d'avoir le banco je n'ai jamais pu y arriver (rires) alors comme c'est la première fois que j'ai réussi
1er cand.	– c'est dommage j'aimerais continuer jusqu'à cinq mille on devrait continuer
Public	– oui oui
2e cand.	– non oui oui bon tant pis
L. J.	– ah Monsieur ... s'est prononcé eh bien en tout cas j'ai été ravi de vous rencontrer et de pouvoir vous offrir de la part de France-Inter sous les acclamations de tout Marsac les mille francs du banco merci bravo et à demain si vous le voulez bien (applaudissements)

Documents
3202
3203
Questions du
Jeu des mille francs,
Royat 10/11-05-1984

Documents
3204
3205
Questions du
Jeu des mille francs,
Marsac 15/16-05-1984

4. Vous avez maintenant compris l'essentiel des règles de ce jeu, qui ne sont jamais rappelées, tellement elles sont connues des auditeurs en France. Reportez-vous aux **documents 3202** à **3205** où sont consignées les questions et les réponses d'autres émissions. Complétez un tableau comme le tableau suivant sur l'émission du 17 mai 1984 à Marsac.

	Texte des questions	Réponses (justes ou fausses)
Questions bleues (valeur : 50 F) 1 2 3		
Questions blanches (valeur : 100 F) 4 5		
etc.		
Super banco (valeur :)	(pas de question)	

Vous indiquerez * pour les réponses exactes trouvées par les candidats et ○ pour les réponses non trouvées et données par l'animateur.

5. Ce jeu fait-il appel au hasard ?
Pour gagner, il faut avoir certaines connaissances. Lesquelles ? Décrivez-les en classant les questions par catégories, à partir du tableau précédent et des **documents 3202** à **3205** :
a - Questions pièges : par exemple « cadre » (**document 3205**, première question bleue),
b - Questions d'actualité,
c - etc.

6. Quelles sont celles qui sont réputées les plus difficiles ? (Elles sont surtout utilisées dans la seconde phase du jeu.)

7. En examinant de près le texte des questions et des réponses tel qu'il est lu par l'animateur, pouvez-vous comprendre de quel type d'ouvrage elles parviennent principalement ?

8. Ces connaissances ressemblent à ce qu'on apprend à l'école. Selon vous, de quel niveau d'enseignement se rapprochent-elles ?
a - école élémentaire ?
b - école du deuxième niveau (jusqu'à 16 ans, enseignement obligatoire) ?
c - école du deuxième niveau, baccalauréat ?
d - université ?
En particulier, à quel niveau s'apparentent les questions les plus difficiles ?

9. A partir de ces remarques, pouvez-vous dire à quel genre de public ce jeu s'adresse ? Quelles connaissances ce public se donne-t-il ainsi l'illusion d'avoir ?

10. Revenez au **document 3201** et décrivez dans le détail les fonctions de l'animateur, en essayant, chaque fois, de qualifier son comportement.
— **Ligne 1** : salue le public cordialement.
— **Ligne 3** et suivantes : décrit la ville comme un guide de voyage, etc.

3202

Questions du Jeu des 1 000 francs
Royat, 10 mai 1984

Questions	Réponses * *Réponse exacte donnée par les candidats.* O *Réponse exacte non trouvée par les candidats.*
Questions bleues	
1. Qui a remporté, le 24 mars 1984, le premier grand prix de Formule I de la saison ?	Nelson Piquet ; * Alain Prost (pilote français).
2. Comment nomme-t-on les monuments mégalithiques constitués d'un seul bloc de pierre vertical ?	* Les menhirs.
3. Quel est le mot employé couramment pour désigner l'hydroxyde de fer rouge orangé ?	* La rouille.
Questions blanches	
4. Comment appelait-on, chez les Anciens Grecs, une courtisane qui avait une grande instruction ?	O Une hétaïre.
5. En joaillerie, qu'est-ce qu'un jargon ?	Coupe de la pierre, diamant qui sert à couper la pierre, le diamantaire, O variété de diamant de teinte jaune.
Question rouge	
6. Où se trouve le Kaaba ou Ka'ba ?	Amérique du Sud, Afrique, Asie, Indonésie, Australie, Turquie, Asie Mineure, Albanie ; O La Mecque.

3203

Royat, 11 mai 1984

Questions	Réponses
Questions bleues	
1. Quel commerce effectue un pelletier ?	Vend des grains, des pelles, boulanger, tanneur, * prépare et vend des fourrures.
2. Si vous demandez à votre boucher de vous servir des amourettes, qu'est-ce qu'il va vous servir ?	Les rognons, * la moelle épinière.
3. Le 27 mars 1984, le président africain Ahmed Sékou Touré décédait à New York où il avait été transporté pour y subir une opération cardiaque. De quel pays était-il président ?	* La Guinée.
Questions blanches	
4. Quelle est la différence en bijouterie entre une intaille et un camée ?	* Taillée en relief, gravé en creux.
5. Quelle est la comédie-proverbe d'Alfred de Musset dans laquelle Perdican, dédaigné par sa cousine Camille, promet un amour éternel à Rosette ?	* *On ne badine pas avec l'amour.*
Question rouge	
6. Quelle est la capitale de la République du Mali ?	Niamey, * Bamako.

Question de repêchage	
Une mélanite est-ce : une femme explosive, une pierre noire, une hirondelle de Mélanésie ?	* Pierre noire.
Question banco	
Ses cinquante fils ont épousé les cinquante filles de son frère Danaos, les Danaïdes. Quel est ce héros mythologique qui a laissé son nom au pays des Mélampodes, les pieds noirs ?	Énée, Mélanos, O Égyptos.

11. Classez les éléments de ce rôle dans les catégories suivantes (utilisez les numéros de ligne) :
a - autorité/fermeté : **lignes** --, --
b - souplesse/compréhension :
c - humour/gentillesse :
d - courtoisie/politesse/discrétion :

12. A quel personnage pourrait-on comparer Lucien Jeunesse :
a - à un enseignant,
b - à un ami,
c - à un arbitre ?
Expliquez votre choix.

13. Y a-t-il une qualité du rôle que joue cet animateur qui vous semble plus particulièrement française ? Si oui, laquelle ?

14. Comme à la question 10, examinez le rôle du public et celui des auditeurs. En particulier, quels rapports y a-t-il entre le public et les candidats, le public et les auditeurs ?

15. Pourquoi peut-on dire que les rôles du public présent, de tous ceux qui écoutent régulièrement cette émission, de ceux qui envoient des questions à poser aux candidats et des candidats officiels sont interchangeables ?

16. Pouvez-vous comprendre quel est l'effet produit par ce jeu qui n'oppose pas des personnes ou des équipes mais où chacun peut participer à sa manière ?

17. Le plus souvent, ce jeu se déroule dans de petites villes. On donne aussi l'adresse de tous les auteurs de questions. Quel effet cela produit-il ? Pour répondre, tenez aussi compte du début de l'émission (présentation de la ville de Marsac).

18. On pourrait dire que le jeu est, au sens symbolique, « national ». Pouvez-vous expliquer pourquoi ?

19. Existe-t-il, dans votre culture, des jeux radiophoniques ou télévisés qui présentent les mêmes caractéristiques ? Analysez de cette manière un des jeux les plus populaires chez vous. ■

3204

Marsac, 15 mai 1984

Questions bleues

1. Quel nom donne-t-on à la production méthodique de truffes ?
Culture cryptogamique, * la trufficulture.

2. Le cyclone est une perturbation très violente qui se forme sous les tropiques. Pouvez-vous citer un autre type d'ouragan ?
Tornade, orage, * typhon ou ○ hurricane.

3. Cecilia Rhodes, mannequin suédois, vient d'être la vedette des couvertures des magazines. Savez-vous pourquoi ?
* C'est la femme de Yannick Noah (joueur de tennis français).

Questions blanches

4. Quel est le site très réputé en Irlande du Nord, formé de falaises groupant 40 000 colonnes basaltiques érodées par la mer et qui porte un nom de légende ?
* La Chaussée des géants.

5. D'où le peintre Henri Rousseau tire-t-il son nom de douanier ?
Parce qu'il était douanier, * employé d'octroi à la ville de Paris.

Question rouge

6. Où se trouve la mer d'Aral ?
* En Russie, non loin de la mer Noire.

Question banco

Quel est le peintre, pastelliste et lithographe, ami de Manet et de Degas, qui travailla avec G. Courbet ? Il fit surtout des natures mortes, des bouquets et des dessins inspirés d'œuvres musicales (1836-1904).
Quentin-Latour, Bourgeois, ○ Fantin-Latour.

3205

Marsac, 16 mai 1984

Questions bleues

1. Quel est le point commun entre un tableau et un vélo ?
* Le cadre.

2. Quel nom donnait-on au tablier boutonné par-derrière que portaient autrefois les enfants ?
* Le sarreau.

3. En langage culinaire que signifie le terme : manier ?
* Remuer avec les mains, mélanger, pétrir avec une ou plusieurs substances.

Questions blanches

4. Quel nom donne-t-on aux adorateurs d'animaux ?
Zoophiles, zoophages, zoorastre, ○ zoolâtres.

5. Savez-vous ce qu'est un insecte aptère ?
* Sans ailes.

Question rouge

6. Quel est le véritable nom d'Alexandre Dumas père ?
○ Alexandre Davy de la Pailleterie.

mistes sont actives. Même dans les petites villes, il est rare de ne pas trouver un ou plusieurs groupes femmes. A Quétigny, près de Dijon, un groupe — en sommeil depuis quelques mois et cherchant à « repartir » — s'est réuni pendant plusieurs années avec une grande régularité : « *C'était plus facile de réfléchir ensemble à notre vie quotidienne et à notre avenir*, précise l'une d'elles, *dans le respect de notre diversité : femmes au foyer, employées, enseignantes, médecin.* »

A Brest (Finistère), dans la nuit du 21 au 22 juin, un groupe de femmes, qui, dans un tract, se nommaient « *les bombeuses de torse* », ont badigeonné de peinture les vitrines de plusieurs pharmacies du centre-ville afin de protester contre des campagnes publicitaires pour des produits de beauté et le slogan qui les accompagnait : « *Madame, oserez-vous vous montrer cet été ?* ». « *Les bedaines, la cellulite, les zizis en mauvais état, les rides des hommes ne choquent personne*, écrivaient-elles dans un une coordination des groupes femmes a été mise en place. Plusieurs fois elle s'est dissoute. Au lendemain du 6 octobre une nouvelle coordination s'est constituée, regroupant des groupes femmes de la région parisienne et des groupes entreprises. « *Mais tout le monde ne se reconnaît pas dans cette coordination*, explique Monique Capitaine, *membre du collectif. Il y a en notre sein un clivage très marqué entre deux tendances, celle de la Ligue communiste révolutionnaire et celle des femmes plus radicalisées.* » Deux ou trois fois par an, des week-ends de coordination nationale sont organisés. Plus régulièrement, des assemblées générales régionales, à Paris, réunissent quelque trois cents personnes. Le bulletin mensuel de la coordination — dont la périodicité a rarement la régularité prévue — tire à 1 000 exemplaires. Ce n'est certes pas là la coordination nationale attendue par la plupart des femmes de province qui déplorent la « *volont' 'le centralisation* » du collectif.

Le chemin parcouru

8 C'est, pour partie, le succès même du mouvement qui a donné l'impression de sa mort. Parler des problèmes des femmes est devenu banal, et on n'imagine plus que, voilà dix ans, c'était le silence. A Paris, depuis mai 68, des femmes cherchaient à s'organiser, mais c'est le 27 août 1970 que, pour la première fois, les journaux français ont parlé du mouvement de libération des femmes. La veille, alors que les féministes américaines se mettaient en grève, une dizaine de femmes avaient tenté de déposer une gerbe à l'Arc de triomphe, proclamant : « *Il y a plus inconnu encore que le soldat : sa femme.* » La police avait empêché le dépôt de la gerbe (2).

On a oublié le chemin parcouru depuis lors, celui qui sépare le « *je ne suis pas féministe, mais...* » de l'avant-70, du « *je ne suis pas phallocrate, mais...* » de 80 (3). Pour les adolescentes d'aujourd'hui, « *le féminisme, c'était quand les femmes avaient besoin de se libérer* » dit l'une d'elles. « *C'était après 68*, explique Maud, (dix-sept ans) à la sortie du lycée. *Les femmes avaient besoin de réfléchir, de se réunir seules. Elles s'étaient fait avoir par les mecs en 68. Elles faisaient le café et tapaient à la machine pendant que les mecs parlaient et faisaient la révolution. Nous, nos mecs sont super, pas phallo. On peut faire des actions avec eux.* »

Tout cela ne semble pas évident à Anne Tristan et Annie de Pisan, militantes des origines et coauteurs d'« *Histoires du M.L.F.* ». Elles ne croient pas qu'on soit déjà arrivé au stade où « *il n'y a plus de problèmes* », comme le pense Maud. Cependant, elles regardent avec émerveillement les années écoulées. « *Sur ma vie de femme*, dit Anne, *j'ai vu plus de bouleversements que je n'en aurais jamais attendu* ». « *Qu'aurait été ma vie sans le mouvement*, se demande Annie. *Je n'aurais pas eu la force de crier seule dans le désert, mais, quand j'ai vu que d'autres descendaient dans l'arène, je les ai rejointes. Tout alors a changé, dans ma vie personnelle comme dans ma vie professionnelle. Je suis ingénieur, on m'avait donné un poste de documentaliste. Sans le mouvement, ça aurait continué comme ça.* »

Ni Anne ni Annie, pas plus que Liliane, Cathy et quelques autres — qui après dix ans de lutte commune peuvent se dire les « historiques » du mouvement — n'ignoraient que la faiblesse

tions pas pu gagner des couches plus larges. »

11 Qu'il suscitât quolibets ou applaudissements, le féminisme était sans relâche évoqué, discuté, tant qu'il était à l'initiative de la lutte sur des questions restées jusqu'alors enfouies : l'avortement, le viol. Il devenait en outre un bon produit, qui « faisait vendre ». On assista donc à la multiplication des collections de femmes dans l'édition, à l'apparition de pages réservées au féminisme dans la quasi-totalité des journaux féminins, enfin à la création de journaux féministes. Toutefois le consommateur, comme toujours, s'est lassé. Alors, on a commencé à écrire sur la mort du féminisme.

12 On ne saurait pourtant réduire le mouvement des femmes à une mode. Son importance ne peut se mesurer en recensant les militantes, mais, en dix ans, il a marqué la société, bousculant des préjugés et quelques lois.

13 En avril 1971, trois cent quarante-trois femmes, parmi lesquelles des femmes connues — Simone de Beauvoir, Gisèle Halimi, Jeanne Moreau, Françoise Sagan, Delphine Seyrig, Nadine Trintignant, etc. — signaient un manifeste, publié par le *Nouvel Observateur* et repris dans toute la presse, affirmant qu'elles avaient avorté. Cette provocation, dans un pays dont la législation réprimait sévèrement l'avortement, marquait le véritable début du combat public pour l'avortement libre.

14 Immédiatement après, la création du mouvement Choisir (4) par Simone de Beauvoir et Gisèle Halimi, les journées de la Mutualité sur l'avortement, le procès de Bobigny en 1972, plaidé par Gisèle Halimi, les débuts du Mouvement pour la liberté de l'avortement et de la contraception (MLAC) (5) en 1973 (organisme mixte auquel participaient des médecins, des militants du planning familial et de la C.F.D.T., des avocats), ont constitué autant de moyens de pression, aboutissant à la fin de 1974 au vote d'une loi sur l'interruption volontaire de grossesse, dite loi Veil (publiée au *Journal officiel* du 18 janvier 1975). Adoptée pour une période de cinq ans, elle a été reconduite en 1979. Les féministes estiment qu'elle n'a pas été améliorée et que leur lutte pour l'avortement libre et gratuit n'a pas encore abouti.

15 Demandant la « libre disposition » de leur corps, les militantes devaient aussi exiger le droit de faire l'amour « *quand on veut*, *dire sept mille militantes* », déplore Catherine, employée de bureau, qui se plaint de la « *mollesse* » de Choisir, « *sauf peut-être à Paris où la permanence du samedi au local* (9) *est une bonne chose qui permet de se retrouver et aussi de discuter avec des gens nouveaux.* » Elle souhaiterait que le mensuel *Choisir* (huit mille à neuf mille exemplaires) fasse plus largement écho à la vie de l'organisation dans les différentes villes. Elle voudrait connaître sa position sur « *les grands problèmes actuels, le nucléaire, la démographie* », mieux comprendre ses idées, son fonctionnement en dehors des actions liées à la personnalité de Gisèle Halimi, qui, largement répercutées par la presse, font de *Choisir* l'une des références du mouvement des femmes pour le grand public.

L'autre référence, c'est Politique et Psychanalyse, dont on a longtemps vu la fondatrice, Antoinette Fouque, représenter à la radio et à la télévision l'aile radicale du mouvement. « Psych. et Po. », comme il est communément appelé, a, dès les origines, rejeté le mot « *féminisme* », « *renvoyant à une lutte réformiste et petite-bourgeoise* », et appelé à l'« *indépendance politique et érotique des femmes* ». « *Antoinette a aussi compris avant nous toutes que l'argent était le nerf de la guerre*, rapporte une féministe, *et elle en a trouvé, une riche héritière étant entrée en analyse*

Attention, il va la prendre. Il l'a prise : M.L.F. ».

Depuis, la crispation est totale. Psych. et Po., dont les réalisations sont en effet considérables et qui a toujours insisté sur la nécessité pour les femmes de ne pas reproduire ce qu'elles condamnaient dans le monde des hommes, symbolise pourtant pour certains « *cette manière de penser très désocialisée, glaciale, ce manque de chaleur humaine* », que Dominique Wolton, sociologue, voit comme l'une des caractéristiques du mouvement des femmes et une cause de la stagnation qu'il a connue. Né dans une période d'expansion, de développement de la société de consommation, après l'émergence de l'idée de libération individuelle, explique-t-il, le mouvement des femmes « *a tapé sur le maillon le plus fort et le plus faible à la fois, la sexualité* ». La contraception, l'avortement, étaient très médicalisés. Les femmes ont fait éclater le scientisme dans lequel on les avait enfermées. Mais elles sont trop restées attachées aux problèmes sexuels, qui, avec la crise, sont passés à l'arrière-plan. Alors le mouvement s'est enlisé. « *De plus, le rapport homme-femme est plus compliqué que ce qu'elles ont dit. Elles ne sont pas sorties de la logique du règlement de comptes. Surtout, elles n'ont pas compris qu'elles étaient le fer de lance. Elles n'ont pas cherché le relais dans l'espace du travail.* »

« *qui font parfois des grandes marées* », dit Cathy. « *C'est une façon comme une autre de résister à cette société.* »

22 Contrairement aux partis politiques, le mouvement des femmes n'a jamais caché la violence de ses débats derrière les discours de bon ton, et a toujours préservé l'humour de ses slogans : « *Viol de nuit, terre des hommes* », « *La démocratie de monsieur est avancée* », « *Ni faux cils ni marteaux piqueurs* », « *L'avenir de l'homme n'est plus ce qu*'elle *était* ». Ce qui fit sa force, et risque de périr dans les luttes de tendances, c'était le plaisir toujours renouvelé que les femmes prenaient à se retrouver, leurs cortèges colorés, leurs banderoles fleuries, le désir de ne pas perdre le sens du jeu pour se transformer en institution, en structure morte.

23 Sortant d'une phase de reflux partiel (1977-1978 essentiellement) le mouvement des femmes, tout en conservant sa tradition, issue de l'esprit de mai 68, veut tenter d'être reconnu comme un mouvement politique extra-parlementaire avec lequel il faudra compter. « *Il lui faudra négocier*, commente Dominique Wolton, *et ce sera sans doute moins agréable que la radicalité, moins spectaculaire.* » Peut-être alors le mouvement sera-t-il suffisamment fort pour faire entendre à tous l'un de ses premiers slogans : un homme sur deux est une femme. ■

La néo-féminité

16 La faiblesse de l'« *articulation du féminisme avec l'économie* » est relevée par Gisèle Halimi ; Jeannette Laot, secrétaire national de la C.F.D.T., membre fondateur du MLAC, avoue qu'elle n'est « *plus très en prise sur le mouvement, car il a fallu passer à un autre stade* ». La crise économique a amené une « *mobilisation sur des fronts différents* ». Il faut combattre l'incitation à l'abandon du travail salarié (13). Pour l'instant, 60 % des femmes de moins de trente-neuf ans travaillent — souvent au bas de l'échelle. Malgré la crise, elles veulent se maintenir, et d'autres continuent d'affluer sur le marché. « *Elles ont intériorisé à leur façon toute la lutte des femmes et la majorité veulent travailler* », conclut Jeannette Laot.

17 L'entreprise est un lieu où l'influence des idées féministes est importante. Dans les agences bancaires, comme dans les supermarchés, les responsables constatent, pour leur part, qu'on ne peut « *plus vraiment diriger les femmes comme avant* ». Les travailleuses n'acceptent plus les discriminations dont elles sont victimes quotidiennement.

18 De plus en plus de femmes font appel à la justice contre les employeurs diffusant des offres d'emploi sexistes ou avançant des arguments sexistes pour refuser la candidature d'une femme. Dans une chaîne d'hypermarchés, on demandait encore l'an dernier aux femmes d'indiquer sur leur fiche de demande d'emploi leur taille, leur poids, leur pointure de chaussures et les tailles de leurs vêtements. Elles devaient ensuite dire si leur mari acceptait les conditions

(1) Maria-Antonietta Macciocchi : *les Femmes et leurs maîtres*, Christian Bourgois, 1979.
(2) Annie de Pisan, Anne Tristan : *Histoires du M.L.F.*, Calmann-Lévy, 1977, p. 55.
(3) Christine Delphy, Libération des femmes : *An dix dans questions féministes*, éditions Tierce, février 1980.
(4) Choisir, 102, rue Saint-Dominique, 75007 Paris.
(5) MLAC, 34, rue Vieille-du-Temple, 75004 Paris, 278-70-38.
(6) B.P. F.M.A. 370, 75625 Paris, Cedex 13.
(7) Choisir : *Viol : le procès d'Aix* ; Gisèle Halimi : *le Crime*, Idées Gallimard, 1978.
(8) Choisir : *Choisir de donner la vie* ; Gisèle Halimi : *la Liberté des libertés*, Idées Gallimard, 1979.
(9) 30, rue Rambuteau, 75003 Paris, 277-33-00.
(10) 70, rue des Saints-Pères, 75009 Paris.
(11) 12, rue de la Chaise, 75007 Paris, 548-15-85.
(12) *Le Sexisme ordinaire*, dans *les Temps modernes*, Gallimard, décembre 1979.
[Les chroniques parues dans la rubrique « Le sexisme ordinaire » entre 1974 et 1978, dans la revue *les Temps modernes*, ont été rassemblées dans un livre : *le Sexisme ordinaire*, Le Seuil, « Libres à Elles », 1979.]
(13) Christiane Collange : *Je veux rentrer à la maison*, Grasset, 1979.

Date (ou période)	Événement document 4011	Événement document 4012	Commentaires
1968-1970			
mai 1968			
26 août 1970			
27 août 1970			
1970-1974			
avril 1971		Manifeste des 343	
1972			
1973			
au lendemain de l'élection de V. Giscard d'Estaing			
juillet 1974			
fin 1974			
janvier 1975			
18 janvier 1975			
1975			
juin 1975			
1977-1978			
1979			
6 octobre 1979	Manifestation		« Les femmes estiment que... »
décembre 1979			
15-30 juillet 1980			
1981			

3. Confrontez les événements pour dégager les relations entre les manifestations revendicatrices et les mesures légales (ou inversement).
Par exemple : 6 octobre 1979, manifestation pour la reconduction de la loi sur l'avortement.
Décembre 1979, loi sur l'avortement.

4. En observant, dans le tableau, la chronologie et la nature des événements, datez et caractérisez les cinq grandes périodes que l'on peut distinguer.
Par exemple, de 1945 à 1960 : silence, dépendance et passivité, etc.
A partir de ces caractéristiques que vous venez de dégager, et en vous appuyant sur des indices comme « rupture », « tournants », qui sont donnés par les textes, retracez le schéma d'ensemble de ces quarante ans d'évolution.

5. L'article de Marie-Claude Betbéder **(document 4012)** est plus récent que celui de Josyane Savigneau **(document 4011)**. Dites comment ces différences de perspective se manifestent dans les textes.

6. Relevez, dans les titres ou le « chapeau » du **document 4011**, les expressions qui indiquent l'état actuel du féminisme.

7. Lisez la fin des deux textes (**document 4011** : La néo-féminité ; **document 4012** : « Ces interventions... »), et faites la liste des raisons avancées pour expliquer l'état des choses :
a - Exemple : « Interventions institutionnelles » **(document 4012)** = la loi a pris le relais des revendications.
b - Exemple : « Crise économique » **(document 4011)** = les urgences se sont déplacées.
c - etc.

L'essoufflement du féminisme

1 MALGRÉ quelques événements marquants, comme l'obtention du droit de vote en 1945 et la parution du *Deuxième Sexe,* de Simone de Beauvoir, quatre ans plus tard, les deux décennies qui constituent la mi-temps du XXe siècle apparaissent un peu comme le temps de la « Belle au foyer dormant » : peu de femmes travaillent et la plupart se taisent.

2 A la fin des années 50, avec la création du Mouvement français pour le planning familial (MFPF), la lutte pour la liberté d'accès aux moyens de contraception va être le premier signe d'un réveil qui aboutira au vote de la loi Neuwirth, en 1967, et à l'ouverture du dossier de l'avortement clandestin. Des groupes de femmes commencent à se constituer, qui remettent en cause non seulement le statut qui est le leur dans la société, mais aussi leur situation dans la famille et le couple. Objectif : la conquête individuelle et collective d'une autonomie — depuis la libre disposition du corps jusqu'à la pleine réalisation de la personnalité et, pour certaines, l'affirmation de valeurs propres aux femmes.

3 De la convergence de ces groupes émerge entre 1968 et 1970 le Mouvement pour la libération de la femme (MLF) et, plus largement, un « mouvement des femmes » qui, tout en étant le fait d'une minorité active appartenant souvent aux milieux intellectuels urbains, touchera à des degrés divers l'ensemble des femmes.

4 La publication sur deux pages du *Monde* et dans les colonnes du *Nouvel Observateur,* en avril 1971, du « manifeste des 343 » femmes déclarant avoir avorté, constitue un tournant décisif. A cette date, avorter c'est encore un crime, et, pour protéger les signataires des foudres de la justice, il a fallu mettre en tête de la liste une série de noms célèbres : Simone de Beauvoir, Christiane Rochefort, Delphine Seyrig, Gisèle Halimi... Mis ainsi sur la place publique, le sujet tabou, honteux, devient l'occasion d'une vaste mobilisation et d'un cheminement émotionnel et moral qui, en quelques années, ruinera de l'intérieur l'antique docilité des femmes aux préceptes de l'Eglise catholique (1).

5 L'évolution des mœurs est si ample et si rapide que Valéry Giscard d'Estaing, au lendemain de son élection, prendra le risque d'aller contre une partie de son électorat en libéralisant l'avortement « à l'essai » (loi Simone Veil de janvier 1975), puis de manière durable (loi de décembre 1979). Il élève par ailleurs l'émancipation féminine au rang d'affaire d'Etat en désignant un secrétaire d'Etat à la condition féminine (Françoise Giroud), puis un ministre délégué à la condition féminine (Monique Pelletier).

6 Nommée, au lendemain de la victoire de la gauche, ministre des droits de la femme, Yvette Roudy aura davantage de pouvoir et un peu plus de moyens que ses prédécesseurs. Elle fera rapidement passer dans la législation la gratuité de l'avortement, des mesures en faveur des femmes d'artisan et de commerçant, et une loi sur l'égalité professionnelle entre femmes et hommes, qui interdit toute discrimination à l'embauche, pour le salaire et dans le déroulement du parcours professionnel. Dans le même temps, sont autorisées et même encouragées les « discriminations positives », c'est-à-dire toutes mesures destinées à aider les femmes à réduire leur handicap.

7 CES interventions institutionnelles viennent à point pour relayer un mouvement féministe qui s'essouffle et qui a cessé d'être en prise sur une jeunesse satisfaite des acquis mais allergique à l'esprit de système comme aux batailles rangées. *« On a l'égalité. A chacune de se débrouiller pour la faire passer dans les faits »,* dit la nouvelle génération, qui pense par ailleurs que *« les mecs, eux aussi, ont à se libérer ».*

8 Les grandes réformes étant acquises, c'est à un patient travail de taupe que s'est attelé le ministère des droits de la femme : agir par touches sur chacun des rouages de la société pour que la donnée « femmes » soit prise en considération dans tous les domaines. Par exemple, pour que les femmes cessent d'être minoritaires dans les stages de formation. Auprès des enseignants, des responsables d'établissement et des conseillers d'orientation, pour que les filles soient poussées autant que les garçons à sortir des sentiers battus, soutenues dans leurs projets et éveillées à l'ambition. Auprès des éditeurs et des auteurs de manuels scolaires, pour qu'ils présentent des personnages féminins autres que mièvres et passifs. Auprès des enseignants, qui font leur choix parmi ces livres, et des municipalités, qui paient la note, pour que les manuels sexistes soient éliminés (2).

9 Les possibilités d'intervention et, à moyen terme, les chances d'efficacité sont là plus grandes qu'il n'y paraît : les générations les plus touchées par le féminisme combatif des années 70 sont aujourd'hui bien représentées dans les postes à responsabilité de niveau intermédiaire (les plus importants pour une évolution), et elles se laissent assez facilement convaincre d'intervenir dans le sens demandé. Par ailleurs, l'aspiration à l'égalité est suffisamment forte parmi les plus jeunes pour que les possibilités nouvelles qui leur seront offertes (par exemple en matière de stages de formation) soient saisies rapidement si l'information est correctement faite. ■

(1) Voir Danièle Léger, *le Féminisme en France* (Sycomore, 1982).

(2) Sur le développement de cette action, voir la revue du ministère : *Citoyennes à part entière.*

8. Chaque auteur indique à quelles conditions le mouvement aura une évolution efficace. Quelles sont ces conditions ?

9. Par rapport à ce que vous venez d'apprendre du féminisme en France, comment se situe le mouvement dans votre pays ? Comparez les dates, la nature des revendications, les mesures légales.

10. Après cette discussion, relisez entièrement les deux textes et essayez de dire si on peut parler d'une évolution des mouvements de femmes commune à plusieurs pays. ■

402. L'enseignement du second degré

Dans les États « modernes », l'enseignement joue un rôle essentiel. En préparant la jeunesse à assumer ses tâches, il prépare l'avenir. En France, c'est un service public gratuit, obligatoire et laïque qui relève du ministère de l'Éducation nationale. Cette machine énorme et centralisée essaie, de réforme en réforme, de répondre aux besoins d'une société en pleine évolution. Non sans difficultés, l'enseignement du « second degré » n'en est qu'un exemple. A travers le texte proposé ici — introduction aux résultats d'une vaste enquête —, vous découvrirez la structure d'une partie de cette institution ainsi que son évolution et les causes de ses défauts de fonctionnement qui provoquent un malaise vivement ressenti par tous.

Document 4021
Hervé Hamon, Patrick Rotman, ***Tant qu'il y aura des profs,*** Seuil

1. Parcourez le texte à partir du deuxième paragraphe en relevant les dates et les informations chiffrées qui les accompagnent (chiffres et pourcentages). Expliquez la notion de « classe d'âge », puis complétez les schémas suivants.

a - Évolution des effectifs (nombre d'élèves) pour l'entrée en sixième.
Placez les années de référence sur l'axe horizontal et les effectifs sur l'axe vertical et tracez la courbe correspondante.

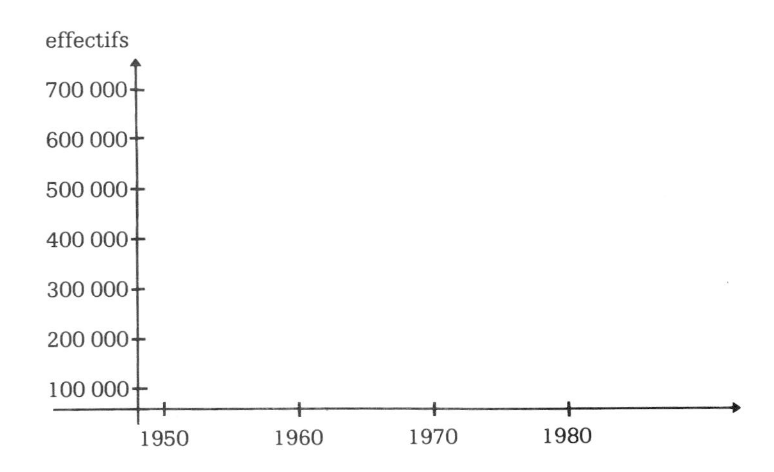

b - Faites un graphique semblable pour l'évolution du nombre des élèves dans l'ensemble de l'enseignement secondaire de 1950 à 1975.

2. Les auteurs proposent trois explications à cette croissance. Il y en a une que vous pouvez dater **(paragraphe 5)**. Faites-le. Comparez cette situation à ce que vous savez de l'évolution de l'enseignement secondaire dans votre pays.

4021 [1] Il était une fois un heureux pays où maîtres et sujets vivaient en bonne harmonie. Les habitants y étaient peu nombreux, les frontières bien gardées, et chacun tenait son rang. A l'abri du monde, le royaume coulait des jours paisibles. Mais cette félicité suscitait des jalousies. Un jour, les barrières qui délimitaient le territoire furent emportées par la tempête, et plus rien ne distingua l'Eden des contrées avoisinantes. Les hordes sauvages qui, autrefois, contournaient cette terre bénie sans même songer à y pénétrer, envahirent tout et se mêlèrent aux élus, jusqu'à les submerger. Ils ne parlaient pas le même langage, leurs coutumes semblaient étranges, et ils n'observaient pas les lois en vigueur. Bref, ce fut la pagaille, et l'oasis devint ingouvernable. Malheureux, les anciens maîtres allaient rasant des murs éventrés. Stupéfaits, ils se lamentaient, répétant sans cesse qu'après de tels débordements le fleuve ne suivait plus son cours. Amers, ils ajoutaient, paradoxe, que le niveau ne cessait de baisser...

[2] En vingt-cinq ans, le nombre des élèves du second degré a été multiplié par cinq. De 1950 à 1975, la population scolaire concernée est passée de 1 à 4,9 millions, soit une croissance annuelle moyenne de 6 %. A l'entrée de ce cycle, en sixième, 170 000 enfants se pressaient en 1950. Ils étaient plus de 700 000 en 1980. Cette formidable envolée des courbes est due pour une part à l'explosion démographique, mais celle-ci n'est responsable directement que du cinquième de l'augmentation totale. A la poussée des classes pleines de l'après-guerre s'est ajoutée une pression beaucoup plus puissante encore : le « toujours plus » d'école, l'augmentation de la demande. Dans le second degré, la prolongation de la scolarité obligatoire portée à seize ans et, surtout, la démocratisation de l'accès fournissent le grand détonateur des années soixante. En 1950, 30 % d'une classe d'âge entraient en sixième ; ce taux s'élevait à 47 % en 1960. Il est aujourd'hui proche de 100 %.

16

[3] Que le lecteur pardonne cette entrée en matière chiffrée, mais le phénomène est fondamental. Inutile de bavarder sur l'école, de se plaindre du niveau, de dénoncer le gigantisme du système, d'analyser le malaise enseignant, si l'on n'inscrit pas ces statistiques en tête de chaque développement : en 1959, 60 % des enfants de treize ans avaient terminé leurs études; à présent, 100 % les prolongent.

[4] Depuis la loi de juillet 1975, tous les petits Français qui sortent de l'école primaire entament leurs études secondaires dans le même type d'établissement, le collège. Il a fallu un demi-siècle pour que cette idée égalitaire et démocratique de l' « école unique », née au lendemain de la Première Guerre mondiale, entre dans les faits. Elle inspire, peu ou prou, les diverses réformes qui ont affecté l'Éducation nationale au cours de l'époque récente. En 1947, le plan Langevin-Wallon, longtemps resté le talmud de la gauche enseignante, préconise la création d'établissements publics accueillant tous les enfants, sans distinction, de onze à dix-huit ans. Il n'aura pas, sous la IVe République, l'ombre d'un début d'application. Il faut attendre l'avènement de la Ve pour que le projet d'unification de l'école secondaire commence, de manière empirique et saccadée, à être réalisé. Trois réformes principales et une infinie panoplie de dispositions seront nécessaires.

[5] Jusqu'en 1958, à la sortie de la scolarité primaire, les élèves voyaient s'ouvrir devant eux trois voies. Les moins doués, ou les moins chanceux, ou les plus défavorisés — chacun choisira suivant sa grille — allaient en classes de fin d'études où ils préparaient le légendaire « certif », qui a tant contribué au prestige des hussards de la République. 40 % des effectifs, environ, étaient concernés. Les « moyens », ou ceux dont les parents ne pouvaient financer une longue scolarité, se dirigeaient vers les cours complémentaires, institutionnellement rattachés à l'école primaire, afin d'obtenir le « brevet » (BEPC) — 25 % des enfants suivaient cette filière. Enfin, le restant, soit un peu plus du tiers, accédait au lycée. En 1959, la réforme Berthoin porte la scolarité obligatoire jusqu'à seize ans. Elle transforme les cours complémentaires en collèges d'enseignement général (CEG). Elle crée un « cycle d'observation » de deux ans, dans l'espoir de jeter des passerelles entre lycée et CEG. En fait, ces transferts concerneront 1 % des élèves. Ces derniers poursuivent leurs études là où ils les ont commencées. Pour que l'orientation ait un sens, il faudrait que les différentes sections soient regroupées au sein d'un même établissement.

[6] La réforme Fouchet de 1963 s'inspire de cette idée : elle vise à réunir tous les élèves au même endroit. Le collège d'enseignement secondaire, rapidement désigné par ses initiales, CES, est créé. Les enfants d'un même secteur géographique, quelle que soit la filière

empruntée, se retrouvent dans une seule cour de récréation. Le progrès est sensible, mais la différenciation entre les cursus subsiste : l'enseignement de type lycée (classique ou moderne) cohabite avec la formation « ex-CEG ». Une troisième voie, en l'occurrence une impasse, est réservée aux élèves en difficulté : ce sont les classes de transition.

[7] Confrontée à un afflux massif d'élèves, l'Éducation nationale fait front comme elle le peut. On prétend bâtir, à cette époque, un CES par jour. Pour répondre aux besoins économiques et sociaux des années de croissance, il s'agit de former de plus en plus d'élèves, tout en maintenant la hiérarchie entre les deux filières principales. Après le regroupement géographique dans les mêmes murs, reste à achever l'évolution : la fusion dans les mêmes classes. C'est l'objet de la réforme Haby de 1975. Les divisions ne sont plus constituées en fonction du niveau des élèves ; bons, mauvais et moyens partagent les mêmes bancs. Le collège Haby est un collège volontairement hétérogène. En compensation, des heures de « soutien » sont prévues pour les élèves en difficulté. Les filières sont définitivement abolies. Tous les enfants reçoivent, en principe, une formation commune de la sixième à la troisième.

[8] En une quinzaine d'années, l'enseignement secondaire connaît ainsi une double révolution : quantitative, en accueillant la quasi-totalité d'une classe d'âge ; structurelle, en mêlant dans un cadre unique, sans souci de sélection, tous les jeunes Français, théoriquement égaux devant le tableau noir. Mieux qu'un long développement, trois chiffres illustrent le bouleversement subi par le système éducatif. A la rentrée de 1958, 125 000 élèves sont admis au cours complémentaire ; 150 000 vont au lycée. A la rentrée de 1980, 730 000 emplissent les mêmes classes de collège. Entre-temps, détail qui a son importance, les classes de fin d'études ont disparu — ce qui signifie que les 40 % d'une génération, qui, par définition, n'allaient pas dans le second cycle au début des années soixante, sont totalement intégrés vingt ans plus tard.

[9] L'inflation scolaire, fille de la démocratisation et de l'expansion, a été davantage subie par les pouvoirs publics qu'organisée et planifiée. Devant l'urgence, avec retard et difficultés, l'école a suivi la grande mutation de la société française. La modernisation du pays, sa transformation au cours des « Trente Glorieuses » exigeaient une hausse générale de la qualification, la formation de centaines de milliers d'employés et de cadres moyens, que le système ancien, trop élitiste, ne pouvait assurer. Cette demande culturelle et sociale, l'école a dû y répondre dans des délais si brefs que nul ne s'étonnera des dégâts. Il est temps d'en dresser l'inventaire.

18

3. En utilisant le même type de données, reportez, dans le schéma ci-dessous, les informations relatives à la situation scolaire jusqu'en 1958.

a - Nom des établissements dans lesquels les élèves sont répartis (par exemple : école primaire) ;

b - Diplômes décernés (par exemple : baccalauréat).

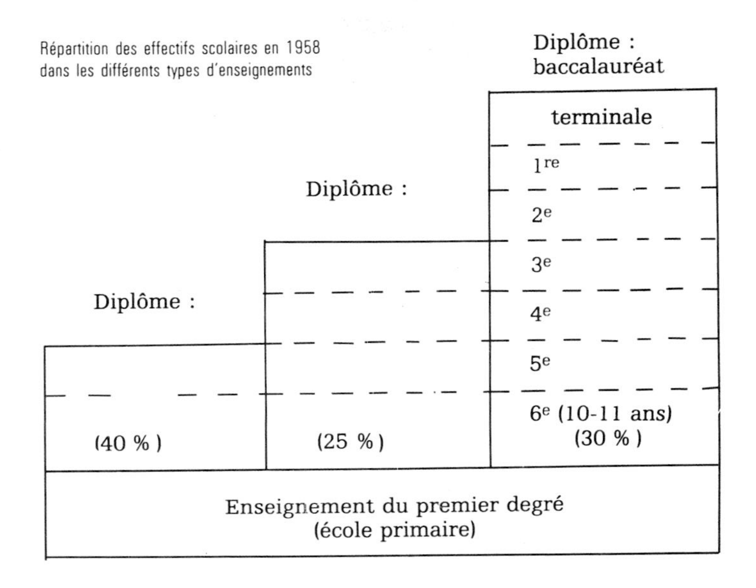

4. Certaines dates ne sont pas accompagnées de chiffres mais marquent les étapes de l'évolution par des réformes qui portent le nom du ministre de l'Éducation qui les a élaborées.

Identifiez chacune d'entre elles en vous aidant des schémas (ci-dessous et page suivante) :

a -

b -

c -

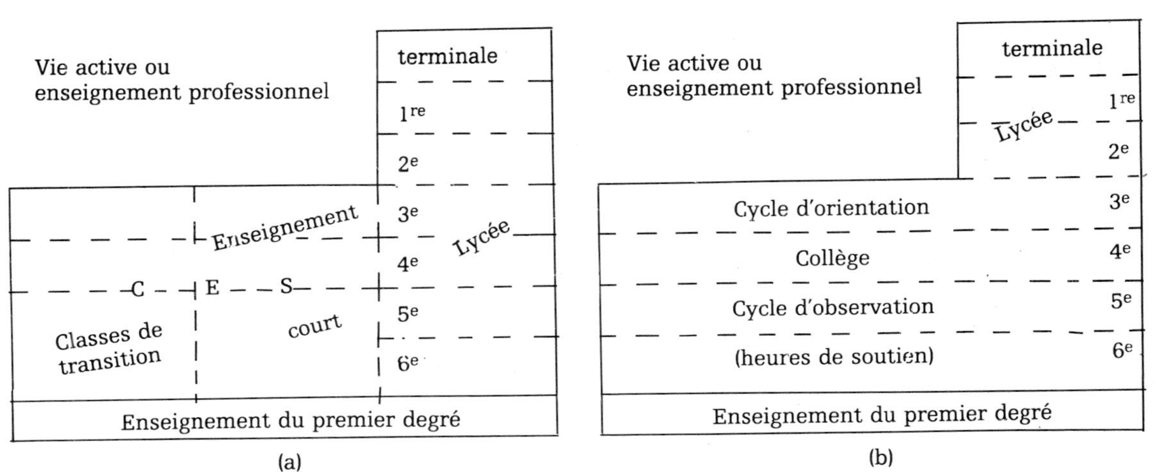

(a) (b)

Vie active ou enseignement professionnel	terminale
	1re
	2e
scolarité obligatoire	3e
CEG	4e Lycée
Cycle	5e
d'observation	6e
Enseignement du premier degré	

(c)

En observant ces schémas (qui ne prennent pas en compte les filières professionnelles), caractérisez les modifications de structures que les différentes réformes ont tenté de réaliser. Quels sont les principes ainsi peu à peu mis en œuvre **(paragraphe 4)** ?

5. En tenant compte de toutes les observations qui précèdent (revoyez les schémas et graphiques), pourquoi peut-on parler de « révolution » de l'enseignement secondaire ?

6. Les auteurs suggèrent deux types d'explication à l'orientation des élèves vers des études longues ou courtes (avant 1958 surtout, mais également plus tard). Relevez les critères qu'ils proposent puis classez-les selon l'idéologie sous-jacente. Par exemple : les familles modestes feront plutôt faire des études courtes à leurs enfants.
Que signifie l'expression : « Chacun choisira selon sa grille » ? De quelle grille s'agit-il ? Où avez-vous déjà rencontré ce type d'opposition ?

7. Lisez ce qui concerne le plan Langevin-Wallon. En quoi relève-t-il d'une idéologie de gauche ? En observant de nouveau les schémas (ci-dessus), examinez s'il a été réalisé par les différentes réformes et comment.

8. Recherchez dans les **CHRONOLOGIES** quelle était la tendance politique des gouvernements en place à la date de ces réformes et commentez.

9. La démocratisation n'est pas la seule cause des changements de l'école. A l'aide de la chronologie, datez les « Trente Glorieuses » **(paragraphe 9)** et expliquez pourquoi cette période a pu avoir une influence sur le système scolaire. Quelles forces sont ici en jeu qui déterminent des choix en matière d'enseignement ?

10. On peut penser qu'une évolution comme celle qui est évoquée ici ne se fait pas sans conséquences fâcheuses. Les auteurs parlent de « dégâts ». Pourriez-vous en imaginer quelques-uns ? Comparez la situation française à celle de l'enseignement dans votre pays (effectifs, filières, orientation, etc.).

11. Revenez maintenant à l'introduction du texte et dites quel en est le ton.

12. Vous lirez ensuite le texte en entier en y retrouvant tout ce qui vous permet d'expliciter les métamorphoses de ce premier paragraphe (par exemple : « un heureux pays » = l'école ; « les hordes sauvages » = les élèves non sélectionnés venus de tous milieux, etc.). ■

403. L'américanisation de la culture ?

Les cultures s'influencent l'une l'autre. C'est un phénomène normal dont les exemples sont multiples dans le cours de l'histoire. Avec la création d'un espace mondial de communication et le développement des industries culturelles (cinéma, télévision, disque, vidéo), ces influences semblent changer de nature. En France et en Europe, où les traditions culturelles sont pourtant anciennes, on craint une « américanisation » complète et définitive de la production culturelle et des goûts du public. A ce débat, qui provoque souvent de vives discussions, le texte retenu apporte une contribution sereine et documentée : le point de vue d'un spécialiste, dans un ouvrage destiné à un public « cultivé ».

Document 4031
« Les Etats-Unis, futur obligatoire ? »
Pascal Ory,
Histoire des Français,
tome 3, Ed Colin

1. Cette conclusion d'un chapitre consacré à l'histoire culturelle de la France dans les années 70, évoque le problème de l'influence des États-Unis dans la production artistique et dans les médias. Reportez-vous aux sections précédentes et recherchez des documents où cette forte présence américaine apparaît. Quels domaines de la vie française semblent touchés ?

2. Dans le début de cet extrait (**paragraphes 1, 2** et début de **3**), recherchez le mot « américanisation » et ses synonymes. Notez les définitions qui en sont données. Procédez de même pour le mot « mondialisation ». En quoi ces deux types d'influence culturelle sont-ils différents ?

a - mondialisation (**paragraphe 1**)
synonyme (**paragraphe 2**) ; définition (**paragraphe 2**) ; définition (**paragraphe 3**) ; définition (**paragraphe 3**).

b - américanisation (**paragraphe 3**)
définition (**paragraphe 2**) ; définition (**paragraphe 2**) ; définition (**paragraphe 3**).

3. Dans le **paragraphe 3**, autour du mot « découle », recherchez les causes qui sont données de cette hégémonie culturelle américaine. Pouvez-vous en trouver d'autres, ou de plus précises, en vous rapportant à votre propre milieu ?

4. Parcourez le reste du texte pour y relever les faits culturels qui sont analysés du point de vue de l'américanisation et de la mondialisation. Repérez, quand elles existent, les descriptions sommaires qu'en donne l'auteur. Aidez-vous des noms propres et des mots en italique.
Par exemple :
paragraphe 1 : Centre Pompidou (Beaubourg) ;
Eléments de description qui figurent dans le texte : centre d'art contemporain, équipe internationale.
paragraphe 2 : dojo
etc.

4031

Les États-Unis, futur obligatoire ?

[1] Plus grave est peut-être l'ignorance dans laquelle entend rester l'expression artistique d'avant-garde à l'égard des ressources formelles des ethnies minoritaires, en particulier dans les domaines de l'architecture, des arts plastiques et de la musique savante. Mais il est vrai qu'ici la tendance n'est même plus à la prise en compte des héritages nationaux : la mondialisation est réalisée. On édifie vers 1970 un ministère ou un aéroport à Paris comme à Tokyo. Le Centre d'art contemporain Georges Pompidou, sur le plateau Beaubourg, qui restera sans doute le principal monument architectural français de la décennie, œuvre d'une équipe internationale, ne cherche nullement à s'intégrer à un quelconque héritage historique, local ou national. Et l'on peut dire la même chose, sur son terrain, de l'équipe de l'IRCAM installée dans ses sous-sols.

[2] Encore n'est-il question ici que d'une internationalisation, au sein de laquelle les spécificités culturelles nationales se dissolvent petit à petit. Le problème est tout autre dès que l'on considère la situation des secteurs où règne une hégémonie référentielle sans partage, un modèle culturel. Il n'est donc pas question ici de l'accélération des échanges culturels, au sein desquels la référence orientale, déjà repérée antérieurement, a trouvé ses derniers avatars dans la diffusion d'objets élitistes (bouddhisme *zen*, par exemple, avec, en 1967, l'ouverture du premier *dojo*) ou très communs (pratiques alimentaires). L'accélération de la communication internationale a simplement conféré à cette diffusion un style propre à la période : elle est massive et plus directe.

[3] Comprise au contraire non comme le simple emprunt culturel ponctuel et susceptible de réciprocité, mais comme l'instauration d'une hégémonie, l'américanisation de la culture française, par contre, n'est plus niable. Elle découle très visiblement du passage des États-Unis à la prédominance économique, vers 1914, et politique, trente ans plus tard. Elle a été facilitée par le caractère immigratoire de la société « étatsunienne », qui a, pendant longtemps, multiplié et facilité les aller-retour de sensibilité entre la « Vieille Europe » et le « Nouveau Monde ». L'après-guerre a vu l'installation prolongée de la référence américaine au sein de nouveaux territoires de la culture populaire : après le cinéma et la musique, ce fut donc au tour de la littérature de grande consommation. La fameuse Série noire est aux trois quarts américaine, aux neuf dixièmes anglo-saxonne (statistiques portant sur les quatre cent trente premiers titres, de 1947 à 1969) et les pourcentages sont plus élevés encore dans le domaine de la science-fiction, terminologie américaine qui s'est brusquement imposée en 1951 sur le terrain — ou plutôt, le marché — du fantastique et de l'anticipation. A la télévision, les productions américaines, inconnues avant 1962, occupent vingt ans plus tard une position dominante dans plusieurs secteurs, tel le feuilleton. Des secteurs déjà contrôlés ont vu la pré-

482

---

sence américaine amplifiée dans des proportions encore jamais vues. Il n'y a ainsi aucune commune mesure entre le poids des États-Unis dans la diffusion en France du jazz blanc édulcoré des années 1930 et dans celle du rock depuis 1955 (même si, de 1965 à 1970 environ, le relais anglo-saxon est passé par des groupes anglais).

[4] Le plus spécifique de la période est pourtant ailleurs : dans la généralisation du modèle américain à deux types extrêmes de pratiques sociales jusque-là peu touchées, la culture savante et la vie quotidienne. Quand on se rappelle le rôle d'art pilote joué par la peinture dans les débats esthétiques depuis un siècle, on devine que l'une des mutations artistiques les moins contestables de la période est celle qui a vu, entre 1940 et 1960, le centre de gravité des arts plastiques se transférer de Paris à New York, et les marchands, les critiques de la seconde capitale remplacer ceux de la première dans la définition des nouveaux codes. Le phénomène n'est pas moins net si l'on considère le versant scientifique de la création. Il est, par exemple, désormais impossible de comprendre la nature de la production française en matière de sociologie ou de psychologie sociale depuis la guerre sans référence aux États-Unis. Par-delà toutes les différences qui peuvent séparer l'esprit libertaire de l'esprit libéral, c'est le critère américain qui détermine l'œuvre de théoriciens du « consensus » ou des nouvelles « expérimentations sociales » comme Michel Crozier ou Alain Touraine.

[5] La projection, plus ou moins explicite, des États-Unis comme futur obligatoire qui sous-tend ces conquêtes multiples et variées n'est pas nouvelle. Mais jamais elle n'a pris une telle ampleur et n'a connu d'aussi nombreuses applications. C'est elle, en particulier, qui a porté ces dernières années à ses sommets la prise de contrôle de cadres sociaux aussi décisifs que le vêtement (la culture du *jean*) ou l'alimentation (1978, installation des premiers *fast-food* en France). La publicité, baromètre ultrasensible des mythes ambiants, en témoigne aisément. Au-delà, la culture française bascule dans le XXIe siècle avec comme perspective la diffusion intensive de programmes vidéo majoritairement américains et l'affiliation à un réseau de banques de données qui ne le sont pas moins.

[6] Ceci posé, il y a tout à la fois des degrés dans l'américanisation, et déjà (ou encore) des limites. On ne peut ici raisonner seulement en termes de pure et simple installation (telle chaîne de restauration rapide américaine, qui, de Paris à Tokyo, ne modifie sur aucun point la nature des produits proposés) ou de traduction (la production à succès des studios Walt Disney). L'hégémonie américaine s'exprime avec plus de subtilité dans le pastiche (le comédien Eddie Constantine dans les ersatz français du film noir, vers 1955, ou encore, depuis cette date, la grande majorité des chanteurs et groupes rock français) ou, enfin, dans des formes plus indirectes d'adaptation. A ce stade, si l'inspiration demeure outre-Atlantique, diverses forces ancestrales agissant en sens contraire obligent à transiger. C'est le cas de la presse illustrée. Jean-Jacques et Jean-Louis Servan-Schreiber n'ont jamais caché l'origine américaine de leurs entreprises, de *L'Express* à *Paris-Hebdo* (échec français d'un *city magazine*), en passant par *L'Expansion* (1967), mais il est clair que les habitudes littéraires françaises, les traditions propres au journalisme européen ont conduit à gauchir sensiblement dans la pratique le discours sur l'« efficacité » et l'« objectivité » supposées des techniques américaines. Le Quintette du Hot club de France n'avait pas procédé autrement, quand il avait transposé et créé des pièces de jazz pour orchestre à cordes.

[7] Pour des raisons qui tiennent sans doute à la solidité de certains héritages nationaux ou européens, l'américanisation de la société française n'est cependant pas sans limites. Certaines sont internes au mouvement lui-même. Ainsi le contenu proprement

dit de maintes œuvres populaires américaines, ou bien encore le métalangage qui les accompagne, est souvent loin d'être conformisant. Le jazz, le rock, le roman noir, voire, plus épisodiquement, la science-fiction ne diffusent pas une image particulièrement rose de la société américaine et/ou du monde moderne. Un grand « américanisateur » comme Boris Vian (jazz, roman noir, science-fiction et, pour finir, rock) a signé des textes particulièrement critiques à l'égard des États-Unis. Au cinéma, l'influence américaine peut donner aussi bien un Jean-Luc Godard qu'un Claude Lelouch, sans parler de la solution François Truffaut.

[8] Cette dernière issue, spécifique, existe d'ailleurs en plusieurs domaines clefs, soit que la production autochtone ait jusqu'à présent bien résisté à l'acculturation, soit même que celle-ci ait reculé. Le premier cas est bien illustré par les arts d'expression verbale, où l'obstacle de la langue freine considérablement les processus purement imitatifs : l'influence de John Dos Passos, par exemple, lieu commun des années 1950, n'a jamais dépassé l'échange culturel ponctuel. Certaines sciences continuent, de la même façon, à n'entretenir avec leurs consœurs américaines que des rapports de force égalitaires, quand ils ne sont pas au profit de l'« école française » (en histoire, l'école dite des *Annales*). Le plus surprenant, pour les observateurs rapides seulement occupés des fronts de recul, est qu'il existe des domaines où il y a eu désaméricanisation. Le plus évident est celui de la bande dessinée. Dominée par le modèle américain à la veille et même encore au lendemain de la seconde guerre mondiale, ce secteur, longtemps méprisé par les tenants de la culture cultivée, a su élaborer sa propre défense, arcboutée sur deux techniques : le protectionnisme législatif dans un premier temps (la loi de juillet 1949 « sur les publications destinées à la jeunesse ») mais, surtout, la contre-proposition d'une école européenne (l'« école belge », florissante de 1950 à 1965 environ), fondée sur des traditions graphiques autochtones, rénovées par un apport américain non hégémonique, et tout un substrat mythologique dont les origines catholiques-sociales sont aisément perceptibles. Quand l'école belge commença à décliner, la bande dessinée francophone n'eut aucune difficulté à trouver dans ses propres forces les moyens de passer à une nouvelle étape, prélude à l'exceptionnelle explosion novatrice des années 1970.

[9] Métaphore moins modeste, moins dérisoire qu'il n'y paraît : à supposer que la mondialisation culturelle soit la tendance inéluctable des décennies, voire des siècles à venir, il n'est pas écrit qu'elle se fasse autour d'un modèle réducteur unique. On peut même se permettre, ici, pour finir, de s'en réjouir.

5. Relisez maintenant le texte à partir du **paragraphe 3** et relevez les informations suivantes :

a - Domaine culturel : par exemple, **paragraphes 3, 4** et **5**, culture populaire : cinéma, musique, livres, télévision ; etc.

b - Exemples dans ce domaine : même exemple, Série noire, science-fiction, feuilletons télévisés ; etc.

c - Date ou période : à partir de 1951 pour le roman policier et la science-fiction ; à partir de 1955 pour les feuilletons télévisés ; etc.

d - Degré d'américanisation : fort, etc.

Complétez les exemples ci-dessus par la lecture des **paragraphes 6** et **7** puis du **paragraphe 8**.

6. Le plan du texte indiqué dans la question 5 *a, b, c, d,* correspond à un type d'écrit scolaire français : la dissertation.
Correspond-il au modèle de raisonnement et d'écriture scolaires ou universitaires auquel vos études vous ont habitué ? Sinon, quelles sont les caractéristiques du modèle le plus courant chez vous ?

7. Comment l'auteur du texte prend-il parti dans ce débat ?

8. Relisez la totalité de ce texte afin de :
a - déterminer si la culture populaire est présentée ici comme plus américanisée que la « grande » culture (arts majeurs) ;
b - vérifier si certaines de ces considérations pourraient s'appliquer à votre propre environnement culturel (pour l'hégémonie américaine, pour l'hégémonie d'autres cultures). ■

404. Mesurer le bonheur

Chacun d'entre nous peut, d'une certaine façon, répondre à la question : êtes-vous heureux ? Dans un sondage d'opinion, la réponse à une telle question révèle non plus des sentiments personnels, mais des valeurs. La lecture des résultats d'une enquête portant sur ce thème vous permettra de mieux comprendre ce qui rend les Français heureux.

Document 4041
« Le bonheur, dix ans après », Mona Ozouf, *Le Nouvel Observateur*, 07-10-1983

1. A partir du titre et d'autres éléments mis en relief, dites :
a - qui a réalisé cette enquête,
b - quand,
c - ce qu'il faut comprendre par « dix ans après »,
d - quel rapport il y a entre les tableaux et le texte,
e - de quel type de publication ce texte est tiré.

2. Parcourez les six tableaux et retrouvez les questions qui ont été posées par les enquêteurs.

3. Parmi ces tableaux,
a - lesquels comparent des sondages ?
b - lesquels tiennent compte de l'identité des personnes interrogées ?

4. Examinez maintenant les chiffres et dites quelle conclusion l'auteur en tire immédiatement.
Dites brièvement quelle première impression sur l'état d'esprit des Français vous retirez de ces résultats.

5. Dans les cinq premiers paragraphes, relevez les chiffres (pourcentages et dates) et retrouvez-les dans les tableaux. Mettez en relation les paragraphes et les tableaux :

Chiffres	Tableau	Paragraphes
92 %	1	1 et 2

LE BONHEUR DIX ANS APRES

PAR MONA OZOUF

En une décennie — et entre deux sondages Sofres —, le bonheur a gagné des militants. Et une ennemie farouche : la peur

[1] es pas contents, les fragiles, les angoissés, les hargneux, les maussades, il n'y a qu'à ouvrir les yeux pour les voir en foule. our de soi. En soi. Apparemment pourtant, oup de sonnette des enquêteurs de la Sofres it à remettre tout le monde en selle. En 1973 , le sondage du « Nouvel Observateur » t réservé la stupéfaction d'une rencontre : 89 % de Français plutôt heureux ou très eux. Les voici 92 % aujourd'hui : un scru- de démocratie populaire.

n flaire une contrainte cachée : au vieux oir kantien d'avoir à assurer son propre bon- la société moderne a si massivement adhéré on pécherait contre la morale et le bon goût se disant malheureux. Dans ce chiffre de %, on aurait tort pourtant de lire seulement oumission à la pimpante norme sociale. Car qu'on les interroge sur des biens plus tangi- — le logement, l'accès à l'instruction, gent —, les Français persistent à se montrer sfaits. Plus qu'il y a dix ans en tout cas : % estiment leur revenu *« largement suffi- »* ou *« suffisant dans l'ensemble »*, contre % en 1973. Les Français vivent mieux, le nt, le disent : c'est l'énorme surprise de e enquête.

n baume sur la morosité de la gauche ? Pas ment. Car ce qui a totalement basculé is dix ans, c'est le rapport de ces « globale- t satisfaits » au monde qui les entoure. Leur nse optimiste vaut strictement pour eux- nes et n'a pas valeur de constat collectif. doute est-ce la pente même du sondage : e du bonheur, née avec celle de l'individu, oie inéluctablement les hommes à la forte- de leur moi. N'empêche, ils sont de plus plus nombreux à concevoir leur félicité me une île, au-delà de laquelle il n'y a n océan de gens malheureux et qu'une lame ond peut d'un moment à l'autre submerger. , *« nous sommes sur un radeau et non sur navire »*, un des enquêtés le dit très bien.

est étrange d'entendre des gens qui se disent viduellement plus heureux affirmer — à contre 30 % — que les Français le sont ctivement moins qu'il y a dix ans. La crise, s paraissent peu ressentir pour leur propre pte, ils la traduisent dans un constat imper- el. Et ils sont 21 % seulement à refuser la paraison quantitative avec le temps passé et en tenir à un *« ni plus ni moins heureux »* osophique.

ujourd'hui moins qu'hier mais bien plus que demain. Le bonheur des Français, frileusement vécu, est aussi peureusement pensé. Tout va aller bien plus mal encore. Quand l'inflation grignote la monnaie, quand la peau d'âne du diplôme est une peau de chagrin, quand monte le chômage, quand on chicane la gestion de la Sécurité sociale et s'interroge sur le financement des retraites, la main tremble pour prolonger vers l'avenir la ligne du bonheur présent : on trouve, en 1983, 10 % de Français en moins pour espérer vivre convenablement quand ils seront vieux.

LE SECRET DE LA CUISINIÈRE

[6] Là-dessus, les cadres dormaient naguère sur leurs deux oreilles. Aujourd'hui, l'anxiété galope chez eux à la mesure de leur ancienne sérénité : 91 % d'entre eux disent avoir peur ; plus que l'ensemble des Français (84 %), déjà pourtant bien atteints.

[7] Le ver dans ce beau fruit d'automne, c'est donc la peur. Non seulement elle est passée, depuis 1973, de 76 % à 84 %, mais surtout elle est désormais sentie (à 41 %) comme l'obstacle principal au bonheur. L'inquiétude du lendemain est une hydre à plusieurs têtes. Celle du racisme n'effraie personne (5 %, une misère). Celle de la pollution devient un monstre rétro : personne ne pense tout seul à la compter au nombre de ses terreurs ; quand l'enquêteur insiste, ça n'intéresse plus que 21 % de Français, contre 32 % en 1973 ; bonsoir, écologie. En revanche, la peur du chômage a bondi, en dix ans, de 26 à 41 %. Surtout, quand on laisse les gens à leurs associations spontanées, on les livre au cauchemar de la guerre : 57 % d'entre eux, chiffre énorme, disent la redouter ; c'est elle, il est vrai, qui se met le mieux en images, comme le montrent les commentaires sur les photographies du Liban ou *« l'avion abattu par les Russes »*. A ces terreurs nommées s'ajoute enfin l'insaisissable peur de l'avenir, qui les contient toutes.

[8] Assez démocratiquement distribuée entre les sexes et les âges — dix ans, ça suffit pour gommer l'idée d'un bonheur spécifiquement « jeune » —, la peur dessine pourtant chez les Français des camps très inégaux, de part et d'autre d'une voyante frontière politique : ceux qui, tout en se disant eux-mêmes heureux, voient les Français collectivement emportés sur le toboggan du malheur se recrutent en majorité dans l'opposition, bloc hostile où se distingue le R.P.R.

[9] Leur certitude, une fois encore, se nourrit beaucoup moins d'un constat personnel que de l'événement traumatique du 10 mai 1981. Ceux pour lesquels les Français sont un peuple moins heureux qu'hier sont exactement ceux pour qui l'arrivée de la gauche au pouvoir a eu *« des effets plutôt négatifs »*. Cinquante-quatre pour cent de cadres supérieurs croient les jours heureux derrière nous, et 54 % d'entre eux aussi jugent sévèrement la gauche. Parmi les partisans du R.P.R., les chiffres — 68 % et 72 % respectivement — accusent la même parité. Allons, c'était seulement la faute à Mitterrand. Voilà qui rassurerait plutôt sur le malheur de ces gens heureux.

[10] Que faudrait-il donc — en supposant écarté l'affreux 10-Mai — pour que le monde ait meilleur visage ? Il y a dix ans, l'enquête du « Nou-

→

vel Observateur » avait révélé que, si les Français n'accordent dans leur discours aucune importance à la richesse (3 %, c'est toujours le cas), en revanche la part de bonheur qu'ils s'attribuent croît régulièrement avec leurs revenus. Évidence une fois encore vérifiée : les « très heureux » de notre enquête, intéressante catégorie très assurée d'elle-même (ou très inconsciente, choisissez), se rencontrent parmi les revenus confortables. La brioche du bonheur ne lève pas sans argent, mais silence sur cet ingrédient : c'est le secret de la cuisinière.

11 Le plus intéressant, dans notre sondage, c'est l'écart qui s'est creusé entre les descriptions spontanées et les descriptions provoquées du bonheur. Les enquêteurs de la Sofres sont partis à sa recherche — comparaison scientifique oblige — avec l'équipement lourd d'il y a dix ans : l'amitié, l'amour, la santé, la richesse. Pas une question sur la sexualité ? Ni sur le plaisir, ni sur la griserie de « se réaliser » ? Non, non, on n'y avait pas pensé alors : les questionneurs datent le sondage plus sûrement encore que les questionnés. Laissons donc là les réponses sans surprise qu'ils ont récoltées : le record de la santé (66 %), surtout chez les vieux, vous l'aviez soupçonné ; la bonne tenue de l'amour (35 %), surtout chez les jeunes, vous l'auriez parié. Rien ici n'a bougé : même pas Dieu, qui, malgré dix ans d'effondrement de la pratique religieuse, fournit toujours à 53 % de Français une « contribution » au bonheur.

UN SOULAGEMENT OBSCUR

12 En revanche, quand on les laisse remplir eux-même le Caddie du bonheur, les Français choisissent autrement la marchandise et sous des emballages inédits. Ils ne sont plus que 30 % à y glisser la santé (contre 60 % en 1973, énigme que je livre à la sagacité de nos lecteurs). Ils y mettent un peu moins souvent la famille. Ils ajoutent (11 %) quelques boîtes d'épanouissement personnel *(« être bien dans sa peau, se sentir bien avec soi-même »)*, quelques paquets (12 %) d'une liberté narcissiquement définie *(« pouvoir faire ce que l'on veut »)*.

13 Ceux-ci dissolvent les clivages d'âge, de sexe et souvent même de classe sociale, mais isolent une culture communiste spécifique. Les sympathisants communistes ne se définissent nullement par la référence exotique à une nation salvatrice (7 % d'entre eux seulement situent en Union soviétique les heureux du monde, contre 9 % aux Etats-Unis et 43 %... à Genève !), mais tout à fait chrétiennement, par le souci des autres. Ils sont les seuls à se sentir vraiment gênés par l'existence d'hommes moins favorisés qu'eux (43 %, deux fois plus qu'au Parti socialiste). Ils sont 74 % à croire que le secret du bonheur tient dans la disparition des inégalités. Ils sont aussi deux fois moins nombreux que les autres à redouter la solitude, pris comme de naissance dans un dense compagnonnage. Eux seuls encore affirment que les Français sont plus heureux qu'il y a dix ans et que l'expérience de gauche est positive : 67 %, chiffre impressionnant dans un sondage aussi globalement maussade. Tout dans leurs réponses suggère l'existence d'un monde plein, où survit ce qu'on appelait

HEUREUX ? OUI : 92 %

Si on vous demandait à brûle-pourpoint : « Est-ce que vous êtes heureux ? », que répondriez-vous ?

	« Le Nouvel Observateur »-Sofres août 1973	Septembre 1983
Très heureux	26	24
Plutôt heureux	63	68
Plutôt malheureux	8	7
Très malheureux	1	—
Sans opinion	2	1
	100 %	100 %

GAGNER PLUS ? NON : TRAVAILLER MOINS

Si on vous donnait le choix entre réduire votre temps de travail ou gagner davantage, que choisiriez-vous ?

	« Le Nouvel Observateur »-Sofres août 1973	Septembre 1983
Réduire le temps de travail	40	45
Gagner davantage	41	38
Sans opinion	19	17
	100 %	100 %

QUAND LA DROITE EST MALHEUREUSE...

Diriez-vous que, dans l'ensemble, les Français sont plus heureux ou moins heureux qu'il y a dix ans ?

	Plus heureux	Moins heureux	Ni plus ni moins heureux	Sans opinion
Ensemble 100 %	30	47	21	2
Préférence partisane				
Parti communiste	43	35	22	—
Parti socialiste	38	38	22	2
U.D.F.	25	54	20	1
R.P.R.	21	68	10	1

LES PLUS MÉCONTENTS : LES CADRES SUPÉRIEURS

En ce qui concerne le revenu de votre foyer, laquelle de ces phrases correspond le mieux à votre cas ?

	Notre revenu est largement suffisant	Notre revenu est suffisant dans l'ensemble, même si on ne peut pas se payer toujours tout ce qu'on voudrait	Notre revenu est un peu insuffisant : il y a certaines choses dont on a besoin et qu'on ne peut pas se payer	Notre revenu est très insuffisant	Sans opinion
Ensemble 100 %	9	50	32	8	1
Rappel août 1973	6	49	34	9	2
Profession du chef de famille :					
Agriculteur, salarié agricole	4	32	49	11	4
Petit commerçant, artisan	9	58	29	4	—
Cadre supérieur, profession libérale, industriel, gros commerçant	14	64	17	4	1
Cadre moyen, employé	8	56	31	5	—
Ouvrier	1	46	41	12	—
Inactif, retraité	16	46	27	9	2

RETRAITE :
ANGOISSE MATÉRIELLE

Estimez-vous qu'avec votre retraite (et celle de votre conjoint) et les autres revenus et économies que vous pourrez avoir vous pourrez vivre convenablement lorsque vous serez vieux ? De laquelle de ces trois opinions vous sentez-vous le plus proche ?

	« Le Nouvel Observateur »-Sofres août 1973	Septembre 1983
vivra convenablement	32	30
sera difficile mais on se débrouillera avec ce qu'on a	46	38
ne sais pas comment pourra s'en tirer	11	18
Sans opinion	11	14
	100 %	100 %

au XVIIIe siècle *« le bonheur de relation »*, où l'on résiste au désinvestissement général des valeurs sociales.

14 Si c'est bien entre ce monde et celui des autres que passe la frontière de notre sondage, est-ce à dire qu'il ne reste rien d'une sensibilité socialiste ? Ce sont les partisans du P.S. qui ont été les plus gênés par les enquêteurs de la Sofres (comme dans la vie quotidienne, sous l'assaut de leur entourage) : pas trop sûrs que les Français soient plus heureux aujourd'hui qu'hier, encore moins qu'ils le seront demain, ils viennent — comme du reste les jeunes — grossir les catégories-refuges du sondage, les sans-avis, les ni-l'un-ni-l'autre. Penser que la victoire de la gauche n'a rien changé en bien ni en mal (32 % des sympathisants socialistes) leur procure un obscur soulagement : au moins n'est-ce pas pis. Ici réside bien sûr la crise de confiance de la gauche, et jusqu'à ce jour son véritable échec : avoir persuadé ses partisans de l'égale inaptitude des gouvernements à rendre les gens heureux, vieille idée démobilisatrice ; les avoir inclinés à la retraite politique anticipée et à la liberté d'indifférence ; avoir parlé l'idiome du changement sans avoir su en nourrir l'espérance.

MONA OZOUF

L'AVENIR : CE SERA ENCORE PLUS DUR

Pensez-vous que dans dix ans les Français seront plus heureux ou moins heureux qu'aujourd'hui ?

Plus heureux	12
Moins heureux	40
Ni plus ni moins heureux	25
Sans opinion	23
	100 %

6. Dans les trois premiers paragraphes, quelle est l'interprétation donnée au chiffre de 92 % d'heureux ? Utilisez les expressions suivantes pour vous aider à répondre :
a - « Stupéfaction d'une rencontre avec 92 % de Français heureux. »
b - « Soumission à la ... norme sociale. »
c - « Concevoir (la) félicité comme une île. »

7. Comment est précisée l'interprétation précédente ?
a - Relevez tous les motifs que les Français ont d'être inquiets. Vous en connaissez déjà un (voir tableau 5) : la retraite.
b - Ce bonheur est limité. Dites comment :
- « Il est étrange d'entendre des gens qui se disent individuellement plus heureux ... »
- « Le bonheur des Français ... est aussi peureusement pensé ... »

8. L'auteur commente ensuite des résultats qui ne sont pas présentés dans les tableaux. Retrouvez-les dans les **paragraphes 4** à **7**.
Exemple : 91 % des cadres interrogés ont peur **(paragraphe 6)**.
a - Quels sont les obstacles au bonheur et pour quel pourcentage de Français ?
b - Qu'est-ce qui ne semble pas un obstacle au bonheur, et pour quel pourcentage de Français ?

9. En fonction de leurs opinions politiques et de leur profession, certains Français ont plus peur de l'avenir que d'autres.
a - Qui ?
b - Dans quelle proportion ?
c - Depuis quand ?

10. Le **paragraphe 10** commence par une question : « Que faudrait-il donc pour que le monde ait meilleur visage ? » Dans l'enquête, cette question n'a pas été posée sous cette forme. Compte tenu des réponses chiffrées données dans le texte (richesse 3 % , santé 66 % , etc.), reconstituez-la précisément.

11. Classez, par ordre décroissant, du premier au quatrième, les éléments nécessaires au bonheur tels qu'ils apparaissent en réponse à la question ci-dessus.
Comment ces résultats sont-ils interprétés ? Les expressions suivantes vous aideront à répondre :
a - argent : « silence sur cet ingrédient ».
b - santé et amour : « vous l'aviez soupçonné » ; « vous l'auriez parié ».
c - Dieu : « malgré l'effondrement de la pratique religieuse ».

12. Une question proche de la précédente a été ensuite posée **(paragraphe 12)**. Elle a en commun avec la première : « santé », qui n'obtient ici que 30 % . On dit aussi : « Si on laisse les Français choisir. » Quelle était cette question ?

13. Comparez les réponses aux deux questions que vous venez d'analyser.

14. Relisez tout le texte en essayant de faire la différence entre les explications qui paraissent générales et celles qui se rapportent à la situation politique et économique du moment où on a fait l'enquête. ■

405. Liberté, égalité (?), fraternité

Il semble curieusement que l'ordre dans lequel les trois éléments de la devise nationale française apparaissent, correspond à leur importance, décroissante, dans les préoccupations des Français. On se mobilise encore pour défendre « ses » libertés mais, à première vue, on ne fraternise guère d'un bord à l'autre. On examinera ici les « inégalités françaises » : certaines sont dénoncées et combattues, d'autres sont acceptées par l'opinion publique.

Document 4051
« Inégalités socio-culturelles », R. Padieu et J.-M. Delarue, *La France en mai 1981,* La Documentation française

1. Dans un premier temps, cherchez à définir, d'une manière générale, ce que l'on peut entendre par « inégalité sociale ».
Le **document 4051** traite d'une catégorie particulière d'inégalités, les plus fondamentales peut-être dans le monde occidental : les inégalités socio-culturelles. Repérez et lisez, au début du texte, les éléments de la définition que les auteurs proposent pour les inégalités de cette nature.

2. Parcourez cet extrait et, en tenant compte principalement de son aspect extérieur, dites à quels publics il semble s'adresser.

3. Le **document 4051** est extrait d'un bilan sur l'état des inégalités en France. Ce dernier n'est, lui-même, qu'une partie du vaste bilan sur la situation de la France dans tous les domaines en mai 1981 (élection du président François Mitterrand). Quels contenus peut-on s'attendre à trouver dans un rapport officiel de ce type ?

4. A partir des titres, repérez les parties du texte où l'on évalue les actions déjà entreprises pour réduire les inégalités, et celles où l'on décrit les inégalités qui restent à réduire.

5. Toujours à partir des titres seulement, cherchez comment sont classées les actions entreprises pour diminuer les inégalités socio-culturelles. D'après les informations que donnent les titres, « résumez », en quelques lignes, d'une part les contenus des **parties 1** et **2** et, d'autre part, ceux de la **partie 3**.

6. Cet ensemble d'indices permet de savoir de quel type sont ces inégalités. Dans les **parties 1** et **2**, faites l'inventaire des secteurs de la vie sociale où se manifeste une inégalité.

IV - INEGALITES SOCIO-CULTURELLES (10)

Les inégalités en ce domaine sont moins aisément repérables que dans l'ordre économique, car elles se laissent mal mesurer par des chiffres. Difficiles à saisir, elles n'en sont que plus importantes. Elles sont souvent à la fois cause et effet des inégalités du revenu. Elles portent en elles l'inégale aptitude des citoyens à bénéficier du droit et de l'organisation sociale.

Une multitude d'actions et d'évolutions indéniables n'ont pourtant pas radicalement changé la situation.

De grandes oppositions subsistent.

1. Des efforts réels souvent suivis d'effets

a) Les résultats indirects des efforts faits en matière de revenus et la revalorisation d'avantages familiaux des bas salaires (cf ci-dessus) ont pu favoriser le développement de certaines consommations (loisirs, équipement du ménage) ; celle des prestations vieillesse explique en partie l'accroissement des demandes de logements HLM par des personnes âgées, dont les possibilités financières ont été accrues.

b) Des politiques spécifiques ont complété les efforts précédents

Pour les familles :

- facilités accrues de garde des enfants (préscolarisation, élargissement des capacités d'accueil des équipements collectifs et assouplissement de la règlementation des crèches, statut et contrôle des assistantes maternelles) ;

- développement de la prise en charge médicale et sociale de la mère et du nourrisson (programme d'action sur la périnatalité), en particulier à partir du troisième enfant ;

- aides particulières aux parents au travail : congé post-natal, travail à temps partiel, horaires "variables" ; avantages de retraite pour les mères de famille, en particulier ayant élevé trois enfants.

---

(10) Le terme "socio-culturel" n'est sans doute pas très satisfaisant. Il vise ici des phénomènes qui n'ont pas directement trait à l'économie et aux relations que les Français entretiennent avec elle, en tant que travailleurs, propriétaires ou consommateurs (voir chapitre II) ; qui ne résultent pas de l'organisation explicite de la société (chapitre III) ; mais qui procèdent plus des attitudes et des comportements individuels. Ceux-ci sont étroitement conditionnés par la "culture", c'est-à-dire par les représentations, les connaissances, les standards reçus de la famille ou du milieu.

Pour les personnes âgées :

- effort pour le maintien à domicile au prix d'une aide matérielle plus substantielle (développement de l'aide ménagère ; téléphone).

2. Les résultats ne coïncident pas toujours avec les objectifs

a) La volonté a parfois fait défaut

Certaines politiques sont restées insuffisantes au regard de l'objectif assigné :

Ainsi, la réforme du système éducatif, qui n'a d'ailleurs pas eu l'ampleur initialement annoncée, n'a pas été accompagnée des moyens matériels et des mesures sociales à l'égard des défavorisés de l'école ; elle a même abouti à des résultats parfois inverses de ceux recherchés (suppression des redoublements, sortie précoce vers l'apprentissage) ; le premier degré et l'enseignement supérieur n'ont pas été modifiés, sauf dans des sens restrictifs qui ont pu aggraver des inégalités géographiques ;

L'effort de garde des enfants, qui est réel, reste insuffisant puisque les moyens existants ne permettent que de satisfaire un peu plus de la moitié des besoins relatifs aux enfants de moins de trois ans ;

Les contraintes retenues en matière budgétaires ont restreint les moyens de lutte contre les inégalités.

Des intentions louables sont restées à l'état de déclaration de principe :

La loi du 11 juillet 1975 a mis l'accent sur l'égalité entre les hommes et les femmes. Elle n'a guère été suivie d'effets sur le plan de l'écart des salaires, qui reste du 1/3 en moyenne (cf ci-dessus) ;

Les mesures relatives au travail manuel restent disproportionnées par rapport aux dimensions du problème (470 000 salariés en travail posté de nuit au moins une fois dans l'année ; 42 % des OS femmes et 26 % des OS hommes travaillent sous forte contrainte de temps) ; de même les possibilités offertes par la formation professionnelle continue ;

Plus généralement, on a le sentiment que la politique suivie s'est efforcée de remédier aux inégalités consécutives à l'organisation de la production, sans guère rechercher de solution au coeur de celle-ci (cf absence de suites données aux projets de réforme de l'entreprise, de réforme des conventions collectives).

Enfin, certains domaines sont restés à l'écart de la lutte contre les inégalités :

Malgré un rapport sur ce point publié en 1981, la lutte contre la pauvreté n'a jamais eu les formes énergiques du début des années 1970. Plus même, les lacunes de l'action administrative n'ont, malgré les efforts (sectorisation), pas toujours trouvé leurs remèdes (dispersions des interventions, peu de présence sur le "terrain"). Certaines actions apparaissent fragiles ("placement" des enfants plus fréquent en raison de l'insuffisance du nombre et de la précarité du statut des travailleuses familiales) ;

En dépit du rôle égalisateur qu'aurait pu avoir, dans le domaine de l'implantation des hôpitaux et des équipements lourds, la carte sanitaire, les disparités constatées en matière de santé et de recours aux soins n'ont pas été corrigées.

b) En revanche, des facteurs étrangers à la politique suivie ont pu contribuer à combler certains écarts

De même les modifications structurelles comme la "salarisation" croissante de la population active peuvent contribuer à limiter les inégalités de revenus, de même elles peuvent remédier aux inégalités socio-culturelles : réduction de la durée du travail et accroissement du temps de loisirs, accroissement du nombre de médecins et facilité du recours aux soins, diminution de la fécondité et réduction du nombre de logements surpeuplés ;

Les accords entre partenaires sociaux ont pu, malgré la crise, garantir une progression du pouvoir d'achat, notamment pour les bas salaires. La consommation des ménages s'en est trouvée accrue et les écarts entre revenus modestes et élevés ont pu diminuer, sans incitation marquée des pouvoirs publics.

c) Mais la crise économique a eu au contraire pour effet d'aggraver certaines inégalités

Elle atténue les mouvements de réduction précédemment entamés : ainsi la dynamique de l'accession à la propriété (la proportion de ménages propriétaires a légèrement progressé de 1973 à 1978, mais cette progression est plus lente qu'au début des années 1970).

Le chômage atteint inégalement les âges et les catégories socio-professionnelles. Sa progression a certes concerné toutes les qualifications, et plutôt davantage les plus élevées ; mais le niveau du chômage est beaucoup plus élevée pour les femmes employées non-qualifiées (14,3 %) que les hommes cadres administratifs supérieurs (2,3 %).

La durée du chômage s'est notablement accrue. Elle est d'autant plus élevée avec l'âge. Ainsi voit-on se "marginaliser" des catégories sans espoir de travail. En même temps que le sort des personnes âgées de plus de 65 ans s'est amélioré, une frange de la population entre 40 et 60 ans se trouve dépourvue des ressources (après trois ans d'indemnisation) et même de protection sociale si les cotisations d'assurance personnelle ne sont pas versées. La crise a, pour ainsi dire, rajeuni la misère.

La crise diminue les ressources des ménages :que l'un des actifs soit sans emploi, qu'une nouvelle embauche se traduise par un déclassement (cas de 41 % des chômeurs retrouvant du travail) ou bien que, en particulier chez les jeunes, les emplois proposés soient de faible durée).

L'extension du nombre des emplois de statut précaire introduit une nouvelle inégalité entre les salariés permanents à temps complet et les autres, moins défendus, moins payés, moins protégés, et dans le même temps plus soumis aux risques d'accidents.

Enfin, les rigueurs de la politique d'encadrement du crédit (et notamment les restrictions du crédit à la consommation) ont pu accentuer les inégalités entre ceux qui doivent recourir au crédit et ceux qui s'en dispensent, ceux qui ont un accès privilégié aux prêts et ceux qui supportent les taux communs (cf scénario 1).

3. Les inégalités les plus fortes subsistent

Il faut admettre qu'en matière socio-culturelle, des inégalités très fortes ne sauraient être rapidement réduites. Certains mécanismes en matière d'inégalités, auxquels il n'a pas été remédié, doivent cependant être soulignés.

a) La réduction des inégalités est une sorte de course entre groupes et catégories sociaux. Dans le même temps que certains écarts sont réduits, d'autres peuvent se constituer.

De plus en plus de Français partent en vacances l'été (11) (taux de départ passé de 45 % à 53 % en 10 ans) : mais 60 % des familles

(11) Encore que subsistent de fortes différences dans les taux de départ. Sauf chez les cadres supérieurs, les familles nombreuses de salariés partent moins que les autres : par exemple, seules partent 32 % des familles d'ouvriers qualifiés ayant quatre enfants ou plus et dont la femme ne travaille pas.

de cadres supérieurs et 10 % des familles d'ouvriers ont pris des vacances d'hiver en 1977 - 1978.

Il y a 20 ans, un fils d'ouvrier avait 17 fois moins de chances qu'un fils de cadre supérieur d'obtenir son baccalauréat. En 1976 il n'en avait, si l'on ose écrire, que cinq fois moins. Mais dans le même temps, le baccalauréat tend à se dévaloriser et les filières révèlent que tel ou tel "bac" est de valeur inégale pour la suite des études.

b) L'implantation d'équipements collectifs ne remédie pas toujours aux inégalités

La rareté d'un équipement se traduit en général par une faible fréquentation (par rapport à la population concernée), laquelle est fortement inégalitaire : ce sont les catégories favorisées, les titulaires de hauts revenus qui en ont l'usage principal. Ainsi en est-il en matière de loisirs et de culture.

Inversement, les services tournés vers l'assistance, outre qu'ils sont socialement très défavorablement marqués, ne profitent pas toujours aux personnes les plus réellement démunis, mais d'abord aux familles nombreuses.

Enfin, de telles pratiques s'expliquent sans doute en partie par la mauvaise information qu'ont les plus défavorisés sur leurs droits.

c) Les habitudes de la vie sociale font que les catégories défavorisées peuvent s'exclure elles-mêmes de ce à quoi elles peuvent prétendre; ainsi :

Malaise des adolescents de familles modestes devant un modèle scolaire qui n'a pas su évoluer et demeure étranger à leur propre univers : il se traduit souvent par des réactions d'inadaptation.

Septicisme quant à la possibilité pour ces catégories non seulement d'accéder, mais de participer avec fruit aux genres de vie supérieurs.

Il est vrai que l'homogamie sociale reste fortement marquée en France et que l'on pénètre peu dans un milieu social différent du sien.

Ainsi subsistent les plus fortes inégalités, celles qui opposent intégration sociale et exclusion.

d) En matière de santé

Les différences entre catégories sociales extrêmes se marquent dans les caractères physiques (taille, poids), dans l'espérance de vie : outre l'écart de huit ans qui sépare les hommes (69 ans) des femmes (77,5 ans), une surmortalité frappe les classes pauvres (entre 45 et 65 ans, le taux de mortalité des ouvriers et employés est le double de celui des cadres supérieurs).

Les causes de mortalité montrent la plus grande fréquence des accidents, de la tuberculose et des décès dus à l'alcoolisme pour les catégories modestes. Ces disparités existent aussi, semble-t-il en morbidité.

Le recours aux soins est souvent différent : les plus aisés ont recours à une médecine préventive, consultent volontiers le spécialiste et sont hospitalisés dans des conditions de confort et de qualité des soins supérieures. Les plus modestes vont voir tardivement le généraliste et sont hospitalisés plus longtemps, à proximité de leur domicile (cf scénario 3 page 49).

Enfin, si la protection sociale s'est généralisée, l'inégal remboursement des soins (suivant les types de soins et suivant qu'il existe des modalités de remboursement particulières) génère des différences dans le traitement adopté pour certaines affections.

e) En matière d'enseignement

Le "cursus" est inégal quant à la réussite aux différentes étapes :

- cycle élémentaire : 22,4 % des enfants d'ouvriers redoublent le cours préparatoire (2,2 % des enfants de cadres supérieurs) ;

- en 4ème "normale" : le tiers des enfants de salariés agricoles y poursuit des études (84,4 % des enfants de cadres supérieurs) ;

- taux d'entrée dans le second cycle long : un peu plus de la moitié des enfants d'ouvriers (79 % des enfants d'industriels et de gros commerçants) ;

- sur 100 étudiants en deuxième cycle (grandes écoles exclues), il y a près de 11 % de fils ou filles d'ouvriers (38 % de fils ou filles de cadres supérieurs).

Les contrastes sont plus accusés (et aussi plus mal connus) dans certaines disciplines universitaires : en 1979/80, il y avait dans les IUT 15,4 % d'enfants de cadres supérieurs ou professions libérales, mais 25,6 % en lettre, 28,4 % en droit et sciences économiques et 43,4 % en médecine.

Le contraste est plus net encore entre le système universitaire "de droit commun" et celui des grandes écoles, et, au sein de celui-ci, entre les établissements. Rien que dans l'ensemble des classes préparatoires (littéraires et scientifiques), le pourcentage d'enfants de cadres supérieurs et professions libérales avoisine 42 %. Il atteint 59,6 % dans les classes préparatoires aux écoles normales supérieures des grands lycées parisiens (et 62,8 % dans les "taupes" de Janson, Louis-le-Grand et Saint-Louis) (12).

Il s'y ajoute des inégalités entre les résultats, moins satisfaisants pour les enfants des familles nombreuses que pour les autres ; des inégalités entre sexes (spécialisation de certaines filières : quatre filles pour un garçon dans les sections tertiaires de BEP ou de BTS) ; des inégalités entre établissements publics (centre ville et périphérie, Paris et province) d'une part, entre établissements publics et privés d'autre part (composition sociale différente).

Il en résulte des comportements d'accès sur le marché du travail différents, où se marquent des phénomènes de déclassement, en particulier pour les filles.

Il faut enfin noter que, à mesure que les enfants des catégories modestes accédaient en plus grand nombre aux divers diplômes (baccalauréat par exemple), ceux-ci se trouvaient dévalorisés : les statistiques montrent des conquêtes en partie illusoires.

f) En matière de culture

Il se vérifie ici pleinement que la rareté de l'offre entraine une fréquentation faible en volume et fortement inégalitaire dans la composition sociale. La plupart des activités culturelles consacrées atteint une faible minorité y compris les spectacles réputés plus "populaires" (concerts de musique "pop" ou de jazz : sept Français sur 100 y assistent, opérettes 4 %).

Mais même pour des fréquentations similaires, le profit retiré n'est pas identique, renforçant chez les uns "le sentiment de l'appartenance" et chez les autres "le sentiment de l'exclusion", comme on l'a écrit pour les musées.

g) En matière de "capital social"

Cette notion vise les ressources qu'un individu peut tirer de ses relations durables avec d'autres (dans sa famille, ses amis, son travail...). Ce n'est pas l'aspect le moins important des inégalités.

---

(12) Dont les professeurs sont plus souvent aussi originaires des milieux les plus favorisés.

381

Les études faites en la matière montrent que les liens amicaux, l'adhésion à des associations, l'appartenance à des groupes plus nombreux varie avec l'âge, le sexe et, dans une moindre mesure, la taille de la commune. Mais le statut social pèse aussi : dans 46 % des ménages de cadres supérieurs, l'un au moins des conjoints adhère à une association de parents d'élèves (26 % dans les ménages d'ouvriers qualifiés).

Ces échanges sont importants pour les ressources qu'ils permettent de mobiliser.Ainsi 15,7 % des chômeurs déclarent utiliser uniquement leurs relations personnelles pour trouver un emploi. Ces ressources sont particulièrement importantes en matière d'information : en raison de l'incapacité de maints services collectifs de diffuser une information suffisante, la mobilisation du "capital social" est d'autant plus importante que la procédure est complexe. Ainsi en matière d'urbanisme, les procédures sont plus aisées à respecter (ou à tourner) si l'on est à même d'obtenir quelque explication. En matière d'enseignement, les enfants de professeurs savent probablement mieux se diriger dans le maquis des orientations, distinguer les filières les plus prometteuses, ou, malgré leur équivalence proclamée, accéder aux meilleurs établissements. Les capacités d'obtenir ainsi informations ou gratifications sont évidemment inégales.

Secteur par secteur, repérez les facteurs (actions politiques, évolution générale de la société, conjoncture économique) qui ont pu tendre à diminuer ou à augmenter certaines de ces inégalités. Notez ces informations dans un tableau de ce type :

Nature de l'inégalité	Actions/causes	Réduction (−) ou augmentation (+)
Consommation (loisirs, équipement, logement) [**1a**]	augmentation des revenus	−
Logement [**2b**]	évolution démographique (baisse du taux de fécondité)	−
Revenus (travail à temps plein, à temps partiel) [**2c**]	crise économique	+
etc.		

7. Dans la **partie 2b** en particulier, recherchez le sens donné à « facteur étranger à la politique ». Le document lui-même permet de comprendre ce que sont ces « modifications structurelles ». Identifiez-les dans le paragraphe et repérez dans quels domaines elles ont contribué à réduire les écarts.
Repérez, dans ce développement, les phénomènes dus à la crise et présentez-les sous forme d'inégalités entre groupes sociaux. Par exemple, durée du chômage : inégalités de groupes d'âge (jeune, jusqu'à quarante ans, 40-60 ans, retraités).

8. Parcourez à nouveau les deux premiers développements et identifiez les secteurs de la vie sociale qui paraissent les plus marqués par ces inégalités. Il en sera question dans la partie qui suit.

9. Dans la **partie 3**, ce rapport décrit les inégalités les plus importantes. Avant cette énumération, les auteurs proposent des causes générales qui expliquent la permanence des inégalités. Où ces causes sont-elles définies ? Où trouve-t-on les exemples qui illustrent ces lois sociologiques ?
Comment est illustré ici un autre principe selon lequel « la lutte contre une inégalité est limitée par les autres inégalités » (par exemple : pauvre et peu informé, donc pas d'assistance ; **3b**, p. 378) ?

10. Relevez, dans la **partie 3d**, les manifestations les plus évidentes des inégalités dans le domaine de la santé.

11. Le système éducatif français est examiné systématiquement, de l'école primaire à l'université. Quel est le reproche général que l'on peut lui adresser ? Quels sont les groupes sociaux massivement défavorisés ?
Relevez toutes les formes de l'échec scolaire. Selon vous, une telle inégalité est-elle justifiable ?

12. Comment interprétez-vous la double notion de « sentiment de l'appartenance, de l'exclusion » ?

13. Repérez et lisez la définition de « capital social » en **3g**. Quel rapport le texte établit-il entre cette notion et le phénomène des associations (voir **MATÉRIAUX 304**) ?
Le fait « d'avoir des relations » est un facteur important d'inégalité. Par quels exemples le rapport illustre-t-il ce phénomène ?

14. Relisez le texte dans sa totalité pour essayer d'identifier :
a - la ou les catégories de Français les plus « inégaux » par rapport aux autres ;
b - les domaines de la vie sociale ou les institutions où les inégalités sont le plus ressenties. Classez-les par ordre décroissant d'importance en partant de ce document.

15. Faites la même analyse pour votre propre pays. D'après votre expérience, quelles sont les inégalités qui y sont estimées très injustes et celles dont personne ne se plaint vraiment, celles qui sont créées par la loi elle-même ? Connaissez-vous des inégalités qui ont disparu mais qui se sont reformées autrement (voir **3a**) ? ■

406. Le paysan français

En moins de quarante ans, depuis la fin de la deuxième guerre mondiale, la France est devenue un pays industrialisé comme les autres pays occidentaux. Mais sans doute la mutation y est-elle plus profonde, car les paysans représentaient alors un quart de la population active et presque la moitié des Français vivaient « à la campagne ». Sous la poussée de la mécanisation de l'agriculture et des besoins de l'économie de marché, le paysan français s'est exilé à la ville ou a profondément modifié sa façon de travailler pour survivre. A travers le texte suivant, vous retrouverez une explication de cette évolution et une analyse de ses conséquences.

Document 4061
« Du paysan à l'éternel paysan »,
Maryvonne Bodiguel,
Le monde paysan,
Les cahiers français, n° 187,
La Documentation française

1. Ce texte est extrait d'une brochure sur le monde paysan. D'après les fonctions occupées par l'auteur, quelle peut être la nature de cette étude ? Sur quels types de travaux s'appuie-t-elle vraisemblablement ?

2. A partir du titre général et des trois intertitres, caractérisez la nature du changement dont il est question :
a - en ce qui concerne les individus ;
b - en ce qui concerne leurs attitudes.
Qu'y a-t-il de surprenant dans cette évolution ?
En d'autres termes, à qui le paysan cède-t-il la place ?

3. Existe-t-il chez vous plusieurs mots pour désigner les gens qui vivent du travail de la terre ? Désignent-ils des réalités différentes ? En France, on opposerait « paysan » et « agriculteur ». A l'aide du dictionnaire et de vos connaissances, dites en quoi ils se différencient (par exemple, superficie et type d'exploitation, d'équipement, de mode de vie, de main-d'œuvre, de mentalité, etc.).

4. En parcourant l'ensemble du document, vous allez maintenant reconstituer le texte formé par les sous-titres en caractères gras et vous en aider pour vérifier les hypothèses que vous avez faites dans les questions 1 à 3 sur le sens général de cette étude.

5. Parcourez les trois premiers paragraphes et relevez, autour des mots en caractères gras, la définition de « paysan » et celle d'« agriculteur ». Comparez-la à votre réponse à la question 4 et complétez-la.

6. Le **paragraphe 3** reprend ces oppositions. Repérez-les à l'aide du mot « mais ». Quel état d'esprit des paysans est-il décrit ici ?

7. Autour de « loin de lui » et de « pour lui » dans le **paragraphe 4,** relevez l'ambiguïté de la position du paysan avant la nécessité du changement.

8. Parcourez les paragraphes suivants de cette première partie.

a - Tracez, sur le graphique ci-dessous, la courbe du déclin de la population paysanne d'après les chiffres du texte :

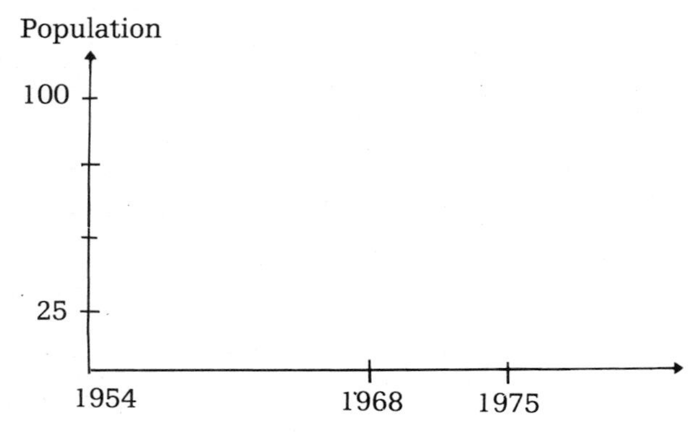

b - Caractérisez les étapes de ce déclin en vous aidant de : au départ **(paragraphe 7)** ; cependant **(paragraphe 7)** (par exemple, le mouvement est irréversible) ; non seulement... mais **(paragraphe 8)** ; en effet **(paragraphe 8).**

9. Sur quels plans, autres qu'économiques, la chute du nombre des paysans a-t-elle eu une influence ?

10. Parcourez maintenant la deuxième partie du texte et complétez un tableau semblable à celui-ci (toutes les informations ne sont pas données dans le document) :

Caractéristiques	Catégories d'exploitants (1)	(2)	(3)	(4)
Nombre ou proportion				
Superficie de l'exploitation				
Nature de l'exploitation ou de la production				
Équipement				
Main-d'œuvre				
Formation				
Capitaux				
Revenus complémentaires				

4061

Du paysan à l'éternel paysan

Paradoxe, il reste des paysans! Mieux, il n'a jamais été tant question d'eux... Mais d'abord, qu'est-ce qu'un paysan? Pourquoi furent-ils condamnés au nom de la modernité? Lesquels survivent et comment font-ils? Telle est la première série de questions auxquelles Maryvonne Bodiguel répond.

Cependant, le plus étonnant est peut-être qu'avec la fin du paysan s'est épanouie l'idéologie paysanne, dans laquelle communient conservateurs et hommes de gauche, État centralisateur et régionalistes, urbains déboussolés et écologistes. Notre époque, si elle a la richesse, est malade de son système économique. Aussi, comme toujours, à la grisaille du présent, opposons-nous l'âge d'or du passé... De ce passé, encore actuel, saurons-nous tirer quelque chose pour demain? François CLERC

MORT DU PAYSAN

Condamné en 1950...

1 Dans **les années 1950,** les hérauts de notre société, dirigeants, intellectuels et autres **annonçaient la fin du paysan.** Il vit en autosubsistance sur une ferme qu'il exploite avec sa famille; producteur et consommateur ne font qu'un. Le surplus de production est vendu car il faut bien quelque argent frais pour acheter ce qui ne peut être produit et pour payer les propriétaires fonciers et l'État. L'argent ne représente pas un capital à investir pour croître, le paysan thésaurise pour se prémunir contre les vissicitudes éventuelles de l'avenir. Il ne vit cependant plus exclusivement à l'heure de son clocher. Les média, les urbains, lui laissent entrevoir un monde d'abondance encore inaccessible. Il demande la parité avec les autres catégories professionnelles ce qui implique une productivité accrue, une ouverture sur le marché permettant un accroissement de ses liquidités.

... mais promu « entrepreneur » en 1960...

2 **Dans les années 1960,** les jeunes agriculteurs accélèrent le mouvement : **le paysan promu entrepreneur agricole** devra acheminer ses denrées vers des pôles de commercialisation (firmes privées, coopératives, négociants) souvent après accord avec eux (quantité, qualité, prix de campagne) pour des consommateurs devenus plus nombreux et exigeants; élévation du niveau de vie, insertion dans l'économie nationale s'ensuivront.

3 Du paysan à cet agriculteur la distance est démesurée. Pourtant nul obstacle ne paraît insurmontable. La main-d'œuvre est réduite à la famille conjugale mais l'équipement en matériel moderne peut remédier à l'absence de bras. La terre se fait rare mais l'accroissement des rendements par la pratique de la sélection et des engrais, un changement radical dans les méthodes d'élevage peuvent y suppléer. L'argent manque mais le crédit agricole est là et si le paysan répugnait à l'emprunt, l'exploitant moderne ne peut se permettre de le bouder. La formation et l'information du producteur jusque-là délaissées font l'objet d'initiatives diverses (1). L'agriculteur peut, désormais, devenir un chef d'entreprise lié aux rouages de l'économie nationale.

(1) Mise en application des décrets de 1959 sur la vulgarisation agricole et les cadres techniques.

... tout en ayant perdu son identité...

4 **Le paysan perd alors son identité.** Elle tenait à cette quasi-autarcie, à la volonté de ne point se lier pour produire et pour s'équiper, à un équilibre délicat entre famille, production et consommation. Le paysan voulait la parité en préservant l'essentiel de son mode de vie économique, familial, social; loin de lui la spécialisation à outrance, le travail à façon, les spéculations hasardeuses; pour lui, l'exploitation polyvalente qui, avant toute recherche de profit, permet de vivre, et les débouchés identifiés et intégrés dans une société d'interconnaissance élargie mais toujours à portée.

5 En 1960, **le paysan rêve d'entrer dans la modernité comme on entre en religion,** pour le plus grand bien de son être et de son devenir : il sera lentement rongé par le sel de la nouveauté, l'attrait du profit et l'envie suscités par les modèles venus d'une société où ses valeurs traditionnelles n'ont plus cours.

... dans une fuite en avant éperdue.

6 **Perdant** d'avance, **le paysan l'est deux fois :** pour notre société moderne il doit abandonner, bien qu'il y tienne, un système économique et un mode de vie caducs; la nouvelle cote qu'il doit alors vêtir n'est pas forcément à sa mesure. La loi d'orientation agricole est très claire à ce sujet : tous les agriculteurs en place, en 1960, ne peuvent prétendre le rester dans des structures d'exploitations modernes. Les nouvelles techniques de production à mettre en œuvre réclament des individus aptes à assimiler rapidement un nouveau savoir et des exploitations d'une certaine dimension. Tous sont appelés, tous ne sont pas élus « entrepreneurs agricoles ». Une fuite en avant s'installe alors pour longtemps dans le milieu agricole.

7 Au départ, personne ne veut être laissé pour compte et chacun, le crédit aidant, joue le jeu de la modernisation. L'écrémage se fait, en général, par la force des choses, au gré d'expériences malheureuses et non par choix raisonné; rancœur et colère s'accumulent au fil des années, ponctuées par des actions violentes qui suscitent des « mesures d'apaisement ». Cependant, rien ne viendra empêcher l'évolution inéluctable du secteur agricole et le passage d'une production vivrière à une production planifiée, intégrée aux rouages nationaux.

8 Non seulement certains paysans « trop petits » ne peuvent prétendre au grade d'entrepreneur moderne mais, parmi ces derniers, une hiérarchie s'instaure. En effet, le seuil de rentabilité des exploitations s'élève continuellement et, à notre époque d'abondance, l'agri-

culture modernisée produit trop pour notre consommation nationale et européenne. Pour maintenir une rémunération acceptable du travail agricole, il faut abaisser les coûts à la production par la croissance sur chaque exploitation et diminuer le nombre des producteurs, en d'autres termes, mieux équiper les exploitations les plus rentables et supprimer les autres.

9 En 1954, les agriculteurs constituaient encore 20,7 % de la population, en 1968, ils ne représentent que 12,1 % et en 1975, 7,6 %. Entre 1968 et 1975 le nombre des actifs agricoles a décru d'un million (2).

10 Cette chute abrupte draine dans son sillage des éléments jamais pris en compte dans les calculs économiques. Le poids politique et électoral des paysans a fondu avec leur nombre; là où les jardiniers de la nature s'en sont allés, taillis et friches envahissent des régions entières, les cours d'eau s'envasent, alors qu'ailleurs l'entrepreneur de pointe arase sans discernement, traite la terre pour qu'elle rende au-delà de ses ressources, transforme le paysage au gré des impératifs de la production sans ménager l'avenir; cependant, malgré tous les efforts des pouvoirs publics pour trier l'ivraie du bon grain, I.V.D., prime à l'installation, S.A.F.E.R., G.A.E.C., (3) il reste des paysans.

SURVIVANCE DES AGRICULTEURS

11 Les survivants adoptent dans notre époque ce qui ne remet point en cause les structures fondamentales de l'exploitation agricole traditionnelle. Ils ont accès à l'information de masse, à l'information technique et n'ignorent pas, dans l'ensemble, les arcanes de l'économie de marché. Leur mode de vie tend à imiter le modèle urbain et leur niveau de vie s'est amélioré; la voiture permet une vie locale éclatée et des contacts sociaux diversifiés. Les paysans modernisés en restant traditionnels, laissés pour compte dans l'économie nationale, sont à la recherche d'une nouvelle définition sociale. Combien sont-ils ? Les statistiques mêlent dans la catégorie exploitants agricoles, les paysans et les entrepreneurs et, sur les 7,6 % d'agriculteurs qui peuplent encore la France, nul ne peut dire la proportion de paysans et parmi eux : de paysans fossiles, de paysans par défaut, de néo-ruraux.

Entre le paysan fossile et le paysan essouflé par le progrès...

12 Le **paysan fossile** est l'espèce primitive en voie de disparition. En 1960, sur moins d'une dizaine d'hectares, il a acheté un petit tracteur mais n'a guère pu aller plus avant faute de moyens; l'alternative s'est alors présentée à lui : rester à la terre en l'état ou partir. A l'aventure il **a préféré l'immobilité** et vit mal en exclu du siècle.

13 Le **paysan par défaut** a souvent joué un moment le jeu de la modernisation mais **s'est vite essouflé.** Il était de cette frange inférieure au-dessus de laquelle plane le couperet du seuil de rentabilité capitaliste; des emprunts trop lourds, les aléas du marché, l'absence de formation, des hésitations sur les options à prendre ont commandé une retraite mûrie après une expérience riche d'enseignements. L'agriculteur a souvent engagé un secteur de son exploitation dans la voie de la spécialisation (poulets, porcs, fruits, légumes sous contrats) sans toutefois se spécialiser vraiment. L'exploitation restée polyvalente est suréquipée, les disponibilités monétaires rares, la main-d'œuvre familiale. Trois voies se présentent à l'agriculteur : abandonner totalement la terre, ce qui est rare car il y reste attaché et sait que l'exploitation peut encore être viable dans certaines conditions; abandonner la voie royale du progrès par l'industrie agro-alimentaire pour un retour au système paysan; abandonner une partie de son temps à une occupation lucrative et devenir paysan à temps partiel.

... naît l'agriculteur à temps partiel...

14 Les **exploitants à temps partiel** restent sans doute les paysans actuels **les plus traditionnels dans leur activité agricole.** Leur nombre régresse moins vite que celui de l'ensemble des agriculteurs, alors qu'il y a quinze ans on les pensait en voie de disparition rapide (4). En 1970, ils représentent 43,4 % des chefs d'exploitations; appelés communément ouvriers paysans, ils ne sont pas tous ouvriers (un grand nombre d'entre eux sont des femmes qui n'ont pas d'autres activités extérieures), mais quasiment tous sont paysans.

15 Ils **cultivent 22 %** de la superficie agricole utile et, par conséquent, **restent sur de petites exploitations.** Agés, ils sont souvent devenus agriculteurs à temps partiel après l'avoir été à temps complet. Le seuil de rentabilité productiviste s'étant notablement élevé, le jeune agriculteur, qui s'est installé en 1965 sur une exploitation viable de 15 à 20 hectares dans l'espoir d'en faire une entreprise agricole, a dû battre en retraite et pour atteindre un niveau de vie suffisant, s'**organiser une double vie** lui procurant un salaire extérieur fixe et un revenu complémentaire grâce à des productions agricoles très mécanisées.

16 Ce phénomène contribue largement au maintien d'un état paysan; l'agriculteur à temps partiel exploite au maximum les possibilités d'autoconsommation (basse-cour, moutons, porcs) et s'adonne, par ailleurs, à des productions qui lui demanderont peu d'heures de travail.

...auquel s'ajoute le néo-rural...

17 Le **néo-rural** est un nouveau venu, urbain de longue ou de fraîche date. Certains engagent des capitaux importants pour créer une entreprise. La plupart, cependant, amènent dans leurs bagages et souvent pour tout bagage un idéal, celui du paysan de « l'ordre éternel des champs ». Le néo-rural type est plus paysan que les anciens; en réaction contre la ville, son mode de vie, sa course au profit et à la consommation, il va hypertrophier les attributs ruraux et, en particulier, ce mode de production traditionnel où l'autarcie devient religion à laquelle la communauté sacrifie tout son temps.

18 Il est malaisé de vivre en marge de son siècle et, petit à petit, il en vient à vendre le surplus pour avoir quelque argent et finit même par s'arranger pour avoir toujours davantage de surplus. Certains, plus réalistes et mieux nantis au départ, engagent ce qu'il faut pour subsister dans une économie de marché en restant indépendants en amont comme en aval. Ils s'arrêtent là où commence le seuil de rentabilité des économistes expansionnistes.

... mais tous ont des caractères communs.

19 A part certains néo-ruraux décidés à tenter des expériences vivrières pures et quasi contemplatives de retour à la terre, et les paysans fossiles en voie de disparition rapide, **les paysans en 1978 ont tous dans leur ensemble les mêmes caractères.** Ils ne peuvent ou ne veulent pas adhérer au système économique de notre société industrielle capitaliste et recherchent un équilibre dans une forme de vie agricole hors des circuits préparés par les institutions et les économistes patentés. Après expérience ou par prudence, ils ont choisi de rester dans un système de production qui leur permet de vivre décemment en limitant au maximum les aléas de la conjoncture économique à laquelle sont tellement sensibles les agriculteurs entrepreneurs engagés dans la voie

(2) *Perspectives à long terme de l'agriculture française 1968-1985*, La Documentation Française, 1969 (voir note 4 p. 21).
(3) Pour les sigles, se reporter p. 4. (N.D.L.R.)
(4) En ce qui concerne les statistiques récentes sur le travail à temps partiel dans l'agriculture voir : Jean-Paul GIRARD, Monique GOMBERT, Michel PETRY « Les agriculteurs, tome 1, clé pour une comparaison sociale », *Les collections de l'I.N.S.E.E.*, 46-47 E., pp. 89-111.

capitaliste. Progressivement touchés par le discours écologique en vogue, ils valorisent leur mode de vie, commencent à se situer dans leur campagne plutôt que par rapport à la ville, à apprécier l'espace et la nature dont ils disposent.

20 Combien ces paysans seront-ils demain et que représentent-ils? Il est urgent de dépouiller ce mot de paysan de la gangue idéologique dont il se pare; rien n'est plus simple que de glisser vers des rêveries passéistes au gré de l'ambiance paysanniste actuelle.

ÉPANOUISSEMENT DE L'IDÉOLOGIE PAYSANNE

Aujourd'hui...

21 Nous vivons aujourd'hui ce paradoxe : **avec la fin du paysan s'épanouit l'idéologie paysanne.** Être paysan aujourd'hui c'est refuser l'intégration capitaliste et conserver un système de valeurs traditionnelles. Sous des apparences quelquefois trompeuses, « en tout agriculteur un paysan sommeille ».

22 Un sondage de la SOFRES de 1972 réalisé auprès des **jeunes agriculteurs** en donne une idée (5). Il existe une profonde contradiction entre leur conception de la modernisation et la manière dont ils envisagent l'avenir. Sur leurs exploitations moyennes peu spécialisées, ils aspirent au statut de chef d'entreprise de l'horizon 2 000 et pensent se moderniser en conséquence, sachant par ailleurs ne pas avoir l'exploitation requise grande et spécialisée. Ils **refusent de reconnaître explicitement que du fait de la taille de leur exploitation, ils ne peuvent prétendre à être modernes dans l'avenir. Cependant, ils ne pensent pas leur exploitation condamnée,** persuadés qu'en cas de crise elle est au contraire moins vulnérable qu'une grande entreprise à caractère industriel. Ils **conservent à la tradition paternelle** « humanisée » par la mécanisation **toute leur confiance.** Une majorité de ces jeunes enquêtés en 1972 semblent candidats « paysans par défaut », sinon paysans à temps partiel.

... grâce à un paysannisme envahissant ...

23 **Le paysannisme** envahissant **de la presse et des discours déborde largement** et ignore souvent **ces comportements économiques.**

24 La population active agricole, toutes catégories mélangées, représentait 27 % de la population totale en 1954, 15 % en 1968, 11 % en 1975. Après avoir représenté plus du quart de la population active française, l'effectif s'amenuise à chaque recensement et, avec lui, le bastion du conservatisme français.

25 On sait combien cet électorat fut choyé par toutes les majorités de droite; il fond actuellement comme glace au soleil et la dernière campagne électorale de mars 1978 n'a pas retenti autant qu'à l'accoutumée de discours rassurants à l'intention des agriculteurs. Il devient alors **nécessaire de retenir et développer ce qui apparaît aujourd'hui l'essentiel de leur apport à la nation;** leur système de valeurs, fondement de leur conservatisme.

26 Cette attitude est d'autant plus nécessaire que nulle promesse de richesse accrue ne peut être faite en ce moment; à défaut d'expansion, il reste à exalter les valeurs traditionnelles. Le discours écologiste repris par les dirigeants en place vient à propos. Les politistes nous diront bientôt les récentes évolutions de l'électorat rural mais, grossièrement, il semble que les valeurs et le système de pensée traditionnel résistent au transfert des populations hors de l'agriculture; le climat paysanniste, ruralisant, écologiste y contribue.

... le paysan est devenu symbole ...

27 **A qui profite le paysannisme?** Apparemment **à tout le monde.** Bien des esprits de gauche trouvent dans les valeurs du terroir rural un argument de plus pour plaider la régionalisation et des particularismes susceptibles d'entraîner un contre-pouvoir; de son côté, l'État centralisateur ne peut laisser passer ce support idéologique surtout en cette période de récession économique. **Le paysan devient symbole : réceptacle d'un patrimoine culturel méconnu, incarnation d'une identité locale menacée, jardinier de la nature en péril.** Il disparaît mais son message est repris pour perpétuer l'histoire et sauver le terroir de l'uniformisation quasi planétaire de notre société.

28 Ce discours plaît aux régionalistes, aux urbains en mal de racines, à l'État qui ne peut que se féliciter de conserver presque intacte une idéologie qui lui a, jusqu'à présent, bien réussi. On ne trouve sans doute une telle unanimité qu'en période de crise, crise économique, crise de société. Après l'expansion industrielle galopante, l'urbanisation effrénée, la soumission des hommes et des paysages aux impératifs de la mécanisation, de la productivité, de la standardisation, le creux de la vague que nous connaissons éveille les consciences et, à défaut d'imaginer, chacun se souvient.

29 Les urbains mêlent leur voix à ce concert et « en beaucoup de Français un paysan sommeille aussi ». Combien d'urbains le sont depuis plus de deux générations? Les racines paysannes des citadins affleurent vite et le nombre croissant de résidences secondaires aide au « retour à la terre » des aspirations un moment entièrement détournées par les mirages des grandes villes; après avoir connu le gigantisme, l'anonymat, la platitude des centres urbains, l'homme part chercher à la campagne un face à face avec lui-même, une continuité, des certitudes. **La voie paysanniste est ainsi semée de religiosité écologique, d'idéalisme utopique et de réalisme politique.**

... d'une résistance à l'économie capitaliste planifiée.

30 Il est temps cependant d'**observer avec rigueur ce prodige : un groupe social en état de résistance active à l'économie capitaliste planifiée.** Que certains esprits se recueillent sur les restes paysans, dissertent sur l'opportunité politique et écologique de leur valeur symbolique soit; mais l'heure devrait sonner pour les économistes de voir qu'à la politique de croissance et d'industrialisation, obligée et logique dans le cadre d'une politique économique nationale, répondent des individus libres de sacrifier profit et abondance à un mode de vie, à une idée de la liberté, à un système de valeurs.

31 La politique de croissance, appliquée depuis trente ans, accroît les inégalités en favorisant les mieux adaptés à ses exigences et en reléguant les autres dans l'ombre. La plupart des intéressés ont compris que la modernisation proposée, qui devait apporter la parité avec les autres secteurs de l'économie, était du sabordage.

32 A côté de la politique de croissance il y a eu la politique de développement qui a permis grâce à l'éducation, à l'information, aux mesures sociales une maturation extrême de certaines structures économiques traditionnelles comme l'exploitation familiale paysanne. Pour beaucoup, incapables de suivre une politique de croissance sur le mode industriel, peu préparés à changer de secteur, hostiles à la vie urbaine, la meilleure voie économique et sociale n'est-elle pas cette exploitation paysanne telle qu'elle est vécue en 1978? La réponse est politique :

– ou les pouvoirs publics font de l'exploitation familiale paysanne une option économique possible et non une voie de garage pour catégorie sociale résiduelle;

– ou nous sommes condamnés à quêter aux détours des chemins un temps immobile : l'éternel paysan.

Maryvonne BODIGUEL,
chargée de recherches, C.N.R.S.

(5) *Les jeunes agriculteurs en 1972*, tome I, principaux résultats, Centre national des jeunes agriculteurs, 122 p.

Pouvez-vous dégager de ce tableau des caractéristiques communes à ces différents types d'agriculteurs ?

11. Revoyez votre réponse à la question 7, puis lisez le **paragraphe 19**. Repérez, dans ce paragraphe, les mots qui présentent l'attitude des agriculteurs comme plus rigide.

12. Pour la troisième partie, reconstituez d'abord le texte en caractères gras : Exemple : « Avec la fin du paysan, s'épanouit l'idéologie paysanne... », etc.

13. Quelles valeurs ou revendications des paysans sont-elles exploitées électoralement, respectivement :
a - par les partis de droite ?
b - par les partis de gauche ?

14. Quelles raisons font que le mode de vie et la mentalité paysannes sont valorisés, en dehors du monde paysan ?
Servez-vous, pour répondre, des indices : « ce discours plaît » et « les urbains mêlent leurs voix ».

15. L'action de l'Etat sur le plan économique (croissance) et sur celui du développement (éducation, information, etc.) a eu des conséquences, parfois inattendues, sur le monde agricole. Dites lesquelles.

16. Relisez entièrement ce texte depuis le début et essayez de décrire, telles que vous les imaginez, les transformations du paysage de la campagne française qu'entraîne l'évolution décrite ici. ■

407. Recensement

On a commencé, en février 1984, à publier les résultats du dernier recensement général de la population française. Ces chiffres donnent des indications complètes, non seulement sur le nombre des habitants, mais aussi sur leur mode de vie : structure de la famille, répartition géographique, logement et confort, etc. On prendra connaissance ici de certaines d'entre elles, les plus fondamentales, à la source même et aussi à travers une présentation journalistique.

Document 4071
Recensement général de la population de 1982,
INSEE

Principaux résultats : premières analyses

1. Relevez les dates qui figurent dans les quatre premiers paragraphes et dites à quoi elles correspondent.

2. Relevez les chiffres et les pourcentages :
a - population française en 1982 :
b - augmentation depuis 1975 :

Lisez la phrase suivante (« Il s'agit là... »), et dites si :

a - la population française a augmenté ;	oui	non
b - elle a augmenté plus que précédemment.	oui	non

Soulignez dans cette phrase les mots qui justifient votre réponse.

3. Dans la suite du texte, on analyse le rapport entre la population des villes et celle des campagnes. Lisez-la, puis reportez les informations principales dans le tableau suivant à l'aide du signe – (taux de croissance en diminution), du signe + (taux de croissance en augmentation), du signe = (taux de croissance sans changement) :

	1954-1975	1975-1982
villes		
campagnes		

4. Pour comprendre ces résultats, l'opposition ville/campagne n'est pas satisfaisante. En particulier, la notion de ville est remplacée par trois catégories distinctes d'agglomérations urbaines. Retrouvez-les, et replacez-les dans le schéma suivant.

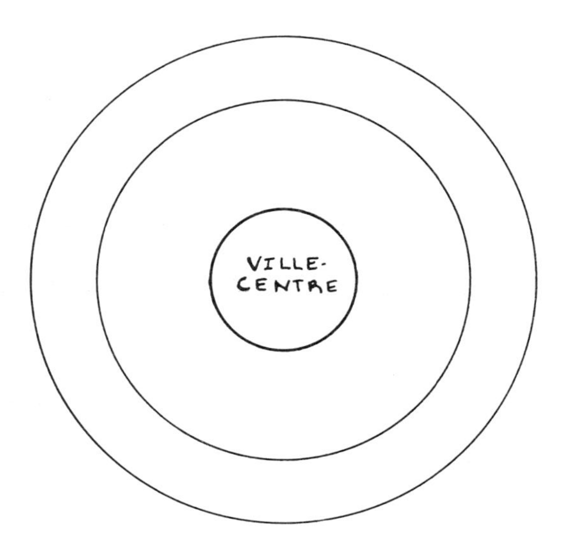

5. L'évolution de chaque type d'agglomération est commentée séparément. Localisez les phrases qui correspondent à chacun d'eux. Toujours à l'aide des signes −, +, =, reportez dans le schéma précédent ce qu'on dit de l'évolution de leur population.

6. Ces changements sont expliqués. A quel endroit du texte ? Quel est le phénomène nouveau sur lequel on insiste ?

Les ménages et les familles

7. Retrouvez, dans les deux premiers paragraphes, les mots qui se rapportent à nuptialité et à divorcialité et qui permettent de les comprendre.

8. En démographie, on n'utilise pas les mots *ménage* et *famille* avec leur sens habituel. A partir des catégories « Types de ménage » qui servent à présenter les résultats dans le **tableau 3,** essayez de faire la différence entre l'un et l'autre.

a - *Un ménage* peut-il comporter plusieurs *familles ?*
b - *Une famille* peut-elle comporter plusieurs *ménages ?*
c - *Une famille* est-elle constituée par un couple et ses enfants ?

Vérifiez ces hypothèses au moyen des définitions qui sont données dans l'encadré « Ménages et familles » :

a - Une personne seule constitue-t-elle un *ménage ?*
b - Qu'est-ce qu'une famille monoparentale ?
c - Dans quelle catégorie rangeriez-vous un ménage constitué d'une grand-mère et de sa petite-fille ?

9. En utilisant uniquement la colonne pourcentage du **tableau 3,** dégagez les caractéristiques principales de la composition des ménages en France.
Retrouvez les chiffres qui fondent la constatation que les femmes âgées sont les plus isolées en France.

Le texte qui suit est repris des «PREMIERS RÉSULTATS», nº 10 à 15, qui ont été présentés à la presse le 15 février 1984.

PRINCIPAUX RÉSULTATS :

PREMIÈRES ANALYSES.

Le dénombrement des questionnaires du recensement de la population de 1982 a permis, dans un premier temps, de fixer la population légale des circonscriptions administratives de la France, de la commune à la région. Les résultats du dénombrement ont aussi mis en évidence l'évolution de la répartition spatiale de la population et celle du parc immobilier (1).

Au 4 mars 1982, la population de la France métropolitaine s'élève à 54 334 871 habitants, en augmentation de 3,3 % depuis le 20 février 1975, date du précédent recensement. Il s'agit là d'un net ralentissement de la croissance démographique causé par la réduction de l'excédent des naissances sur les décès et par la diminution du solde des migrations extérieures. Ce ralentissement s'observe dans toutes les régions, à l'exception du Languedoc-Roussillon dont la croissance s'accélère de 0,7 % à 1,2 % par an sur la dernière période, et de l'Aquitaine dont la croissance se maintient à 0,5 % par an.

L'arrêt de la croissance urbaine est le phénomène le plus marquant révélé par les résultats du recensement. Entre 1954 et 1975, période d'urbanisation intense, le taux de croissance des agglomérations urbaines petites ou grandes était supérieur à celui de l'ensemble du pays alors que les communes rurales de moins de 1 000 habitants se dépeuplaient. Depuis une dizaine d'années toutefois on observait un certain ralentissement.

Au cours de la période 1975-1982, le développement des communes rurales est, en moyenne, plus rapide que celui des villes. Seules les villes de moins de 20 000 habitants ont une croissance supérieure à celle de l'ensemble de la France.

4071
Évolution démographique entre 1962 et 1982 (population municipale)

Catégorie de commune (délimitation 1982)	Variation totale (en % par an) 1962-1968	1968-1975	1975-1982
Ensemble de la France (métropole) .	**+ 1,14**	**+ 0,82**	**+ 0,46**
Ensemble des communes rurales . . .	– 0,44	– 0,12	+ 0,86
– appartenant à une ZPIU (1)	+ 0,12	+ 0,79	+ 1,60
– n'appartenant pas à une ZPIU (1) .	– 1,08	– 1,25	– 0,20
Ensemble des communes urbaines . .	+ 1,79	+ 1,17	+ 0,31

(1) ZPIU : zone de peuplement industriel ou urbain.

Évolution des taux de croissance des communes rurales et urbaines de 1962 à 1982

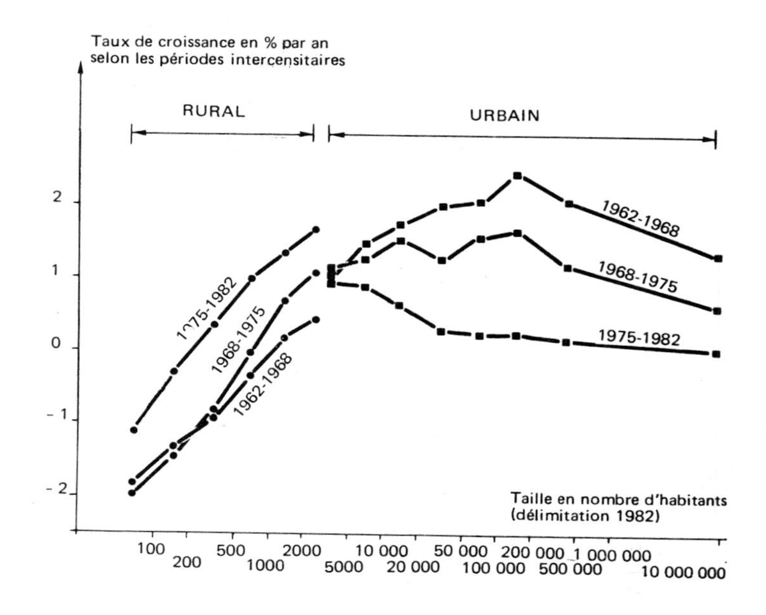

Depuis plus d'un siècle, c'est la première fois qu'un tel phénomène est observé. Il trouve son origine dans le net retournement des courants migratoires en faveur des communes rurales alors que les décès y sont désormais plus nombreux que les naissances en raison d'une structure par âge vieillie.

L'opposition entre les villes et les campagnes doit cependant être nuancée. Le territoire rural n'est pas homogène. Il comprend des communes où sont implantées des industries ou dont la population va en majorité travailler dans une ville voisine. Les espaces urbanisés, ou ZPIU (2), dessinent alors trois zones concentriques : les villes-centres, les banlieues et les communes rurales périphériques. La croissance des premières, déjà ralentie au cours de la période précédente, est fortement freinée ; elles perdent même de la population à partir de 20 000 habitants, et cela d'autant plus qu'elles appartiennent à une agglomération plus importante. Les villes-centres de plus de 200 000 habitants voient leur population diminuer en moyenne de plus de 5 % en sept ans. La croissance des banlieues se poursuit, mais à un rythme ralenti. Enfin, la croissance des communes rurales périphériques s'accélère et son taux est d'autant plus élevé que ces communes font partie d'une ZPIU plus peuplée.

En définitive, la croissance des communes rurales masque deux phénomènes distincts : l'extension de l'urbanisation dans l'espace, qui touche de plus en plus des communes considérées comme rurales, car situées hors des agglomérations, et la persistance de vastes zones dont la population continue à diminuer.

(1) Pour une analyse détaillée, voir l'article de J. BOUDOUL et J.P. FAUR: « Renaissance des communes rurales ou nouvelle forme d'urbanisation ? », dans le nº 149 d'Économie et Statistique (novembre 1982).

(2) Les zones de peuplement industriel ou urbain (ZPIU) prennent en compte, en sus du critère de continuité de l'habitat, des critères socio-économiques tels que les migrations quotidiennes domicile-travail et l'importance de la population non agricole.

LES MÉNAGES ET LES FAMILLES

En 20 ans, le nombre de ménages s'est accru de 34,3 %, passant de 14,6 millions en 1962 à 19,6 millions en 1982. L'augmentation du nombre de ménages a été plus rapide que celle de la population totale. Au cours de la dernière période intercensitaire, le nombre de ménages s'est accru de 10,4 % alors que l'accroissement de la population n'était que de 3,2 % et celui de la population de 17 ans ou plus de 6,0 %. Cette évolution s'est traduite par une diminution importante du nombre moyen de personnes par ménage (2,70 personnes par ménage en 1982 contre 3,10 en 1962) et par une réduction du nombre des ménages dont la structure est complexe (tableau 1) . Le nombre de personnes par ménage s'est réduit aussi fortement de 1975 à 1982 que durant la période précédente au cours de laquelle on avait enregistré une forte accélération de la décohabitation (1).

Comme la plupart des pays d'Europe occidentale, la France enregistre depuis le début des années 1970 un recul de la nuptialité particulièrement marqué aux âges jeunes. La comparaison des situations en 1968 et 1982 (graphique) met en évidence ce phénomène lié au développement rapide de l'union libre. Malgré les remariages de divorcés, la montée de la divortialité depuis le début des années soixante a entraîné le doublement entre 1968 et 1982 du nombre des divorcés recensés comme tels (2). En 1982, on compte 1 425 440 divorcés (858 780 femmes et 566 660 hommes). Cette évolution s'accompagne d'un net rajeunissement de la population des divorcés. Ces tendances, jointes à la baisse de la fécondité légitime, à l'augmentation des naissances hors mariage et à la décohabitation, ont contribué à l'évolution de la structure familiale des ménages depuis 1962.

A Paris, un ménage sur deux ne compte qu'une seule personne

Le nombre et la part des ménages non-familiaux ont progressé en raison du net accroissement du nombre de ménages composés d'une seule personne qui représentent un ménage sur quatre en 1982. Il s'agit en grande partie de femmes âgées : deux sur trois des personnes vivant seules sont des femmes et, parmi ces femmes, trois sur quatre ont plus de 55 ans.

TABLEAU 1
Ménages selon la structure familiale.

		1962	1968	1975	1982
Nombre de ménages		14 588 931	15 778 100	17 743 760	19 590 400
Nombre de familles		11 358 143	12 062 760	13 176 040	14 118 940
Ménages comportant ... familles	0	3 678 171	4 055 200	4 804 640	5 623 960
	1	10 472 350	11 388 940	12 706 180	13 813 940
	2 ou plus	438 410	333 960	232 940	152 500

TABLEAU 2
Nombre moyen de personnes par ménage et proportion de ménages d'une personne selon la catégorie de commune en 1982

Catégorie de commune	Nombre moyen de personnes par ménage	Proportion de ménages d'une personne (%)
Ensemble des communes	**2,7**	**24,6**
. Communes rurales	2,9	20,3
– hors ZPIU	2,8	22,8
– appartenant à une ZPIU	3,0	18,6
. Communes urbaines	2,6	26,0
communes appartenant à une unité urbaine :		
de moins de 20 000 habitants	2,8	21,3
de 20 000 à 100 000 hab.	2,7	23,9
de 100 000 à 2 000 000 hab.	2,6	26,0
Agglomération de Paris	2,4	31,8

TABLEAU 3
Ménages par type selon l'âge de la personne de référence et les caractéristiques de la famille principale en 1982 *

Type de ménage	Ménages					Ménages avec une seule famille sans isolés
	Total	%	Age de la personne de référence			
			moins de 40 ans	40 à 64 ans	65 ans ou plus	
Total	**19 590 400**	**100,0**	**6 902 020**	**8 127 380**	**4 561 000**	**12 315 340**
Personne seule	4 816 680	24,6	1 255 960	1 279 980	2 280 740	///
Homme	1 665 660	8,5	676 640	537 180	451 840	///
Femme	3 151 020	16,1	579 320	742 800	1 828 900	///
Autres ménages sans famille	807 280	4,1	249 100	363 900	194 280	///
Ménages dont la famille principale est monoparentale	846 820	4,3	358 460	473 820	14 540	709 740
Homme + enfants	122 900	0,6	31 780	85 260	5 860	98 020
Femme + enfants	723 920	3,7	326 680	388 560	8 680	611 720
Ménages dont la famille principale est un couple (avec ou sans enfant)	13 119 620	67,0	5 038 500	6 009 680	2 071 440	11 605 600
Homme et femme inactifs	2 647 640	13,5	56 280	747 980	1 843 380	2 229 720
Homme inactif et femme active	426 300	2,2	52 060	253 480	120 760	353 560
Homme actif et femme inactive	4 056 540	20,7	1 658 500	2 339 340	58 700	3 566 180
Homme et femme actifs	5 989 140	30,6	3 271 660	2 668 880	48 600	5 456 140

* *La famille principale est la famille de la personne de référence du ménage.*

TABLEAU 4
Familles selon le nombre d'enfants de 0 à 16 ans

Nombre d'enfants de 0 à 16 ans	EFFECTIFS		
	1968	1975	1982
Ensemble des familles . . .	**12 053 892**	**13 177 400**	**14 118 940**
0 enfant	5 812 768	6 367 005	7 130 440
1 enfant	2 622 380	3 026 485	3 200 500
2 enfants	1 890 676	2 195 805	2 498 220
3 enfants	950 868	959 480	918 780
4 enfants	416 988	362 135	241 040
5 enfants ou plus	360 212	266 490	129 960
Nombre total d'enfants de 0 à 16 ans	13 044 336	13 286 910	12 647 040
Nombre moyen d'enfants de 0 à 16 ans par famille .	1,08	1,01	0,90

La répartition spatiale des ménages d'une personne est loin d'être uniforme. La proportion de ces ménages est particulièrement élevée en Ile-de-France où ils représentent 30,2 % des ménages du fait de leur surreprésentation dans la ville de Paris où 48 % des ménages ne comptent qu'une seule personne. En revanche, leur part est inférieure à la moyenne nationale dans les départements de la grande couronne, traduisant les conditions de logement dans la région d'Ile-de-France. La part des ménages d'une personne selon la catégorie de commune figure dans le tableau 2 . C'est dans les communes rurales proches des villes que la proportion est la plus faible.

Proportion de mariés selon le sexe et l'âge en 1968 et 1982.

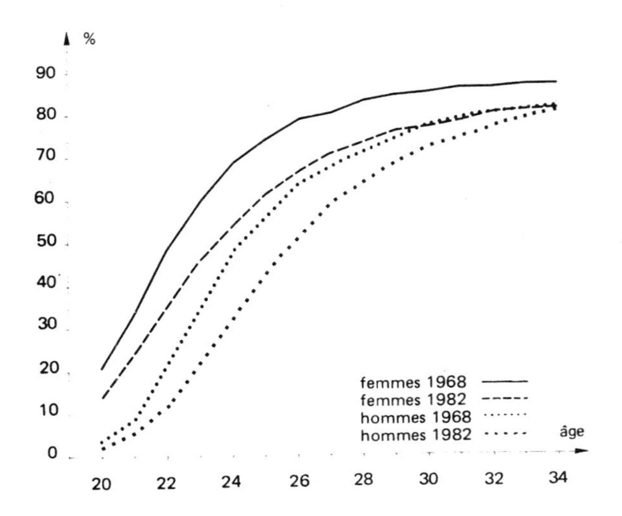

Davantage de familles monoparentales, moins de familles nombreuses

Sept ménages sur dix comportent au moins une famille (tableau 1) . Ceux qui comportent au moins deux familles, déjà peu nombreux en 1962, sont de plus en plus rares (tableau 3) . Cette évolution est liée au désir d'indépendance des jeunes couples et à la détente du marché du logement. Parmi les ménages d'une famille, 11 % comprennent des isolés qui ont pour la plupart des liens de parenté avec la famille. Les ménages familiaux ont tendance à se simplifier et à se réduire à des familles au sens restreint.

La progression du nombre des familles monoparentales (887 000 en 1982) s'est poursuivie depuis 1975. 85 % de ces familles monoparentales sont constituées de femmes qui élèvent seules leurs enfants. La répartition par état matrimonial des mères de familles monoparentales suggère que cette situation résulte le plus souvent d'une rupture d'union. 17 % d'entre elles seulement sont célibataires. Le nombre de ces dernières a cependant progressé de plus de 50 % depuis 1975.

Les évolutions mentionnées précédemment se traduisent par des transformations importantes pour les couples : raréfaction des familles nombreuses et augmentation du nombre des couples où la femme travaille. Depuis 1975, le nombre des familles (3) ayant trois enfants ou plus (de moins de 17 ans) a diminué alors que le nombre des autres familles a augmenté (tableau 4) . Dans deux couples sur trois dont la personne de référence a moins de 40 ans les deux conjoints sont actifs.

. Ménages et familles

L'ensemble des occupants d'une résidence principale, quels que soient les liens qui les unissent, constitue un ménage ordinaire. Chaque ménage comporte une personne de référence et une seule, déterminée à partir de la structure familiale. Les nombres de résidences principales, de ménages et de personnes de référence sont identiques.

Une famille est une partie d'un ménage comprenant au moins deux personnes et constituée :

— soit d'un couple, légitime ou non, et, le cas échéant, de ses enfants célibataires de moins de 25 ans ;

— soit d'une personne non mariée (ou mariée, mais séparée de son conjoint) et de ses enfants célibataires de moins de 25 ans. Une telle famille est dite monoparentale.

Les membres d'un ménage n'appartenant pas à une famille sont dénommés «isolés». Les enfants célibataires âgés de plus de 25 ans d'un couple sont ainsi classés comme isolés, de même que les ascendants sans conjoint d'un couple.

(1) Pierre-Alain AUDIRAC: «1975-1982 : croissance ralentie, mais soutenue, du parc de logements», Économie et statistique, nº 155, mai 1983.
(2) Il s'agit, en principe, de divorcés non remariés ; les divorcés qui se sont remariés sont classés comme mariés.
(3) Il s'agit à la fois des couples (avec ou sans enfants) et des familles monoparentales.

10. Reportez-vous au texte. A l'aide des titres et des références aux tableaux, dites de quel sujet chaque paragraphe traite :
Par exemple, **paragraphe 1,** Composition des ménages
Paragraphe 2 :
Intertitre
Paragraphe 3 :
Paragraphe 4 :
Intertitre
Paragraphe 5 :
Paragraphe 6 :
Paragraphe 7 :

11. Lisez maintenant le texte linéairement et retrouvez les explications données aux phénomènes mentionnés ci-dessous (aidez-vous de mots comme : en raison de, s'explique par).
a - Les ménages qui ne sont pas des familles sont en augmentation.
b - Le nombre des ménages d'une seule personne est très élevé en France.
c - Les ménages tendent à se réduire à une seule famille.

12. Décrivez le couple français type.

Document 4072
« Comment la France a changé », Franz-Olivier Giesbert,
Le Nouvel Observateur, 17-02-1984

13. Ces extraits d'un article de presse présentent les mêmes résultats sous une autre forme. A partir des expressions qui introduisent chaque paragraphe, dites :
a - leur contenu ;
b - à quelle partie du texte de l'INSEE ils se rapportent.

14. Lisez maintenant chaque paragraphe.
a - Soulignez les informations qui se trouvent déjà dans le **document 4071.**
b - Relevez les noms propres et les citations. Ils apportent un même type d'information. Lequel ?

15. Selon vous, quel est le rôle de ces exemples ? Avez-vous l'impression que le texte du *Nouvel Observateur* est plus facile à comprendre que celui de l'INSEE ? Essayez de dire pourquoi.

16. Dans l'introduction de cet article, retrouvez des informations sur la manière dont on fait le recensement.

17. Relisez les deux documents en essayant de comprendre à qui et à quoi servent les recensements. Par exemple, à qui peut servir le fait de savoir combien il y a d'enfants dans une commune rurale de moins de 1 000 habitants ? ■

COMMENT LA FRANCE A CHANGÉ

Marianne n'est plus celle que vous croyez. Elle a pris des rides. Mais, avec l'âge, elle devient de plus en plus « moderne ». C'est une grand-mère du genre branchée. En quelques années, elle s'est mise au téléphone et en concubinage. Elle a deux voitures, maintenant. Et elle s'est acheté sa maison, qui a désormais toutes les commodités. Sa vieillesse est propre, délurée et confortable.

Telle est à peu près l'image que renvoie à la France le trente et unième recensement réalisé par l'I.N.S.E.E. en 1982. Ses premiers résultats, qui viennent de tomber, en disent plus long sur l'Hexagone que tous les sondages. Il est vrai qu'il s'agit là d'une étude grandeur nature : pendant un mois, 110 000 agents recenseurs se sont introduits dans les foyers avec leurs questionnaires. Résultat : aujourd'hui, le logement des Français n'a plus de secrets pour personne. Leur travail et leur vie privée non plus.

C'est la nouvelle révolution française que met au jour l'I.N.S.E.E. Une révolution démographique, économique et sociale, sur fond de changement de mœurs. Six grandes tendances s'en dégagent. Récapitulons.

● Après le « baby-boom », voici le « pépéboom ». Au moment du dernier recensement, la population française était de 54 334 871 habitants. Y compris 3 680 100 étrangers. Par rapport au dernier recensement, celui de 1975, nous sommes 3,3 % de plus. Ce serait tout bon si, d'année en année, la croissance démographique ne se dégonflait comme la grenouille de la fable. Aujourd'hui, la fécondité française se tient à 10 % au-dessous du niveau de remplacement des générations. C'est pourquoi les natalistes disent que ce pays est menacé, comme toutes les maisons sans enfant, tandis que Pierre Bérégovoy, ministre des Affaires sociales, s'époumone sérieusement — et patriotiquement : *« La natalité [...] est la priorité autour de laquelle s'organisera l'action des pouvoirs publics. »*

LES VILLES À LA CAMPAGNE

● La famille bat en retraite. C'est comme si les faux prophètes l'avaient fait fuir à force d'annoncer son retour, à grands sons de trompe. En 1982, un ménage sur quatre est composé d'une seule personne. Le nombre des mères célibataires a augmenté de 50 % en sept ans. Et le mariage est en chute libre (voir l'article d'André Burguière, p. 46). A Toulouse, par exemple, il y en a cent de moins chaque année. *« Je ne suis pas directeur de conscience de mes concitoyens »*, souffle Dominique Baudis, le maire de la ville, qui lui-même n'est pas marié.

LA POPULATION FRANÇAISE

Population au 20 février 1975	52 593 000
Population au 4 mars 1982	54 310 000
Accroissement de la population entre ces deux dates	1 717 000

A Montpellier, la mairie délivrait 180 certificats de concubinage en 1978. Cinq ans plus tard, elle en signait 450. *« J'ai choisi de vivre avec un homme*, dit Anne-Marie, vingt-sept ans, secrétaire. *En quoi est-ce que ça regarde l'Etat, je vous demande ? »* Pas loin de là, la région Provence-Côte d'Azur détient le record du nombre des divorces. Il a doublé en dix ans. Dans le pays de Pagnol, un mariage sur quatre se termine mal. C'est sans doute à la libération des mœurs — et surtout des femmes — qu'il faut imputer l'extinction de deux races typiques du folklore marseillais : d'abord, le « frotadou », qui, comme son nom l'indique, fait du frotti-frotta avec les dames ; ensuite, le « pistachier », ce cavaleur hâbleur qui raconte ses aventures féminines au comptoir. *« Maintenant*, disent les consommateurs, *c'est très mal vu de se vanter d'avoir eu toutes les femmes du département. »*

● Les villes s'installent à la campagne. C'est déjà ce qu'annonçait un humoriste prophétique du nom d'Alphonse Allais. Plusieurs générations ont ri de son (bon) mot. Aujourd'hui, il est en train de devenir réalité. Tandis que les grands centres urbains se vident (— 10,7 % à Lille) et que les banlieues stagnent, voici que les communes rurales, à la périphérie des villes, se mettent à champignonner. Dans la région parisienne, par exemple, c'est la ruée vers l'Oise. En Provence-Côte d'Azur, la population des communes de moins de deux cents habitants a augmenté de 15 %. Bref, le mouvement d'urbanisation, vieux de plus cent ans, a été stoppé net.

Cette « rurbanisation » de la France, comme disent les experts, elle pourrait avoir le visage de Jean-Pierre, un employé qui habite un « pavillon de campagne » sur la nationale 7, à quelques kilomètres de la Z.U.P. des Minguettes, dans la région Rhône-Alpes. C'est un F 5. Il donne sur des labours. *« J'ai fui les tours des Minguettes*, dit Jean-Pierre. *Je ne pouvais plus supporter d'être à quelques centimètres de mes voisins et de partager sans arrêt leur intimité. »*

C'est ainsi que le terroir français se repeuple. Juste retour des choses : après tout, les villes ont toujours été à la campagne. Il était logique qu'elles finissent par se retrouver (voir l'article de Georges Duby, p. 47). **(...)**

FRANZ-OLIVIER GIESBERT

(Enquête des correspondants régionaux du « Nouvel Observateur »)

L'I.N.S.E.E. vient de publier, dans la série « Premiers Résultats », une grande masse d'informations issues du recensement. Chaque thème fait l'objet d'un cahier de quatre pages, vendu 8 F. Vous pouvez vous procurer ces documents aux observatoires économiques régionaux de l'I.N.S.E.E. Ils disposent chacun d'un bureau de vente. A Paris : 195, rue de Bercy, 75582 Paris Cedex 12, tél. 345-73-74.

Le Nouvel Observateur

408. La cinquième puissance industrielle du monde

La France, ce n'est pas seulement Picasso ou Sartre, c'est aussi un pays qui compte encore dans l'économie mondiale. L'extrait retenu ici fait un bilan de santé de l'industrie française à partir des indicateurs économiques habituels dont l'interprétation correcte est indispensable. Dans cette présentation générale, il faudra aussi retrouver les réalités concrètes qui sont évoquées.

Document 4081
« L'industrie »,
P. Roux-Vaillard,
Profil économique de la France au seuil des années 80,
La Documentation française

1. Parcourez ce document et relevez-en les caractéristiques extérieures les plus frappantes. Selon vous, ce texte est-il destiné à un large public ou seulement à des spécialistes en économie ?

2. Relevez, sous forme de plan hiérarchisé, les titres et les intertitres de ce texte et indiquez la page.
Par exemple :
1. Les facteurs de la croissance industrielle **(page 189)**
1.1. L'investissement industriel **(page 190)**
etc.
Quel genre d'information donnent-ils ?

3. Dans l'introduction (**pages 187** à **189**, sans sous-titre), relevez les définitions qui sont données des notions suivantes : industrie, pays développés, biens intermédiaires.

4. Reportez-vous ensuite aux **tableaux 1** à **3** et au **graphique 1**.
Selon quels critères classe-t-on les pays industrialisés (regardez les tableaux eux-mêmes ou leur commentaire) ? En tenant compte de toutes ces classifications, établissez la position de l'industrie française par rapport aux industries allemande et anglaise.

5. Lisez maintenant, de manière suivie, les **paragraphes 2** et **3, page 187** (« A cet égard... »). Expliquez pourquoi la France est classée en quatrième position alors que le titre ci-dessus la place en cinquième position (La cinquième puissance...).

4081 C'est à l'importance de l'industrie qui recouvre l'ensemble des activités ayant pour objet de transformer les ressources naturelles en biens matériels (1) que l'on mesure au XXe siècle la puissance économique d'un pays. C'est pourquoi on a coutume de séparer les nations du monde en deux grandes catégories en fonction de l'état de leur industrialisation : les pays dits développés, dont l'industrialisation est ancienne, et les pays en voie de développement (PVD) qui ne sont pas encore considérés comme industrialisés. Parmi ces derniers, on distingue aujourd'hui la fraction dont l'industrialisation est la plus avancée, que l'on qualifie même pour certains de « pays nouvellement industrialisés » : les prototypes en sont la Corée du Sud, Singapour, le Brésil, le Mexique, par exemple.

A cet égard, la France peut être classée dans les pays développés même si elle a connu, depuis la dernière guerre mondiale, d'importantes transformations comme en témoigne la rapidité de la croissance industrielle au cours de cette période. En 1977, l'industrie française, au sens large, employait environ 35 % de la population active, réalisait 46 % de la valeur ajoutée brute marchande et — ce qui représente l'indicateur le plus significatif de son importance dans le développement de la nation — assurait 80 % des exportations.

Parmi les économies de marché, la France occupe aujourd'hui, en tant que puissance industrielle, un rang très honorable, qui varie selon l'indicateur économique utilisé mais qui, en moyenne, la situe en quatrième position, derrière les Etats-Unis, la République fédérale d'Allemagne, le Japon et avant la Grande-Bretagne.

En fonction de sa part dans la valeur ajoutée (cf. tableau 1), l'industrie française est comparable aux principales industries européennes, exception faite de l'Allemagne, dont le poids industriel est supérieur d'environ 25 %. Fait particulièrement significatif, entre 1970 et 1976, en dépit de la crise économique, dont l'industrie a été la principale victime, l'activité industrielle s'est développée plus rapidement en France que dans les autres membres de la CEE, voire de l'OCDE (cf. graphique 1).

(1) Les activités dont l'objet est de fournir des services (de transport, commerciaux, etc.) n'appartiennent donc pas à l'industrie. Toutefois, plusieurs définitions de l'industrie peuvent être utilisées selon que le champ couvert est plus ou moins élargi :

— l'industrie au sens restreint ne comprend que les productions de biens intermédiaires (matières premières industrielles et demi-produits) de biens d'équipements et de biens de consommation non alimentaire ;

— l'industrie au sens large inclut en outre les industries agricoles et alimentaires, l'énergie et la branche « bâtiment-génie civil ». Dans ce chapitre, on précisera laquelle de ces deux définitions est utilisée chaque fois que des données quantitatives seront fournies.

1 - Part de l'industrie au sens large dans la valeur ajoutée de quelques pays européens (a)

(en %)

	France	RFA	G-B	Italie
1960	43,3	51,4	41,2	38,4
1970	41,6	53,3	41,0	41,9
1976	42,4	52,5	38,2	41,4

(a) Valeur ajoutée brute totale aux prix de 1970. *Source : OSCE.*

Graphique 1
EVOLUTION DE LA VALEUR AJOUTEE INDUSTRIELLE
(base 100 en 1963)

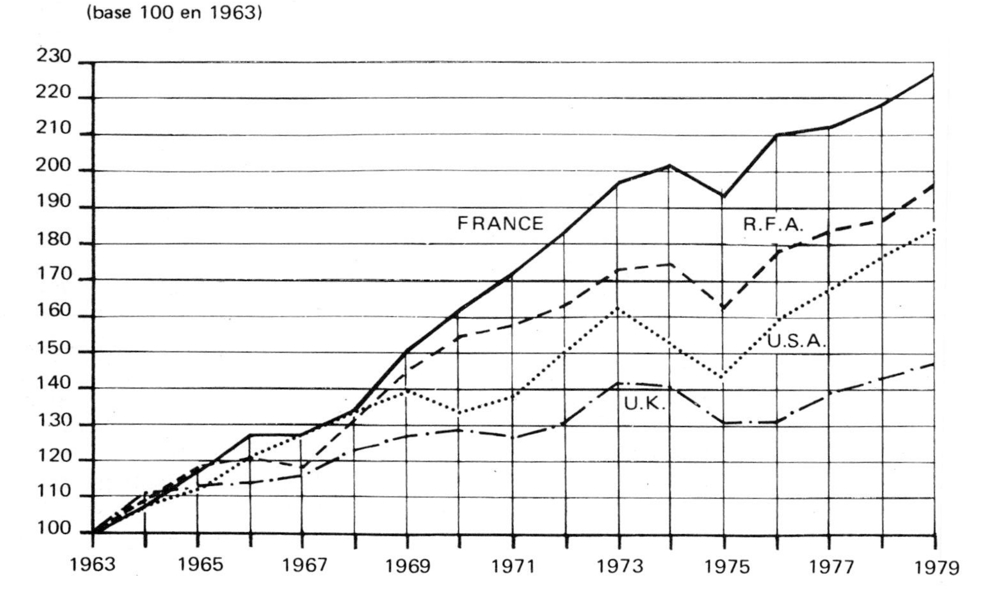

Quant à la part de la France (2) dans le marché mondial des produits manufacturés, elle progrese régulièrement face aux Etats-Unis et à l'ensemble des autres membres de la CEE sans toutefois atteindre la performance du Japon (cf. tableau 2).

Enfin, les comparaisons portant sur les effectifs employés dans la population active situent la France à un niveau intermédiaire au sein des nations industrielles (cf. tableau 3). Toutefois, dans ce domaine, l'interprétation est

(2) Il s'agit d'une comparaison de la part des exportations de chaque pays vis-à-vis de l'ensemble des membres de l'OCDE, qui regroupe la grande majorité des économies de marché industrialisées.

délicate : d'importants effectifs peuvent en effet aussi bien refléter la puissance industrielle (cas de l'Allemagne) qu'une insuffisante modernisation ou encore le développement relativement faible des services dans l'économie.

Après avoir rappelé ces données globales qui situent l'industrie française dans son environnement, il convient d'affiner l'analyse en examinant successivement le jeu des facteurs de la production et l'évolution des structures ; les forces et les faiblesses ainsi mises en évidence seront ensuite précisées par l'étude spécifique de quelques secteurs particulièrement représentatifs.

2 - PART DE QUELQUES PAYS DANS LES EXPORTATIONS DE PRODUITS MANUFACTURÉS DE L'OCDE

(en %)

	RFA	France	USA	Japon	CEE
1965	20,0	8,3	20,3	7,7	56,3
1973	20,8	8,8	15,2	11,9	56,6
1977	19,4	9,2	14,9	14,5	55,4

Source : OCDE.

3 - NOMBRE DE PERSONNES SALARIÉES EMPLOYÉES DANS LES INDUSTRIES MANUFACTURIÈRES

(en milliers)

Années	France	RFA	Royaume-Uni	Etats-Unis	Japon
1974	5 641	7 891	7 871	20 046	12 010
1975	5 493	7 362	7 488	18 347	11 370
1976	5 446	7 185	7 246	18 956	11 065
1977	5 407	7 205	7 352	19 590	10 870

Source : OCDE.

Les facteurs de la croissance industrielle

L'industrie a bénéficié en France depuis 1960 d'un marché intérieur particulièrement dynamique. La croissance de la demande y a été soutenue par l'évolution démographique et l'élévation du pouvoir d'achat des ménages. Par ailleurs, en raison du retard qu'elle avait accumulé dans le domaine du logement, la France a fourni un effort particulier dans ce secteur, permettant à l'activité du bâtiment de se développer rapidement.

4 - Evolution en volume de la consommation des ménages
situation en 1974

(base 100 en 1960)

	RFA	France	Italie
Habillement	177	186	202
Equipement	186	264	263
Consommation totale	181	216	206

Source : OSCE.

Ainsi, la croissance de la production industrielle a pu se poursuivre à un rythme soutenu et régulier entre 1960 et 1974, année où l'indice 200 était dépassé sur la base de 1962. Mais la récession des années 1974-1975 a considérablement ralenti cette progression : l'indice de la production industrielle, bâtiment exclu, n'atteignait que 126 en 1977 par rapport à 1970, soit approximativement le même niveau qu'en 1974, et 134 en 1979. Néanmoins, la comparaison avec les autres grands pays occidentaux fait apparaître pour la France une croissance industrielle en moyenne plus élevée, et, surtout, plus régulière.

Cette progression, favorisée par l'évolution de la demande, a été rendue possible par un très important effort d'investissement accompagné de gains substantiels de productivité : l'industrie française est ainsi devenue plus puissante et plus compétitive et l'ensemble de la production nationale a donc pu bénéficier du développement soutenu du marché intérieur.

L'investissement industriel

Entre 1960 et 1974, la France a bénéficié d'un remarquable effort d'investissement. Deux chiffres permettent d'en mesurer l'ampleur : le taux d'investissement productif de l'industrie — au sens restreint du terme — s'est maintenu en permanence entre 16 et 19 % (3) tandis que le taux de croissance annuel moyen en volume était de l'ordre de 7,5 % par an (contre 4 % environ en RFA et 3 % aux Etats-Unis).

Entre 1969 et 1974, essentiellement grâce à l'initiative des entreprises privées, la croissance de l'investissement s'est accélérée. Toutefois, les investissements des entreprises publiques ont stagné dans l'ensemble au cours de cette période. Résultat de cet effort de modernisation, le rajeunissement du capital productif est également remarquable puisque « l'âge moyen » des équipements, qui était de 14 ans en 1950 (sauf dans les industries de consommation où il était de 23 ans), a été abaissé à 9 ans en 1973.

Depuis 1974, au contraire, l'effort d'équipement s'est considérablement relâché. Globalement, l'investissement dans l'industrie (au sens restreint) a diminué de 14 % en volume en 1975, puis s'est remis à progresser modérément de 1976 à 1979. La capacité globale de production a cependant continué à augmenter tout au long de cette période, l'investissement se maintenant largement au-dessus du niveau nécessaire au simple remplacement des équipements.

(3) Taux d'investissement productif : rapport des investissements productifs à la valeur ajoutée.

Depuis 1979, il semble qu'une forte reprise de l'investissement ait eu lieu, notamment dans le secteur privé où la progression a été de l'ordre de 5 % entre 1979 et 1980. Cette reprise est probablement due à deux raisons : d'une part, le redressement des marges des entreprises a permis un financement plus aisé de l'amortissement ; d'autre part, les équipements mis en place au cours de la période 1970-1974, caractérisés par un effort particulièrement intense d'investissement, commencent à être frappés d'obsolescence du fait des modifications de prix de l'énergie, mais aussi de leur âge (« effet d'écho »).

5 - Evolution de l'investissement dans l'industrie

(millions de francs, prix de 1970)

Branches	1960	1965	1970	1975	1979
Agro-alimentaire	2 362	3 191	4 874	4 784	5 060
Biens intermédiaires	7 834	10 311	15 977	12 780	13 040
Biens d'équipement	3 506	5 664	10 059	12 610	13 535
Biens de consommation courante	2 973	4 333	5 833	5 356	4 560
Bâtiment et génie civil	2 335	4 347	5 514	5 169	5 206

Cette évolution d'ensemble constatée entre **1974** et **1979** n'a pas concerné de façon identique toutes les catégories d'entreprises : ainsi, en **1975**, le recul de l'investissement a-t-il été beaucoup plus marqué dans le secteur privé, les entreprises publiques ayant pour leur part largement contribué à maintenir à un niveau élevé l'effort global dans ce domaine.

Graphique 2

PART DES ENTREPRISES NATIONALES
DANS L'INVESTISSEMENT DE L'ENSEMBLE DES ENTREPRISES

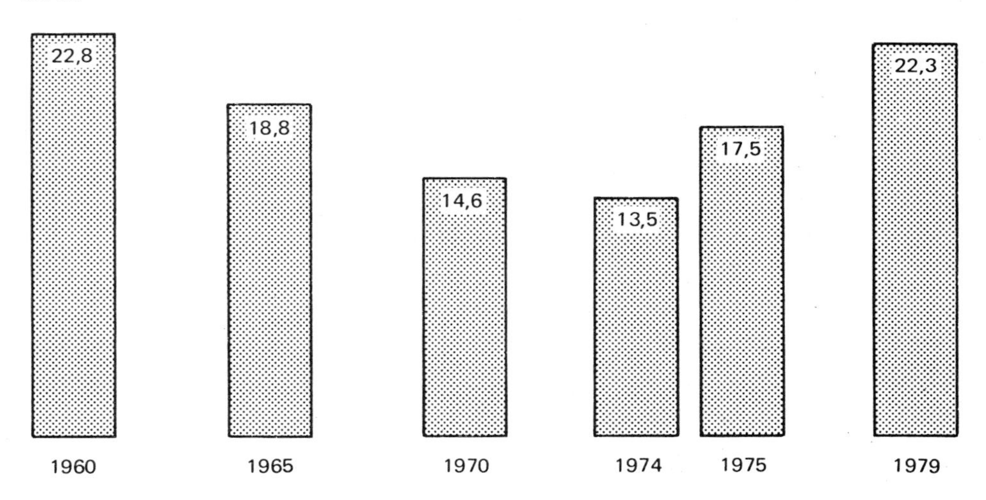

4081 Jusqu'en 1979, la croissance de l'investissement productif a été due pour près de 50 % aux grandes entreprises nationales dont le rôle moteur a continué de s'affirmer en raison notamment du programme nucléaire d'EDF et de la croissance du secteur des télécommunications.

L'évolution de l'investissement a également beaucoup varié suivant les produits concernés : ainsi, la stagnation, voire la régression généralement observée depuis 1974, a surtout concerné la construction mécanique alors que l'équipement électrique et électronique a bénéficié des programmes d'investissement des télécommunications.

L'emploi et la productivité du travail

Le rythme de croissance de l'emploi industriel, d'abord rapide au début des années soixante (50 000 créations en moyenne par an), a diminué au cours du Ve Plan, les évolutions demeurant toutefois très contrastées selon les années : stagnation puis récession entre 1966 et 1968, création de plus de 100 000 emplois nouveaux en 1969 et 1970.

Au début des années soixante-dix et jusqu'à la crise, les créations nettes d'emplois ont été particulièrement importantes dans l'industrie (325 000 entre 1970 et 1974 tandis que déjà l'emploi diminuait légèrement dans le secteur du bâtiment génie civil). Ces performances étaient supérieures aux objectifs du VIe Plan qui prévoyait entre 1970 et 1975 la création de 250 000 emplois industriels nouveaux, soit une inflexion vers le haut de la tendance précédente.

Depuis 1974, la stagnation de la production industrielle a conduit à renverser cette évolution : en 1979, on comptait environ 450 000 personnes de moins dans l'industrie qu'en 1974, le secteur du bâtiment génie civil ayant perdu à lui seul 160 000 personnes.

6 - EFFECTIFS EMPLOYÉS DANS L'INDUSTRIE

(en milliers)

	1970	1974	1979
Industrie au sens restreint	4 921	5 246	4 801
Bâtiment génie civil	1 992	1 976	1 812

Source : Comptabilité nationale.

Pour préoccupants qu'ils soient, ces résultats sont relativement favorables en comparaison avec ceux qui ont été obtenus par nos principaux partenaires européens.

7 - GAINS OU PERTES NETTES D'EMPLOI ENTRE 1970 ET 1976 DANS LES PRINCIPALES INDUSTRIES EUROPÉENNES (a)

(en milliers)

France	RFA	G-B	Italie
+ 32	− 1 108	− 973	+ 173

(a) L'industrie est prise ici dans un sens restreint.

Source : OSCE.

La réduction de l'emploi depuis la crise tient notamment au maintien en moyenne période d'importants gains de productivité du travail, essentiellement liés aux performances des équipements et au niveau encore élevé d'un investissement obéissant de plus en plus à l'impératif de modernisation au détriment de l'augmentation des capacités de production. Il faut d'ailleurs souligner que le maintien à un rythme élevé des gains de productivité du travail, s'il a des conséquences gênantes à court terme, est à moyen terme un gage de compétitivité et donc un facteur du dynamisme de l'industrie, condition essentielle du développement des effectifs.

A cet égard, le rapprochement des évolutions de la valeur ajoutée et des effectifs dans différents pays européens permet d'effectuer une comparaison des performances ; on constate que, seule parmi ces pays, la RFA a réussi à accélérer ses gains de productivité par tête pendant la récession. Pour sa part, la France est parvenue à limiter dans ce domaine une décélération qui s'est avérée beaucoup plus nette en Italie ou au Royaume-Uni ; elle a donc réussi, semble-t-il, à maintenir sa compétitivité par rapport à la RFA, au cours de la période considérée.

8 - EVOLUTION DE LA PRODUCTIVITÉ APPARENTE DU TRAVAIL PAR TÊTE DANS L'INDUSTRIE (a)

(% par an)

	France	RFA	G-B	Italie
1970-1973	5,4	4,6	5,6	4,8
1973-1976	4,3	5,5	– 0,1	1,8

(a) L'industrie au sens restreint du terme.

Source : OSCE.

Ce jugement d'ensemble doit être nuancé : d'une part, l'évolution de la productivité du travail se différencie nettement d'un pays à l'autre selon les branches industrielles ; d'autre part, la diminution croissante de la durée du travail a permis dans certains pays dont les effectifs sont restés stables un ajustement temporaire de la quantité de travail au niveau de la production. En France, une telle diminution s'est effectivement accélérée en 1974-1975 (cf. graphique 3). Cette accélération ne s'est pas poursuivie après 1976, le ralentissement durable de la croissance ayant conduit à un ajustement en baisse des effectifs employés et donc à une rapide augmentation de la valeur ajoutée par tête.

Au total, en 1979 la productivité horaire du travail avait retrouvé en France un niveau correspondant à la poursuite de la tendance enregistrée de 1965 à 1973.

Graphique 3

DUREE HEBDOMADAIRE DU TRAVAIL DES OUVRIERS

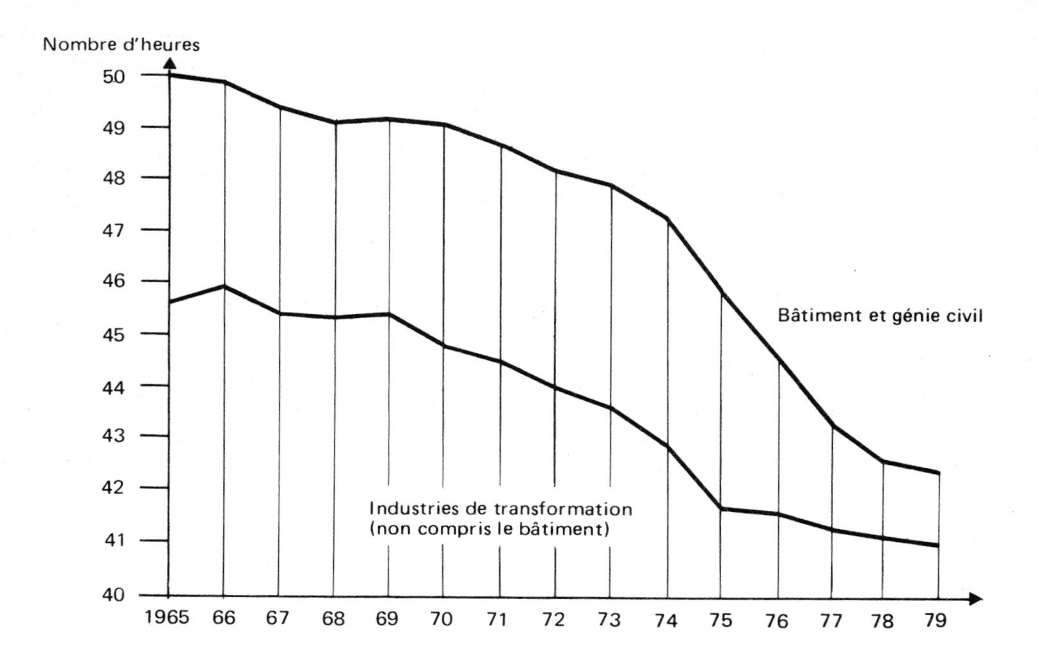

Les structures industrielles

L'évolution des principales branches

L'examen de la structure de la production industrielle française révèle une tendance constante depuis 1960 à l'augmentation de la part de l'automobile et des biens d'équipement aux dépens des biens intermédiaires et des biens de consommation courante (4).

L'accélération de cette évolution depuis 1970 a été due d'abord à la forte demande de biens d'équipement émanant des entreprises françaises et à la croissance de la consommation de biens durables ; elle est également liée à la modification de la structure de la demande mondiale consécutive au renchérissement des prix de l'énergie. Elle témoigne d'une adaptation positive de l'industrie française à la demande des pays en voie d'industrialisation ; elle est aussi la

(4) Cette évolution est beaucoup plus sensible en volume qu'en valeur ; en effet, l'élévation du prix relatif des biens intermédiaires en 1974, liée à celle du prix des matières premières, tend à modifier profondément le partage de la valeur ajoutée : entre 1973 et 1974, la part des biens intermédiaires est ainsi passée de 37,8 % à 42,7 % de la valeur ajoutée — en francs courants — dans l'industrie (au sens restreint) sans qu'il y ait eu de modification en volume.

conséquence logique des modifications survenues dans la division internationale du travail.

Le renchérissement du coût de l'énergie conduit en effet à assurer la transformation des matières premières sur place, donc le plus souvent dans des pays non encore industrialisés. Dans ces pays, le développement industriel s'effectue souvent sur une base artisanale et concerne généralement les biens de consommation courante (textile, habillement, cuir) ou les biens intermédiaires. A l'inverse, le redéploiement des appareils productifs dans les pays de vieille industrialisation s'oriente naturellement vers des activités de haute technologie, où le « know how » joue un grand rôle et qui requièrent le plus souvent une main-d'œuvre qualifiée.

L'industrie des *biens d'équipement*, dont la croissance était rapide auparavant, a bénéficié depuis 1974 de la nouvelle orientation de la demande mondiale, et, notamment, des commandes des pays exportateurs de pétrole. C'est pourquoi, bien que la crise ait touché l'ensemble de l'industrie, les indicateurs concernant cette branche sont largement positifs : augmentation spectaculaire de l'excédent des exportations sur les importations, élargissement de l'écart positif entre la croissance du secteur et celle de l'activité industrielle nationale.

9 - PERFORMANCES DES DIFFÉRENTES BRANCHES INDUSTRIELLES

	Croissance relative (a)			Créations nettes d'emplois (b)			Solde extérieur en valeur (c)		
	70/73	73/76	76/79	70/73	73/76	76/79	70	76	79
Industrie alimentaire	− 2,0	+ 1,0	− 0,2	0	− 14	4,5	+ 0,4	+ 2,6	+ 4,1
Equipement professionnel	+ 1,5	+ 3,5	− 1,7	+ 66	+ 14	+ 41	+ 0,3	+ 23,8	+ 29
Automobile	+ 2,6	+ 0,7	+ 0,9	+ 52	− 1	+ 3	+ 7,1	+ 17,4	+ 30,2
Biens intermédiaires	0	− 2,8	+ 0,1	+ 52	− 37	− 93	+ 4,5	+ 8	− 4,7
Biens de consommation	− 0,1	− 1,3	− 1,7	+ 2	− 127	− 83	+ 4,6	− 0,8	− 4,0
Bâtiment génie civil	− 1,7	− 1,7	− 4,9	− 26	− 118	− 63			

(a) En % par an, par rapport à l'ensemble des activités marchandes ; évolution de la production.

(b) En milliers, cumulées sur 3 ans.

(c) Solde de l'année en milliards de francs courants.

Bien qu'il s'agisse d'un phénomène remarquable, il ne faut donc pas s'étonner que les effectifs occupés dans cette branche aient augmenté au cours de la période 1973-1976 — alors que, dans les autres branches, ils ont stagné, voire diminué, — et ce malgré le maintien des gains de productivité au même rythme que dans le passé (environ 7 % par an de productivité horaire). Depuis 1976, les créations nettes d'emploi se sont encore sensiblement accrues.

En revanche, les industries de *biens intermédiaires* ont relativement régressé, cette évolution s'étant accompagnée d'une diminution des effectifs qui a conduit à leur ajustement au nouveau niveau de la production. Après une diminution de la croissance de la productivité pendant la crise (+ 1,5 % seulement par an entre 1973 et 1976 contre 5,8 % entre 1970 et 1973), la tendance antérieure a été retrouvée (+ 5,4 % entre 1976 et 1979).

4081 *L'automobile*, pour sa part, qui demeure l'un des points forts de l'industrie française, a accumulé les résultats favorables : augmentation de la production entre 1973 et 1976 malgré la crise pétrolière, stabilisation en moyenne de l'emploi. Ces performances ont été confirmées depuis 1976 : croissance plus rapide que celle de la moyenne des secteurs industriels, solde excédentaire de 30 milliards de francs en 1979.

Graphique 4

PARTS DES DIFFERENTES BRANCHES DANS LA VALEUR AJOUTEE INDUSTRIELLE DES PRINCIPAUX PAYS DU MARCHE COMMUN (aux prix de 1970)

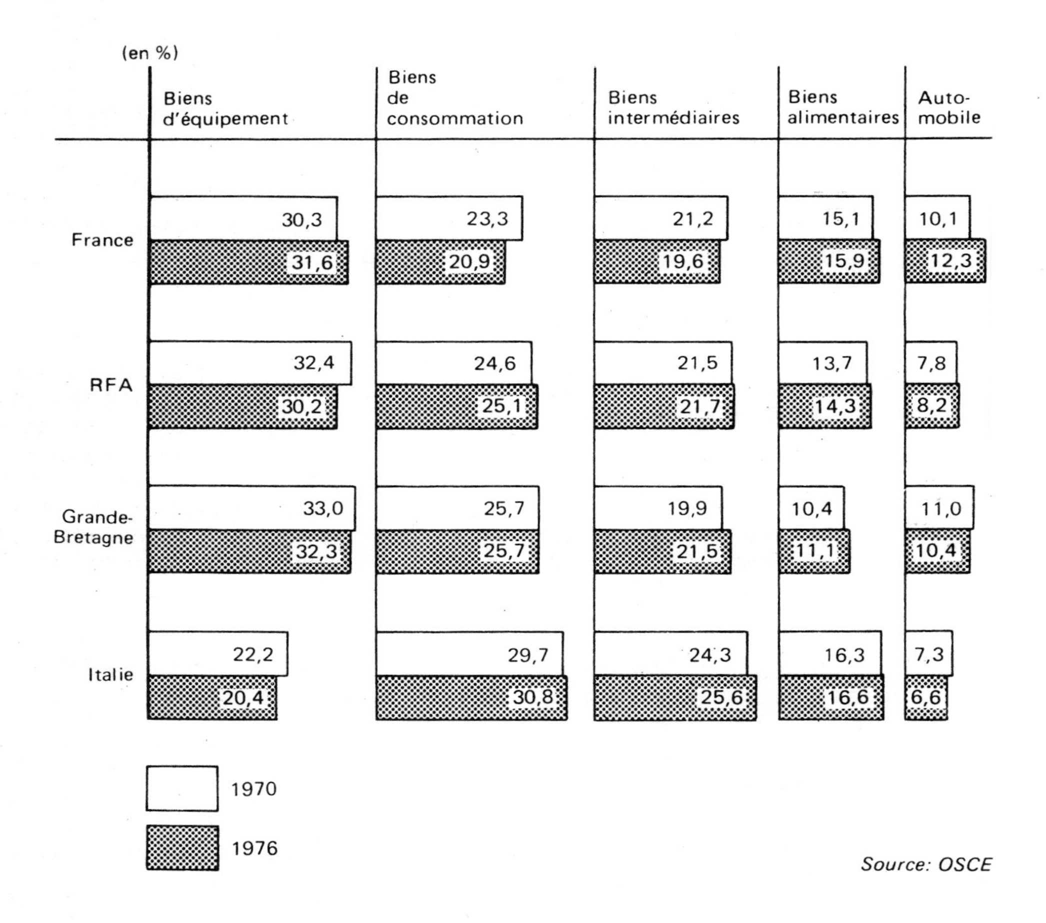

Source: OSCE

Les industries de *biens de consommation courante*, contrairement à l'automobile, ont subi l'effet de la décélération de la demande des ménages (habillement, chaussures) en même temps que de l'intensification d'une concurrence internationale en partie liée à l'apparition de nouveaux pays producteurs. La diminution de leur part dans la valeur ajoutée industrielle s'est accélérée et s'est accompagnée d'une forte réduction des effectifs qui a permis d'obtenir des gains substantiels de productivité (6,1 % par an entre 1973 et 1976 contre 4,7 % par an de 1970 à 1973). Mais les évolutions observées depuis 1976 montrent que l'adaptation à la nouvelle donne mondiale est longue et difficile.

Enfin, le secteur du *bâtiment et génie civil* a subi l'effet du ralentissement de l'activité économique et du fléchissement de la croissance démographique, facteur de réduction de la demande de logement. L'industrialisation progressive de l'activité du bâtiment et les gains de productivité qui en ont résulté ont d'autre part entraîné une baisse prononcée des effectifs. La reprise observée dans les autres secteurs depuis 1976 n'a que partiellement concerné cette branche, ce qui a conduit à creuser l'écart par rapport au niveau de croissance moyenne de l'industrie.

Les transformations structurelles qui ont affecté l'industrie française et qui résultent en partie de la récession industrielle de 1974-1975 ne se retrouvent pas à l'identique dans les autres pays européens. En 1970, on observait une assez grande similitude des structures industrielles française et allemande alors que le Royaume-Uni était plus axé sur les biens de consommation et d'équipement, l'Italie accusant un retard spécifique dans ce dernier secteur. Six ans plus tard, la spécialisation de la France dans le domaine des biens d'équipement s'est confirmée au détriment des biens de consommation et, dans une moindre mesure, des biens intermédiaires, à l'inverse de ce que l'on constate apparemment en Allemagne ou au Royaume-Uni.

La concentration industrielle

L'industrie française reste caractérisée par la place importante qu'y occupent les entreprises de faible dimension. Toutefois, on a assisté depuis quelques années à un vaste mouvement de regroupement qui mérite d'être analysé et peut être mesuré à trois niveaux : celui des établissements, celui des entreprises proprement dites et celui des groupes. A chacun correspond une préoccupation particulière : concentration « technique » des facteurs de production, économies d'échelle et productivité dans le premier cas ; capacité commerciale et technique et aptitude à jouer un rôle sur les marchés internationaux dans le second ; puissance financière dans le troisième.

10 - COMPARAISON DES CONCENTRATIONS D'ENTREPRISES INDUSTRIELLES

		1962	1970	1974
Entreprises de plus de 1 000 salariés	Nombre	466	445	559
	Effectif	1 941 578	2 006 318	2 361 086
	Effectif moyen	4 166	4 509	4 224
Entreprises de plus de 10 salariés	Nombre	41 179	33 391	32 691
	Effectif	4 500 220	4 343 072	4 911 389
	Effectif moyen	109	130	150
Pourcentage des plus de 1 000 sur les plus de 10	Nombre	1,13 %	1,33 %	1,71 %
	Effectif	43,1 %	46,2 %	48,1 %

Champ : industrie (à l'exception des industries agricoles et alimentaires et du bâtiment et génie civil).

Source : Recensement industriel et enquête annuelle d'entreprises.

Les données dont on dispose pour les établissements et les entreprises révèlent un important effort de restructuration qui n'a cependant pas encore débouché sur des structures industrielles aussi concentrées qu'à l'étranger.

Entre 1962 et 1970 déjà (cf. tableau 10), la part des entreprises industrielles de plus de 1 000 salariés parmi l'ensemble des entreprises employant plus de dix salariés (les seules dont on puisse suivre l'évolution de façon significative) avait augmenté malgré une légère diminution de leur nombre. Ce mouvement s'est accentué entre 1970 et 1974, le nombre des entreprises de plus de dix salariés ayant continué à se réduire, tandis que s'accroissait celui des firmes ayant un effectif de plus de 1 000 personnes qui, à elles seules, ont réalisé en 1974 57 % des ventes et financé 70 % des investissements de l'ensemble des entreprises regroupant plus de dix salariés. Faut-il en conclure que l'industrie française était engagée dans une course au gigantisme ? En fait, ceci est démenti par l'évolution de l'effectif moyen des entreprises : tandis que celui des grandes firmes, après avoir sensiblement augmenté, a eu tendance à décroître à partir de 1970, celui de l'ensemble des entreprises s'est régulièrement développé.

11 - STRUCTURE DES ENTREPRISES INDUSTRIELLES COMPTANT AU MOINS DIX SALARIÉS EN 1974 ET 1979 (a)

Effectifs des entreprises	Nombre d'entreprises en %		Effectif en %		Ventes HT en %		Investissement en %	
	74	79	74	79	74	79	74	79
500 et plus	4,2	3,4	59,7	56,5	65,8	67,8	77,1	80,3
200 à 499	6,5	6,0	13,4	14,0	10,6	11,0	8,4	8,1
100 à 199	9,1	8,5	8,5	9,0	6,3	6,8	4,9	4,1
50 à 99	15,2	14,8	7,3	7,8	5,6	5,8	3,5	3,5
10 à 49	65,0	67,3	10,1	12,7	10,7	8,6	6,1	4,0
Ensemble	100,0	100,0	100,0	100,0	100,0	100,0	100,0	100,0

(a) A l'exception des industries agricoles et alimentaires et du bâtiment et génie civil.

Il est donc plus juste de dire qu'entre 1970 et 1974 les grandes entreprises ont occupé une place de plus en plus importante car leur effectif global s'est accru, mais que, toutefois, leur taille moyenne s'est stabilisée aux alentours de 4 000 personnes. Quant aux très petites entreprises, elles ont régressé en nombre au profit des firmes de taille moyenne (50 à 500 salariés) qui représentent une fraction de plus en plus importante de l'industrie française.

Depuis 1974, la crise a remis en cause l'existence d'un certain nombre d'entreprises. Or, la capacité de résistance des firmes étant, d'après certaines études, fonction de leur dimension, on aurait dû assister à une augmentation de la part des effectifs des grandes entreprises dans la population totale. D'après les données statistiques dont on dispose (enquêtes annuelles d'entreprises notamment — voir tableau 11), une telle évolution n'apparaît pas évidente. Deux phénomènes contribuent, en effet, à en dissimuler la réalité : d'une part, les années 1974 à 1979 ont correspondu à une période de réduction quasi générale des effectifs ; d'autre part, il est possible que de nombreuses créations d'entreprises aient eu lieu, la part des firmes de 10 à 50 salariés étant passée de 65 % à 67,3 %. On peut cependant remarquer que les grandes entreprises ont accru leur part dans l'ensemble des ventes du secteur industriel et semblent donc s'être mieux adaptées que les autres à la crise, notamment grâce à un plus grand effort d'investissement (plus de 80 % de l'investissement contre 77 % en 1974).

Compte tenu de ces données, peut-on considérer que l'industrie française est bien structurée face à la concurrence internationale ? En fait, bien qu'un certain effort ait été accompli sur le chemin de la concentration économique, la France possède encore peu d'entreprises de taille internationale susceptibles de jouer le rôle de vecteurs des exportations et de moteurs de la recherche industrielle.

12 - Le nombre des grandes entreprises industrielles en 1979 dans les principaux pays occidentaux

Chiffre d'affaires	USA	Japon	G-B (a)	RFA	France	Italie
CA ⩾ 5 milliards $	58	8	11	16	11	3
CA ⩾ 2 milliards $	173	41	36	32	21	6

(a) Y compris 3 firmes à forte participation étrangère. *Source : revue Fortune.*

Selon la revue *Fortune* (tableau 12), la France, comparée à d'autres pays tels que le Japon, la Grande-Bretagne ou la RFA, ne possédait encore en 1979 qu'un nombre relativement modeste de firmes réalisant un chiffre d'affaires compris entre 2 et 5 milliards de dollars. En revanche, elle disposait, la même année, de onze entreprises dont le chiffre d'affaires dépassait 5 milliards de dollars, ce qui est tout à fait comparable aux autres pays de dimension industrielle équivalente. Même si leur taille n'est pas synonyme de performance, l'effet d'entraînement exercé par ces grands groupes sur le tissu industriel des petites et moyennes entreprises est considérable et la France, de ce point de vue, semble souffrir d'un handicap vis-à-vis de ses principaux partenaires. Ce retard est d'autant plus préoccupant que le rôle des grandes entreprises dans la conquête des marchés étrangers ne cesse de s'accroître. En effet, la progression ou le maintien des ventes à l'extérieur passe de plus en plus fréquemment par une implantation directe à l'étranger, que seuls de grands groupes sont en mesure de réaliser. Le tableau 13 montre, « a contrario », que telle a bien été en France la stratégie des pays concurrents : alors que l'on ne comptait en France, au début de 1975, que 5,2 % d'entreprises contrôlées majoritairement par des capitaux étrangers, celles-ci réalisaient plus de 22 % des ventes hors taxes, près de 19 % des investissements et regroupaient plus de 14 % des effectifs. En revanche, l'apport de capitaux étrangers minoritaires demeure faible, ce qui tend à mettre en lumière le caractère éminemment stratégique des participations en capital des entreprises étrangères. Depuis 1978, les grands groupes industriels français semblent être entrés dans une phase nouvelle de croissance internationale : prises de contrôle majoritaires, têtes de pont outre-Atlantique, rectifications de frontières entre géants de l'industrie se sont succédées à un rythme accéléré. De telles opérations, qui reflètent une volonté d'adaptation au nouveau contexte industriel mondial et qui témoignent d'une stratégie plus agressive, sont en passe de bouleverser les structures de l'industrie française.

4081

13 - PART DES ENTREPRISES A PARTICIPATION ÉTRANGÈRE DANS L'INDUSTRIE FRANÇAISE AU 1er JANVIER 1975

(en %)

	Entreprises à participation étrangère		Entreprises à capitaux français	Ensemble
	majoritaire	minoritaire		
Nombre d'entreprises	5,2	1,5	93,3	100
Effectifs	14,2	3,2	82,6	100
Ventes hors taxes	22,4	3,5	74,1	100
Investissements	18,8	3,0	78,2	100

Source : ministère de l'Industrie.

6. Lecture de la première partie **(pages 189** à **193)**.
D'après le titre général, quel est le contenu probable de cette partie du texte ? Parmi les causes du développement industriel de la France dans les années 80, deux sont évoquées dans les sous-titres, la troisième est décrite dans l'introduction **(pages 189** à **190)**. Repérez-les et expliquez-les en vous aidant du texte.

7. Parcourez les **pages 190** à **192** et retrouvez la définition de « investissement industriel ». Aidez-vous d'expressions comme : « effort d'investissement », « remplacement des équipements », « simple remplacement des équipements », etc.

8. Complétez le tableau suivant par les signes + (croissance), = (stabilité ou stagnation) ou - (diminution), pour représenter l'évolution de l'investissement et, lorsque c'est possible, le rôle de l'État et celui des entreprises privées :

	1960-1974	1969-1974	1974-1975	1976-1979
Évolution de l'investissement	+ +			
Rôle de l'État		=		
Rôle des entreprises privées				

9. Dans la section « L'emploi et la productivité du travail », et à partir des **tableaux 6** et **7** ainsi que des analyses proposées, complétez un tableau comme le tableau suivant :

1960-(1965)	Croissance rapide du nombre d'emplois dans l'industrie	+ 50 000 par an
1966-1968	Croissance ralentie et recul	–
1969-1970	Reprise de la croissance	+ 100 000
etc.		

10. Le premier paragraphe de la **page 193** propose, avec prudence, une explication au phénomène général de la réduction des emplois industriels depuis le début de la crise (1974). Quelle est cette explication, en termes généraux ? A quoi fait concrètement allusion une expression comme « performance de l'équipement » ?

11. A ce propos, l'auteur croit utile de justifier cette recherche d'une productivité accrue (« gage de compétitivité, facteur de dynamisme »). Pouvez-vous comprendre les raisons de cette intervention inhabituelle de l'économiste dans son texte ? Pensez, en particulier, à ce que peut signifier concrètement « conséquences gênantes ».

12. Uniquement à partir du **tableau 8**, estimez la position de la France du point de vue de la productivité.

13. Lecture de la deuxième partie **(pages 194** à **200)**.
Cette partie du texte propose une analyse secteur par secteur. Repérez à nouveau (voir question 2) les secteurs concernés (en italique), et recherchez dans le texte, quand c'est nécessaire, des exemples qui vous aident à les définir.

14. Chaque paragraphe traitant de l'évolution d'un secteur comprend des indications sur :
a - son importance relative par rapport aux autres secteurs,
b - le nombre d'emplois,
c - sa place pour l'exportation.
Retrouvez ces informations et regroupez-les de la façon suivante :

Secteurs	Évolution	Effectifs	Place dans l'industrie	Productivité
Biens d'équipement	croissance	+	+	+
Biens intermédiaires	régression	–		–
etc.				

15. Quelles explications l'auteur donne-t-il à cette évolution ? Vous les trouverez dans la description par secteurs mais aussi dans le **paragraphe 1, page 195** (« Les renchérissements du coût ») et dans le dernier paragraphe de cette partie, **page 197** (« Les transformations structurelles »). Relisez l'ensemble de manière à comprendre les conséquences, sur la France, de la « division internationale du travail » (ici dans le domaine de l'industrie).

16. En vous aidant des entrées du **tableau 10** et du **paragraphe 1** de « La concentration industrielle » **(page 197)**, définissez le sens de l'expression « concentration industrielle ».
Examinez ensuite les **tableaux 10** et **11** pour savoir si l'industrie, en France, a eu tendance à se concentrer.

17. La conclusion de ce texte commence par une question : l'industrie française, dans laquelle les entreprises de faible dimension jouent encore un

rôle important, est-elle assez structurée pour faire face aux pays concurrents **(page 199) ?**
Parcourez le texte qui suit cette question en soulignant d'abord les expressions comme : *en fait, en revanche,* etc.
A partir de ces points de repère, lisez de manière à résumer, dans le tableau suivant, les réponses à la question du début :

L'industrie française est-elle assez concentrée ?

Réponse 1 : Exemple : Exemple contraire :
Réponse 2 : Ce retard semble même augmenter. Exemple : Exemple :
Réponse 3 :

18. Ce document vous a donné une vision d'ensemble du monde de l'industrie. Mais cette vision générale ne correspond pas à l'expérience directe que vous pouvez avoir de l'économie. Relisez ce texte en essayant de dire, avec vos mots, quels phénomènes sociaux ou quels problèmes politiques apparaissent derrière cette analyse :
Par exemple,
- **p. 197, paragraphe 4 :** le « regroupement » des entreprises entraîne, vraisemblablement, la disparition d'usines. Quelles en sont les conséquences sociales ?
- **p. 193, paragraphe 1 :** « performance des équipements ». A quoi cela correspond-il dans une usine automobile par exemple ?
  « conséquences gênantes... du rythme élevé de la productivité du travail ». Quelles sont ces conséquences?■

5. VOIX

501. La mémoire courte

En pays étranger, le plus difficile à comprendre est peut-être l'actualité ou les gens que l'on rencontre car, pour le reste, on a des ouvrages de référence. Il faut, en effet, mobiliser de nombreuses connaissances afin de « localiser » son interlocuteur pour interpréter convenablement ses comportements ou ses opinions. A titre d'exemple, nous proposons ici un document marqué par de multiples circonstances culturelles. Vous l'interpréterez, au moins partiellement, à l'aide de ce que vous avez découvert dans les sections précédentes.

Document 5011
Encart publicitaire publié aux frais de l'association « La mémoire courte », *Le Monde*, 11-05-1984

1. Ce document porte la mention « publicité ». De quel type de publicité peut-il s'agir ?

2. Observez la typographie, le choix des caractères, la mise en page de ce texte. Que peut-on en déduire sur le contenu ?

3. Relevez, dans cette proclamation, certains éléments qui permettent de comprendre les circonstances de sa publication :
a - Que s'est-il passé le 10 mai 1981 ?
b - Comment se désignent les auteurs de ce « manifeste » ?
c - Leurs adversaires sont désignés de façon imprécise par : *ils, certains, ceux qui...* Qui sont-ils ? Quel est l'effet produit ?

4. L'argumentation du texte repose sur certains faits. En examinant uniquement les mots en caractères gras et les textes encadrés, reconstituez cette argumentation, sous forme d'un résumé.
– « Hier, la droite...
mais la gauche...
– Il y a trois ans...
mais...
– Aujourd'hui, ils disent...
mais...
– Alors, laissons-les crier. »

10 MAI 1981 - 10 MAI 1984

NOUS N'AVONS PAS, NOUS N'AURONS JAMAIS

LA MÉMOIRE COURTE

- **Hier, souvenez-vous, ils nous ont dit :**
  L'interdiction du travail des enfants ? C'est la fin de la liberté d'entreprise !
  Le droit syndical ? Le droit de grève ? C'est le triomphe de l'anarchie !
  L'impôt sur le revenu ? C'est l'inquisition fiscale !
  Les congés payés ? C'est une prime pour les fainéants !
  Les assurances sociales ? C'est une invitation à la débauche et à l'alcoolisme !
  Les quarantes heures ? C'est l'arrêt de la croissance !
  La nationalisation des chemins de fer ? C'est la désorganisation des transports !
  Ils ont dit tout cela il y a cent ou cinquante ans !
  Ils parlaient avec l'arrogance des maîtres, de ceux qui savent.
  Ils se disaient économistes.

Ils n'étaient que réactionnaires.

Et la gauche, contre eux, malgré eux, avec la majorité de ce pays, a quand même imposé ces réformes.

- Le pays est ainsi devenu plus libre, plus démocratique, plus juste.

- **Hier, souvenez-vous encore, certains ajoutaient :**
  La République ? C'est la gueuse !
  Le suffrage universel ? La dictature des imbéciles !
  L'école laïque ? Une diablerie !
  Le droit de vote pour les femmes ? Un non-sens !
  Le divorce ? Une invention juive pour saper la famille chrétienne !
  La pilule et l'I.V.G. ? Un scandale et un crime !

Et cependant, malgré ces haines et ces aveuglements

LA VÉRITÉ A FAIT SON CHEMIN

- **Mais il n'y a que trois ans, d'autres, souvenez-vous, prétendaient avec la même morgue que :**
  L'alternance était impossible et la gauche au pouvoir impensable ! Les chars russes viendraient défiler place de la Concorde ! L'inflation atteindrait ving-cinq pour cent !

FRANÇOIS MITTERRAND A ÉTÉ ÉLU LE 10 MAI 1981
Et rien de tout cela ne s'est produit.

Les 39 heures et la cinquième semaine de congés payés ? La mort des entreprises !
Le relèvement du S.M.I.C. ? L'écrasement des hiérarchies !
L'impôt sur les grandes fortunes ? La rancune des ratés !
La fin de l'anonymat sur l'or ? Une atteinte à la liberté !
Les nouvelles nationalisations ? La fin de l'économie de marché !
L'abolition de la peine de mort ? L'immunité pour les assassins !

Mêmes réactions devant de nouveaux progrès.
Sarcasmes identiques et mensonges intéressés face à l'évolution normale des choses !
Depuis des décennies, ils parlaient de liberté, de société bloquée, de mal français, de justice sociale.

MAIS EN TROIS ANNÉES, CE SONT CEUX QUE NOUS AVONS ÉLUS QUI ONT CHANGÉ LES CHOSES

Loi de décentralisation. Création de la Haute Autorité. Radios libres. Début de la réhabilitation des banlieues. Formation des jeunes. Développement de l'épargne. Choix des technologies avancées. Rénovation du système éducatif. Loi sur l'égalité professionnelle des femmes. Restructuration industrielle.

Tout cela, c'est nous, la gauche, en seulement trois années.

Tout cela est désormais inscrit dans l'histoire de notre pays, comme les congés payés, les quarante heures, le droit de grève ou la Sécurité sociale.

ALORS LAISSONS CRIER CEUX QUI SONT TOUJOURS EN RETARD D'UNE ÉPOQUE,
D'UNE IDÉE, D'UN PROGRÈS, D'UNE GÉNÉROSITÉ

Les faits leur donneront tort, comme à ceux qui criaient avant eux.

● **Nous, le 10 MAI 1981**, nous, toutes les générations de la gauche,
ENFIN, APRÈS UNE LONGUE MARCHE,
NOUS qui avions vécu 36 ou 44, 58 ou 68, 74 ou 78, les victoires ou les défaites, mais tous les combats de la gauche, NOUS qui avions dans la tête qu'il fallait un changement, ENFIN, le 10 MAI 1981, nous avons su qu'il devenait possible.

NOUS SOMMES FIERS, TROIS ANNÉES PLUS TARD, DE CE QUE LA GAUCHE A FAIT. DÉJA !

Il reste à faire ?
La crise est toujours là ?
Des hommes et des femmes, nos camarades, connaissent le chômage ?
C'est vrai.

Mais NOUS N'AVONS PAS BAISSÉ LES BRAS, NOUS AGISSONS A NOTRE MANIÈRE, NOUS APPORTONS NOTRE APPUI.
NOUS N'AVONS PAS, NOUS N'AURONS JAMAIS LA MÉMOIRE COURTE.

Nous étions quelques centaines d'hommes et de femmes de gauche qui avons voulu dire, il y a deux mois, ce que nous avions sur le cœur. Nous l'avons écrit dans une page de journal qui est parue le 15 mars. Dès le lendemain, des milliers de voix nous ont crié : « Nous pensons comme vous ! Nous sommes fiers d'être de gauche. Nous sommes heureux qu'elle gouverne et nous fêtons ce troisième anniversaire parce que nous voulons en fêter beaucoup d'autres. »

POUR RECEVOIR LES TEXTES DE « LA MÉMOIRE COURTE » ADHÉREZ A NOTRE ASSOCIATION,
ABONNEZ-VOUS A NOTRE BULLETIN.
(Cet encart publicitaire est payé par les cotisations des adhérents.)

LA MÉMOIRE COURTE
Association Loi 1901
BP 433 - 75233 PARIS Cedex 05

5. Vous avez peut-être déjà fait connaissance avec « la droite » et « la gauche » françaises. Comment pouvez-vous définir ces deux sensibilités politiques ? Sur quels problèmes de société s'opposent-elles (voir **MATÉRIAUX 301, 312, 317**, etc.) ?
Quelles solutions proposent-elles ?

6. On peut dire que ce texte est polémique puisqu'il oppose ses auteurs (toujours valorisés) à leurs adversaires politiques (systématiquement dévalorisés).
Reportez, dans un tableau, toutes les expressions qui traduisent cette opposition des « bons » et des « méchants ».

Nous/la gauche	Eux/la droite
avec la majorité	arrogants
hommes de progrès	pleins de haine

Caractérisez, en trois noms ou adjectifs, les hommes de gauche ou ceux de droite, tels que les représente ce texte.
a - Gauche :
b - Droite :

7. Lisez maintenant les deux premiers paragraphes. Qu'énumèrent-ils ?
Certaines de ces réformes sont clairement énoncées. D'autres sont simplement évoquées. A partir d'autres passages de ce texte où les mêmes faits sont repris, et en vous fondant sur ce que vous avez appris dans les unités précédentes, expliquez ce que sont :
– l'impôt sur le revenu,
– les congés payés,
– les assurances sociales,
– les quarante heures, les 39 heures,
– l'école laïque,
– la pilule et l'I.V.G.

8. Dans ces deux premiers paragraphes, analysez les arguments de la droite (prêtés ou effectivement avancés par elle) pour combattre les réformes. Classez-les de manière à reconstituer un « portrait idéologique » de l'homme de droite.
– Positions dans le domaine économique :
– Valeurs défendues :
– Positions religieuses :

9. Après cette évocation des combats de l'époque contemporaine, le manifeste aborde l'actualité récente (« Mais il n'y a que trois ans »). Quelles caractéristiques faut-il ajouter au portrait de la droite dans cette période (utilisez toujours les contre-arguments avancés) ?

10. En reprenant toutes les réformes que la gauche s'attribue directement ou indirectement, dégagez les domaines de la vie sociale et politique où elle estime avoir été un facteur décisif de progrès.
Par exemple : défense des travailleurs, leurs droits et leurs conditions de travail.

11. D'autres réformes citées ici peuvent encore vous paraître obscures ; elles ne le seraient peut-être pas pour un Français qui « suit la politique ». Cherchez dans les chronologies (voir **CHRONOLOGIES 600**) ou ailleurs des informations plus précises sur :
– les nouveaux droits des travailleurs,
– la décentralisation,
– la Haute Autorité,
– les radios libres.

12. Comme d'autres documents, ce texte contient de véritables allusions (voir **OUTILS 204**). Pouvez-vous les localiser ?

13. Recherchez, dans **CHRONOLOGIES** ou dans un manuel d'histoire, les raisons pour lesquelles on évoque comme dates marquantes dans le combat de la gauche : 1936, 1944, 1958, 1968, 1974 et 1978.

14. Relisez maintenant la totalité de ce document.
Quels sont les aspects du texte qui demeurent obscurs pour vous ?
S'agit-il plutôt de détails ou de la signification générale du document ? Que vous a-t-il apporté de plus par rapport à ce que vous saviez déjà dans ce domaine ? ■

502. La France du grand large

Il existe une France de l'outre-mer, reste de l'empire colonial de la France métropolitaine. Vous ne le saviez peut-être pas, beaucoup de Français aussi l'oublient. A travers un reportage sur la Guadeloupe, l'un de ces départements d'outre-mer (D.O.M), nous vous invitons à prendre contact avec la France des Caraïbes. Il faudra se montrer attentif à distinguer les voix différentes qui, dans ce document, racontent l'archipel.

Document 5021
« La France de l'outre-mer : 5 départements, 5 territoires », Secrétariat aux DOM-TOM *Le Monde*, 11-09-1984

Document 5022
« Un pied dehors, un pied dedans », Bruno Dethomas, *Le Monde*, 13-09-1984

1. Définissez le rôle d'un reportage journalistique. A qui est-il destiné ? Qu'est-ce qui le distingue d'autres textes de presse ? Quels types d'informations peut-on y trouver ?

2. Le reportage que vous allez lire se rapporte à l'un des départements français hors de l'« hexagone ».
Regardez le **document 5021** pour vous faire une idée plus précise de la localisation et de l'importance de cette France d'outre-mer.

3. Ce texte d'un envoyé spécial du *Monde* en Guadeloupe fait le point sur la situation. Faites-vous une idée de celle-ci à partir des titres et des intertitres.

4. Parcourez ce texte de manière à repérer les paragraphes qui ressemblent à des récits de voyage. Identifiez aussi les paragraphes où sont données des informations de nature plutôt économique ou plutôt politique.

5. Lisez maintenant les passages directement informatifs (en particulier **paragraphes 2** à **14**), semblables à certains documents de la section **SYNTHESES**.
Comment expliquez-vous que ce reportage soit accompagné d'une carte et d'une description sommaire de la Guadeloupe ?
Un reportage est destiné à faire le point sur une situation, mais de quelles autres informations le lecteur doit-il disposer pour comprendre ?

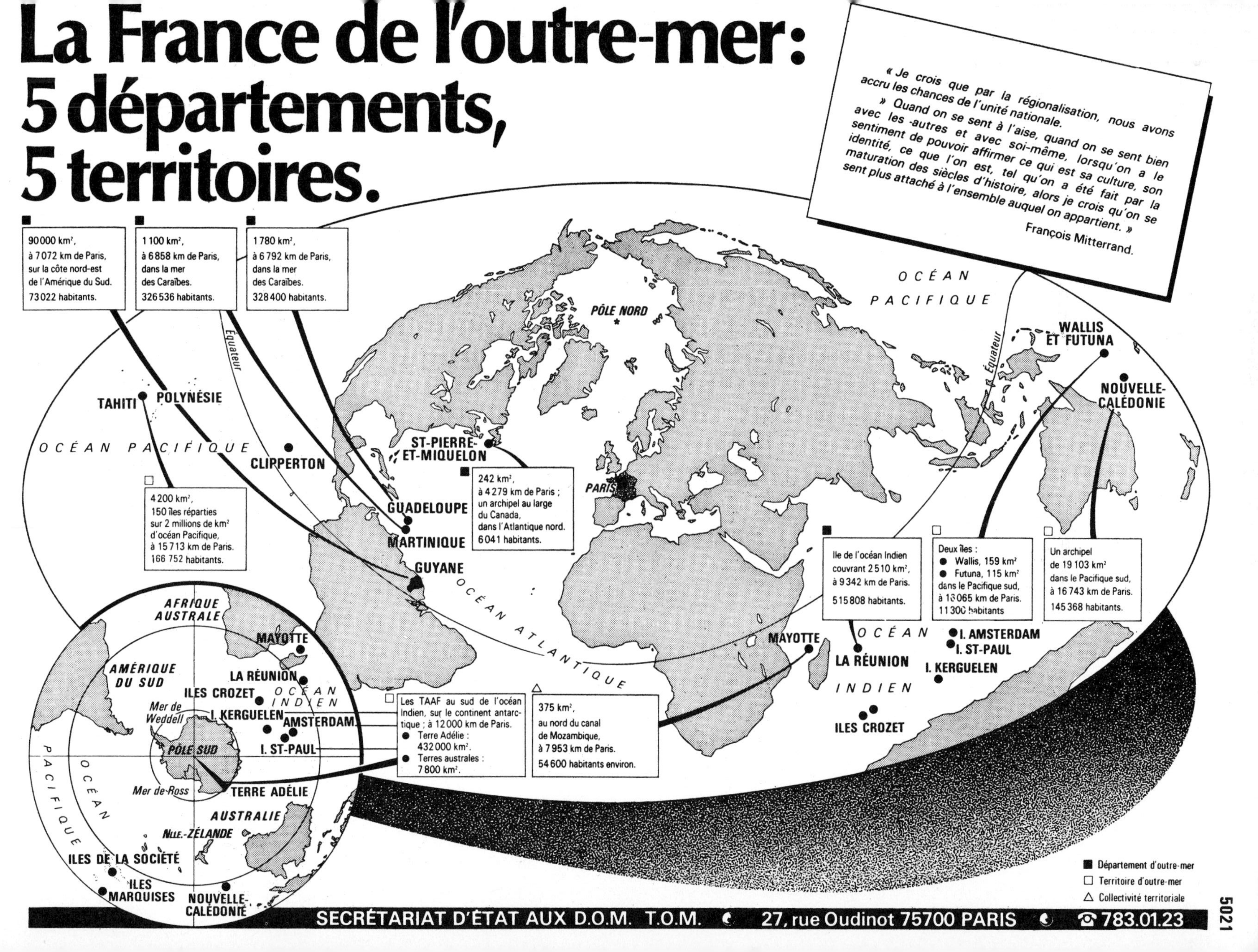
La France de l'outre-mer:
5 départements,
5 territoires.
« Je crois que par la régionalisation, nous avons accru les chances de l'unité nationale.
» Quand on se sent à l'aise, quand on se sent bien avec les autres et avec soi-même, lorsqu'on a le sentiment de pouvoir affirmer ce qui est sa culture, son identité, ce que l'on est, tel qu'on a été fait par la maturation des siècles d'histoire, alors je crois qu'on se sent plus attaché à l'ensemble auquel on appartient. »
François Mitterrand.
90000 km², à 7072 km de Paris, sur la côte nord-est de l'Amérique du Sud. 73022 habitants.
1100 km², à 6858 km de Paris, dans la mer des Caraïbes. 326536 habitants.
1780 km², à 6792 km de Paris, dans la mer des Caraïbes. 328400 habitants.
OCÉAN PACIFIQUE
PÔLE NORD
Équateur
WALLIS ET FUTUNA
NOUVELLE-CALÉDONIE
TAHITI
POLYNÉSIE
CLIPPERTON
ST-PIERRE-ET-MIQUELON
PARIS
242 km², à 4279 km de Paris ; un archipel au large du Canada, dans l'Atlantique nord. 6041 habitants.
4200 km², 150 îles réparties sur 2 millions de km² d'océan Pacifique, à 15713 km de Paris. 166 752 habitants.
GUADELOUPE
MARTINIQUE
GUYANE
OCÉAN ATLANTIQUE
Ile de l'océan Indien couvrant 2510 km², à 9342 km de Paris. 515808 habitants.
Deux îles : Wallis, 159 km² Futuna, 115 km² dans le Pacifique sud, à 16065 km de Paris. 11300 habitants
Un archipel de 19103 km² dans le Pacifique sud, à 16743 km de Paris. 145368 habitants.
MAYOTTE
LA RÉUNION
OCÉAN INDIEN
I. AMSTERDAM
I. ST-PAUL
I. KERGUELEN
ILES CROZET
AFRIQUE AUSTRALE
AMÉRIQUE DU SUD
Mer de Weddell
PÔLE SUD
Mer de Ross
TERRE ADÉLIE
AUSTRALIE
NLLE-ZÉLANDE
ILES DE LA SOCIÉTÉ
ILES MARQUISES
NOUVELLE-CALÉDONIE
AMSTERDAM
I. ST-PAUL
OCÉAN PACIFIQUE
Les TAAF au sud de l'océan Indien, sur le continent antarctique ; à 12000 km de Paris. Terre Adélie : 432000 km². Terres australes : 7800 km².
375 km², au nord du canal de Mozambique, à 7953 km de Paris. 54600 habitants environ.
Département d'outre-mer
Territoire d'outre-mer
Collectivité territoriale
SECRÉTARIAT D'ÉTAT AUX D.O.M. T.O.M. 27, rue Oudinot 75700 PARIS 783.01.23
5021

II. – La Guadeloupe

L'archipel des passions et des ambiguïtés

Un pied dehors,

De notre envoyé spéc

LE bâtiment ocre rouge est [1] plein de charme, face à l'océan Atlantique, à l'entrée de Moule, Un patio laisse pénétrer les alizés et le soleil vif fait contraste avec les sombres salles de ce musée d'art pré-colombien. Cette construction, c'est l'œuvre de Jack Berthelot, cet architecte indépendantiste qui est mort quelques jours avant l'inauguration de celle-ci, déchiqueté, selon la police, par une bombe qu'il allait déposer. Dans son discours inaugural, la présidente du conseil général, Mme Michaux-Chevry, fondatrice du Parti de la Guadeloupe (div. opp.) ne cache pas *« sa tristesse en pensant à ceux – je dis bien à tous ceux,* souligne-t-elle, *qui avaient leur place à nos côtés aujourd'hui ».* Edgar Clerc, sans doute, archéologue et chercheur guadeloupéen donateur de ses collections à ce musée qui porte son nom, mais aussi, tout le monde l'a compris, Jack Berthelot. Mme Michaux-Chevry parle d'ailleurs de l'importance de l'histoire, du patrimoine et clame : *« On ne construit pas l'avenir en occultant le passé »,* avec cette ambiguïté qui lui est propre et qui pourtant est aussi caractéristique de l'irrationnel de cet archipel. *« Peau noire, masque blanc »,* disait Franz Fanon.

[2] L'économie n'échappe pas à ces ambiguïtés, et la *« métropole »,* elle-même, semble parfois les entretenir. Car parler de production intérieure brute de la Guadeloupe (ou de la Martinique), de déficit commercial ou de dépendance énergétique, c'est être déjà dans une logique de rupture, alors que l'administration jure en même temps qu'il n'est pas question de larguer des possessions *« françaises bien avant Nice ».* On se contente donc des propos d'un haut fonctionnaire selon lequel l'*« approche est ambiguë mais l'intention pure ».*

[3] Tout a été écrit sur l'économie de ces îles, sur leurs cultures d'exportation subventionnées à la production, bénéficiant de prix garantis et de quotas, et qui pourtant n'arrivent pas à être rentables.

[4] Depuis vingt-cinq ans, de réforme foncière en réforme foncière, les pouvoirs publics sont parvenus à parcelliser les terres, à endetter les petits planteurs, à procurer de l'argent frais à quelques grands groupes – comme Empain – et, au bout du compte, à décourager tout le monde. De fait, la Guadeloupe produit quatre fois moins de sucre qu'il y a vingt ans et maintient à peine sa production de rhum. Pis, dans cette île de chômeurs, l'on est obligé de faire appel à des travailleurs agricoles haïtiens, peu regardants, il est vrai, sur les conditions d'embauche.

[5] Sans un plan Mauroy qui y a incité – aide sonnante et trébuchante à l'appui, – la replantation aurait d'ailleurs été pratiquement nulle, alors que les rendements des cannes déclinent au bout de cinq ans.

[6] En 1972, la canne utilisait 46,52 % de la surface agricole. Elle est aujourd'hui plantée sur moins de 35 % de celle-ci. La banane, en revanche, a vu ses surfaces augmenter, sans pour autant parvenir à accroître substantiellement ses exportations. Et si la « conteneurisation » du transport vers la métropole a permis une amélioration de la qualité, elle met les producteurs à la merci d'une grève des dockers ou des conducteurs de portiques – qui le savent (il y a eu des mouvements sociaux sur le nouveau port en juillet-août). Et un cyclone est toujours prêt à annihiler des années d'efforts.

[7] Une diversification est en cours – fruits, légumes (avec la réussite des aubergines) et fleurs, – qui est loin d'assurer l'autosuffisance, comme ne le permet pas non plus le développement d'un cheptel, accompagné parfois d'une activité de transformation (les milieux indépendantistes ont ainsi monté une coopérative, SOCOPORC, qui produit de la charcuterie, localement).

[8] Il ne faut donc pas s'étonner que les restaurants servent beurre, légumes, fruits, sucre même en provenance de Paris, que la viande arrive souvent de Nouvelle-Zélande et que les langoustes « fraîches » de Gosier – haut lieu touristique de Grande Terre – soient souvent congelées et importées.

[9] Les chiffres d'importation confirment ces faits désespérants : depuis un an, l'archipel a acheté pour 250 millions de francs de viande à l'extérieur, pour 112 millions de lait et produits laitiers, pour 110 millions de céréales, 40 millions de poissons et crustacés, 50 millions de légumes et 25 millions de fruits.

« Le divorce avec pension alimentaire »

[10] L'industrie agro-alimentaire suit à peu près les courbes de la production agricole. L'on dit exemplaire l'histoire de la SODEPRA, qui produisait des poulets de chair et qui a dû fermer ses portes après deux ans d'activité, obligée qu'elle était de s'approvisionner en France faute de trouver auprès des Grands Moulins des Antilles des aliments pour volailles de qualité et concurrencée par les poulets congelés métropolitains.

[11] La taille du marché, les coûts salariaux (le SMIC rattrape très lentement le salaire minimum métropolitain) et la productivité du

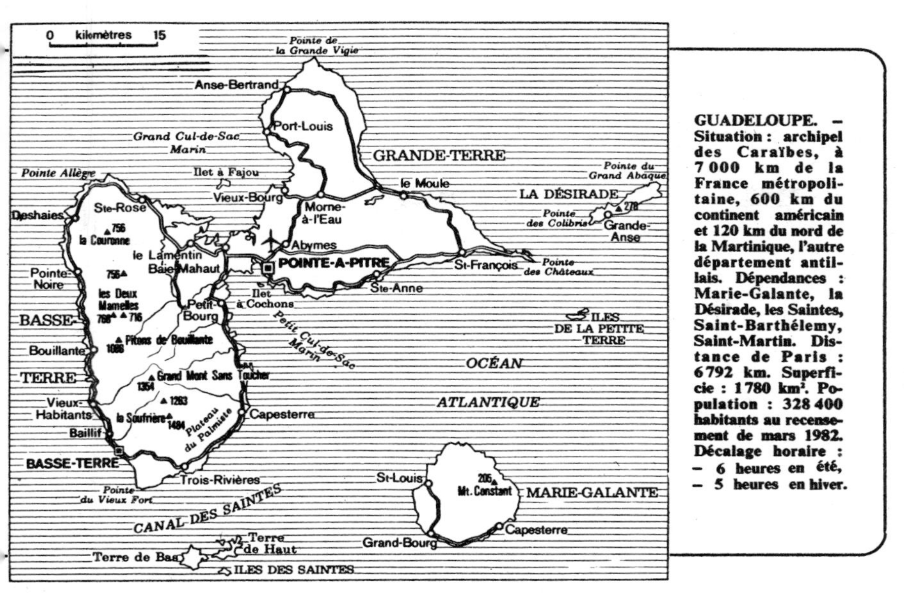

GUADELOUPE. – Situation : archipel des Caraïbes, à 7 000 km de la France métropolitaine, 600 km du continent américain et 120 km du nord de la Martinique, l'autre département antillais. Dépendances : Marie-Galante, la Désirade, les Saintes, Saint-Barthélemy, Saint-Martin. Distance de Paris : 6 792 km. Superficie : 1 780 km². Population : 328 400 habitants au recensement de mars 1982. Décalage horaire : – 6 heures en été, – 5 heures en hiver.

un pied dedans ?

al BRUNO DETHOMAS

travail rendent incertains les paris industriels. Rares sont les *« success stories »* dans l'industrie guadeloupéenne. Tout au plus cite-t-on souvent celle de M. Jean, qui a réussi à fabriquer sur place des lunettes et qui s'attaque désormais, sous licence OMI, aux marchés vénézuélien et brésilien. Sinon les emplois créés dans l'industrie – hors EDF et usines sucrières – stagnent autour de 3 000 personnes.

[12] Les Blancs créoles ne s'y intéressent d'ailleurs guère et préfèrent, comme M. Audebert, être concessionnaire Renault ou, comme M. Reynouard, faire de l'import-export. La liste des disparitions récentes d'entreprises est de ce fait impressionnante.

[13] *« Les békés ont la clef de la situation,* affirme un haut fonctionnaire, *mais ils ouvrent rarement la porte. »* Et si les Noirs ne les aiment pas, il y a parfois d'étranges coalitions contre les métropolitains. Surtout lorsque ceux-ci tentent de pénétrer un marché de bon rapport, mais pas seulement. *« Gil a été détruit par un étrange incendie »*, dit ce même haut fonctionnaire en parlant d'une société de produits laitiers qui a déposé son bilan. Pas étonnant dans ces conditions que la « zone industrielle » de Jarry compte 65 % d'entrepôts.

[14] Alors, *« heureusement »*, il y a le secteur tertiaire, au premier rang duquel fonctionnaires et enseignants, avec leurs avantages multiples : prime de vie chère qui place le salaire DOM 40 % au-dessus de celui de la métropole (18 % seulement pour EDF), moindre imposition, voyage régulier payé en métropole, qu'ils soient corréziens ou guadeloupéens. Et, parce que ces gens consomment de plus en plus et que l'archipel ne produit presque rien, il y a l'import-export, les transitaires en douane, qui touchent sur tout ce qui entre, et le petit commerce. Un secteur non productif, qui regroupe 65 % de la population active et représente 80,5 % du produit intérieur brut (puisque PIB guadeloupéen il y a). Une tête monstrueuse sur un corps de lilliputien qui n'a pas les reins économiques assez solides pour la porter.

[15] On cherche bien les remèdes à une telle situation et l'on ne compte plus les mesures annoncées. Le 30 mai dernier, Mme Edith Cresson présentait ainsi un énième plan visant à *« réduire de moitié le déficit des échanges entre les départements d'outre-mer et l'étranger »*. Comme ses prédécesseurs, elle préconisait une production locale *« susceptible de se substituer aux importations et de dégager des surplus exportables »*. Louable intention complétée par un *« volet d'une importance majeure pour les DOM »*, le tourisme, dont *« les potentialités sont encore considérables »*.

[16] La Guadeloupe a, certes, pris de l'avance sur ses voisins martiniquais par le nombre de chambres offertes. Et Basse-Terre comme certaines dépendances disposent de sites touristiques nombreux. Mais un choix reste à faire. Veut-on attirer les Américains ? Il faudra améliorer le service et régler les problèmes d'hygiène, ces hordes de chiens errants par exemple, zombies auxquels nombre d'insulaires n'osent pas toucher. Sans parler des bombes qui détruisent un étage du Méridien et ne font pas très bon effet.

[17] Et si l'on veut développer le tourisme social, le nouveau mot d'ordre, il faut le faire savoir à Air France, dont les tarifs « vacances » ont été relevés de près de 50 % entre le printemps 1981 et celui de 1984.

[18] Bilan excessivement sombre, peut-être injuste, que celui-là. Il faudrait parler d'infrastructures remarquables, de quelques plages somptueuses, de la nature exubérante, du niveau de vie élevé dont des générations d'administrateurs sont si fiers, de la croissance rapide du PIB, d'une population mieux formée que dans la plupart des îles voisines et aussi de l'accueil et de l'humour de tel Blanc créole, de la gentillesse des ouvriers agricoles à Sainte-Rose, de l'ironie légère des doudous du marché de la rue Frébault.

[19] Mais tous les murs de Pointe-à-Pitre sont badigeonnés de slogans tels *« Viv Lendependans »* ou *« Lemoine, Miteran Kolonyalis »*. Ils ne sont pas très nombreux, ces indépendantistes, si l'on en croit les résultats des diverses consultations électorales. Mais tant de Guadeloupéens semblent rêver d'avoir un pied hors de la France et un pied dedans.

[20] Et l'exaspération est grande devant un système qui ouvre comme seule perspective aux jeunes l'exil vers une France froide et vers, désormais, son chômage ou la mentalité d'assisté et le chômage sur place. La situation est si inextricable que le MPGI (Mouvement pour une Guadeloupe indépendante), l'une des composantes indépendantistes, calme *« l'angoisse »* qui peut naître *« devant une gestion autonome »* en affirmant que : *« La France sera tenue durant au moins dix ans au versement de dommages ou d'indemnités représentant au minimum l'équivalent des actuels transferts publics français. »* Ce qui faisait dire naguère à un secrétaire d'État plein de la bonne conscience de l'argent distribué sans (trop) compter : *« Ce qu'ils veulent, c'est le divorce avec pension alimentaire. »* Sans apparemment pressentir une absurdité que la décentralisation ne permettra pas seule de lever.

6. Dans les **paragraphes 2** à **14**, relevez les secteurs et les problèmes de la vie économique qui sont abordés (par exemple, **paragraphe 2** : dépendance économique ; **paragraphe 11** : industrie). Repérez ensuite les éléments précis d'information qui permettent de caractériser la situation économique de l'île. Dressez un tableau résumé de celle-ci :
a - agriculture,
b - industrie,
c - secteur tertiaire.
A partir de ces éléments, pouvez-vous expliquer pourquoi le « heureusement » du **paragraphe 14** (secteur tertiaire) est entre guillemets et comment il doit être interprété.

7. Le journaliste ne se contente pas d'exposer le cadre économique : il intervient directement. Soulignez quelques expressions qui, selon vous, manifestent sa présence (exemple **paragraphe 8** : « il ne faut donc pas s'étonner » ; **paragraphe 9** : « ces faits désespérants »).

8. Dans cette partie du texte, on trouve aussi des extraits de conversations. A qui sont attribuées ces paroles ? Quel genre d'informations donnent-elles ?

9. Dans le reste du reportage, où sont surtout évoqués les problèmes politiques de l'archipel, retrouvez d'autres citations de témoins interrogés par le journaliste.
En recherchant autour de ces citations, identifiez-en les auteurs (nom, profession, fonction). Classez ces propos selon qu'ils :
- donnent directement des informations ou des explications que le journaliste juge intéressantes ;
- donnent indirectement des indices qui permettent de mieux comprendre la situation ou les problèmes actuels ;
- donnent des exemples précis.

10. A partir de ces seules données, faites l'inventaire des principaux problèmes politiques et culturels de l'île évoqués dans les **paragraphes 1, 18** et **20** (exemple **paragraphe 1** : attentats...).

11. Dans quels paragraphes Bruno Dethomas se manifeste-t-il directement pour interpréter des données économiques ou les propos de ses interlocuteurs ?
Quel est le but essentiel de ces paragraphes ?
prédire ☐ prévoir ☐ conseiller ☐ imaginer ☐

12. Quelles sont les solutions que le journaliste préconise ?

13. Le reportage montre aussi la Guadeloupe. Relevez les détails descriptifs du texte en les classant dans une grille qui comprendrait les catégories suivantes : climat, paysages, traits de comportement, traits de la psychologie collective, etc.

14. Pourquoi les deux slogans du **paragraphe 19** sont-ils reproduits tels quels ?

15. A votre avis, les détails descriptifs donnent-ils de l'archipel une image de carte postale (voir **IMAGES 104**) ? Justifiez votre position.

16. Relisez le texte, en entier cette fois, de manière à repérer les informations supplémentaires que vous aimeriez avoir pour comprendre la situation. Selon vous, comment cette situation risque-t-elle d'évoluer ? ■

503. Destins ouvriers

Comme le monde agricole, le monde industriel change. Pour survivre, les paysans sont devenus agriculteurs. Mais que deviendront les ouvriers ? Les robots les remplacent peu à peu sur les chaînes de production et les repoussent vers des tâches de surveillance et d'entretien. Deux d'entre eux, jeunes, parlent ici de leur vie quotidienne, de leurs échecs et de leurs rêves. Ce ne sont pas des représentants exemplaires de la classe ouvrière mais des témoins qui disent comment ils vivent individuellement leur condition.

Document 5031
« Les rêves amers de l'O.S. »,
Muriel Rey,
Le Monde, 09-03-1980.

Document 5032
Jacques Frémontier,
La vie en bleu. Voyage en culture ouvrière.
Fayard

1. Parcourez les deux textes et, d'après leurs caractéristiques extérieures (titres, intertitres, mise en page, introduction ou « chapeau », etc.), dites à quel genre ils appartiennent et sur quoi ils sont fondés.

2. Bien qu'ils aient une source comparable, ces deux textes ne sont pas composés de la même façon. Où et comment l'interwiever intervient-il dans l'un et dans l'autre ?
Pour le reportage **(document 5031)**, vous caractériserez les commentaires du journaliste en vous aidant, d'une part, d'expressions comme :
« depuis douze ans... » **(paragraphe 1)**,
« un jour... » **(paragraphe 5)**,
« enfin... » **(paragraphe 9)**,
« soudain... » **(paragraphe 10)**
et, d'autre part, de :
« Michel est le seul ouvrier français **(paragraphe 8)**,
« ... se décide » **(paragraphe 10)**,
« ... a ébauché » **(paragraphe 13)**.
Pour l'enquête **(document 5032)**, retrouvez à quelle question répond chacune des citations de Marc.

V

Les rêves an

Michel, seul ouvrier français dans un ateli rêves, projetés sur son fils. Une parole bru

MURI

« M*A femme, elle est* [1] *très intelligente ; elle est vraiment intelligente. Elle travaille dans les bureaux. Les gens qui sont dans les bureaux, c'est pas des imbéciles, hein !* » On ne croirait jamais que Michel n'a que vingt-neuf ans. Silhouette sans âge, déjà. Une minceur un peu étriquée ; les épaules voûtées. Depuis douze ans, il est O.S. chez Renault. Un de ces ouvriers dont la seule spécialité consiste à ne pas en avoir.

[2] Sa vie ? Une suite d'exclusions, d'humiliations, qu'il a longtemps subies comme une fatalité. « *A l'école, ça n'a jamais très bien marché. Tout le temps, je redoublais. Et puis j'avais un prof quand ça ne marchait pas, il nous laissait dans un coin. C'est peut-être ça qui m'a mis où je suis.* » Michel quitte l'école sans aucun diplôme. Il tente sa chance au petit bonheur. De ses emplois successifs, il parle maintenant avec nostalgie : aide-bûcheron, ouvrier blanchisseur, apprenti plombier. Mais à chaque fois c'est l'échec. « *La plomberie, j'aimais bien, sauf que je ne pouvais pas faire du plâtre. J'allais pas assez vite pour le faire. Alors, à chaque coup, ça séchait trop vite. J'ai dû partir de là aussi.* »

[3] Les parents de Michel travaillent tous les deux chez Renault. Lorsque la Régie embauche, ils décident de l'y faire entrer. « *A dix-huit ans, mon père, il m'a dit : « Tu vas » à l'usine, un point, c'est tout. » J'ai pas refusé, j'y ai été. Comme il n'y avait pas besoin de qualification pour être O.S... J'aurais jamais dû y entrer. Jamais.* »

[4] Dans cet univers démesuré, Michel se sent perdu. Il ne peut pas supporter le vacarme des machines. Jeune marié, il vient d'avoir un enfant, et le travail posté en 2 × 8 perturbe sa vie familiale. « *L'usine, vous savez, ça me rend dingue. Ces sacrés horaires ! Quand je suis de l'après-midi, je commence à trois heures moins vingt, et je termine à onze heures le soir. Alors, le soir, ça ne va jamais. On n'a pas le temps de voir sa famille. Je préfère encore travailler le matin. Même quitte à me lever de plus bonne heure, mais je m'en fiche. Je trouve qu'on ne devrait pas travailler jusqu'à onze heures. Et puis, en usine, quand on veut parler, on est obligé de parler fort. Eh bien, quand je rentre chez moi, je fais pareil. Au lieu de dire quelque chose à mon fils doucement, je suis obligé de parler fort, comme s'il avait fait une bêtise.* »

Trop de pièces

[5] Un jour, il craque et demande son compte : « *Je m'étais disputé avec mon contremaître. C'était vraiment idiot. Une question de cadences. J'y arrivais pas. Il fallait faire trop de pièces.* » Un mois plus tard, il revient chez Renault ; il a cherché en vain. Faute de qualification, il devra se contenter de ce qu'il a. Michel sait maintenant qu'il est rivé à l'usine.

[6] Tout l'enchaîne, ses contraintes familiales et la nécessité de faire face à l'accumulation des crédits. « *Avant d'être marié, disons que ça ne me faisait pas de responsabilités. Avant, si j'étais malade, ou que je ne voulais pas aller travailler, j'y allais pas, un point, c'est tout. Avec les crédits, maintenant, il faut travailler. Plus question de s'arrête[r]. Depuis que j'ai connu ma femm[e] je ne me suis plus jamais arrêt[é]. J'ai dit à ma femme qu'il fau[...] drait presque rien. Pas avoir d[e] télé, pas de voiture. Juste u[n] frigo, une gazinière. Si à chaqu[e] coup il faut acheter, prendre u[n] crédit, moi je trouve que de[s] fois c'est trop. Au début de mo[n] mariage, on a voulu tout avoi[r] en même temps. En fin d[e] compte, on avait trois, quatr[e] crédits sur le dos. C'est horri[...] ble ; on n'y arrive plus, et alors là, c'est la catastrophe.* » Miche[l] gagne environ 3 500 francs pa[r] mois ; sa femme aussi. Mais, chaque mois, l'un des deux salaire[s] s'évapore en impôts et crédits [...] les meubles, la caravane, la R 1[...] d'occasion qu'il vient d'acquéri[r] et qu'il cajole amoureusemen[t] quand rien ne va plus.

[7] De retour à la Régie, on propose à l'enfant prodigue de teni[r] le balai. Michel se cabre. « *J'a[i] dit : « Ça ne va pas, non ? Vou[s] » m'avez vu avec le balai ? » Remarquez, c'est vrai que c'est u[n] métier comme un autre. Mais enfin, je ne m'y vois pas.* » L[a] chaîne est trop rapide pour lui [;] on lui procure un poste plu[s] calme : remplacer d'autres ouvriers pendant leur temps d[e] pause. « *Il y a six ouvriers qu[e] je remplace sur la machine. O[n] monte les châssis ; on ne peu[t] pas prendre deux minutes de retard sinon ça bloque tout. Pa[s] le droit de quitter son poste même pour aller aux toilettes. L'autre fois, je l'ai fait. Quan[d] je suis revenu, ça a fait tout[e] une histoire. Le plus pénible c'est de rester sans bouger, jusqu'à la dernière minute ; moi comme je suis remplaçant, c'es[t] pas pareil ; ça va mieux. J'a[i] quand même des temps de repos, et puis je bouge, je change d[e] poste.* »

[8] Ça va mieux ? Pas tout à fait. C'est encore l'isolement, l'humiliation : Michel est le seul ouvrier français de l'atelier. « *Tous les autres, c'est des étrangers. Si encore on était deux ou trois !*

Edité par la S.A.R.L. *le Monde*.
Gérants :
Jacques Fauvet, directeur de la publication.
Jacques Sauvageot.

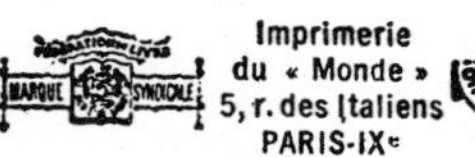
Imprimerie du « Monde » 5, r. des Italiens PARIS-IXe

Commission paritaire n° 57 437.

ɹrs de l'O.S.

chez Renault. Ses échecs, ses révoltes, ses au goût amer.

RAY

Vu que, moi, je suis le seul Fran-çais, on ne s'entend pas très bien. Disons qu'il y a quand même de bons gars. Là-dessus, il y en a un qui est un bon copain. Mais un. C'est tout. Les autres, ils me font un petit peu des vacheries, quoi. »

[9] Un agent de maîtrise s'intéresse enfin à lui, veut l'aider à changer de poste. Michel fait des essais. Emotif, angoissé, il les rate. « *Ils me proposent des places. Mais n'importe comment, comme j'ai pas de métier, il y a toujours quelque chose qui ne gaze pas, vu que j'ai pas d'instruction. Ils me font passer des essais. Et puis, comme je suis timide, quand j'ai à passer un essai, je m'énerve; j'ai pas de patience. Pourtant, je me débrouille bien de mes mains.* »

L'orthographe

[10] Soudain Michel se décide. Il tentera de surmonter son handicap, prendra des cours, se formera. « *A force de louper tout ce qu'ils me demandaient, je me suis dit : il faut quand même que je fasse quelque chose. C'est pas possible! J'ai été voir un monsieur, qui m'a proposé de suivre des cours. J'osais pas y aller. Il m'a dit : « Mais c'est » des cours où il y a des grandes » personnes; vous êtes tous du » même niveau. » Alors, j'ai essayé.* »

[11] Le mardi et le vendredi, Michel suit un cours de français; le jeudi, il apprend l'orthographe. Il sait bien que cet enseignement ne lui vaudra dans l'immédiat aucune promotion professionnelle. Mais en cherchant à s'instruire, Michel exprime avant tout sa révolte, son refus de subir un destin où la dernière place lui a été assignée. Plus tard, il veut étudier le calcul, rattraper le temps perdu, acquérir enfin les bases d'un savoir dont il a été exclu. Il veut ne plus être rongé en permanence par le sentiment de son infériorité, et pouvoir discuter, d'égal à égal, avec ceux qui l'entourent. « *C'est très important pour moi. Vu que, en principe, dans toute ma famille, ils sont plus intelligents, plus calés. Je vois mon frère, il travaille dans un bureau. Ma sœur, c'est pareil. Comme ma femme; elle est aux impôts. Ma mère, elle est plus intelligente aussi. Elle aurait pu être institutrice, si elle avait voulu. Je ne voudrais plus être moins qu'eux.* »

[12] Plus profondément encore, c'est en pensant à son fils qu'il ne supporte plus sa situation. « *J'ai un fils qui va à l'école maintenant. Je ne voudrais pas que, quand il arrivera à l'âge, et qu'il me posera des questions, je ne sache pas répondre. Ça me gêne.* »

[13] Michel a ébauché sa révolution culturelle. A son fils de reprendre le flambeau. Lourde tâche pour un enfant de six ans que de porter une telle densité de rêves enfouis, de frustrations, d'amertume et d'espoir. « *Je me suis toujours dit dans le fond de moi-même : il ira jamais à l'usine. Jamais ça. Il faudra qu'il soit quelque chose; pas un ouvrier, pas un O.S. comme moi. Il faudrait qu'il y en ait au moins un, de mon côté à moi, qui fasse quelque chose. Je ferai tout pour qu'il réussisse. Pour lui, je serais capable de n'importe quoi, je revendrais même ma voiture. Pour qu'il puisse dire : j'ai ça dans les mains.* » ■

PORTRAIT DE MARC, OU LA FORCE DU DESTIN

1 Marc, 19 ans, vit dans une chambre de trois mètres sur deux que décorent des posters de Michel Sardou, de Johnny Hallyday et des Deep Purple. Trois livres suffisent à remplir sa bibliothèque : le *Petit-Larousse, Elise ou la Vraie Vie* et *Les Petits Enfants du siècle*. Un casque de motard et une guitare complètent ce décor modèle.
2 Fils d'un cadre de la S.N.E.C.M.A et d'une dactylo de l'Administration, Marc est resté au C.E.G. jusqu'en cinquième. Puis il s'est retrouvé dans un C.E.T. et il a terminé sa scolarité à l'école professionnelle de la S.N.E.C.M.A. où il a passé, à 18 ans, son C.A.P. de chaudronnier. Le voici P.1 chaudronnier à l'usine du Havre. « La Forza del Destino » — la Force du Destin — vous connaissez ?

3 « Quand on rentre ici, on nous demande notre religion, si on veut la mettre. Mais, personnellement, je mets "sans religion", je ne me considère pas comme athée, je pense qu'on croit toujours à quelque chose. On peut dire "athée", mais on peut aussi croire à quelque chose d'autre.
4 « Je ne crois pas tellement, par exemple, que le monde est venu comme ça, tout d'un coup. *Je crois que c'est prévu, que la vie des gens est tracée, un destin, quoi*... Je ne crois pas aux miracles... Des fois, le matin, je regarde le journal. J'ai une copine qui lit les
5 « Mon école m'a dit : "Vous n'avez pas de place à Melun-Villaroche, ni à Corbeil, ils m'ont proposé une place au Havre. J'ai choisi, j'étais un peu craintif, je ne savais pas du tout l'ambiance qui pouvait régner à l'atelier, et puis finalement il y a eu quelques problèmes, mais ça se passe très bien...
6 « Souvent je travaille parce que j'aime ce que je fais, mais il me faut beaucoup d'efforts parce qu'il y a des moments où je n'aime pas ce que je fais. Quand je suis de bonne humeur, mon travail réussit mieux, c'est évident, et je suis content.
7 « Lors de mon passage à l'école, je pense que si on m'avait serré la vis, ça n'aurait pas fait de mal. Je n'ai pas un métier, je l'ai voulu, parce que je ne me sentais pas capable, enfin je n'ai pas assez de volonté pour travailler et je vois que l'école est une bonne chose, question réflexion, question intellectuelle, même pour soi-même, c'est très agréable...
8 « J'ai voulu passer un B.E.P. parce que c'est un niveau d'instruction supérieur, après je serai quoi ? Je serai peut-être chef d'équipe, combien de temps ? en n'étant pas pistonné ni rien du tout, je ne pourrai pas y être à 30 ans, je serai P.2 ou P.3, je me vois très mal entretenir une famille avec une paye comme celle-ci... C'est peut-être ce qui va se passer, mais pour l'instant je me vois très mal...

[9] « Me mettre dans une autre branche, c'est-à-dire soudeur ? Le travail ne me plaît pas. A ce moment-là, si j'ai un niveau d'instruction suffisant, si je prends des cours, ça m'aurait plu de devenir ingénieur, mais ça demande trop d'efforts.
[10] « Il faut suivre tout doucement les échelons, c'est se laisser un peu mourir, se décourager...

« Je pense encore changer de métier, je ne sais pas encore exactement, mais il faudrait d'abord que j'apprenne plus de choses, les langues, peut-être que ça me donnera d'autres débouchés ?... Je ne peux pas rester P.1, même monter progressivement, mais monter d'un niveau au moins...
[11] « Les relations avec mes parents sont très bonnes. Je n'ai jamais eu d'ennuis ni de grandes satisfactions, c'était presque une ligne droite. J'ai reçu des taloches comme tous les gosses, le respect c'est indispensable à la vie...
[12] « Les réunions de famille, on est contents de se retrouver, on discute de nos problèmes et, depuis que je suis parti, il y a de meilleures relations. Ils me considèrent un peu plus mûr parce que je vis seul. On a une éducation qui est presque une ligne droite...
[13] « Je compte bien avoir des enfants. Beaucoup, c'est un luxe, parce que sinon on les élève comme ça vient. Si on a de l'argent, on peut les pousser à faire des études, si on a la possibilité de les élever, ça va. Mais si c'est pour en faire des ouvriers ou des trucs comme ça, ce n'est pas la peine !...
[14] « J'ai un petit frère qui travaille bien, il espère devenir vétérinaire, eh bien on ne lui enlève pas cette idée de la tête ! Il sait pertinemment qu'on ne pourra pas lui payer ses études. Il y a une sélection qui se fait, un triage au départ, suivant la profession des parents, suivant beaucoup de choses.
[15] « Mon frère, il a de la chance, parce que tout petit il a toujours bien travaillé, il a toujours été premier ou deuxième, il a réussi à aller dans une classe de sixième où il n'y a que des enfants de familles aisées, ce qui supposerait qu'il a un certain avenir... Quand il est fils d'ouvrier, il a déjà un certain nombre de chances en moins. Maintenant, il peut avoir la volonté de travail, elle vient de l'individu et de l'éducation. Si les parents savent encourager leurs enfants, s'ils savent les tenir...
[16] « Je ne peux pas dire que je suis contre le service militaire. Je me suis mis dans la tête qu'il fallait le faire. Je n'ai pas le sens du devoir. Bien sûr la guerre défend les intérêts du pays, de la France, mais pas tellement les intérêts de ceux qui la font. C'est une chose qui est faite au dernier échelon de l'échelle et ça se règle à la base. Les intérêts du pays, c'est l'argent. Celui qui a fait la guerre, qui l'a gagnée, il a gagné du plomb, c'est tout. En guerre, tu tues le camarade qui est en face, et puis tôt ou tard les pays se remettent d'accord. Finalement, qu'est-ce que tu as fait ? Tu n'as rien arrangé ! On est des pions, c'est tout !

3. Repérez les éléments qui constituent le portrait des deux jeunes hommes et mettez-les en parallèle dans un tableau, comme ci-dessous :

	Michel	Marc
âge aspect physique diplômes qualification professionnelle lieu de travail profession des parents situation de famille lieu de vie, cadre de vie goûts et intérêts		

(Faites-vous expliquer par votre professeur le sens des sigles, en particulier celui de O.S. et de P.1.)
Comparez les deux jeunes hommes.

4. Retracez le détail de l'itinéraire scolaire, puis professionnel, de Marc et de Michel. A quoi attribuent-ils leurs difficultés (Michel, **paragraphe 2** ; Marc, **paragraphes 7** et **9**) ? Que font-ils ou qu'envisagent-ils de faire pour les surmonter (Michel, **paragraphes 10** et **11** ; Marc, **paragraphes 8** et **11**) ?

5. Reportez-vous au **document 4041** où les explications proposées pour l'échec scolaire sont de deux ordres (« chacun choisira suivant sa grille », disent les auteurs).
Marc et Michel jugent que leurs aptitudes ne leur permettaient pas de faire beaucoup mieux. Retrouvez, dans les **documents 5031** et **5032**, des éléments qui apporteraient une autre explication (Marc, **paragraphes 8**, **14** et **16** ; Michel, **paragraphe 3**).

6. Bien que Marc et Michel perçoivent les inégalités sociales et les carences du système éducatif, comment réagissent-ils (Michel, **paragraphes 1** et **2** ; Marc, **paragraphe 16**) ? Caractérisez la manière dont ils vivent leur échec et se représentent leur condition. Confrontez votre réponse au titre du **document 5032**.

7. Ces deux témoignages, qui ont bien des points communs, manifestent toutefois des différences de comportement. Lequel des deux hommes vous paraît-il se résigner le moins, et que fait-il qui en est la preuve ? Quels sont les facteurs les plus importants qui le poussent à refuser sa situation plus longtemps ?
Le second, apparemment plus conscient, est aussi beaucoup plus docile. Retrouvez les indices qui manifestent sa soumission à la famille, à l'école, à l'État.

8. La situation bloquée de Marc et de Michel laisse encore la place au rêve. Quel désir s'exprime, dans l'immédiat, à travers des objets et des projets ? Par quoi se manifeste le plus clairement la volonté d'« en sortir » ?

9. Relisez en entier chacun des deux textes.
Pourriez-vous imaginer d'autres types de témoignages sur le monde ouvrier français et quels pourraient en être les auteurs ? ■

504. Modes de jeunes

Jeunes d'hier et d'aujourd'hui, punk, new-wave, rasta, ska, beurs, hippies, gauchistes, étudiants branchés, qui sont les jeunes Français d'aujourd'hui ? Les décrire, chiffres en mains, n'est peut-être pas très révélateur. Nous avons choisi de vous en faire voir certains, « reconstitués » mais aussi vrais que la réalité. Trop vrais peut-être et ainsi plus faciles à reconnaître...

Documents 5041 à 5044
H. Obalk, A. Soral, A. Pasche, ***Les mouvements de mode expliqués aux parents,*** Robert Laffont

1. Comme il y a des types d'adultes, il y a des types de jeunes. Jetez un coup d'œil sur les **documents 5041** à **5044** et dites si vous reconnaissez certains des types de jeunes représentés.

2. Pouvez-vous, par exemple, faire le portrait physique, mais surtout intellectuel et moral de la punkette, si vous connaissez le mouvement punk ?

3. Parmi ces jeunes, y en a-t-il qui vous semblent totalement inconnus ? Lesquels ?

4. Examinez maintenant les caractéristiques de ces quatre documents, qui sont très comparables. Où pourriez-vous trouver ce type de description ?

5. Cette classification des types de jeunes se compose d'un croquis et de sa légende, et d'une brève notice. Pouvez-vous dire à quoi servent l'un et l'autre ?

6. Examinez les croquis de ces quatre types de jeunes et dites, d'après cette apparence extérieure, ce que vous pouvez deviner de leur goûts et de leur attitude par rapport à la société.

7. Lisez maintenant la légende du **document 5043** et repérez la description des éléments vestimentaires caractéristiques de la mode punk.
Cette description est faite avec un sourire amusé. Quels sont les éléments de la légende qui le montrent ?

8. Lisez les légendes des **documents 5041**, **5042** et **5044** en distinguant la simple description vestimentaire et les remarques, plus ou moins ironiques.
Certains détails, connus des lecteurs possibles de ce livre, ne sont pas expliqués et peuvent donc faire difficulté (voir **OUTILS 204**). Consultez un ouvrage de référence ou votre professeur.

5041

Le ou la Baba

1. Cheveux longs, souvent sales, à moitié colorés au henné.
2. Visage pâle et unisexe. Le regard est ambigu : il affiche une expression de douce satisfaction (« être raide ») ou d'inquiétude traquée (« flipper »).
3. Longue écharpe mauve de laine tricotée.
4. Triskaël breton porté en sautoir.
5. Badge antinucléaire (« Nucléaire, non merci »).
6. Tour de poitrine plus étroit que le bassin (le sport est fasciste).
7. Safi (foulard indien).
8. Besace achetée dans un surplus américain et ornée de graffiti dessinés au marker.
9. Gros pull en laine (souvenir d'un stage artisanal).
10. Parka pseudo-militaire (souvenir de manifs).
11. Jean râpé, légèrement évasé au bas.
12. Bras ballants (les mauvaises langues remarqueront une tendance naturelle à « faire la manche »).
13. Bague en métal torturé ornée d'un bout de verre teinté de couleur noire.
14. Clarks usagées.

Abandonnant le lycée pour « faire de la musique », Dominique fut tout d'abord surpris de la compréhension de ses parents qui se montrèrent soucieux de l'aider dans la voie qu'il avait choisie. Mais leur intolérance naturelle se révéla lorsqu'il traita son père, un ancien résistant communiste déporté, de « nazi ».

Privé d'argent de poche, il décida de choisir la liberté en rejoignant Jean-François, Lucien, Muriel, Anne et Bernard dans leur chambre de bonne montmartroise.

Jouant à la guitare tout en faisant circuler les joints, ils sont heureux de ne rien faire, malgré la précarité de leurs moyens de subsistance.

Maintenant une certaine douceur de vivre, ils laissent toujours la porte ouverte. Cette ambiance bohème n'est que rarement troublée par les plaintes des voisins ou de la concierge.

Expulsé par la copropriété de l'immeuble, le petit groupe devra pourtant un jour se séparer...

Dominique travaille aujourd'hui à mi-temps pour les P.T.T. et continue à faire les vendanges au mois de septembre.

5042

La « Loden »

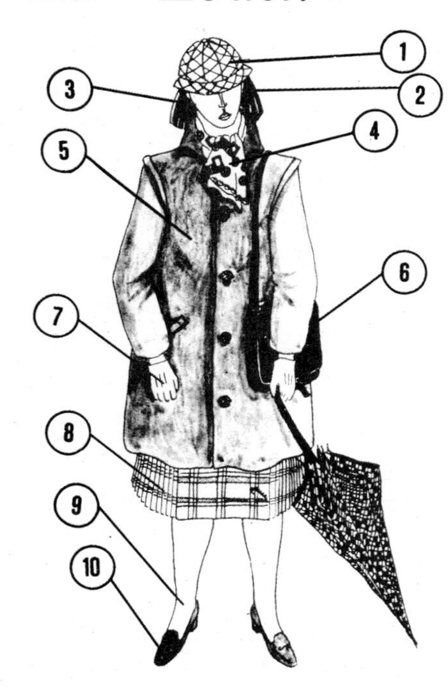

1. Chapeau cloche en tweed.
2. Raie médiane avec deux peignes derrière les oreilles.
3. Boucles d'oreilles en perles de culture entourées de torsades dorées style cordage (jamais d'oreilles percées, *« ça fait bonniche espagnole »*).
4. Carré de soie Hermès ou imitation. Motifs à choisir : gibiers égorgés, harnachement de chevaux, etc.
5. Manteau loden bleu marine.
6. Sac gibecière en peau de porc.
7. Gants marron clair en veau retourné.
8. Kilt écossais (parfois jupe-culotte).
9. Souvent solidement charpentées, pratiquant l'équitation dès l'enfance, les jeunes filles B.C.B.G. ont parfois les chevilles lourdes.
10. Mocassins Céline bordeaux.

Marie-Christine a été envoyée à la faculté d'Assas par ses parents afin d'y trouver un mari. Elle y restera le temps de rater deux fois sa première année de droit.

Avec pour seul bagage ses études secondaires au pensionnat Sainte-Marie-des-Oiseaux, elle se mettra à la recherche d'un emploi : hôtesse au salon du cheval ou animatrice d'une radio libre d'opposition.

Assez seule dans la vie, elle rêve d'amants fougueux. Pour l'instant, elle essaye de se faire des ami(e)s en organisant des dîners avec l'aide des traiteurs de son quartier. On y dira du mal des nouveaux riches et des étrangers en baissant la voix au rythme des allées et venues de la bonne espagnole.

Militante chiraquienne par anticommunisme, elle ne craint pas de faire du porte-à-porte à la veille des élections.

Si tout se passe bien, elle épousera un ami de la famille. Vous pourrez alors la voir promener ses deux fils François-Xavier et Stanislas au parc Monceau ou au jardin des Tuileries.

5043

La Punkette

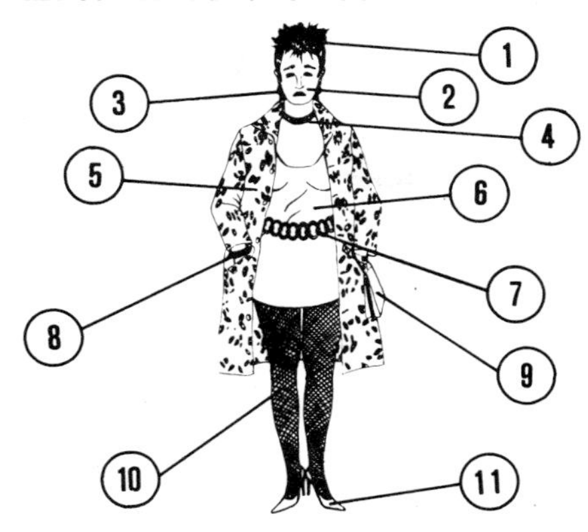

1. Cheveux blonds avec mèches noires, ou vice versa. Pour les Punkettes extrémistes, le noir et blanc fait place à la couleur : rose, vert. Traitement *spike-hair* sur le dessus.
2. Visage un peu ingrat, un peu révolté, un peu triste.
3. Grosses boucles d'oreilles 60 [1] en plastique de couleur vive ou dorées fantaisie. Provenance : vieilles choses de maman ou Puces.
4. Collier de chien clouté (modèle de luxe).
5. Manteau ou imperméable en tissu imprimé clair à motifs léopard. Vieilles choses de maman ou Puces.
6. Robe unie 60, noire, rose, rouge ou verte. Vieilles choses de maman ou Puces.
7. Ceinture 60 en métal doré fantaisie. Vieilles choses de maman ou Puces.
8. *Cockring* (bracelet d'homosexuel américain), assorti au collier.
9. Petit sac à main 60 en cuir verni noir, rouge ou blanc. Vieilles choses de maman ou Puces.
10. Bas à résilles.
11. Chaussures à talons aiguilles 60 en cuir verni noir, rouge ou blanc. Vieilles choses de maman ou Puces.

La Punkette est très jeune, environ 16 ans. Elle suit péniblement une seconde au lycée, ou ne la suit pas du tout.

Elle est plutôt petite, un peu boulotte. Elle s'entend mal avec ses parents — des petits-bourgeois travailleurs et modestes — et délaisse quotidiennement la compagnie familiale pour rejoindre sa bande, des Punks comme elle. Ensemble ils projettent de monter un groupe. En attendant, elle est groupie de « Taxi-Girls [2] » (elle les connaît personnellement). Le soir elle passe au « Bleu-Nuit » (bar), puis au « Rose-Bonbon » (boîte).

Comme elle se couche tard, elle prend un petit speed de temps en temps et ça lui donne parfois des boutons.

En fin de compte, elle flippe pas mal.

Son réconfort dans la vie, c'est son petit ami Fuck (c'est un surnom), un Punk comme elle. Ils se comprennent et forment, au-delà des apparences, un couple plutôt romantique et traditionnel. Ensemble ils voudraient « foutre le camp de cette société pourrie pour aller j'sais pas où » (c'est Fuck qui parle).

Pour le moment, elle prépare du bout des doigts un examen d'entrée dans une école privée de dessin. Elle fait de jolis collages (un peu « Bazooka [3] ») en découpant les vieux *Paris-Match* des années 60.

Un tout petit peu moins révoltée... et elle passerait New-Wave.

1. 60 : des années soixante.
2. « Taxi-Girls » : groupe de rock français.
3. Voir chapitre « New-Wave ».

5044

Intellectuel de gauche triste

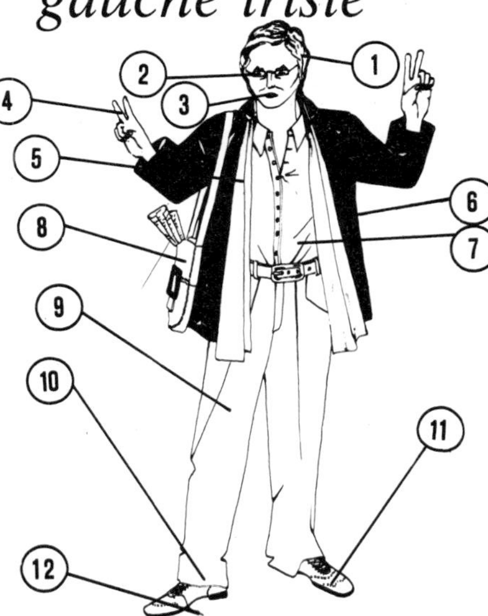

1. Mèche rebelle sur le front. Au-dessus des contingences : ne se coiffe jamais.
2. Lunettes fines, à l'ancienne, cerclées acier ou or, de forme ovale (l'intellectuel de gauche gai les préfère rondes). La forme rectangulaire apportera un petit *plus* de sérieux.
3. Visage tendu et lèvres minces.
4. Geste préliminaire à toute communication oratoire.
5. Longue écharpe en coton blanc. Sert de refuge les jours de flip et de réchauffe les jours de froid.
6. Veste de charbonnier en coton noir très épais ou veste d'architecte en velours fines côtes.
7. Vieille chemise de cadre supérieur en coton élimé (provenance paternelle). Portée sans cravate.
8. Sac artisanal français (Rouergue) contenant :
   — l'indispensable cahier de brouillon Gibert ;
   — *Le Monde* ;
   — une demi-douzaine de pétitions à faire signer ;
   — un vieux *Nicos Poulantzas* des éditions Maspero.
9. Pantalon de costume dépareillé de flanelle grise (provenance paternelle).
10. Ourlet défait. Au-dessus des contingences : ne coud jamais.
11. Vieux souliers anglais datant de l'entrée à la rue d'Ulm [1] (cadeau paternel). Au-dessus des contingences : ne cire jamais.
12. Au-dessus des contingences : lace rarement.

Révolutionnaire marxiste (tendance althussérienne) ; fils de bonne famille (protestante) ; universitaire de haut niveau (recherche en sociologie) ; père dans les affaires (« vieux con réac ») ; peu porté sur les arts (bourgeois), notre intellectuel-de-gauche-triste déteste le rock.

S'il lui arrive parfois d'écouter du middle jazz, de relire André Breton ou de boire un peu d'alcool, il ne se drogue jamais, fréquente peu les femmes et dispose de peu d'amis hormis ses interlocuteurs ou ses compagnons de combat.

1. C'est-à-dire à Normale Sup.

5045

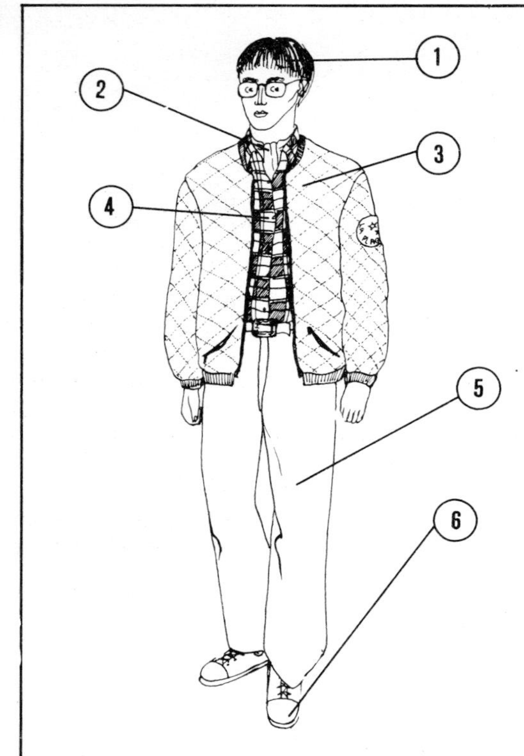

Le Majorité-Silencieuse

1. Coupe bol.
2. Foulard mince.
3. Anorak de ski contenant :
   — une pièce de dix francs (de secours) cousue dans la poche ;
   — son nom brodé sur une étiquette au revers du col ;
   — une calculatrice électronique avec 50 pas de mémoire ;
   — un étui de plastique transparent réunissant soigneusement la garantie de sa calculatrice, une carte orange 3 zones et un abonnement d'un an à la piscine Molitor ;
   — un harmonica porte-clés.
4. Chemise de coton.
5. Pantalon de tergal.
6. Baskets montantes.

Ne connaissant rien à l'habillement ni à la mode, le Majorité-Silencieuse réalise sans le savoir l'idéal théorique des B.C.B.G. : n'appartenir à aucune mode.

S'il n'a jamais été préoccupé par la recherche du bon goût, sa neutralité fondamentale lui a cependant toujours évité de paraître vulgaire.

Introverti mais passionné par ses études ou son métier, il ignore à peu près tout du monde qui l'entoure, tant sur le plan esthétique que politique.

On pourrait résumer ainsi ses préoccupations vestimentaires : il ne voudrait à aucun prix faire « pédé » (entendez *minet*) ni « loubard » (entendez *négligé*).

Sans élégance particulière, il n'en est pas moins fondamentalement sobre et discret — c'est-à-dire sans recherche, sans pureté, sans vulgarité.

9. A travers la description vestimentaire, essayez de reconstituer les goûts ou les attitudes de ces types de jeunes. Par exemple :

a - rapport aux cultures anglo-saxonnes : fort, faible, nul ;
b - rapport à la société des adultes : intégration, rupture, rupture dans l'intégration ;
c - sensibilité aux valeurs paysannes, à celles de la société urbaine ;
d - marginalité plus ou moins grande ;
e - options politiques ;
f - goûts artistiques.

10. Lesquels, parmi ces jeunes, vous semblent plutôt heureux ? Dites pourquoi.

11. Parmi ces quatre types de jeunes Français lesquels, selon vous, risquent d'aimer le plus :

— les plages naturistes,
— Freud,
— le sport,
— l'exactitude,
— les musées,
— l'agressivité,
— Amin Dada,
— Jimmy Hendrix,
— l'orthographe,
— l'autogestion,
— les cannibales,
— le tiers monde ?

12. En petits groupes, lisez les notices qui correspondent à chaque description. Repérez et interprétez les informations suivantes :
- origine sociale (profession des parents, par exemple),
- relations avec la famille,
- études (faites ou à faire),
- métier, profession, source de revenus,
- goûts musicaux,
- options politiques,
- vie amoureuse,
- destin probable.

13. Reprenez ces textes et recherchez-y d'autres éléments d'interprétation qui vous permettraient de mieux comprendre ces jeunes et de mieux les caractériser. Quels semblent être les plus à plaindre, les plus attendrissants, les plus sympathiques ?
Quels sont ceux pour lesquels les auteurs de ce livre semblent avoir, eux aussi, le plus de sympathie ?

Document 5045
Même référence

14. Lisez maintenant le portrait du jeune Français moyen, hors mode et hors type, idéal caricatural lui aussi. Ce jeune-là existe-t-il aussi chez vous ? A quoi se reconnaît-il ?

15. Ces portraits sont précis. Sont-ils vrais ?

16. Que voudriez-vous savoir d'autre sur les jeunes Français ? ■

505. Rugby-sur-Seine

Le rugby est d'origine anglaise. Mais ce sport d'équipe s'est, depuis longtemps, solidement implanté en France. Populaire et aristocratique à la fois, il autorise la violence physique contrôlée, exalte la solidarité : les avants et les trois-quarts, ceux qui poussent et qui percutent, ceux qui courent et ceux qui plaquent, autant de rôles complémentaires, tous également nécessaires. Le rugby est tout cela à la fois. Dans la banlieue de Paris, il est aussi autre chose...

Document 5051
« La troisième mi-temps du rugby », Marie-Claude Betbéder, *Le Monde*, 18-05-1980

1. D'après ses caractéristiques extérieures, dites à quel genre appartient ce texte journalistique.

2. Lisez le « chapeau » (texte sous le titre) et imaginez quel est le contenu essentiel de cet article : plutôt descriptif ou plutôt tourné vers l'interprétation ?

3. Le rugby est-il pratiqué chez vous ? Quelle réputation fait-on à ce sport ? Qui s'y intéresse ? Faites-vous expliquer les principes du jeu si vous ne les connaissez pas.

4. Lisez la totalité du texte sans vous arrêter sur des détails peu compréhensibles. Relevez, en particulier, les passages du reportage où la journaliste propose des interprétations du rugby (sa fonction, les valeurs ou les comportements qui lui sont liés).

5. Relevez les noms de lieu dans le texte et, à l'aide d'une carte, dites dans quel milieu s'est déroulé le reportage.

6. La seconde moitié du texte (**paragraphes 8** à **15** en particulier) présente les satisfactions, de toutes natures, que donne la pratique de ce sport.
Laquelle est d'abord décrite dans les **paragraphes 8** et **9** ? Comment cette « fête de la troisième mi-temps » (un match en compte deux, la troisième est celle où tous se retrouvent autour d'une bouteille ou d'une table) est-elle interprétée ?
Quel rapport établit-on entre ces « fêtes », caractérisées par le « défoulement », et le rugby (**paragraphe 9**) ?

7. A côté du plaisir de la fête que procure la pratique du rugby, ce sport peut être attachant pour un autre motif **(paragraphe 10).**
Comment la nature même du sport peut-elle expliquer le comportement spontané des joueurs (qui ne respectent pas les conventions de la politesse par exemple) ? Parmi ces trois caractéristiques du jeu, laquelle serait à l'origine de la franchise du comportement des joueurs ?
a - dureté,
b - complexité,
c - difficulté.

8. Le rugby est source d'émotions intenses pour ceux qui le pratiquent **(paragraphe 11).** Quelle en est la cause essentielle ?
Où a-t-elle déjà été évoquée ?

9. Enfin, ce sport est à l'origine d'autres émotions liées au corps. Pouvez-vous préciser lesquelles à partir d'une lecture des **paragraphes 12** à **15** (par exemple : tension avant le début du match) ?

10. Retrouvez les expressions de cet article qui ont un correspondant dans l'analyse qu'un sociologue, P. Bourdieu, fait du rugby : « Le rugby, qui cumule les traits populaires du jeu de ballon et du combat mettant en jeu le corps lui-même et autorisant une expression – partiellement réglée – de la violence physique et un usage immédiat des qualités physiques « naturelles » (force, rapidité, etc.) est en affinité avec les dispositions les plus typiquement populaires : culte de la virilité et goût de la bagarre, dureté au « contact » et résistance à la fatigue et à la douleur, sens de la solidarité (« les copains ») et de la fête (« la troisième mi-temps »), etc. » (*La distinction,* Ed. de Minuit, pp. 234-235.)

11. Faites la liste des « vertus » du rugby telles que les présente ce reportage. Dans cette même partie du texte, il n'est plus question de communauté villageoise. Est-ce ce que le « chapeau » annonçait ?

12. La première partie du texte **(paragraphes 1** à **6)** donne une explication plus précise de la fonction sociale du rugby dans un milieu comme celui de la banlieue parisienne. Comment pouvez-vous imaginer les relations sociales dans les communes de banlieue ?

13. Comment ce rôle du rugby est-il décrit dans le texte ? Si vous le comparez au « chapeau », quelle différence notez-vous ?

14. Relevez les éléments du texte qui décrivent le rugby comme un sport de village.

15. La communauté qui se constitue autour de l'équipe de rugby de Villeneuve, telle qu'elle est décrite, peut-elle être, selon vous, qualifiée de « villageoise » ? Justifiez votre point de vue à partir du texte.
Si l'on disait en particulier que « le rugby permet de recréer des groupes sociaux solidaires », cette formule vous paraîtrait-elle correspondre à l'analyse de Marie-Claude Betbéder ?

En banlieue et dans les milieux urbains en particulier, le rugby est un facteur d'intégration sociale. Mais le texte indique aussi un autre rôle qui apparaît à travers l'histoire de Jojo.

16. Relevez toutes les expressions qui caractérisent ce rôle. Racontez la vie de Jojo : origine, profession, résidence actuelle. Pouvez-vous deviner pourquoi il a dû venir s'installer à Paris ?

SPORT

La troisième mi-temps du rugby

Le rugby est bien plus qu'une histoire de ballon. Dans une équip de banlieue, c'est le retour à la communauté villageoise, le défoulement, la palabre.

MARIE-CLAUDE BETBEDER

[1] A VILLENEUVE, entre Argenteuil et Saint-Denis, ils sont nombreux, chaque dimanche, autour du terrain de rugby : hommes, femmes et enfants. L'équipe de Villeneuve compte des Normands et des Lorrains, aussi bien que des Antillais, mais le rite reste lui-même à travers ces brassages. Pas question, en particulier, de négliger la « troisième mi-temps » : celle où joueurs et supporters communient dans la ferveur sportive autour de canettes de bière, celle du rire et de la palabre, pendant laquelle chacun élabore et défend sa sélection de joueurs pour les grands matches nationaux, critique les stratégies adoptées, refait l'histoire du rugby depuis les origines.

[2] Grâce à la présence des supporters, une sorte de communauté de village, de bourg ou de quartier se reconstitue à cette occasion : « *Il y a la mamma, le tonton, le fils maudit qui joue de la guitare...* », chantonne Jojo avec malice, Catalan exilé à Paris par la grâce des P.T.T.. Il y a Charlie, le râleur perpétuel, la mère X..., qui s'occupe de la buvette, les jeunes-qui-n'arrêtent-pas-de-chahuter et les anciens-qui-racontent-toujours-les-mêmes-histoires..., tout un monde très typé, rassurant, avec son folklore et ses histoires édifiantes : « *Voilà trois ou quatre ans, la mère X... a dû être opérée ; quand le chirurgien est arrivé, elle lui a dit : Laissez-moi un quart d'heure pour que je finisse de lire* Midi-Olympique *(un magazine de rugby, évidemment). Il a attendu. Quand on l'a endormie, elle était tranquille et détendue.* »

[3] Pour Jean-Louis, Pierre et Jojo, piliers du club de Villeneuve, l'histoire du rugby est à relier à celle de la rivalité séculaire qui oppose entre eux les villages voisins. « *Quand j'étais enfant,* explique Jojo, *je l'ai entendu raconter par mes grands-pères : chaque jeudi, tous les enfants allaient affronter ceux du village d'à côté, et on se jetait des cailloux de par et d'autre du lit desséché d'un torrent. C'était à qui ferait le plus de blessés dans le camp d'en face. Quand ils ont grandi, ils ont continué à se battre sur un terrain de sport, en remplaçant les cailloux par un ballon. La population des deux villages venait assister au match, mais elle ne se mélangeait jamais ; même les cafés qui les accueillaient après la partie étaient distincts. S'il y avait eu mélange, ç'aurait été la bagarre, à coup sûr... sauf si un troisième larron, en débarquant, avait fait l'unité contre lui !* »

[4] Même si le rugby a été inventé par des étudiants anglais, il colle parfaitement à cette réalité rurale : une équipe qui fait bloc a de bonnes chances de l'emporter sur une autre plus forte mais moins soudée ; et une solidarité indéfectible entre joueurs est plus payante que tous les exploits individuels. Jojo, Pierre, Jean-Louis et sans doute tous les « vrais » amateurs ressentent comme un non-sens qu'une équipe puisse se constituer à partir de coups de téléphone et d'échanges de courrier, comme il arrive au niveau national. « *Le rugby, c'est un tas de connivences...* » Ils disent aussi : « *Une harmonie.* »

[5] Cela se traduit par d'innombrables heures passées ensemble, à chaque week-end, chez l'un, chez l'autre, dans une salle municipale ou dans les petits restaurants des environs. La femme d Jojo remarque qu'ils ont asse rarement l'occasion de se retrouver en tête à tête, mais elle voit, tout compte fait, plu d'avantages que d'inconvénients celle de Pierre, moins captivé par le rugby, ressent parfoi celui-ci comme un envahisseu

[6] Pour beaucoup de Méridionaux, cette vie de groupe intens est l'occasion de retrouvaille avec leur culture d'origine, quelquefois même d'une découvert de celle-ci : « *Quand tu te retrouves transplanté, tu essaye de définir ce que tu es. C'est tou de même autre chose qu'un accent ! Et tu t'aperçois que t ne connais rien de tes racines.*

Ripailles

[7] C'est à Paris que Jojo a appris le catalan, qu'il comprenai mais ne savait pas parler ; c'es à Paris qu'il a découvert l'histoire des cathares. Mais ce retour aux sources n'est pas le ré sultat d'une nostalgie, du moin en ce qui le concerne ; aprè douze ans passés en pays d'oïl, s'y sent désormais chez lui. I faut voir là plutôt une fierté, l désir de ne pas se sentir démun dans le face-à-face avec d'autre cultures. Et les fêtes du rugb

ɑêlent sans complexe ce qui ent d'oïl et ce qui vient d'oc. De temps en temps, la « troième mi-temps » prend la forme une grande virée, avec ripaille ; beuverie ; heures rabelaisienes, carnavalesques, où tout deent permis, où le monde s'inerse : « souvenir » scatologique aissé par chacun (des adultes !) sur son siège au restauateur qui vous a mal accueilli, hapardage massif dans un maasin près duquel un car de jeues joueurs s'est arrêté, liberté exuelle... Car le rugby est déoulement, brèche ouverte dans mur des contraintes quotidienes, irruption de la vie indompe et joyeuse complicité avec ses xtravagances.

Le groupe permet ces extravaances en leur assurant une imnité à peu près totale ; et les xtravagances faites en commun oudent le groupe, le rendant caable d'aller également au-delà e ses limites dans l'effort phyque ou dans la solidarité.

Ainsi chacun retrouve-t-il une ertaine vérité originelle. Il laisse la porte du stade les fausses udeurs, les tabous et même les olitesses : « *Il y a un Noir dans otre équipe ; personne n'hésite le traiter de « sale nègre » et réponse est « sale Blanc ». y a aussi un pied-noir qu'on baptisé Merguez... Ni lui ni ersonne ne se vexe.* » Tout peut re dit parce que tous sont égament soumis à la même brutale anchise, parce que tous dispont de la même liberté de critie, et parce que la dureté du u ramène à chaque instant ut le monde à la même modese. Epreuve de transparence que mbolise et renforce encore la udité partagée sous la douche.

« *Quand tu sens, pendant un atch, que ceux qui font équipe ec toi ne font qu'un, « sont en ase », tu éprouves quelque ose de très intense, un sentient qui vient de très loin. C'est ns ces cas-là que les joueurs mettent à pleurer à leur reur dans les vestiaires. On croit que c'est d'énervement, ou parce qu'ils sont fatigués, mais non : ils ont vécu quelque chose de grand et ils sont bouleversés.* »

12 Lieu d'émotions puissantes, le rugby est aussi une fête du corps que sa richesse apparente à la fête sexuelle. Il faut entendre Jopo, Pierre et Jean-Louis décrire la préparation des joueurs dans les vestiaires : joie de se retrouver, excitation à la pensée du match qui approche, et plaisir des odeurs qui commencent à monter : odeurs des pommades, odeur puissante du camphre dont on se frotte pour faciliter l'échauffement et éviter courbatures et claquages, odeur des maillots lavés de frais... Sans compter celles qu'on sent venir : « *Tout à l'heure, tu vas tomber, tu vas sentir l'odeur de la terre et de l'herbe, tu vas sentir la sueur des autres...* »

Trop tendres

13 Ils sont unanimes : s'il y a une « fleur » du rugby comme il y a une fleur de la farine, c'est cette avant-première, cette préface au match, toujours pareille et pourtant toujours nouvelle — « *comme de faire l'amour* ». La comparaison a fusé, aucun ne la conteste. « *Tu dirais de jeunes mariés en train de se préparer. Et, s'il manque le quinzième de l'équipe, on croirait que c'est le marié qui manque à la mariée.* » Attente, fièvre... « *Et puis le coup d'envoi est donné et c'est la fin de l'angoisse. Tu es libéré !* »

14 Quand ils quitteront le terrain, ils seront couverts de bleus et de plaies. Heureusement encore s'ils n'ont rien de cassé ! La violence fait partie du défoulement ; pour éprouver le bien-être et la détente qui suivront, il faut se donner comme si la vie en dépendait, comme s'il s'agissait d'une véritable guerre. Et on en sort épuisé.

15 Le fait qu'il s'agisse d'un jeu implique que cette violence est circonscrite, mais la dose optimum d'agressivité est difficile à obtenir. A Villeneuve, depuis quelque temps, la balance penche du côté de la violence. Jean-Louis l'explique par le fait que leur équipe se trouve à un niveau intermédiaire, à égale distance des débutants — qui pratiquent un jeu respectueux des règles et sans prétentions — et des joueurs de haut niveau, qui ont assez d'habilité et d'assurance pour se passer des coups bas. C'est le niveau où la brutalité est reine, où l'on cherche systématiquement à blesser, où l'on profite d'une mêlée pour piétiner l'adversaire à terre au lieu de l'enjamber.

16 Paradoxalement, cette violence résulte, aussi, d'une réticence de certains à l'accepter : l'équipe a intégré en début d'année un groupe important de juniors de l'an dernier. « *Ils ne sont pas habitués à donner des coups, ils sont trop tendres.* »

17 Même les façons régulières de faire mal à l'adversaire pour l'affaiblir et enfoncer ses défenses les font hésiter. « *C'est le rugby moderne,* dit Jean-Louis avec un peu de regret, *les jeunes aspirent à un jeu moins brutal. Dans le match, cela se traduit par la voie laissée libre à la violence de l'adversaire.* »

18 Mais les jeunes ne sont pas les seuls à éprouver ces réticences : à quarante ans, Pierre en a eu assez des côtes cassées et des traumatismes vertébraux, et, s'il continue à entraîner les cadets de Villeneuve, il fait désormais partie d'une équipe « folklo » dans une localité avoisinante ; on y pratique un jeu sans hargne, tout en souplesse et habilité, mieux adapté aux âges où une certaine fureur s'apaise.

19 L'important n'est-il pas de continuer à jouer ? Tous vous le diront : les dimanches sans rugby font de tristes semaines. ■

17. Qu'est-ce qui distingue Jojo, comme méridional et comme catalan ?

18. Quelles relations pouvez-vous établir entre l'histoire de Jojo et **MATÉRIAUX 318** ?

19. Parmi ces trois interprétations mises en valeur de manière inégale, quelle est celle qui vous semble la plus spécifique à la société française :
– le rugby est un sport plutôt populaire,
– le rugby développe une certaine solidarité, surtout en milieu urbain,
– le rugby est un trait essentiel de la culture du grand Sud-Ouest (Aquitaine, Midi-Pyrénées, Languedoc-Roussillon) ? ■

506. Monsieur Marcel

Lorsqu'on raconte ses souvenirs, ce qu'on dit dépasse souvent la simple autobiographie. L'histoire personnelle s'inscrit dans un cadre et une époque et, quand on l'évoque, on témoigne aussi sur les façons de vivre et de penser de son temps. En écoutant la personne qui parle ici, vous essaierez de retrouver les informations générales et vous les mettrez en relation avec ce que vous savez déjà de la France.

Document 5061
Transcription de l'enregistrement de Monsieur Marcel

1. Écoutez une première fois. Dites quelle est la situation d'enregistrement (micro caché, interview informelle, questionnaire, etc.) et caractérisez brièvement le personnage interrogé.

2. Donnez un titre à chacune des quatre séquences.

Vous écouterez maintenant l'enregistrement aussi souvent que cela sera nécessaire pour répondre aux questions.

5061

Monsieur Marcel

Séquence 1

Interviewer : qu'est-ce que vous faisiez à ce moment-là
Monsieur M. : — eh ben j'ai débuté apprenti serrurier
Interviewer : — oui
Monsieur M. : — chez un ferronnier rampiste hein avec toutes les illusions que je pouvais avoir hein je j'étais un peu halluciné vous savez quand je passais devant le maréchal-ferrant ou — la forge le feu c'est drôle ça m'avait toujours un peu impressionné je di — je voulais faire ça alors euh c'était pendant la guerre de de quatorze je devais être menuisier parce que mon père était menuisier puis la première année y avait aucune activité m'a dit bon ben va au cours complém- j'avais eu mon certificat d'études le jour de l'attentat de Serajevo* (* pour Sarajevo) et alors il m'a dit ben pour t'occuper va au cours complémentaire à Chatou ça te fera toujours pas de mal et ça m'a fait du bien j'ai eu des notions d'algèbre tout ça de et puis ma mère dit oh c'est pas le tout ton père est ouvrier toi pas pas d'histoires tu continues pareil alors euh bref ben un peu par relations je suis rentré là-bas et vous vous rendez compte de Chatou je prenais le train à cinq heures et demie pour commencer à sept heures et demie là on faisait dix heures tous les jours pendant six jours hein soixante heures par semaine
Interviewer : — oh là là c'est fou
Monsieur M. : — hein alors j'avais toutes mes illusions le premier jour on me fait ranger des boulons des rivets tout ça et puis le deuxième jour on me dit ben tiens

5061

va chercher une voiture à bras chez un locataire un un type qui louait des voitures à bras et puis tu vas aider l'homme de peine parce qu'on le manœuvre on appelait ça l'homme de peine vous allez charger des éléments de rampe on faisait des rampes en fer forgé puis tu vas aller les livrer et de la de la rue du Rendez-vous à l'angle de l'avenue du général Michel-Bizot on est parti à pied avec la voiture à bras jusque à la rue Schaeffer qui d- donne dans la rue Cortambert qui donne dans l'avenue Henri-Martin c'est-à-di-

Interviewer : — dans le seizième arrondissement

Monsieur M. : — oui oui oui

Interviewer : — vous avez traversé tout Paris comme ça

Monsieur M. : — tout Paris pédibus comme ça et (rire) on a on a emmené notre gamelle on a mangé sur le tas on faisait un peu de feu avec des copeaux des bouts de bois on chauffait ça comme on pouvait et puis et le soir euh après-midi on repartait on arrivait à cinq heures on remettait la voiture au garage puis voilà comment ça s'est passé

Séquence 2

Monsieur M. : mon père était un peu comme ça parce lui il était de l'époque euh fin du dix-neuvième siècle et il bouffait du patron on leur faisait du bouffer du patron comme il bouffait du curé moi je vous dis tout de suite que si j'avais pu me mettre patron je l'aurais fait mais si je m'y suis pas mis parce que j'ai vu que c'était pas du tout cuit quand faut chercher des affaires quand faire faut faire tourner une boîte dire et les échéances moi j'étais comme là quand j'ai été neuf ans ah chez James là ben je le voyais mon vieux était il manquait toujours dix-neuf sous pour en fait vingt hein le gars il faisait de la cavalerie d'ailleurs quand il est mort sa femme connaissait rien vous parlez elle elle est venue je la connaissais je la voyais une fois de temps en temps elle me dit alors quelle est la situation ben je dis madame la situation pas brillante y a peau de balle (rire) et balai de crin hein alors je la vois qui se tord les bras ah mon pauvre chéri dans quelle situation me laisses-tu tu parles je me rappelle de cette scène là encore tiens

Interviewer : — oui, (rire)

Monsieur M. : — oh non vous savez oh non c'est pas évidemment y a des pat- il c'est c'est pas les patrons c'est pas des philanthropes ça faut bien dire mais pour être patron vous savez faut faut avoir le cœur bien accroché hein

Séquence 3

Interviewer : comment vous vous êtes rencontrés

Monsieur M. : — quand je suis revenu du service militaire euh j- travaillais alors e- venait des fois dans parce que les archives étaient au au premier étage alors e- passait dans not- bureau alors elle disait bonjour à tout le monde et puis e- me disait bonjour monsieur mademoiselle alors moi ça faisait elle avait trente-deux ans elle avait trente ans quoi enfin elle avait sept ans de plus que moi

Interviewer : — oui

Monsieur M. : — alors c'était la le la vieille fille la ptt connais pas quoi hein vous voyez j'étais loin des t- et puis un jour je prenais le métro à la porte Saint-Ouen pour rentrer chez moi là à Croissy je prenais le train à la gare Saint-Lazare un jour je la trouve là je dis tiens bonjour ça va oui je dis qu'est-ce que vous allez faire par là a- je dis je vais acheter des bonbons chez Luce Luce c'est un un c'était un une grande épicerie genre Félix Potin qui était à la place Clichy alors bon alors arrivés à la place Clichy je dis ben vous descendez pas chercher l- bonbons oh ben e- dit non je vais aller un peu plus loin bon alors arrivés à Liège je dis oh ben on va descend- et puis on est descendus on s'est promenés un peu comme ça en bavardant puis c'est comme ça (rire) que ça a commencé (rire)

Interviewer : — et c'est comme ça que vous vous êtes mariés

Séquence 4

Monsieur M. : quoi son père était instituteur

Interviewer : — c'est ça oui

Monsieur M. : — alors il changeait comme ça

Interviewer : — c'est ça

Monsieur M. : — et alors son père est mort très jeune elle avait quatorze ans alors sa mère a dit ben euh tu vas aller travailler chez une couturière pour et puis ça puis enfin y avait pas de ressources puis y avait pas de retraite à ce moment-là il était mort très jeune il avait quarante-deux ans alors j- sais pas elle avait j- sais p- ils lui attribuent quand c'est comme ça hein les les ressources d'un bureau de tabac une somme de rien du tout alors e- sentait que c'était que c'était la débine quoi e- dit bon ben je vais me débrouiller alors à ce qu'il paraît que ça a été des larmes je vais aller à

	Paris je vais apprendre la la sténo-dactylo chez Pigier puis je me débrouillerai alors elle est venue puis comme elle c'était pas riche ils l'avaient mise dans une pension de une pension tenue par des bonnes sœurs rue de l'Arbre-Sec alors c'était la messe en rangs d'oignons euh etc. alors ça lui pesait un peu alors avait pas elle avait pas beaucoup de convictions religieuses mais elle les a perdues complètement là-dedans (rire)
Interviewer :	— ah bon pourquoi (rire)
Monsieur M. :	— ah ben c'était le coup de lui faire trier les hosties par exemple
Interviewer :	— ah bon
Monsieur M. :	— ah oui eh les bonnes sœurs e- faisaient des hosties puis alors les gosses i- triaient alors les hosties bien rondes c'était pour les Saint-Honoré-d'Eylau La Madeleine etc. puis celles qui étaient un peu écornées c'était pour Belleville pour euh Les Gobelins (rire) pour tout ça alors dans sa petite tête de gosse elle a trouvé que ce c'était pas ça quoi hein

3. Dans un tableau comme le tableau suivant, relevez les indications que M. Marcel fournit sur sa vie et celle de sa femme. Pour chaque réponse, notez l'indice et le numéro de la séquence dans laquelle il se trouve.
Ensuite, en quelques lignes, écrivez la biographie de chacune des deux personnes telle que vous l'avez reconstituée.

	M. Marcel	Mme Marcel
Age ou date de naissance		
Origine sociale		
Niveau d'instruction	certificat d'études (**séquence 1**) puis cours complémentaire	
Origine géographique		provinciale (elle quitte sa famille pour aller à Paris ; **séquence 4**)
Profession		
Situation de famille		

4. Écoutez bien la façon dont M. Marcel prononce « il » ou « elle » ainsi que des mots tels que « algèbre », « notre », « descendre ». Que remarquez-vous dans l'un ou l'autre cas ?
Cette prononciation n'est pas propre à M. Marcel. Compte tenu de ce que vous savez de lui, pouvez-vous imaginer quel milieu elle caractérise ?

5. A travers ses récits, M. Marcel apporte des informations précises sur les conditions de travail entre les guerres de 14-18 et de 39-40.
Décrivez-en l'essentiel : formation professionnelle, durée, protection sociale, etc. Donnez chaque fois le numéro de la séquence dans laquelle vous avez relevé l'indice.
Comparez-les avec ce que vous savez des conditions en 1985 (vous pouvez consulter **VOIX 503**).

6. Qu'est-ce qui détermine le choix du métier de M. et de Mme Marcel ? Quelles étaient, d'après cela, les relations parents-enfants ?

7. Est-ce que M. Marcel est resté ouvrier toute sa vie ? Que peut-on dire de cette évolution par rapport à la situation actuelle ?

8. Quelles sont les convictions religieuses du père de M. Marcel et comment sont-elles expliquées ? Que peut-on dire de celles de Mme Marcel ? Quel lien peut-il y avoir entre ces positions et l'éducation qu'ils ont reçue ?

9. Que pense M. Marcel des patrons ?
Écoutez attentivement le récit qu'il fait à la **séquence 2** et caractérisez-en le ton. Essayez de préciser quelle est son attitude.

10. Avec toutes ces indications, vous pouvez maintenant compléter le portrait de M. Marcel en ajoutant à sa biographie quelques traits de son caractère. Faites-le.

11. A travers ces récits, des informations transparaissent également sur la condition féminine au début du XXe siècle. Définissez-la en tenant compte des relations de la femme à la famille, au travail, au mariage.

12. Complétez aussi le portrait de Mme Marcel en ajoutant à sa biographie les traits de caractère que révèlent ses attitudes.

13. Paris est souvent évoqué avec beaucoup de précision par M. Marcel. Comment faut-il la parcourir pour connaître une ville de cette façon ?
Selon ce que vous savez de Paris, y a-t-il des quartiers ou des aspects de la ville qui vous paraissent avoir changé ? Lesquels ?

14. Écoutez de nouveau l'enregistrement en entier et essayez de dire dans quels domaines l'évolution des mœurs et des mentalités vous semble la plus marquée. ■

507. Nostalgies

Les souvenirs, les mémoires et les autobiographies racontent des événements personnels. Les fragments de biographie de Georges Perec échappent pourtant à la règle : à travers complicités et regrets qu'elle exprime, un peu du passé récent des Français est ressuscité.

Document 5071
Georges Perec,
Je me souviens,
Hachette littérature

1. Parcourez ces trois extraits du texte de Perec *Je me souviens* sans chercher à les comprendre totalement et dites quelles sont les différences entre ce texte et les autobiographies de forme « classique ». Quels sont les points communs à cette suite de souvenirs ? Selon vous, l'ordre de ces souvenirs a-t-il une signification ?

2. Etant donné sa forme et son contenu, est-ce que cette biographie est seulement celle de Perec ? Justifiez votre réponse.

3. La nostalgie que provoquent des « petits riens » n'est possible qu'entre gens qui ont partagé les mêmes expériences. Pour vous permettre de localiser G. Perec et sa génération, recherchez :
a - parmi les événements auxquels on fait allusion, ceux qu'on peut dater ;
b - les milieux évoqués à plusieurs reprises ;
c - la période de la vie du narrateur à laquelle ces souvenirs se rapportent principalement.

4. Les Français qui ont vingt-cinq ans aujourd'hui peuvent-ils vraiment comprendre ce texte ? Justifiez votre réponse.

5. Retournez au texte et essayez de comprendre chaque « Je me souviens... ». Lesquels sont facilement compréhensibles ; lesquels ne le sont pas parce qu'ils sont allusifs ?
A travers ces fragments, il s'agira de reconstituer un peu des années 50 et 60 : ce qui est resté de cette époque dans la mémoire des Parisiens.

6. Reprenez ces souvenirs et repérez ceux qui sont personnels à l'auteur :
- ses souvenirs d'école ;
- ses premiers pas dans la découverte de la culture ;
- ce dont il se souvient du folklore enfantin ou scolaire (par exemple : devinettes).

60

Je me souviens des G-7 avec leurs vitres de séparation et leurs strapontins.

61

Je me souviens que *les Noctambules* et *le Quartier latin*, rue Champollion, étaient des théâtres.

62

Je me souviens des scoubidous.

63

Je me souviens de « Dop Dop Dop, adoptez le shampooing Dop. »

64

Je me souviens comme c'était agréable, à l'internat, d'être malade et d'aller à l'infirmerie.

65

Je me souviens qu'à l'occasion de son lancement, l'hebdomadaire *le Hérisson* (« *le Hérisson* rit et fait rire ») donna un grand spectacle au cours duquel, en particulier, se déroulèrent plusieurs combats de boxe.

66

Je me souviens d'une opérette dans laquelle jouaient les Frères Jacques, et Irène Hilda, Jacques Pils, Armand Mestral et Maryse Martin. (Il y en eut une autre, des années plus tard, également avec les Frères Jacques, qui s'appelait *la Belle Arabelle;* c'est peut-être dans celle-là, et pas dans la première, qu'il y avait Armand Mestral).

67

Je me souviens que je devins, sinon bon, du moins un peu moins nul en anglais, à partir du jour où je fus le seul de la classe à comprendre que *earthenware* voulait dire « poterie ».

68

Je me souviens de l'époque où il fallait plusieurs mois et jusqu'à plus d'une année d'attente pour avoir une nouvelle voiture.

69

Je me souviens qu'à Villard-de-Lans j'avais trouvé très drôle le fait qu'un réfugié qui se nommait Normand habite chez un paysan nommé Breton. Des années plus tard, à Paris, j'ai ri tout autant de savoir qu'un restaurant appelé *le Lamartine* était célèbre pour ses chateaubriands.

70

Je me souviens des rubriques « Vrai ou faux? », « Le saviez-vous? », « Incroyable mais vrai » dans les journaux d'enfants.

71

Je me souviens de Jean Bretonnière quand il chantait *Toi ma p'tit' folie*.

72

Je me souviens des attractions qu'il y avait au *Gaumont-Palace*. Je me souviens aussi du *Gaumont-Palace*.

73

Je me souviens du mal qu'ils ont eu à creuser les fondations du drug-store Saint-Germain.

74

Je me souviens du bonhomme en bois des *Galeries Barbès*.

75

Je me souviens de *la Minute de Saint-Granier*.

76

Je me souviens des courses derrière grosses motos au Parc des Princes.

77

Je me souviens que Langres est triplement célèbre : pour ses records de froid, sa coutellerie et Diderot.

78

Je me souviens de « Les yeux fermés, j'achète tout au Printemps » et de « Quand je les ouvre, j'achète au Louvre ».

284

Je me souviens des trois héroïnes des *Girls* de George Cukor : Taina Egg (une Finlandaise), Mitzi Gaynor, et la femme de Rex Harrisson, Kay Kendall, qui mourut peu de temps après le film.

285

Je me souviens que tous les nombres dont les chiffres donnent un total de neuf sont divisibles par neuf (parfois je passais des après-midi à le vérifier...).

286

Je me souviens de l'époque où il était rarissime de voir des pantalons sans revers.

287

Je me souviens de Porfirio Rubirosa (le gendre de Trujillo ?)

288

Je me souviens que « Caran d'Ache » est une transcription francisée du mot russe (Karandach ?) qui veut dire « crayon ».

289

Je me souviens des deux cabarets de la Contrescarpe, *le Cheval d'Or* et *le Cheval Vert*.

290

Je me souviens de *Chérie je t'aime, chérie je t'adore* (également connu sous le nom de *Moustapha*), interprété par Bob Azzam et son orchestre.

291

Je me souviens que le premier film de Jerry Lewis et Dean Martin que j'ai vu s'appelait *la Polka des marins*.

292

Je me souviens des heures que j'ai passées, en classe de troisième je crois, à essayer d'alimenter en eau, gaz et électricité, trois maisons, sans que les tuyaux se croisent (il n'y a pas de solution tant que l'on reste dans un espace à deux dimensions ; c'est un des exemples élémentaires de la topologie, comme les ponts de Koenigsberg ou le coloriage des cartes).

293

Je me souviens de :
Doit-on dire « six et quatre font tonze »
ou « six et quatre font honze » ?
et de :
Quelle est la couleur du cheval blanc d'Henri IV ?

294

Je me souviens que le personnage central de *l'Étranger* se nomme Antoine (?) Meursault : il a été souvent remarqué que l'on ne se souvient pas de son nom.

295

Je me souviens de la barbe à papa dans les fêtes foraines.

296

Je me souviens du rouge à lèvres « Baiser », « le rouge qui permet le baiser ».

297

Je me souviens des billes en terre qui se cassaient en deux dès que le choc était un peu fort, et des agates, et des gros callots de verre dans lesquels il y avait parfois des bulles.

298

Je me souviens du gang des tractions avant.

299

Je me souviens de la Baie des Cochons.

354

Je me souviens qu'un des trois petits cochons s'appelle Naf-Naf, mais les autres?

355

Je me souviens de seulement quelques-uns des sept nains : Grincheux, Simplet, Doc.

356

Je me souviens du journal *Radar*.

357

Je me souviens du dentifrice « Email Diamant » avec son toréador chantant.

358

Je me souviens de la ligne de métro « Invalides-Porte de Vanves ». C'était la plus courte de Paris. Et maintenant c'est un fragment de la plus longue.

359

Je me souviens que mon oncle avait un appareil pour aiguiser ses lames de rasoir.

360

Je me souviens d'un pion au lycée Claude-Bernard qui avait une écharpe jaune; c'est à cette occasion que j'ai appris que le jaune était la couleur des cocus.

361

Je me souviens quand j'ai appris que Köchel (Queue-Chelle) était un homme et ce que voulait dire BWV.

362

Je me souviens des combles.
— Quel est le comble de la peur?
— C'est reculer devant une pendule qui avance.
— Quel est le comble pour un coiffeur?
— C'est friser le ridicule et raser les murs.

363

Je me souviens du film de Louis Daquin, *l'École buissonnière,* avec Bernard Blier, qui s'inspirait des méthodes Freinet.

364

Je me souviens que j'étais abonné à un Club du Livre et que le premier livre que j'ai acheté chez eux était *Bourlinguer* de Cendrars.

365

Je me souviens des publicités peintes sur les maisons.

366

Je me souviens du vase de Soissons.

7. Les autres souvenirs (ceux qui ne sont pas personnels à Perec) peuvent être partagés par des lecteurs de son âge. Quand c'est possible, essayez de trouver à quel domaine de la vie culturelle, au sens le plus large, se rapportent ces « petits morceaux » de leur passé commun. Une information supplémentaire est parfois nécessaire. Reportez-vous alors à un dictionnaire ou à une encyclopédie (et à votre professeur).

8. Perec décrit lui-même, dans la présentation de son livre, certaines de ces « choses communes » (entendez à la fois : ordinaires et partagées). Quelles sont, dans les extraits cités ici, celles que vous pouvez reconnaître dans l'inventaire (partiel bien sûr) qu'en donne l'auteur (indiquez les numéros) :
– chose apprise à l'école :
– champion :
– chanteur ou starlette débutante :
– chanson très connue :
– hold-up, catastrophe, scandale, etc. :
– habitude :
– vêtement ou manière de le porter :
– geste :

9. Classez ces souvenirs de manière à retrouver certains phénomènes marquants de la période d'après-guerre. Quelles catégories vous semblent les plus importantes (certains éléments peuvent entrer dans plusieurs catégories) ?

10. Perec, lui aussi, a classé ses propres « petits souvenirs » dans un index qui figure à la fin de son livre. Voici certaines des catégories qu'il établit et le nombre de souvenirs qui y entrent :

acteurs de cinéma	: 32 Je me souviens... (sur un total de 480)
alimentation	: 15
chanson	: 17
cyclisme	: 15
radio	: 19
faits divers	: 15
films	: 25
seconde guerre mondiale	: 15
jazz	: 20
publicité	: 21
sports	: 32
vie quotidienne	: 26
voiture	: 9

Vérifiez quelles catégories n'apparaissent pas du tout dans les souvenirs retenus pour cette unité et celles qui sont très peu représentées.

11. A l'aide de votre propre classification et de celle que propose Perec dans l'index, essayez de caractériser plus précisément, quand c'est possible, comment apparaissent, à l'époque évoquée par l'auteur :

- la publicité
- la radio
- la chanson
- le cinéma
- l'américanisation
- la presse
- les faits divers

Comment, en rassemblant tous ces traits qui ont marqué la mémoire collective, pourrait-on décrire la société française de cette époque ? Parmi les formules suivantes, lesquelles vous semblent convenir le mieux à cette image de la vie culturelle des années 56-60 ?

- avènement d'une culture populaire,
- explosion vidéo,
- société de consommation,
- ère des loisirs,
- société industrielle,
- l'après-guerre,
- culture de masse.

Justifiez vos choix et discutez-les ensemble.

12. Relisez ce texte et dites ce qui, selon vous, a changé en France dans le domaine des médias (voir **SYNTHÈSE 403** et, par exemple, **MATÉRIAUX 303, OUTILS 202**), dans l'image qui est donnée ici de l'école (voir **SYNTHÈSE 402**) et dans le domaine de la publicité (pour caractériser le changement de style, voir **MATÉRIAUX 319**).

13. Pour rester fidèle à ce que souhaitait Perec, écrivez vous-même, dans votre langue, quelques-uns de vos « Je me souviens ». Si vous êtes assez âgé pour avoir des souvenirs, bien évidemment.
Rassemblez tous vos souvenirs de détails datant de votre adolescence ou de votre enfance et ne retenez que ceux qui sont compris de tous dans le groupe-classe. Quelle image de votre passé commun est-elle évoquée ? ■

508. Zone

La poésie aussi est une source de connaissance. Et les villes doivent autant aux poètes qu'aux sociologues. Le Paris moderne a été célébré mais surtout interprété, dès sa naissance, par Baudelaire ou Apollinaire. Le Paris d'aujourd'hui peut toujours compter sur la complicité des promeneurs solitaires qui le parcourent et le décrivent, dans ses recoins, pour mieux le rêver. Le narrateur de *Ruines de Paris* est l'un d'entre eux. Écoutons-le dire des mythes qui naissent de la « zone », cette frontière de Paris où autrefois surgissaient des fortifications et où, aujourd'hui, gronde le boulevard périphérique.

Document 5081
« Comme trente-six fois depuis des années »
Jacques Réda
Les ruines de Paris,
Gallimard

1. Lisez silencieusement d'abord, puis à haute voix, le premier texte **(document 5081)**. Quelles caractéristiques permettent d'y reconnaître de la prose poétique (ponctuation, thèmes, rythmes du texte) ?

2. Repérez les interventions directes du narrateur (exemple : « j'ai tourné », **ligne 1**) et les mots de liaison (exemple : « maintenant ») de manière à dégager les articulations du texte. Dites chaque fois quel est l'événement évoqué.
Par exemple,
lignes 1-5 : recherche du marché aux puces ;
lignes 5-10 :
lignes 10-18 :
lignes 18-22 :
lignes 22-30 :
lignes 30-36 :
lignes 36-43 :
Le dernier élément de l'extrait choisi s'ouvre par « ensuite » **(ligne 36)**. Pourquoi, malgré les apparences, n'est-il pas sur le même plan que : « d'ailleurs ... » **(ligne 22)**, « puis ... » **(ligne 30)**, etc. ?

3. Vous avez maintenant repéré le contenu de ce texte : les promenades dominicales du poète qui vient chercher des objets inattendus au marché aux puces de la porte de Vanves (à la limite sud de Paris). Existe-t-il dans votre culture un équivalent du marché aux puces ? Quand on ne s'y rend pas par nécessité, quel plaisir peut-on y éprouver à fouiller dans les étalages de vieux objets de toutes sortes ?

5081

Comme trente-six fois depuis des années j'ai tourné dans ses environs sans même l'apercevoir, on a tort à mon sens de situer le Marché aux Puces Porte de Vanves, puisqu'il s'étend plutôt dans le prolongement de la rue Didot. Je perds maintenant beaucoup trop de temps à fouiller dans les cartes postales, car je ne suis pas collectionneur, mais j'en reproduis bientôt la posture un peu hystérique, à jamais pétrifiée sauf une invincible tremblote au bout des doigts. Quantité de ces cartes commémorent l'inondation de 1910 : des dames enchapeautées dans des barques rue de Bourgogne, rue Bonaparte, et le carrefour du bas de la rue de Rome transformé en étang. Mais à dix francs pièce on hésite. Pour moins du triple (qu'est-ce que j'en ferais ?) j'emporterais la réclame en tôle émaillée d'un cirage célèbre, ЛИОН НОАР, ainsi libellée en gros caractères cyrilliques. Je ne choisis qu'une gare d'Austerlitz complètement irréelle, engourdie entre deux entités de brouillard et d'eau : d'un côté des lignes de wagons sans roues tels des péniches, de l'autre des baraquements qui font très Baie d'Hudson. D'ailleurs je m'attache souvent moins aux images qu'aux textes, quand il y en a : *Maman*, supplient Marcel et Claude (à Chaumont - sur - Tharonne, Loir - et - Cher, en juillet 1935), *écris nous des lettres parce que ont s'ennuis et pour cela nous vourions bien revenir.* J'examine la rue principale de Chaumont-sur-Tharonne et, pour cela, comme disent gracieusement ces deux gosses, j'approuve Claude et Marcel. Puis je remue des paquets de disques pop et rock que je méprise (un Harold Land s'y cache parfois) et je renonce après marchandage à un lot de soldats Quiralu, par désarroi devant le naufrage d'enfance qu'ils me représentent (la mienne, celle des frères de Chaumont qui ont joué peut-être avec). Ensuite c'est Malakoff. A dix mètres du Périphérique, sans la moindre transition un pays de fond en comble différent, aussi peu réductible à Paris qu'assimilable à une province, encore qu'il m'évoque étrangement l'Auvergne ce matin, une Auvergne non seulement mythique mais soviétique et musulmane comme l'Azerbaïdjan. (...)

121

4. Retournez maintenant au texte que vous allez de nouveau parcourir, élément par élément. Quelle image le narrateur donne-t-il de lui-même au début **(lignes 1-5)** ?

5. Ce n'est pas un vrai collectionneur **(lignes 5-10)** et ce n'est donc pas la passion qui l'entraîne là. Pourtant il se laisse prendre au jeu : relevez les expressions qui trahissent cette plongée dans une recherche sans but. Faites la liste des objets qui l'attirent.

6. Comment le narrateur justifie-t-il son attrait pour les objets qui arrêtent son attention :
a - les disques ;
b - les soldats (jouets) ;
c - les textes qui figurent au verso des cartes postales anciennes ?

7. Il n'explique pas pourquoi il tombe en arrêt devant un panneau publicitaire pour du cirage ou les cartes postales d'une des grandes inondations de Paris. Pouvez-vous imaginer des raisons ?

8. En définitive, il achète un seul objet : une carte postale. Quel motif apparaît dans la description qu'il donne de cette gare Saint-Lazare envahie par la Seine :
a - parce qu'elle est esthétiquement belle ;
b - parce qu'elle est amusante ;
c - parce qu'on y voit des lieux familiers totalement transformés ?
Justifiez votre choix.

5082

Proche de la rue des Bons-Enfants et de la rue du Plaisir (où, derrière une clôture de tôle, deux cerisiers viennent en fruits), avec un sens beaucoup plus affirmé de l'antithèse, comme la capitale Saint-Ouen a sa rue de la Gaîté. La rue des Boute-en-Train prend en plein dans le marché aux puces — précisément Malik. Certains croient qu'on s'y rend par goût pour la décrépitude, alors qu'on y arpente l'avenir. Quand le courant, le gaz ni l'eau n'arriveront plus dans les étages, et qu'avec la vie rétablie sous des bâches, au ras du sol, le troc redeviendra la base naturelle du commerce; quand les vents auront semé des arbres sur les terrasses des tours, et qu'on cédera le nickel soustrait aux épaves du Périphérique en échange des légumes provenant des emprises du Chemin de Fer. Même les quartiers aujourd'hui neufs ne seront plus qu'une foire, tous rendus à des foules peut-être dangereuses de Belleville à Passy. Je vois cela dans la convoitise encore sans vrai but des visages, dans ma propre obsession dominicale à rôder par ici. Comme si j'apprenais à gagner ma future subsistance, par exemple au long de ce chemin, jonché de boîtes et de bouteilles et de clous sûrement récupérables, et qui m'aspire entre deux murs, commençant à m'intimider, ainsi de plus en plus étroit sous le ciel. lui, de plus en plus vaste, plein de mouvements échappés de ces fringues à plat sur le pavé.

110

---

9. Rapprochez le sujet de cette carte postale de la description de Malakoff, commune de banlieue proche du quatorzième arrondissement.
L'une et l'autre évoquent des lieux habituels ou sans intérêt par une série de comparaisons qui les rendent soudain étranges, voire exotiques (la Seine et le Grand Nord ; l'Auvergne, centre géographique de la France, et l'Asie Centrale).
Pour expliquer cette description inattendue, il ne suffit pas de savoir que Malakoff est une commune à municipalité communiste et que, devant l'ancienne mairie, se tient un marché aux vieux vêtements, semblable au marché aux puces voisin.
Quel rôle symbolique est attribué au « Périphérique » (notez la majuscule) ? A votre avis, que faut-il entendre par « pays mythique » ?

10. Dépassant la familiarité de lieux sans charmes particuliers, le narrateur y perçoit d'autres lieux. Quelle interprétation donne-t-il de l'ancienne « zone » et de Paris à travers elle ?

Document 5082
« Proche de la rue des Bons-Enfants », Jacques Réda, *Les ruines de Paris*, Gallimard

11. Lisez silencieusement, puis à haute voix, le second extrait (**document 5082** qui, dans *Ruines de Paris*, précède celui que vous venez de lire). Il s'agit d'un autre marché aux puces, plus connu, celui de la porte de Saint-Ouen, à la limite de Paris mais au nord cette fois. Relevez tous les points communs aux deux textes.

12. Dans l'extrait précédent (**document 5081**), les noms de rues servaient à localiser un lieu. Est-ce leur seule fonction ici (**lignes 1-7**) ?
Pourquoi le narrateur rapproche-t-il des noms de petites rues voisines du marché aux puces ?
Quelle caractéristique du narrateur apparaît ainsi plus nettement ?

13. Confrontez les noms de rues citées avec la réalité. Quelle première image est donnée de cette autre banlieue ? Que peut signifier le détail entre parenthèses (**lignes 2-3**) ?
Cette ébauche de description est du même genre que les précédentes ; dites pourquoi.

14. Cette fois le marché aux puces, lui encore, suscite un mythe plus développé. Ce mythe, structuré par la répétition des « quand » et l'emploi du futur, est justifié par le narrateur : de quelle manière (**lignes 7, 19-20**) ?

15. A travers ces « ruines de Paris » évoquées par les objets de récupération qu'offrent un marché aux puces ou les rues d'une très modeste banlieue ouvrière, l'avenir est imaginé comme un retour à un mode de vie primitif. Quelles en sont les principales caractéristiques (habitat, production, commerce) ?
Quelles périodes de l'histoire récente ou quelles autres cultures sont ainsi évoquées ? Dressez-en la liste en citant chaque fois les expressions qui justifient votre réponse.

16. Comment le narrateur perçoit-il le futur à travers son propre comportement (**lignes 20-25**) ? Quelle impression laisse cette vision de l'avenir des grandes métropoles ?

17. Seul le narrateur des *Ruines de Paris* perçoit sa ville de cette manière. Parvenez-vous maintenant à comprendre ses intuitions ? Expliquez comment la vision d'un poète peut être une manière de sonder les choses et les lieux.
Paris, ou une autre grande ville, vous a-t-elle déjà donné cette impression de prélude imminent à un grand retour en arrière ? Connaissez-vous d'autres œuvres (roman, cinéma, etc.) où l'avenir de l'humanité est évoqué de manière comparable, comme une sorte de retour en arrière ? ■

509. Différences

Deux écrivains étrangers ont fait, eux aussi, leur tour de France à la recherche des Français. Ils ont rencontré, comme vous, des réalités multiples, des personnalités contradictoires, et mis en lumière des lignes de rupture qui traversent le pays. C'est l'une d'entre elles que vous aurez plus particulièrement à reconnaître dans les extraits qui suivent.

Document 5091
Théodore Zeldin, *Les Français*, Fayard

1. Parcourez cet extrait et identifiez Claude Sicre :
a - origine géographique,
b - origine sociale,
c - niveau d'instruction,
d - profession,
e - langues pratiquées,
f - goûts et intérêts.

2. Vous allez maintenant reprendre des éléments de la liste ci-dessus et, en explorant le texte, en retrouver les effets dans la vie de Claude Sicre.
b et *c*, par exemple : quelle relation peut-on établir entre l'origine sociale de Claude Sicre et son niveau d'instruction ? (Aidez-vous de **SYNTHÈSES 402** pour répondre.)
f : aidez-vous de **SYNTHÈSES 402** et de **VOIX 503, 504** et **505** pour répondre.

3. Quelle rupture le succès professionnel de Claude Sicre fait-il apparaître ? Quels sentiments les Parisiens manifestent-ils face à un provincial du Midi quand ils se moquent :
a - de son accent,
b - de ce qu'ils croient être nécessairement son loisir préféré ?

4. Qu'est-ce que cette attitude permet à Claude Sicre de découvrir ? Comparez avec Jojo, rencontré dans le **document 5051**.

5. Quels clivages de la société française cet itinéraire personnel met-il en évidence ?
a - Par exemple : formation de l'école élémentaire et enseignement secondaire,
b -
c - etc.

☐ A Toulouse, Claude Sicre a la réputation d'être un des plus ardents défenseurs du régionalisme occitan. Quand on pénètre dans le deux-pièces qu'il occupe à l'arrière d'une vieille maison délabrée du centre ville, quand on le voit en train d'écrire à sa table de cuisine, on a l'impression de se trouver face à quelque intrépide, solitaire, obscur théoricien révolutionnaire du XIXe siècle. Sa conversation ressemble à une série d'explosions ; on s'attend à le voir prendre feu sous le seul effet de sa chaleureuse éloquence et de son exubérance ; mais tout ce qu'il dit est parfaitement clair, parfaitement logique. Au cours de sa vie, il a bien souvent affronté le mépris, auquel une plus grande lucidité le rendait sans doute plus sensible qu'un autre. Fils d'ouvrier, il n'a réussi à entrer au lycée Fermat, le meilleur de la ville, que pour se rendre compte que ce n'était pas sa place ; la plupart de ses camarades venaient de la bourgeoisie ; la littérature qu'on lui enseignait ne reflétait ni les problèmes ni les sentiments de son milieu familial. Il s'est marginalisé intellectuellement alors qu'il n'était encore qu'un adolescent, se passionnant pour les romans policiers, les bandes dessinées, le rock et le cinéma américains. Culturellement, il se sentait plus proche des pauvres et des Noirs des États-Unis que des modèles français, bourgeois, policés et conventionnels que ses professeurs proposaient à son admiration.

Aussitôt qu'il l'a pu, il est parti pour les États-Unis où il a passé une année à faire de l'auto-stop dans toutes les directions. Il n'est pas devenu un hippie : pour lui, c'était encore un moyen d'évasion bourgeois, et il n'avait aucune envie de fuir le monde. Aux États-Unis, il espérait se sentir chez lui ; mais il a déchanté. Il a été profondément séduit par l'impression qu'ont les Américains de pouvoir faire des choses nouvelles, créer ; il a aimé leur façon de se construire eux-mêmes leur maison, de s'acheter un camion et de voyager pour se faire une existence à eux ; il a vu dans leur attitude plus d'un point commun avec celle des ouvriers pauvres de Toulouse, capables de tirer parti de rien, et dont les enfants jouaient dans les terrains vagues comme les Noirs aux États-Unis. « Les self-made-men me fascinaient. J'avais une puissante envie de créer, avec mes amis, avec ma famille. Mais je voulais le faire chez moi. Je voulais que Toulouse soit les États-Unis en France. » A son retour, il a été impressionné de voir avec quelle rapidité les juifs rapatriés d'Algérie recommençaient leur vie, généralement dans le commerce : « J'ai senti que j'avais aussi quelque chose en commun avec eux. » Jeune homme, il s'identifiait avec presque toutes les minorités défavorisées.

2 Fondamentalement, le succès académique n'y a rien changé, car si, à Paris, il a décroché une place enviée comme lecteur dans la prestigieuse maison d'édition Gallimard, on lui a vite fait comprendre qu'il n'était pas un vrai Parisien. L'une de ses fonctions consistait à revoir la traduction de romans policiers américains, et à leur trouver des titres français. C'était amusant, mais il a été stupéfait de découvrir qu'il ne parlait pas la même langue que ses collègues parisiens, dont l'argot lui était incompréhensible, tout comme la mythologie entourant le poulbot. Il ne faisait partie d'aucun des réseaux de relations dont Paris se compose ; pourtant, il refuse l'idée selon laquelle un provincial ne peut jamais réussir dans la capitale : « C'est un mythe pour consoler les médiocres. » Mais « c'est à Paris que j'ai découvert ma différence ». On lui rappelait constamment qu'il était étranger en remarquant son accent, en croyant drôle de lui demander s'il faisait beau dans son pays et s'il jouait à la pétanque (dont son père était effectivement un champion, ce qui n'arrangeait rien). « Je n'étais pas comme n'importe quel ouvrier de province qui ne se sent pas à l'aise à Paris. Je faisais partie des intellectuels. Et ce sont eux qui m'ont parlé de l'Occitanie. » A Toulouse, il n'avait pas appris la langue d'oc. Sa famille y était installée depuis trois générations ; elle ne conservait aucun lien avec la campagne et parlait « francitan », un français semé d'« occitanismes ». Ce n'est qu'en 1976 qu'il a commencé à s'intéresser à l'occitan, mais il se refusait à l'apprendre de façon scolaire – l'idée d'apprendre une langue dans des bouquins lui déplaît. Il a glané l'essentiel de ses connaissances en discutant avec des paysans, avec qui il aime bavarder à condition de bien les connaître, car sinon, il préfère ne pas utiliser une langue qu'il ne possède qu'imparfaitement et dans laquelle il n'est pas encore capable de penser.

Sicre a toujours voulu être écrivain. Son premier livre fut un roman du genre américain. Aux États-Unis, il avait été ravi de trouver des auteurs autodidactes qui écrivaient des histoires policières sans prétentions à la littérature ; en France, croyait-il, un écrivain était forcément un bourgeois. « Je ne pouvais pas devenir un écrivain bourgeois, car je n'étais pas un bourgeois. Je ne pouvais pas cacher que je pratiquais la guitare dans un garage et le football dans un terrain vague. J'aimerais prouver que j'ai à délivrer un message universel authentique, et j'en ai un, car je peux décrire une condition que personne n'a jamais décrite. » Les États-Unis lui ont fourni son modèle le plus proche, mais « j'ai décidé de ne pas publier mon roman, parce que je n'étais pas américain ». Il semblait être déchiré, « schizoïde », entre des civilisations différentes. Puis il a découvert qu'il y avait des auteurs occitans, qui étaient « de mon espèce, mais ne traitaient que de la vie rurale ». Et lui-même était incapable d'écrire en langue d'oc.

[3] « C'est la musique qui m'a fait occitan. La jeunesse du monde s'est retrouvée à travers le rock américain. » Sicre essaie maintenant de voir si les Occitans peuvent se découvrir à travers leur musique traditionnelle. « Il y a une étroite parenté entre musique occitane et musique noire américaine » : les deux sont liées à la danse, les deux impliquent la participation de l'auditeur, battements de pieds, claquements de doigts, imitations d'animaux, les deux laissent place à l'improvisation, les deux cherchent à unifier la communauté. Mais, évidemment, ce sont là des caractéristiques qu'on trouve dans la musique populaire de bien d'autres pays. Sicre a entrepris de les étudier ; il s'est intéressé aux musiques populaires italienne, grecque, berbère, méditerranéenne, et c'est à travers elles qu'il a découvert la valeur de son propre folklore. Il s'est demandé pourquoi il devrait préférer la musique occitane. « Je me suis rendu compte que si je trouvais la musique étrangère si riche, c'est parce que je ne savais pas écouter la mienne ; maintenant, je la trouve très riche aussi. » Il n'y a pas *une* musique occitane. Sept types de hautbois sont utilisés, tandis qu'on trouve la flûte et le tambour bourdon non seulement en Occitanie méridionale, mais également en Catalogne, au Portugal et en Espagne. « Je ne veux pas inventer une musique nationale occitane. Je ne veux pas être un grand musicien. Je veux être un musicien du peuple, jouant selon les traditions locales. Ce que je préfère, c'est les bals. Nous donnons des concerts, nous nous produisons dans la rue, aux mariages, à l'église, pour Noël, les enterrements, les cérémonies. La musique la plus populaire que nous jouions, c'est la musique de danse, la musique de fête ; nous avons des chants pour chaque moment de la vie, satirique et politique, pour les fiançailles, pour les cocus, pour le travail et pour le deuil. » Mais paroles. Il y a des gens qui chantent des chansons américaines dont il ne peuvent comprendre le texte. Ils prononcent les paroles parfaitement, mais sans savoir ce qu'elles veulent dire. »

[4] L'important, pour Sicre, c'est d'avoir échappé au sentiment d'être prisonnier du provincialisme : « Nous ne sommes plus à l'assistance. » Dans la musique occitane, il sent que « tout est à inventer. » La musique folklorique implique une recréation à partir d'un répertoire traditionnel. Il ne s'agit pas de faire revivre les troubadours, dont la musique n'était pas pour les gens du peuple mais pour les seigneurs, et s'apparentait davantage à la psalmodie lyrique qu'au chant populaire. « J'ai rallié le mouvement occitan il y a deux ans, parce que je ne voulais pas être isolé intellectuellement. J'ai une grande envie de créer – par réaction au manque de créativité de mon milieu –, mais de créer avec les autres. Je me bats dans le mouvement occitan avec l'espoir de le rendre inventif. Et je crois que nos musiciens occitans traditionnels sont particulièrement inventifs. On ne peut pas nous reconnaître en France, car nous y serons toujours des provinciaux ; mais nous pouvons espérer une reconnaissance internationale. (...)

6. Un homme comme Claude Sicre éprouverait-il les mêmes difficultés dans votre pays ? Expliquez pourquoi.

7. Comment Claude Sicre surmonte-t-il cette situation ?

8. La revendication d'un provincial à exprimer sa culture propre dans sa propre région est déjà apparue dans ce manuel.
Dites dans quelle(s) unité(s) et commentez.

Document 5092
Maria-Antonietta Macciocchi, *De la France*, Seuil

9. Parcourez maintenant le texte de M.-A. Macciocchi. Relevez les noms de régions. Situez-les sur une carte et caractérisez-les (distance de la capitale, langue, économie).
Deux villes sont également mentionnées. Pourraient-elles être caractérisées comme les régions ?
Pourtant on se plaint partout de la même chose. De quoi ?

10. Dans le **paragraphe 3**, l'auteur relève l'« accusation contre le colonialisme intérieur ». Qui est ainsi colonisé, et par qui ?
La raison historique de cette situation est donnée au **paragraphe 2**. Retrouvez-la.
Une situation semblable serait-elle possible dans votre pays, et pourquoi ?

11. De la même manière, qu'est-ce qui est mis en question, au sujet du fonctionnement économique, politique et social de la France, par :
a - **paragraphe 2** : « Nos directions générales sont toutes à Paris »,
b - **paragraphe 4** : « On se fout bien de nous »,
c - **paragraphe 3** : « Tout pouvoir régional met en cause l'unité de la nation ».

12. Face à la méconnaissance parisienne de la culture provinciale, Claude Sicre réagissait par la création artistique. Quelles sont les préoccupations des personnes rencontrées par M.-A. Macciocchi, et quelle est leur réaction ?

5092

Régions : loin de Paris, loin des partis

[1] Par cette nuit de lune, sur les Corbières, tout le monde est à table : le grand-père, la femme, le fils, la fille, le voisin, le chef de famille à la place d'honneur. Repas royal, avec salade, potage, cassoulet, vins fins. La télé enfin s'est tue. Autour de moi, une exhortation silencieuse paraît s'élever : ici, quand on te reçoit, on te donne le meilleur, comme en Italie du Sud. Et on devient bavards, joyeux; servez-vous, resservez-vous, allez, reprenez-en! Enfin, le maître de maison me dit : « C'est autre chose qu'à Paris, hein? Vous savez pourquoi? Parce qu'à Paris, ils pensent qu'une personne de plus à table, c'est un jour de vacances en moins! »
[2] Ce maudit Paris! Ville centralisatrice, despotique, où tout se planifie, s'ordonne à la baguette. Technocrates, énarques, banquiers, industriels, partis et syndicats, mode littéraire, uniformisation à travers les vêtements et les supermarchés, films et télévision. Même des industriels de province se plaignent; ce dimanche après-midi, dans un salon bourgeois de Lyon,

54

ils explosent : « Nos directions générales sont toutes à Paris. Nous representons la plus vieille industrie capitaliste de France, mais c'est Paris qui commande! » Cette centralisation, inaugurée par Richelieu, a joué jusqu'à la IIIe République un rôle d'intégration et de modernisation; elle est aujourd'hui un boulet aux pieds des Français.

[3] Cette ville est devenue pour moi si lointaine qu'il m'a parfois semblé qu'elle pourrait aussi bien se trouver en Belgique ou en Angleterre; je ne téléphone même plus, je me sens comme à l'étranger. Ici, en province, il n'y a que les « élites » qui lisent *le Monde*. Son demi-million d'exemplaires devient risible comparé au *Progrès de Lyon*, qui tire à un million deux cent mille. Un million d'exemplaires, également, pour *la Dépêche du Midi* et *le Midi libre*. Une autre France, avec des Français comme les autres. Paris leur fait ployer la tête, comme une lourde couronne de fer. Occitanie : *Lucha Occitana*. Amis occitans réunis dans les universités d'été à Valence. Acte d'accusation contre le colonialisme intérieur. En Bretagne, j'ai entendu les gens parler comme du fin fond d'une région sous-développée. En Corse, on tue et on écrit sur les murs : « Francesi fora ». La question des régions me fait sentir à quel point l'armure jacobine reste forte en France, qu'il s'agisse d'ailleurs du pouvoir ou de l'opposition. « La centralisation, disait Lamennais, c'est l'apoplexie à la tête, et la paralysie aux extrémités. » La classe politique française s'obstine à croire que tout pouvoir régional met en cause l'unité de la nation. « La France est trop petite pour être coupée en morceaux » (Giscard, 12 septembre 1975). Dans la crise italienne, la respiration du pays, au contraire, vient des régions.

[4] Mais ces « nouveaux barbares » qui assiègent Paris, qui sont-ils? Pas seulement des Occitans ou des Bretons ou des Corses, mais aussi des « Français » qui s'appellent Jacques ou François; ils campent sous les murs de la forteresse — *Parisii parisiorum* — et lèvent le poing, pour demander la *liberté*, ce nom que l'on vénère en France, autant que le *droit*. Le pouvoir à la base, en somme. Dépouillés, dépossédés, aliénés..., il faudrait encore mille autres mots pour comprendre à quel point ils se sentent tenus à l'écart. Ils sont à la porte, ils font la queue dehors. Qui les a consultés sur la reconversion industrielle? Et sur la politique du Programme commun? Et sur celle des syndicats? Quand les ouvriers ouvrent la bouche à Sud-Aviation, aux aciéries de Fos, chez Berliet, c'est pour dire : « On se fout bien de nous. Les états-majors sont à Paris, ici on exécute les ordres. On compte pour des clous. On est résignés. C'est vrai, on ne lit plus rien, à part *l'Équipe* et le journal régional. Les vacances ont de plus en plus d'importance. Inflation, crise, chômage? On répond : vacances, vacances, vacances. On se soucie surtout de défendre l'emploi, pour payer nos dettes et continuer notre vie; avec les besoins de consommation que nous avons aujourd'hui, il est impossible de renoncer à quoi que ce soit. Nous n'avons connu qu'une seule période de révolution idéologique et de véritable pouvoir ouvrier : Mai 68. » Ils parlent de

5092

gestion et de contrôle ouvrier dans l'usine, ils sont tendus, passionnés par Lip, ils essayent d'imaginer des formes de direction ouvrière; mais les types de la CGT les font taire en déclarant qu'il s'agit d'une fuite en avant, qu'il faut d'abord construire le socialisme; la nouvelle organisation ouvrière se formera ensuite, on ne peut rien faire à l'intérieur du capitalisme [1]. Ils disent encore : « Qui est né le premier, l'œuf ou la poule? » Comme elle est archaïque, pour eux, cette CGT! Et ce PC, moraliste et légaliste, qui se déplace avec des chaussures de plomb et qui a peur de tout [2]! Ils l'acceptent, pourtant, résignés, car ses militants sont de braves gens, qui se sacrifient pour faire leur travail de propagande, convaincre, vendre brochures et journaux, faire des collectes au profit du Chili ou des antifascistes espagnols. Cette masse permanente où tonne la vérité absolue, qui est celle que le Parti détient, les rend mélancoliques. Pendant ce temps-là, fermentent en eux mille autres questions : pouvoir ouvrier, gestion des travailleurs, nouvelles formes de fascisme dans le monde, mort de la démocratie chilienne, une autre morale... Autant de questions sans réponses. Et s'ils disent ce qu'ils pensent, on les traite de « gauchistes », de « provocateurs ». (...)

1. Les bibliothèques d'usine, selon les responsables, donnent, dans l'ordre des livres les plus demandés, après les dictionnaires : les romans policiers, d'espionnage et de science-fiction, puis les livres d'histoire. Selon une enquête de l'ARC en mai 76, trois quarts des Français ferment leur télévision, deux tiers replient leur quotidien, un tiers ferment leurs hebdomadaires, lorsque ces différents organes de mass média se mettent à parler de livres.
2. Chaque intervention de Séguy, depuis 72, s'intitule « Le défi de Georges Séguy », comme à l'Opéra l'on chante « nous partons » en restant sur place.

13. Vous allez maintenant relire les deux textes en entier et définir la vie en province telle qu'elle y est évoquée (relations amicales, familiales, culture, etc.). Quels sentiments les auteurs semblent-ils éprouver pour ce mode de vie et ce système de valeurs ?

14. Quelle est la nationalité de M.-A. Macciocchi et pourquoi comprend-elle mal cette opposition Paris/province ?

15. T. Zeldin, Britannique, manifeste un étonnement semblable, et pourtant les deux auteurs ont des critères d'analyse différents. Dites à quoi chacun d'eux s'intéresse plus particulièrement chez les gens qu'il rencontre. Pouvez-vous faire des hypothèses sur leurs intérêts propres (histoire, politique, sociologie, psychologie, etc.) ? ■

510. Profils

Dans votre propre pays, vous avez de nombreux moyens de situer quelqu'un que vous rencontrez pour la première fois : ses vêtements, ses gestes, son accent, le journal qu'il lit, sa façon de parler vous informent sur lui et, souvent aussi, sur les modes de pensée de sa génération et de son milieu. A l'étranger, ce petit jeu devient difficile. Imaginez toutefois que vous surprenez, quelque part en France, des fragments de conversation, sans voir les interlocuteurs. Qui sont-ils ? Que trahissent-ils d'eux-mêmes ? A quoi peut-on raccrocher leurs paroles pour les comprendre ?

Documents
5101
5102
5103
Transcription des enregistrements de
Juliette P.
Janine R.
Danièle J.

1. Écoutez les trois personnes qui parlent. Qui sont-elles et de quoi parlent-elles ?

2. Chacune de ces femmes révèle, assez explicitement, son âge et sa situation de famille. Précisez-les :
a - Juliette P. :
b - Janine R. :
c - Danièle J. :

Vous écouterez maintenant le document aussi souvent que cela sera nécessaire pour répondre aux questions.

5101

Juliette P.,

Interviewer : pour vous qu'est-ce que qu'est-ce que c'était de de vivre ensemble qu'est-ce que ça signifiait
J. P. : — nous nous aimions beaucoup nous avions vécu le la guerre l'occupation ensemble donc euh nous avions des souvenirs très très durs qui nous rapprochaient et j'ai eu beaucoup de chagrin de le perdre (...) l'unité de la famille je crois fait la force de tout (...) dans le mariage d'abord je crois c'est il faut beaucoup s'aimer
Interviewer : — oui
J. P. : — et ensuite il faut pas avoir une trop grande différence d'âge il faut être à peu près la même génération ce qu'on appelle
Interviewer : — votre mari avait quel âge
J. P. : — il avait que cinq ans de plus que moi alors donc c'était très bien je me suis mariée je n'avais pas vingt ans lui en avait vingt-cinq je trouvais ça
Interviewer : — oui
J. P. : — un bon équilibre

Interviewer : — vous aviez la même religion

J. P. : — la même religion nous appartenions au même milieu et nous étions de la même ville (...) enfin ce sont les bases y a y a toujours des petites différences tout de même mais ça je crois que ce sont les bases

Interviewer : — c'est ça

5102 **Janine R.,**

Interviewer : pourquoi tu t'es mariée quand tu t'es mariée

J. R. : — oui alors j'ai réfléchi depuis je suis sûre que je me suis mariée pour quitter euh ma famille enfin je je le sens maintenant que c'était ça mais au départ c'était bon ben pour être pour aller avec l'homme que j'aimais enfin bon pour euh pour vivre quoi

Interviewer : — alors qu'est-ce que tu voulais faire surtout en te mariant

J. R. : — eh bien je pense avoir une maison à moi pouvoir euh me débrouiller d'être tranquille d'être avec lui quoi enfin tu vois c'était je pensais pas du tout euh à une institution comme maintenant après je réfléchis je dis que c'est stupide d'avoir attendu d'être passé devant monsieur le maire le curé même je (rire) bon ben c'était c'était dans l'ordre des choses c'est vrai que ça fait vingt-cinq ans enfin que bien des choses ont changé mais pour moi ce c'était même pas puis d'ailleurs je j'avoue franchement que j'étais bien contente d'avoir une jour- une journée où j'étais la reine où j'avais une robe belle j'étais belle je me sentais bien et ça j'en ai vraiment eu envie enfin maintenant bien sûr je dirais autrement mais il faut être franc il y a vingt-cinq ans j'étais vraiment très contente

Interviewer : — vous aviez l'intention d'avoir des enfants

J. R. : — oh oui sûrement enfin je ne sais pas si on en a discuté on a dû s- oui sûrement en discuter mais c'était dans l'ordre des choses enfin sans doute oui oui oui

Interviewer : — et est-ce que vous aviez un projet commun (...) bon parce que tu as quand même toute une idéologie des options politiques euh qui comptent pour toi euh et est-ce que ça c'était déjà présent dans ta vie est-ce que ça comptait pour vous est-ce que ça comptait pour le couple que tu faisais ou est-ce que ce sont des choses qui sont venues plus tard

J. R. : — ah non ça devait compter euh tout de suite certainement immédiatement parce que l'on a parlé de ça très très vite on on s'est je me souviens je me suis tout de suite inscrite au syndicat j'ai été déléguée du personnel avec dispense même parce que j'avais pas dix-huit ans donc on discutait de ça automatiquement et ça ça a dû être énorme enfin pour le plaisir d'être ensemble (...) mais enfin vingt-cinq ans c'est long c'est vrai et d'abord ça m'a pas paru long du tout mais enfin quand je quand on l'imagine ça ça paraît moi ce que ce que je crois peut-être je crois quand même en réfléchissant que maintenant si j'avais vingt ans je crois que je me marierais pas je j'aimerais penser comme ça à cette liberté de me dire eh on sait jamais (rire) tandis que là d'ailleurs on n'a jamais eu envie de divorcer si tu veux mais je sais qu'y a tout ce poids quand même et c'est c'est ça que je je refuse dans le mariage bien que je l'aie bien supporté mais je je crois que c'est c'est c'est quand même assez lourd et et c'est je pense que c'est ça qui me gêne maintenant je prendrais une autre décision et je crois que lui aussi enfin on pourrait à moins que la la la famille ou la société se pèserait trop mais enfin je crois que l'idée mais bon ben (...)

Interviewer : — alors après donc vingt-cinq ans de réussite finalement si on te demandait quels sont les critères de cette réussite qu'est-ce que qu'est-ce que tu dirais

J. R. : — bien je crois que c'est c'est c'est la confiance je crois que ça s'est basé sur sur ça cette confiance de se dire bon ben s'il y a quelque chose on se le dit et bon y a rien eu c'est un coup de pot parce que je je qu'il aurait très bien pu rencontrer quelqu'un qu'il aimait plus ou moi aussi et puis bon il aurait fallu expliquer les choses mais je crois vraiment euh qu'on qu'on qu'on s'expliquerait et je crois que c'est surtout une question de confiance

Interviewer : — alors donc la confiance c'est le premier critère et puis est-ce qu'il y en aurait d'autres

J. R. : — oui je je pense ne pas comme ça vivre que le couple couple et enfants tu vois y a toute la vie du du pays du bureau tout ça ça ou de tas d'autres choses nous intéressent les sports tout ce qu'on peut faire aussi on discute de plein de choses alors donc ça ça mobilise pas sur ses sentiments seulement et sur et que sur les enfants c'est pas fermé j'ai l'impression que je crois que c'est ça ça c'est important de discuter de tout et d'être heureux d'en discuter

5103 **Danièle J.,**

D. J. : ben je suis euh oui je suis célibataire euh je me suis pas mariée parce que euh bon parce que j'avais j'avais pas tellement envie et les gens avec qui j'étais n'avaient pas envie non plus y a eu un moment je pense entre dix-huit et vingt ans où j'avais je me serais mariée euh bon pas parce que je connaissais quelqu'un mais parce que je trouvais que c'était normal de se marier bon maintenant non non ça m'intéresse plus (...) ben je suis célibataire ça veut pas dire que je sois toute seule mais ça veut dire que j'ai au moins euh un un lieu qui est qui est à moi qui est bien séparé du lieu de euh bon de de mon copain où et ça veut dire aussi que euh bon que je fais ce que je veux quand je veux et qu'on se voit quand on a envie tous les deux et que le jour où y a quelqu'un qui qui n'a pas envie ben on se on se voit pas enfin ça veut dire que j'ai j'ai en fait bon j'ai une vie commune avec quelqu'un mais j'ai une vie en dehors bon c'est pas satisfaisant c'est toujours un statut enfin une vie qui est qui est qui est j'ai l'impression d'avoir une double vie mais disons que c'est mieux que que d'être toujours avec quelqu'un et d'être empoisonné avec ça (...) je veux pas je veux pas du tout la routine euh je veux je je je veux pas que les choses deviennent euh des des habitudes des choses qu'on fait parce qu'on a l'habitude de les faire (...) on a à peu près vécu les mêmes choses hein euh la personne avec qui je suis maintenant a a vécu un peu les mêmes choses que moi c'est-à-dire euh bon a eu avant une relation euh bon quasiment de couple sans être marié mais enfin une relation de couple qui a duré longtemps euh dans laquelle il s'est senti enfermé euh etc. bon y a eu tous les euh les un peu les mêmes choses que moi et donc ni l'un ni l'autre on n'a envie de retomber dans une relation un peu contraignante de ce type ce qui fait que bon on est tout à fait en accord là-dessus maintenant euh bon c'est bien évident que euh bon quelquefois euh quelquefois on aimerait rester ensemble ou euh y a quelqu'un qui aimerait rester avec l'autre l'autre ne reste pas bon alors y a un sentiment de solitude y a une déprime bon mais ça s'arrange je veux dire c'est euh (...) alors bon j'ai j'ai de temps en temps j'ai envie d'avoir des enfants mais je j'ai je pense que j'en aurai pas ou alors il faudrait vraiment qu'il qu'il m'arrive quelque chose d'extraordinaire mais euh ici j'ai pas envie d'avoir d'enfants

Interviewer : — euh ici c'est quoi

D. J. : — ben ici c'est euh c'est euh en France à Paris euh et en travaillant et (...) bon on traîne toujours quelque part enfin moi je traîne toujours quelque part l'envie de bon de tout laisser tomber de partir euh mais euh je sais que que je suis pas je suis pas mûre pour le faire euh c'est possible que ça que ça vienne un jour mais pour le moment je suis pas mûre enfin je j'ai encore des choses à faire avant (...) enfin pour moi la solitude c'est pas euh c'est pas tellement un problème je veux dire c'est euh j'ai appris aussi à à à être bien euh toute seule et bon même si euh si j'ai des petits moments où j'aimerais ne pas être toute seule en fait c'est quand même toujours des moments positifs parce que c'est des moments où je où j'arrive à faire quelque chose où j'arrive par exemple à écrire ou ou comme je suis pas bien bon il faut il faut que je le dise et c'est les moments où je fais quelque chose où je prends un crayon où je dessine ou j'écris où je fais quelque chose

Interviewer : — et ton couple est basé sur quoi (...) euh est-ce qu'il est à moyen terme dans votre esprit à long terme comment c'est (...)

D. J. : — il est c'est très au jour le jour euh y a pas de y a aucun projet à long terme c'est euh bon c'est euh c'est aujourd'hui et maintenant euh se faire plaisir c'est

3. Ces trois femmes parlent assez librement du même sujet mais, à cette occasion, elles évoquent leur mode de vie et de pensée. Écoutez attentivement et notez ci-dessous les indices qui font allusion à :

	Juliette P.	Janine R.	Danièle J.
L'âge de leur mariage La cérémonie La pression sociale Les enfants La solitude La liberté Le métier Les activités sociales			

(suite p. 294)

	Juliette P.	Janine R.	Danièle J.
Les loisirs La vie en commun Le rôle de l'homme Les critères de réussite du couple			

4. En sous-groupes, analysez ce que les indications relevées ci-dessus révèlent pour chacune de ces femmes.
Par exemple : Pour Juliette P., le mariage est quelque chose de sérieux, un partage des difficultés de la vie, etc.

5. Revoyez **SYNTHÈSES 401** et **407** et essayez de montrer comment ce que disent ces interlocutrices correspond à une évolution des mentalités. Comparez cette situation avec ce qui se passe dans votre pays.

6. A votre avis, quel métier font-elles ? Comment les imaginez-vous (physique, vêtements, etc.) ?

7. Ressemblent-elles à des femmes que vous connaissez ? Aimeriez-vous rencontrer l'une des trois, et laquelle ? Quelles questions lui poseriez-vous ? ■

511. Construire sa France

Maintenant que vous avez parcouru la France dans tous les sens, vous allez en inventer un petit morceau. Ce sera l'occasion de jouer avec la réalité mais le résultat de ces divagations culturelles devra quand même avoir un petit air français. Pour créer du vraisemblable, il faudra donc tenir compte de certaines caractéristiques du monde français avec lesquelles vous vous êtes familiarisés.

Documents
5111
5112
Le Petit Larousse illustré, 1985

Document
5113
Guide Périgord, Berry, Limousin, Quercy, Michelin

1. Vous allez inventer un département français. Tous ensemble, trouvez-lui un nom en tenant compte des noms qui existent. Recherchez, dans les unités précédentes, des informations sur ce qu'est un département.

5111

CORRÈZE *(dép. de la)* [**19**], dép. de la Région Limousin; ch.-l. de dép. *Tulle;* ch.-l. d'arr. *Brive-la-Gaillarde, Ussel;* 3 arr., 36 cant., 286 comm.; 5 860 km^2; 241 448 h. *(Corréziens).* Il est rattaché à l'académie et à la circonscription judiciaire de Limoges, à la région militaire de Bordeaux et à la province ecclésiastique de Bourges. S'étendant sur la partie méridionale du Limousin*, le dép. se consacre surtout à l'élevage. Les cultures sont concentrées dans les vallées (Vézère, Corrèze, Dordogne), qui sont aussi les sites d'aménagements hydroélectriques (Dordogne surtout) et qui sont jalonnées par les principales villes (Brive-la-Gaillarde et Tulle). L'industrie est représentée par les constructions mécaniques et électriques, les produits alimentaires, l'armement.

2. En sous-groupes, et à l'aide d'une carte de France, localisez l'endroit où vous allez situer ce département imaginaire. Dites de quels autres départements réels il est entouré (exemple : le Lez-et-Gimone est situé entre l'Indre, le Cher, la Creuse et l'Allier).

3. Dressez la carte de ce département où devront figurer les agglomérations principales (auxquelles vous donnerez un nom) et le cadre naturel (montagnes, collines, vallées, plaines, fleuves et rivières, etc.). Choisissez une densité de population moyenne : moins de 40 habitants au km², de 40 à 100, plus de 100. Ces choix auront, bien sûr, des conséquences dont il faudra tenir compte ensuite.

5112

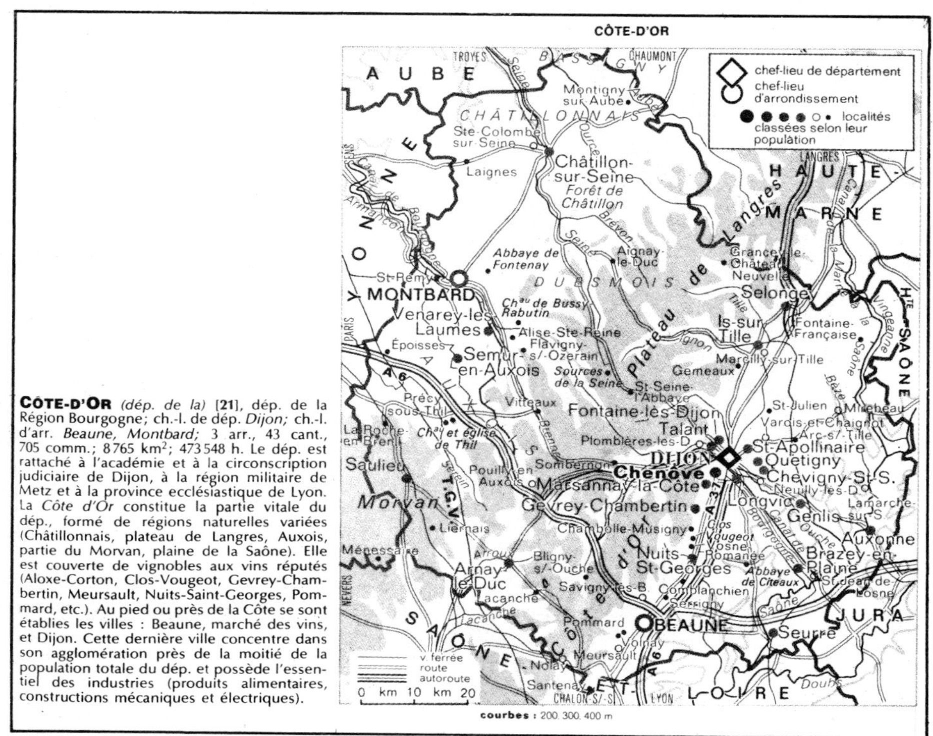

CÔTE-D'OR *(dép. de la)* **[21]**, dép. de la Région Bourgogne; ch.-l. de dép. *Dijon;* ch.-l. d'arr. *Beaune, Montbard;* 3 arr., 43 cant., 705 comm.; 8 765 km²; 473 548 h. Le dép. est rattaché à l'académie et à la circonscription judiciaire de Dijon, à la région militaire de Metz et à la province ecclésiastique de Lyon. La *Côte d'Or* constitue la partie vitale du dép., formé de régions naturelles variées (Châtillonnais, plateau de Langres, Auxois, partie du Morvan, plaine de la Saône). Elle est couverte de vignobles aux vins réputés (Aloxe-Corton, Clos-Vougeot, Gevrey-Chambertin, Meursault, Nuits-Saint-Georges, Pommard, etc.). Au pied ou près de la Côte se sont établies les villes : Beaune, marché des vins, et Dijon. Cette dernière ville concentre dans son agglomération près de la moitié de la population totale du dép. et possède l'essentiel des industries (produits alimentaires, constructions mécaniques et électriques).

4. A partir de ce cadre, imaginez :

a - le climat du département (par saisons, vents locaux, averses, brusques changements de temps...) ;
b - son peuplement (variation de la densité de population par canton) ;
c - son réseau de communications (routes, chemin de fer, canaux, etc.) ;
d - les paysages naturels (forêts, vignes, champs, vergers, etc.) ;
e - la production agricole (céréales, fruits, vins, légumes, viande, lait, etc.) ;
f - l'économie industrielle (métallurgie, construction mécanique, électrique, chimie, papier, etc.) qui peut être caractérisée par une certaine spécialisation (chaussures, voitures, vêtements). Déterminez l'implantation géographique de celle-ci ;
g - l'artisanat et, en particulier, l'artisanat d'art (poterie, tissage, céramique) ;
h - les ressources touristiques : monuments (églises, châteaux, villages), etc. ;
i - la vie culturelle (musée, bibliothèques, festivals) ;
j - la physionomie électorale : résultats des quatre ou cinq grands partis français, au niveau du département.

Pour construire ce territoire il faudra tenir compte, au fur et à mesure, des éléments déjà inventés. Par exemple, la localisation et la géographie vont exclure certains climats. Mais le climat peut, à son tour, exclure certaines cultures, etc.

ESPAGNAC-STE-EULALIE – Carte Michelin n° ⑲ - pli ⑨ – *Schéma p. 125* – 67 h.

Dans un pittoresque cadre de falaises, ce charmant village groupe ses maisons coiffées de clochetons et de toits pointus autour de l'ancien prieuré N.-D. du « Val-Paradis ».

Ancien prieuré Notre-Dame. — Fondé au 12e s. par le moine Bertrand de Grifeuille, de l'ordre des Augustins, rattaché à l'abbaye de la Couronne, le prieuré devint en 1212 couvent de chanoinesses augustines. Il prit une grande extension sous l'impulsion de son troisième fondateur, Aymeric Hébrard de St-Sulpice *(voir p. 82)*, évêque de Coïmbra. Le monastère déplacé en 1283, à l'abri des inondations du Célé, eut beaucoup à souffrir de la guerre de Cent Ans, qui vit le cloître détruit et l'église en partie démolie; reconstruit au 15e s., la vie religieuse put se poursuivre jusqu'à la Révolution.

Les bâtiments conventuels qui subsistent abritent l'école; le presbytère, à la décoration du 18e s., occupe les appartements de l'abbesse.

(D'après photo Arthaud, Grenoble).
Espagnac-Sainte-Eulalie

Église. — De style flamboyant, elle a remplacé un édifice du 13e s. dont il reste les murs de la nef, un portail et, en prolongement, les ruines des travées détruites lors des incendies du 15e s. L'extérieur offre la particularité d'un chevet pentagonal s'élevant de beaucoup au-dessus de la nef et, flanquée au Sud, d'une tour-clocher *(illustration ci-dessus)* surmontée d'une chambre carrée en colombage de bois et brique, coiffée d'un toit octogonal, en tuiles du Causse.

A l'intérieur trois tombeaux placés dans des enfeux et surmontés de gisants seraient ceux d'Aymeric Hébrard de St-Sulpice, mort en 1295, du chevalier Hugues de Cardaillac-Brengues enterré à Espagnac en 1342 et de sa femme Bernarde de Trian.

Le maître-autel à prédelle en bois doré du 17e s., est orné d'un retable du 18e s. encadrant une Assomption peinte d'après une œuvre de Simon Vouet.

5. Résumez cette construction sous la forme d'un petit texte à la manière des **documents 5111** et **5112**.

6. Reconstituez le plan d'une petite ville, donnez un nom aux rues les plus importantes.

7. Au moyen d'un dessin ou d'un collage, représentez la statue qui orne une de ses places.

8. Imaginez la plaque commémorative d'un grand homme né dans ce département et apposée dans une rue de la préfecture.

9. Imaginez une flamme d'oblitération pour un village et/ou un timbre qui représente un monument du territoire. Vous pourrez alors décrire celui-ci à la manière d'un guide (voir **document 5113**).

10. Sous forme d'une brève chronologie, inventez l'histoire de ce département.

11. A la manière des textes utilisés en **MATÉRIAUX 313**, donnez les résultats d'une élection cantonale récente et expliquez-les.

12. Complétez votre département d'autres détails qui vous paraissent intéressants.

Ce département que vous avez construit est votre dernière étape. Vous voilà arrivé au bout de votre voyage imaginaire à travers la France.
Pour en savoir plus, vous savez ce qui vous reste à faire... ■

6. CHRONOLOGIES

Ce livre n'est pas un traité de civilisation; il n'est pas non plus une histoire de France. Pourtant quelques grandes dates de la période contemporaine sont présentées ici à travers des chronologies courantes : celles de l'histoire telle qu'on l'enseigne à l'école élémentaire, celle du *Petit Larousse illustré* et celle d'un manuel de littérature. Certains de ces événements, en effet, sont évoqués dans les documents des autres sections. D'autres appartiennent déjà, ou pourraient appartenir, à l'histoire vécue : ils reflètent ainsi, à leur manière, des représentations du passé collectif.

Document 6001
Le Petit Larousse illustré, 1985.

— 1914-1918 : Première Guerre mondiale, dont la France — champ de bataille — sort grand vainqueur, mais très affaiblie (perte de 10 p. 100 de la population active et d'un sixième du revenu national).
— 1919 : traité de Versailles (28 juin), la France retrouve l'Alsace et la Lorraine. À la S. D. N., elle occupe la première place.
— 1919-1929 : politique extérieure de prestige contrecarrée par les alliés de la France face à l'Allemagne endettée. Politique intérieure marquée par l'inflation (stabilisation du franc en 1928) et l'accroissement de la dette publique. Montée du socialisme (création du parti communiste français, 1920) et constitution d'un cartel des gauches (1924-1926) auquel s'opposent des essais d'union nationale (Poincaré, Doumergue).
— 1929-1936 : la France touchée par la crise économique mondiale. Instabilité ministérielle. Scandales publics et émeutes (1933-34). Grandes grèves. Coalition de gauche — socialistes, radicaux, communistes —, opposée aux ligues de droite, qui conduit à la victoire du Front populaire.
— 1936-1938 : gouvernement de Front populaire (L. Blum); importante législation sociale. Menaces extérieures : fascisme, nazisme.
— 1938-39 : vers la Seconde Guerre mondiale (E. Daladier, P. Reynaud).
— 1939-40 : la « drôle de guerre » se termine par le désastre de mai-juin.
— 1940 : l'armistice (juin) et la constitution du régime de Vichy (Pétain) dans la France non occupée (juill.).
— 1940-1944 : appel de Londres du général de Gaulle (18 juin 1940), qui rassemble peu à peu autour de lui la « France libre », devient le coordinateur de la résistance à l'occupant et rallie l'Empire français.
— 1944 : la France libérée mais ruinée.
— 1945-1958 : la IVe République, que quitte très vite Charles de Gaulle, revient aux institutions de la IIIe République. Redressement économique, importante législation sociale, fondation de la Communauté européenne. Mais les problèmes de la décolonisation (Indochine, Algérie) et l'instabilité ministérielle minent le régime.
— 1958 : Charles de Gaulle rappelé au pouvoir. Mise en place de la Ve République, régime de type présidentiel.
— 1958-1968 : président de la République, de Gaulle redonne confiance au pays, qui amorce décidément sa grande mutation économique; mais le contentieux algérien (1959-1962) liquidé, une forte opposition de gauche se reconstitue (1963-1967). La crise de mai 1968 menace non seulement le régime mais les bases même d'une société qui ne peut satisfaire la jeunesse. Cependant de Gaulle reprend en main la situation.
— 1969 : démission (27 avr.) du général de Gaulle († 1970), à la suite de l'échec du référendum sur les Régions et le Sénat.
— 1969-1974 : Georges Pompidou, deuxième président de la Ve République, poursuit la politique de De Gaulle. Montée d'une opposition réunifiée (P. S., P. C., radicaux de gauche) autour de François Mitterrand.
— depuis 1974 : élu de justesse devant F. Mitterrand, Valéry Giscard d'Estaing, dont la politique est plus franchement européenne que celle de ses prédécesseurs, s'efforce de redonner confiance et unité à un pays politiquement coupé en deux; il doit compter avec les réticences des gaullistes de stricte obédience (R. P. R.) et avec une opposition de gauche, qui disposait depuis 1972 d'un « Programme commun de gouvernement », mais qui, divisée sur l'actualisation de ce dernier, a échoué lors des élections législatives de mars 1978.
— 1981 : l'élection de F. Mitterrand à la présidence de la République est un tournant dans l'histoire de la Ve République : d'importantes réformes sont aussitôt entreprises (abolition de la peine de mort, régionalisation, fiscalité, nationalisations de banques et de grands groupes industriels, etc.).
— 1983 : un plan de rigueur économique vise à réduire l'inflation et le déficit commercial.

LA FRANCE AU XIXe SIECLE

Les traits caractéristiques	Des repères significatifs		Vocabulaire actif	Innovations et mutations	Exemples de sujets d'étude
	Dates et durées	Evénements et personnages			
• La France accomplit sa révolution industrielle avec le développement du capitalisme ; interrelations étroites entre révolution scientifique et technique, révolution des transports et révolution industrielle . La France devient une démocratie à travers des mouvements révolutionnaires; la société se transforme progressivement vers plus d'égalité; naissance et, à la fin du siècle, début d'organisation du mouvement ouvrier . La France est une grande puissance en Europe et dans le Monde	• Juin 1830, les Trois Glorieuses introduisent à la monarchie constitutionnelle • Fév. 1848 : la Seconde République, et le suffrage universel masculin • 1852-1870 : le Second Empire (Napoléon III) correspond à une période de croissance économique, et s'achève dans la guerre contre la Prusse • mars-mai 1871 : Commune de Paris. . 1870-1871 : l'Alsace et une partie de la Lorraine sont annexées par l'Allemagne, elles ne seront recouvrées qu'en 1918. . 1875-1940 : la IIIe République . 1881-1882 : lois sur la liberté de la presse et sur l'école laïque, gratuite et obligatoire	• Conquête de l'Algérie (1830-1848) • Abolition de l'esclavage (Schoelcher, 1848) . Chateaubriand, Lamartine et Hugo, de grands poètes et des hommes politiques. . Louis Pasteur, et le développement de la médecine. . Achèvement du territoire français avec le rattachement de Nice et de la Savoie (1860) . Jules Ferry et l'Ecole . Jean Jaurès, le défenseur du mouvement ouvrier et l'homme de la paix . Marie Curie et les développements de la science	• Capital, main d'oeuvre • Capitalisme, socialisme, syndicat, grève. • Banque, crédit • Démocratie, suffrage universel • Métropole/colonie, échanges • Ecole publique et laïque, analphabète	• Dans le domaine scientifique et technique : - Premier tiers du siècle * chemin de fer (Stephenson, locomotive) * photographie (Niepce) - Vers 1850, fabrication de l'acier par de nouveaux procédés - Dernier quart du siècle * téléphone (Bell) * développement industriel de l'électricité (Edison) * automobile (Daimler et Benz) * vols aériens (Ader, Wright) - Les expositions universelles de Paris (Tour Eiffel)	• L'école • La vie ouvrière et le travail des enfants • Dans le milieu local et régional : - les transformation du monde agricole - le développement urbain - nouvelles industries fondées sur la science - les grands magasins - l'arrivée du chemin de fer - 1848 et la Seconde République
			. Dans le domaine artistique et littéraire : -le mouvement romantique en France et en Europe (poésie, musique, peinture) -les grands romanciers français : Balzac, Hugo, Zola.	-le mouvement impressionniste en peinture -les débuts du cinéma (1895-1914) . Dans la vie quotidienne : -le timbre-poste en France (1849)	-Constructions dans le milieu local : *immeubles type Haussmann *bâtiments publics à ossature métallique (Halles, gares) *Ecoles normales, écoles

LA FRANCE AU XXè SIECLE

Les traits caractéristiques	Des repères significatifs		Vocabulaire actif	Innovations et mutations	Exemples de sujets d'étude
	dates et durées	Evènements et personnages			
. 1914-1918 : le premier conflit mondial . L'entre-deux-querres la crise, les fascismes, le front populaire . 1939-45 : la seconde guerre mondiale, les rôles respectifs de l'URSS et des USA dans la victoire (en Europe et dans le pacifique) . Le nouvel ordre mondial issu de la seconde guerre mondiale, les blocs la décolonisation, le Tiers-Monde . Les transformations de la société française : 1945-1975 : d'une société encore rurale à une société urbaine . 1973 : le point de départ (mondial) d'une troisième révolution industrielle	. 11 novembre 1918 : l'armistice met fin à la première guerre mondiale . Septembre 1939 - mai 1945 : la deuxième guerre mondiale plus de 45 millions de morts . Juin 1940 - fin 1944 l'occupation allemande en France . Les guerres de décolonisation : - 1945-1954 : Indochine - 1954-1962 : Algérie . 1957 : la traité de Rome crée la communauté européenne . 1958 : De Gaulle et la Vè République	. Verdun . Le front populaire, les congés payés (1936) . Le débarquement le 6 juin 1944 . De Gaulle (1890-1970) - 1940-1947, la guerre, la libération - 1958-1969, le fondateur et premier Président de la Vè République . Le droit de vote des femmes (1945) . La crise du pétrole (1973)	. Occupation, résistance, collaboration, libération . Nazisme, racisme, antisémitisme . Chômage, congés payés, retraite . Bombe atomique . Tiers-Monde, pays développés, pays sous-développés	. Dans le domaine scientifique et technique - la radio, la télévision, l'informatique - la conquête de l'espace - les progrès de la médecine (antibiotiques, greffes, contraception....) - les matières plastiques - le T.G.V. . Dans le domaine artistique et littéraire : - musique contemporaine - Picasso - le Rock - le cinéma - la bande dessinée . Dans la vie quotidienne - l'électroménager - l'automobile - le téléphone - les constructions dans le milieu local: HLM, utilisation du verre, de l'aluminium de nouveaux matériaux	. Dans le milieu local - les transformations du paysage de..à.. - l'évolution du genre de vie de ... à ... - La Résistance et la Libération . 1950 à aujourd'hui - les transformations de la vie quotidienne (automobile, électroménager, loisirs. - les transformations dans les conditions de travail. . La naissance de l'Europe (CECA, Conseil de l'Europe, CEE, "Parlement européen"...)

Document
6004
B. Vercier, J. Lecarme,
La littérature en France depuis 1968,
Bordas.

Chronologie

1968

Janvier : Dubcek devient secrétaire général du P.C. tchécoslovaque. Début du « Printemps de Prague ».

Mai-Juin : France : agitation étudiante à Nanterre. Barricades au Quartier Latin. Grève générale. Accords de Grenelle entre le Gouvernement et les syndicats. Dissolution de l'Assemblée. Élections législatives : l'U.D.R. gaulliste obtient la majorité absolue. Couve de Murville remplace Georges Pompidou comme premier ministre.

Août : Intervention des troupes du Pacte de Varsovie en Tchécoslovaquie. Fin du « Printemps de Prague ». Début de la normalisation.

Octobre : Vote de la loi d'orientation de l'enseignement supérieur présentée par Edgar Faure.

1969

Avril : Échec du référendum sur la réforme des régions : le Général de Gaulle, président de la République, se démet de ses fonctions.

Juin Élections présidentielles : Georges Pompidou est élu président, Chaban-Delmas, nommé premier ministre et Giscard d'Estaing, ministre de l'Économie et des Finances.

Juillet : Les Américains Armstrong et Aldrin marchent sur la Lune.

Août : Le Franc est dévalué de 12,5 %.

1970

Avril : L'Assemblée vote la « loi anti-casseurs » contre l'agitation gauchiste.

Mai : Les directeurs de *La Cause du Peuple* sont condamnés à des peines de prison ; Jean-Paul Sartre s'en constitue directeur.

Novembre : Mort du Général de Gaulle.

1971

Mai : 343 femmes connues font paraître dans *Le Nouvel Observateur* un appel en faveur de l'avortement auquel elles déclarent avoir recouru.

Juin : Congrès d'Épinay : Le Parti Socialiste naît de la fusion de la S.F.I.O. et de la C.I.R. François Mitterrand est élu premier secrétaire.

Octobre : L'Europe des Six devient l'Europe des Neuf (Grande-Bretagne, Danemark, Irlande).
Création de *1789* à la Cartoucherie de Vincennes (Théâtre du Soleil).
Le Chagrin et la pitié, réalisé par la T.V., n'y est pas programmé ; succès considérable dans un cinéma du Quartier Latin.

1972

Mars : Obsèques de Pierre Overney, militant maoïste, abattu à la porte des usines Renault. 100 000 jeunes s'y retrouvent.

Mai : Le M.L.F. et le F.H.A.R. (Front homosexuel d'Action Révolutionnaire) défilent le matin du 1er mai, la C.G.T. l'après-midi.
Le Parti Communiste (Georges Marchais), le Parti Socialiste (François Mitterrand), les Radicaux de Gauche (Robert Fabre) signent le programme commun de gouvernement.

Juillet : Pierre Messmer remplace Chaban-Delmas comme premier ministre.

Novembre : Le procès de Bobigny (avortement d'une jeune fille de 17 ans) provoque des témoignages passionnés.

1973

Mars : Élections législatives : progrès de la Gauche (P.C. : 21 %, P.S. : 20 %), la Majorité (34 %) aidée des Réformateurs (12 %) n'est pas inquiétée.

Avril : Mort de Picasso.
Occupation des usines Lip à Besançon par des ouvriers autogestionnaires.

Août : Manifestation au Larzac contre l'extension du camp militaire.

Septembre : Au Chili, putsch militaire contre le gouvernement d'Union populaire. Mort violente de Salvador Allende.

Octobre : Offensive de la Syrie et de l'Égypte contre Israël (Guerre du Kippour). Crise de l'approvisionnement en pétrole de l'Europe.

Décembre : Hausses considérables du prix du pétrole brut.

1974

Janvier : Expulsé d'U.R.S.S., Soljenitsyne est accueilli à Francfort par l'écrivain allemand Heinrich Böll. Publication de *L'Archipel du Goulag*.

Avril : Mort du président Pompidou.
Mai : V. Giscard d'Estaing élu président de la République (50,81 %), contre François Mitterrand (49,19 %). Jacques Chirac, premier ministre.
Juin : L'âge légal de la majorité est abaissé à dix-huit ans.
Juillet : Mutineries et agitation dans les prisons.
Novembre : Vote de la loi sur l'interruption volontaire de grossesse.

1975

Avril : Chute de Pnom-Penh, puis de Saïgon, qui devient Ho Chi- Minh-ville.
Juin : Des prostituées occupent des églises pour protester contre la brutalité de la police.
Novembre : Mort du Général Franco.
Décembre : Le nombre des chômeurs en France dépasse le million.

1976

Février : 22e Congrès du P.C. qui abandonne le dogme de la dictature du prolétariat.
Avril : Grève générale des Universités contre la réforme du deuxième cycle.
Juillet : Exécution de Christian Ranucci.
Août : Démission de Jacques Chirac ; il est remplacé par Raymond Barre.
Septembre : Mort de Mao Tse-toung, qui suit celle de Chou En-laï.

1977

Janvier : Ouverture du centre Georges Pompidou (Beaubourg).
Mars : Élections municipales : trente-deux villes passent à la Gauche ; J. Chirac maire de Paris.
Avril : R. Barre propose le « Pacte national pour l'emploi ».
Septembre : Rupture de l'Union de la Gauche à propos de l'actualisation du programme commun.

1978

Mars : Élections législatives : la majorité obtient 290 sièges contre 201 à l'opposition de gauche.
Mai : Assassinat d'Aldo Moro, important homme politique italien, enlevé par les Brigades Rouges.
Juin : Attentat d'un groupe breton (F.L.B.) contre le Château de Versailles.

1979

Février : En Iran, après le départ du Chah, retour triomphal de l'ayatollah Khomeiny.
Juin : Élections européennes : recul de la Gauche, succès de la liste de Simone Veil (Majorité présidentielle).
Juillet : Le prix du pétrole augmente de 20 %.
Décembre : Intervention militaire de l'U.R.S.S. en Afghanistan.

1980

Mars : Marée noire en Bretagne.
Avril : Mort de Jean-Paul Sartre dont les obsèques sont l'occasion d'un grand rassemblement de la gauche.
Août : Grève des ouvriers de Gdansk, en Pologne. Formation du syndicat Solidarité.
Octobre : Attentat contre une synagogue, rue Copernic.

1981

Janvier : Entrée de la Grèce dans la C.E.E.
Condamnation de la veuve de Mao Tse-toung.
Mai : Élections présidentielles : Mitterrand élu (51,75 %) contre Giscard d'Estaing (48,24 %). Pierre Mauroy premier ministre. Dissolution de l'Assemblée.
Juin : Élections législatives : victoire du P.S. qui obtient la majorité absolue, recul du P.C. Entrée de ministres communistes au gouvernement.
Septembre : Réforme des régions, abolition de la peine de mort ; nationalisation de grands groupes bancaires ou industriels.
Octobre : Le nombre des chômeurs en France atteint deux millions. Assassinat du président égyptien Anouar el Sadate (venant après les attentats contre le président Reagan et le pape Jean-Paul II, gravement blessés en janvier et en avril).
Décembre : Le gouvernement polonais décrète « l'état de guerre » et réprime l'action de « Solidarité ».

La France et la France d'outre-mer

Imprimé en France par OBERTHUR - RENNES — Dépôt légal imprimeur nº 12131
Dépôt légal éditeur nº 1199-9-1985 - Collection nº 20 - Édition 01 - 15/4679/5